CW00538841

LA VIDA

y cómo sobrevivirla

ROBIN SKYNNER / JOHN CLEESE

LA VIDA

y cómo sobrevivirla

ALBA EDITORIAL, S.L.

Título original: *Life and how to survive it*,
publicado por primera vez en 1993 por
Methuen London, filial de Reed Consumer
Books Limited,
Michelin House, 81 Fulham Road, London
SW3 6RB
Traducido del inglés por Daniel Aguirre
© 1993 John Cleese y Robin Skynner
Todos los derechos reservados
© Ilustraciones 1993 Methuen London,
Viñetas de Bud Handelsman

© de esta edición: Alba Editorial, S.L.
Camps i Fabrés, 3-11, 4.º - 08006 Barcelona
Primera edición: enero 1999
ISBN: 84-88730-68-3
Depósito legal: B-5383-99
Diseño: Pepe Moll
Fotocomposición: Master-Graf, S.L.
Trilla, 8 - 08012 Barcelona
Impresión: Liberdúplex, S.L.
Constitución, 19 - 08014 Barcelona

Impreso en España

Queda rigurosamente prohibida, sin la autorización escrita de los titulares del Copyright, bajo las sanciones establecidas por las leyes, la reproducción parcial o total de esta obra por cualquier medio o procedimiento, comprendidos la reprografía y el tratamiento informático, y la distribución de ejemplares mediante alquiler o préstamo públicos.

Índice

Agradecimientos

Nos gustaría dar las gracias a los siguientes amigos y colegas por dedicarnos su tiempo para leer y comentar partes del manuscrito, o por proporcionarnos información y consejo; sin embargo, la responsabilidad por las opiniones que se expresan, y por cualquier error y omisión, siguen siendo completamente nuestras:

Douglas Bennett, Eddie Canfor-Dumas, Roger Clark, Cynthia Cleese, John Crook, James Crowden, Alyce Faye Eichelberger, Ron Eyre, Patrick Gaffney, Merete Gardiner, Peter Haynes, Alan Hutchinson, Iain Johnstone, Peter Kellner, Peter Luff, Jacob Needleman, Helena Norberg-Hodge, Josh Partridge, Philip Philipou, Monty Python, Sogyal Rinpoche, Win Roberts, Denis Robinson, Margaret Robinson, Becky Salter, Andy Sargent, Michael Shamberg, David Skynner, Jane Skynner, Prue Skynner, Ian Stevenson, Takeshi Tamura, Stephen Verney, Nick Wapshott, Tom Wilkinson, Charlotte Wood, John Wood e Irene Young.

Nos gustaría agradecer las valiosas aportaciones editoriales de Ann Mansbridge y David Watson y, en concreto, de Christopher Falkus, cuyas creativas sugerencias nos han sido una vez más sumamente útiles. Nos sentimos también muy agradecidos a June Ansell, Henrietta Williams, Melanie Bowker y Garry Scott-Irvine por la incansable labor de mecanografiar las conversaciones originales y los muchos borradores del texto.

También queremos dar las gracias al Hotel Mount Nelson, Capetown, por los servicios prestados.

Introducción

Cuando hace diez años escribimos *La familia y cómo sobrevivirla,* nuestra intención era que los aspectos psicológicos del funcionamiento y comportamiento de las familias resultasen comprensibles y accesibles; queríamos explicar por qué razón unas funcionan y otras fracasan y qué pueden hacer para inclinar la balanza a favor de una mayor felicidad y de un nivel de salud más alto. Tratamos de asuntos tales como la influencia que nuestro entorno familiar tiene no sólo en la elección de nuestra pareja, sino también en la perpetuación de dicho entorno, con todas sus características, buenas y malas, en las nuevas relaciones familiares. También tratamos de los tabúes en la familia y de las emociones reprimidas, y examinamos la naturaleza destructiva de los sentimientos que guardamos «detrás de una pantalla protectora» y que ni nosotros mismos somos capaces de reconocer. Explicamos cómo dichos sentimientos se pueden «proyectar» sobre otra persona, ya sea nuestra pareja o cualquier otro chivo expiatorio que encontremos en el seno de la familia, que de esa manera adquiere y representa automáticamente la emoción prohibida que nosotros rechazamos inconscientemente en nosotros mismos. También exploramos la constitución de nuestra propia personalidad: el niño que todos llevamos dentro y que, de dominarnos, puede colocarnos en esa perspectiva distorsionada desde la cual vemos el mundo tan sólo en función de nosotros mismos y de nuestras necesidades; y el aspecto «paternal», que, al negar nuestra parte infantil, puede deformar nuestras relaciones de manera igualmente dañina.

Estas ideas tuvieron una buena acogida, hasta tal punto que, para nuestra satisfacción, *La familia y cómo sobrevivirla* ha llegado prácticamente a constituirse en libro de texto, tanto en el ámbito de las profesiones relacionadas con la salud mental como en el del público no profesional al que iba dirigido. LA VIDA Y CÓMO SOBREVIVIRLA continúa con el estudio. Comienza por concentrarse en los factores que contribuyen a la salud del individuo y de la familia, y va más allá de la observación clínica para incluir las investigaciones más recientes y menos conocidas de las que ahora disponemos acerca de las familias excepcionalmente sanas. A continuación, amplía y desarrolla dichas ideas fuera del contexto familiar, por lo que analiza nuestro comportamiento en el trabajo; el comportamiento de empresas y organizaciones; y la conducta de sociedades y grupos sociales. Es más, se ocupa de los valores seculares y espirituales a través de los cuales nos relacionamos los unos con los otros y con el mundo. Es un libro que trata sobre la salud mental de los individuos y de los grupos de mayor o menor escala.

Por otro lado, en las «Apostillas» situadas entre las secciones principales estudiamos temas afines, inclusive la conexión existente entre la salud en relación con el humor y la risa; las cambiantes relaciones familiares, ahora que tanto mujeres como hombres disponen de trabajo; el fundamento de la división cada vez más grande entre ricos y pobres, y el lugar de la muerte en la vida.

La familia y cómo sobrevivirla y LA VIDA Y CÓMO SOBREVIVIRLA son dos partes de un mismo proyecto en el que empezamos a trabajar en la primavera de 1980. Nuestro deseo era que el gran público tuviese a su disposición, de una forma que resultase fácil de digerir, aquellos aspectos del conocimiento psicológico que nosotros mismos consideramos de mayor ayuda para hacer la vida algo más comprensible, significativa y agradable. Si bien sabemos que no se puede afirmar nada definitivo ante un abanico de ideas tan amplio, llegados a este punto nos parece que dichas ideas encajan, al menos, lo bastante bien como para aclarar muchas cuestiones y suscitar algún tipo de discusión. De ahí que ofrezcamos este libro, al igual que lo hicimos con anterioridad en el caso de *La familia y cómo sobrevivirla*, como parte de un proceso continuo de exploración que deseamos que otras personas se sientan interesadas en compartir. Esperamos con gran ilusión las discusiones que este libro pueda provocar, y aunque no confiamos en poder ponernos en contacto con todas las personas que se unan a nosotros, ya hemos comenzado a organizar la coordinación de las reacciones que se reciban con la intención de escribir en última instancia una versión mejorada. En cualquier caso, esperamos que muchos lectores compartan parte del placer que hemos sentido en nuestra búsqueda de una mejor comprensión de estos asuntos.

I

¿A quién le apetece sentirse sano?

John: Cuando estábamos escribiendo *La familia y cómo sobrevivirla,* mencionaste en varias ocasiones una investigación que se había realizado entre familias con una salud mental insólita.

Robin: Es cierto. Se trata de familias realmente excepcionales. Por decirlo de alguna manera, los ganadores de la medalla de oro olímpica.

John: Es curioso, porque nunca he oído a nadie hablar sobre esto.

Robin: Sí, es cierto, casi nunca se alude a ello.

John: Cabría esperar que los psiquiatras lo comentaran, pero no lo hacen. Aunque, claro, lo extraño de la psiquiatría es que se basa completamente en el estudio de personas a quienes *no les va* muy bien: gente con «problemas». Es decir, si uno quisiera escribir un método sobre pintura, ajedrez o sobre cómo llegar a ser un buen director de empresa, comenzaría por estudiar a aquellas personas a las que se les dan bien dichas actividades. Uno no podría esperar alcanzar un buen número de ventas con un libro titulado: *Juegue al golf de competición aprendiendo los secretos de los veinte peores jugadores del mundo.*

Robin: Es verdad. Los médicos, al menos, sí que estudian las funciones físicas normales –anatomía, fisiología– antes de ir al hospital para estudiar las enfermedades. Pero los psiquiatras parecen estar interesados casi por completo en las personas anormales.

John: Tal vez los psiquiatras rehúyen el tema de la gente que es por naturaleza muy sana porque sienten tanta envidia como nosotros, la gente corriente, de fulano y mengano, que son personas muy afortunadas. De todas formas, ¿por qué conoces *tú* esta investigación?

Robin: Lo que me impulsó a dedicarme a la psiquiatría fue el interés que sentía por la *salud* mental y no por las enfermedades mentales.

John: ¿Por qué crees que tomaste esa decisión?

Robin: Por lo que puedo recordar, entonces tenía la sensación de que no entendía al resto de la gente. Con frecuencia su comportamiento no tenía ningún sentido para mí, y en un principio, llegué a creer que ello se debía a que había algo que no funcionaba en mi persona, a que *yo* no era normal. De manera que empecé a sentir curiosidad por saber en qué consistía la verdadera «normalidad».

John: ¿Quieres decir que, al igual que la mayoría de nosotros cuando somos jóvenes, compartías la opinión de que la mayoría de la gente es normal en el sentido de que es madura y racional y además se sabe adaptar bien y goza de equilibrio emocional?

Robin: Sí, pero pronto me di cuenta de que lo que acabas de describir como normal no era ni mucho menos «normal», en el sentido de «común». Así que, cuando comenzó mi educación académica, me puse a buscar información acerca de personas que estuviesen realmente sanas mentalmente y me sorprendí al descubrir que este tema había sido pasado por alto casi por completo. No obstante, al cabo de bastante tiempo, descubrí la existencia de dos proyectos significativos en Estados Unidos que habían tenido éxito: uno en Timberlawn, Dallas, adonde he ido en varias ocasiones, y otro que se había dedicado a estudiar durante un largo período, a un grupo de licenciados de Harvard, considerados mentalmente sanos.

John: ¿Cómo es la información: sorprendente, obvia...?

Robin: Es una combinación de varias cosas. Como es natural, cuanto más familiarizado estás con ella, mejor encaja. Con todo, en un principio algunas cosas suenan incluso un poco chocantes.

John: ¿De veras? Bueno..., para comenzar, ¿puedes establecer un principio general sobre el que se fundamente un comportamiento inusitadamente sano?

Robin: En realidad, eso es bastante difícil de hacer. De hecho, el título del primer libro sobre la investigación de Timberlawn es: *No Single Thread* (*Ni un solo* *nexo*), debido a que los investigadores no fueron capaces de hallar una forma sencilla de expresar lo que unía todos los resultados obtenidos sobre estas familias. De manera que vamos a tener que considerar los diferentes aspectos uno por uno. Además, lo que te pueda decir no es más que *mi* intento por organizar todo lo que he aprendido a partir de fuentes muy diversas; no sólo de las investigaciones, sino de los casi cuarenta años de trabajo que llevo contribuyendo a que la salud de individuos y familias mejore. Esto por un lado. Por otro, lo que he aprendido de la experiencia y de las discusiones que he tenido con mis colegas y amigos, con la familia en la que crecí y con la familia de la que he formado parte como padre. Luego está, desde luego, lo que yo mismo he comprendido como resultado de mi propio esfuerzo por tener una salud mejor.

John: Y bien, ¿cuál es este secreto tan bien guardado?

Robin: Quiero añadir una cosa más antes de abordar ese tema. Se trata de lo siguiente: al intentar describir un tipo de salud mental excelente y al compararla con una salud mala y con una salud «corriente», que se encontraría en medio, y es de la que disfrutamos la mayoría de nosotros normalmente... resulta difícil no hablar de dichas cosas como si estuvieran diferenciadas y fueran propias de personas distintas. Sin embargo, nuestro nivel de salud está cambiando continuamente. Todos nos sentimos más sanos en los mejores momentos, cuando estamos de «buen humor», cuando las cosas van bien, cuando nos sentimos queridos y valorados, cuando hemos dado lo mejor de nosotros mismos. En cambio, nos sentimos menos sanos cuando estamos tensos, cuando nuestras fuentes de apoyo desaparecen, cuando no estamos «a la altura de las circunstancias», cuando nos «levantamos de la cama con el pie izquierdo». Además, nuestro nivel de salud no es el mismo en todas las áreas de nuestros quehaceres. Una persona que sea «corriente» en su conjunto puede ser notablemente sana en algunos aspectos, aunque su actividad deje que desear en otros.

John: Y obviamente el nivel global también puede cambiar con el tiempo. Si no, te quedarías sin trabajo.

Robin: Supongo que, tal y como me ocurrió a mí cuando entré en la profesión, de ahí vendrá tu interés en el tema. ¡A ti te gustaría saber *cómo* se mejora la salud!

John: Has dado en el clavo, compañero. Estoy deseando saberlo. Así que si has terminado con todas las condiciones, precisiones, modificaciones y precauciones... por favor háblame de las personas y familias más sanas. ¿Qué es lo que más llama la atención de estas personas?

Robin: Estas familias tan excepcionalmente sanas tienen una actitud muy positiva ante la vida y las otras personas. Por lo general, dan la impresión de estar pasándoselo bien, de estar disfrutando los unos con los otros y, sobre todo, de que son amistosas y se abren a las personas de su entorno.

John: Esta afirmación va a defraudar a la prensa británica. De manera que es gente maja.

Robin: Son personas muy majas. En una de mis visitas a Timberlawn entré a formar parte del equipo de investigación, ocupándome de estudiar unas cintas de vídeo sobre familias que mostraban diferentes niveles de salud. Luego tenía que clasificarlas, compararlas y puntuarlas. Como es lógico, los investigadores no podían decirme cuál era la familia que ellos consideraban más sana, porque eso me habría predispuesto y habría echado a perder los resultados. Con todo, las diferencias eran muy obvias. La experiencia se repitió en ciertas familias sanas que unos colegas estaban estudiando, aquí en Inglaterra. Siempre que veía las cintas de vídeo, me ponía a pensar en lo agradable que resultaría ser su vecino. Uno no puede evitar corresponder con unos sentimientos efusivos y

amistosos a la manera que tienen de comportarse. Además, el estudio muestra que de hecho las comunidades a las que pertenecen las tienen en gran estima.

John: ¿Significa esto que se las puede timar fácilmente? Es decir, el mundo puede llegar a ser un lugar muy duro. La franqueza excesiva o ser demasiado optimista acerca de las personas puede ser una postura poco realista.

Robin: Optimista no es exactamente la palabra adecuada, ya que un optimista, o un pesimista, es un individuo que ve el mundo de manera parcial. En cambio, uno de los baremos para «medir» la salud es saber hasta qué punto la gente ve el mundo tal y como es, sin necesidad de deformarlo para que se ajuste a sus ilusiones. Los miembros de las familias sanas son, de hecho, muy realistas. Saben que la gente puede ser mala y buena, de manera que no se los engaña con tanta facilidad. Con todo, aceptan a las personas tal y como son, están a las duras y a las maduras. Además, por lo general, suelen dar el beneficio de la duda a aquellas personas que, en un primer momento, parecen antipáticas. Se abren a los extraños de manera franca y acogedora, y si no se les corresponde afectuosamente, no dan marcha atrás inmediatamente.

John: Así que, si el vecino que al parecer resulta poco amable, es tan sólo un poco *tímido*, o ha sufrido unas experiencias negativas en el pasado y se está comportando con una prudencia algo excesiva, lo más probable es que esa timidez o cautela se supere al mostrarle una actitud amistosa.

Robin: Sí. De ese modo, el comportamiento de estas familias consigue que todo el mundo dé lo mejor de sí mismo y, como resultado, los demás les corresponden de manera positiva.

John: Pero, ¿qué tiene eso de particular? Todos sabemos que si abordamos a alguien con buenas maneras, es mucho más probable que se nos corresponda de modo agradable. A eso se le llama, «cómo hacer amigos e influir en la gente».

Robin: Eso es cierto, pero lo importante de esto no es que las personas sanas hagan algo totalmente diferente, sino que sean capaces de hacerlo bien y ser consecuentes. Lo insólito en ellas es la medida en que pueden llegar a ser abiertas y amables, y lo *natural* que les resulta comportarse de esta manera.

John: ¿Quieres decir que no ponen un empeño especial en ser amables y educadas?

Robin: Efectivamente, no parece que les suponga ningún esfuerzo. No den la impresión de que lo suyo sea una «representación» dirigida a obtener una recompensa, como la que se tiene con la gente que ha asistido a cursos de preparación de Dale Carnegie[1] o con la que es «religiosa» en tanto procuran ser buenas personas ciñéndose a las normas, siguiéndolas al pie de la letra. La gente realmente sana no se comporta como si estuviese regalando buena voluntad con la esperanza de que se le devuelva; aunque, claro, *sí* que se les acaba devolviendo. Digamos, en otras palabras, que tienen tal abundancia de bienestar y alegría que pueden permitirse el lujo de ser generosos, al igual que las personas muy ricas entregan grandes sumas de dinero a sociedades benéficas, a sabiendas de que siempre tendrán lo suficiente para sí mismas, por lo que pueden repartir parte de ese dinero. Se podría definir como una «filosofía de la abundancia».

John: Está claro que la razón de ser de una gran parte de ese «buen comportamiento» estriba en que deseamos conseguir y mantener la aprobación del resto de la gente. Parece como si estas personas se sintieran tan bien que no tuvieran que procurarse la aprobación de los demás: su amistad no es manipuladora.

Robin: No, parece más espontánea que otra cosa. Se alegran si obtienen la aprobación de los demás, como es lógico, pero no se proponen conseguirla.

John: Entonces, ¿qué tiene que ver este comportamiento tan abierto, espontáneo y amistoso con lo que hacemos los demás?

Robin: Bien, para empezar tomemos el peor de los casos. En las familias menos sanas, las relaciones con las otras personas suelen ser realmente malas. Mi experiencia –y la mayoría de los psiquiatras que tienen interés por saber qué hay debajo de la superficie y no dan por supuesto todo lo que se les dice, estarían de acuerdo– me dice que allí donde uno o dos miembros de la familia están enfermos en el sentido psicológico del término, toda la familia acaba por tener un alto nivel de sentimientos negativos, tanto los unos para con los otros como para con los de fuera del entorno familiar.

John: ¿Dónde queda entonces la gente «corriente»? Es decir, la gente como nosotros, ¿verdad?

Robin: Sí, desde luego. Bien, si aceptamos que las familias «corrientes» forman esa gran mayoría que ocupa la mitad de la escala, en contraposición a esos

1. Dale Carnegie. Escuela de psicología estadounidense que basa su tratamiento en actitudes positivas y optimistas. *(N. del T.)*

pequeños grupos que se encuentran en los extremos «muy sano» y «muy poco sano», no hallamos los sentimientos negativos extremos que acabo de describir, *a excepción* acaso de aquellas situaciones *poco frecuentes* de tensión nerviosa o de provocación inusitadas. Pero uno tampoco observa las actitudes extraordinariamente positivas de las familias más sanas, a pesar de que las familias normales puedan reaccionar de dicha manera a veces, cuando se encuentran de buen humor, o en un día concreto en el que las cosas van bien, o cuando están a la altura de las circunstancias en un caso de emergencia.

John: ¿Eso qué significa? ¿Cómo son las familias de tipo medio?

Robin: Su actitud respecto a la naturaleza humana es *fundamentalmente* un tanto recelosa, aunque, como es natural, esto se disimula con cuidado. Con todo, debajo de esa expresión externa de cortesía subyace casi siempre una actitud bastante cauta, vigilante y calculadora. Es como si tuviéramos la sensación de que la provisión de cosas buenas es bastante limitada, por lo que tenemos que estar ojo avizor para asegurarnos de que nadie se lleve nuestra parte. Tiene mucho que ver con la actitud de «cuánto me corresponde», incluso en la relación con la esposa o con un hijo, y no digamos cuando se trata de un vecino o un extraño. Se tiene un concepto de las relaciones parecido al de los acuerdos comerciales, en los que las personas involucradas tienen mucho cuidado de llevarse exactamente tanto como lo que invierten, incluso con la esperanza de hacerse con un poquito más, de llevarse un beneficio.

John: Sí, bueno, no es algo que pueda admitir con mucho agrado, pero he empezado a darme cuenta de que así es como funciono casi todas las veces, a menos que me encuentre de muy buen humor. La mayoría de los días procuro ser razonablemente amable, pero si no obtengo una reacción positiva con la presteza suficiente, se me quitan las ganas de seguir siendo «agradable». Dejo de prestar atención y mantengo un mínimo de cortesía. Por otro lado, como tú has explicado, cuando me siento muy agobiado, noto que me vuelvo muy práctico en mis relaciones personales: «Yo he hecho esto, eso y lo de más allá, ¿tú qué has hecho?». Aun así, me figuro que estas actitudes se transmiten de generación en generación. La mayoría de las personas que conozco recuerdan que sus padres les decían: «Después de todo lo que yo he hecho por ti...» o «Valorarás lo que he hecho por ti cuando ya no esté...». Sin embargo, lo que tú estás diciendo es que las familias realmente sanas no hacen nada de esto.

Robin: Por lo visto, no llevan la cuenta de nada, no pasan factura ni revisan los «libros de cuentas emocionales» para luego hacer balance. Como he dicho, se comportan como si tuvieran tal abundancia de buena voluntad y de alegría que

pueden prodigar la que quieran, y todo porque les apetece hacerlo, sin ningún tipo de cálculo.

John: Así que... ésa es la primera característica de las familias sumamente sanas. ¿Cuál es la segunda?

Robin: El segundo rasgo de importancia resulta mucho más sorprendente. Recuerdo que la primera vez que leí algo al respecto, me llevé una gran impresión y tardé tiempo en hacerme a la idea. El «amor» que estas familias prodigan es bastante diferente de lo que el resto de nosotros entendemos por ese término.

John: ¿En qué sentido?

Robin: Bueno, uno de los significados de «amor» es el deseo de proximidad. Pero por proximidad podemos entender dos cosas diferentes. Puede significar bien disfrute de la intimidad o bien dependencia, un sentimiento de apego tal a otra persona, que nos resulte muy difícil prescindir de ella. De hecho, para ciertas personas puede significar incluso una necesidad enorme y continuada, un aferrarse el uno al otro, sufrimiento muy grande en la ausencia de la otra persona que, desde luego, da pie a celos y a un sentimiento de posesión.

John: Entonces, ¿qué es lo sorprendente del «amor» de las familias sanas?

Robin: Supone proximidad y distancia. Son capaces de sentir un gran cariño y de disfrutar de su intimidad. Pero se sienten autosuficientes, seguros de sí mismos y libres, por lo que no se necesitan el uno al otro de una forma desesperada. Cuando están separados, pueden arreglárselas perfectamente. De hecho, ¡pueden pasárselo la mar de bien!

John: ¿No se echan de menos el uno al otro?

Robin: Bueno, todo depende de lo que entiendas por «echar de menos». Sin lugar a dudas recuerdan a su pareja con cariño y les resulta agradable pensar en ella, les reconfortan los sentimientos que esos recuerdos despiertan. Pero no se «echan de menos« en el sentido de sentirse desgraciados, de verse incapaces de disfrutar de las otras cosas buenas de las que disponen en su entorno en ese momento.

John: Entonces, ¿hasta qué punto son independientes emocionalmente, si por ello entendemos que no se «necesitan» el uno al otro?

Robin: La felicidad que la relación depara es un lujo, un «plus», de manera que el resto de sus vidas no se echa a perder por el miedo a que pueda salir mal, por la preocupación de saber cómo se las apañarían si perdiesen a su pareja. Además, como es lógico, cuanto más disfrutas de la vida y más seguridad tienes en ti mismo cuando estás a solas, más interés cobra tu persona y más puedes compartir cuando te reúnes con tu pareja.

John: Por otro lado, si dos personas *son* independientes emocionalmente,

cuando estén *juntas* no se sentirán constreñidas por las necesidades o exigencias de cada uno; no habrán de tener prudencia con lo que digan o hagan por miedo a amenazar dichas exigencias y, en consecuencia, sentirán mayor libertad para ser ellos mismos.

Robin: Y eso equivale a darles a los demás miembros de la familia el espacio suficiente para sus cosas. De ese modo no tienen que comportarse como el perro que da vueltas alrededor de la mesa ansioso por no perderse ni un bocado.

John: Claro. Entonces, ¿qué efecto tiene esto en la intimidad?

Robin: Bueno, por el mero hecho de que *pueden* estar a su aire cuando les apetece, sin que la persona amada se les pegue o los haga sentirse culpables, no se sienten inseguros cuando se dan situaciones de gran intimidad o proximidad.

John: Es decir, no sienten ningún temor ante la posibilidad de que, si se sienten muy unidos, no puedan después volver a separarse y recuperar su independencia.

Robin: Efectivamente. Al principio parece una paradoja, pero en realidad resulta evidente que cuanta más «autonomía» pones en un platillo de la balanza, más «unión» puedes poner en el otro.

John: Mientras que cuanto más «necesitas» a los demás, mayor tiene que ser tu control sobre ellos.

Robin: Es algo inevitable. Por el contrario, cuanta más confianza tienes en tu capacidad para arreglártelas solo, menos necesidad hay de controlar a tu pareja. ¡Podéis disfrutar juntos en vez de sentiros desvalidos y preocupados por la perspectiva de que no se os dé lo que queráis! Además, el hecho de que disfrutéis os servirá de apoyo y os dará confianza cuando estéis separados. En definitiva, una espiral ascendente en vez de una descendente, o lo que es lo mismo, un «círculo vicioso» basado en una dependencia pegajosa.

John: ¿Podrías explicarme más detalladamente en qué consiste esta espiral de la dependencia?

Robin: Bien, cuando una relación está basada en una necesidad angustiosa, las dos personas intentan aferrarse la una a la otra mostrando que no pueden estar sin la compañía de la pareja. Para que esto resulte convincente, no debe parecer que se lo pasan demasiado bien cuando están separados. Por consiguiente, empiezan a renunciar cada vez más a sus intereses y amigos propios, lo cual *hace* cada vez mayor su sensación de indefensión y desamparo.

John: ¿Entonces, la renuncia a sus actividades personales los paraliza cada vez más?

Robin: Sí, y la relación se vuelve más y más aburrida y limitada.

John: Recuerdo que la primera vez que oí hablar sobre esta idea de la independencia emocional fue en 1975, cuando comencé a formar parte de tu grupo, y que me sentí..., bueno, aterrado al ver que el hecho de necesitar a alguien desesperadamente no se considerara la piedra de toque del verdadero amor.

Robin: ¿Recuerdas qué fue lo que te aterró?

John: Bien, en primer lugar, la equiparación entre verdadero amor y profunda necesidad emocional me parecía casi sagrada. Me sentía muy ligado a la idea. Y eso que se trataba de algo que a mí no me habían enseñado jamás, que no me habían explicado nunca. Formaba parte de los condicionamientos que había heredado de mi educación inglesa de clase media-baja. Por otro lado, la alternativa, la actitud que comportaba una mayor independencia y seguridad en uno mismo con respecto a las emociones, se me antojaba verdaderamente cruel. ¡No tenía nada que ver con el amor!

Robin: A eso me refería cuando he dicho que algunas de estas cosas resultan chocantes. Ésa es la impresión que tuve cuando leí el primer estudio sobre personas con una salud excepcional que me vino a las manos, cuando aún era estudiante, hace treinta y cinco años. Para ilustrar la idea, el artículo mencionaba que cuando el esposo o la esposa de una de estas familias moría, aunque la otra persona lloraba profundamente su muerte durante un tiempo, acababa recuperándose sin mayor problema..., y acababa por tener nuevas relaciones y por proseguir su vida sin demasiadas dificultades. Recuerdo que pensar en ello me resultaba doloroso, me hacía sentir escalofríos, y aunque tenía la impresión de que debía de ser verdad, me costó mucho tiempo hacerme a la idea de que se trataba de algo realmente saludable.

John: Viene a debilitar la idea del amor romántico, ¿no es así? «Estamos hechos el uno para el otro», «daría la vida por ti», «eres la única persona en el mundo para mí», todo ese tipo de cosas.

Robin: Sí. Algunas parejas que están en terapia se resisten con amargura, durante años incluso, a la idea de que sea posible ser personas realmente independientes *y al mismo tiempo* estar profundamente unidas la una a la otra, ya que les resulta muy difícil admitir que ambos aspectos puedan combinarse.

John: Y entonces, ¿qué consecuencias tiene la «independencia emocional» en la fidelidad? ¿Se «enredan» con más frecuencia las personas que se necesitan menos?

Robin: Mi experiencia me dice que las parejas más sanas son las que, por propia voluntad, se comprometen más. No flirtean porque no quieren, entre otras cosas porque saben que *si quisieran podrían hacerlo.* Cuando le preguntaron a Paul Newman el porqué de su fidelidad a su mujer, Joanne Woodward, contestó: «¿Por qué habría de salir para comerme una hamburguesa si tengo un buen filete en casa?». Las conclusiones a que han llegado los investigadores confirman esta idea: muestran la existencia de un patrón de fidelidad conyugal duradera en las parejas más sanas...

John: ¿Ah, sí?

Robin: ...Lo cual contrasta con una estimación del año 1992 acerca de la infidelidad en la población británica –la mayor parte de la cual es del tipo «corriente»–; es decir, de al menos un 40 por ciento entre las mujeres y un 75 por ciento entre los hombres.

John: Ya sé que consideras que la fidelidad es importante. Pero ¿por qué? ¿Es debido a que la infidelidad lleva inevitablemente a la mentira, con lo cual se acaba por desequilibrar la confianza y la intimidad?

Robin: Mentir implica que uno no puede ser natural, no puede ser uno mismo por completo. Como es obvio, esto impide la existencia de una verdadera inti-

midad. La consecuencia de que una persona sea realmente sana es que responde de una manera franca ante la atracción que pueda sentir por otras personas. Como no se trata de alguien posesivo ni absorbente, el hecho de que una persona se sienta «excitada» por alguien del sexo opuesto que no sea su pareja no tiene por qué causar problemas. De hecho, cabría suponer más bien que esta circunstancia mejoraría su relación, haría que las dos personas se fijasen más la una en la otra y se sintieran más atraídas. Una cuestión diferente es tener relaciones sexuales con otra persona, ya que esto impide que ambas relaciones se desarrollen por completo. Es *posible* conducir dos motocicletas a un mismo tiempo –es algo que vemos en el circo a veces–, pero resulta difícil conducirlas tan bien o tan a gusto como cuando se conduce sólo una. De manera que hay más posibilidades de que una pareja tome una decisión, no a raíz de un sentimiento de culpa o de miedo ante la reacción de la otra persona, sino porque la relación existente es realmente rica y hay un deseo de conservarla y de enriquecerla más si cabe.

John: Interesante. Bueno, no voy a discutir las ventajas de la dependencia emocional, ya que tu punto de vista me parece tan sumamente convincente que ahora sólo consigo ver la enorme desdicha que la idealización de la dependencia acarrea. Tomemos por ejemplo las grandes historias de amor: *Romeo y Julieta, La Traviata, Ana Karenina, Carmen, Antonio y Cleopatra, Aida, El doctor Zhivago, Tristán e Isolda, Breve encuentro.* Si se las mencionas a cualquier persona, ésta te pone una expresión soñadora y beatífica y suelta:

«Oh, son maravillosas, ¿no te parece? Son tan románticas...». Pues bien, *no* son tan maravillosas. Son historias de una tristeza prácticamente absoluta. En ninguna de ellas hay diez minutos de verdadera felicidad y diversión. Generalmente, a los amantes se les da su pequeña ración de arrobamiento y, por lo demás, su sufrimiento es continuo. Los apuñalan, los sepultan en tumbas o se arrojan a las vías del tren o, si no, se suicidan, se envenenan con un áspid, mueren de tuberculosis o renuncian agónicamente el uno al otro. Están convencidos de que sólo pueden encontrar la felicidad con una única persona, a la que eligen por lo inasequible que es. Así que, señor doctor, ¿por qué piensas que toda esta dependencia y el sufrimiento que conlleva se suele equiparar al verdadero amor?

Robin: Bien, al fin y al cabo, el primer amor que sentimos, el que sentimos por nuestras madres, *es* de ese tipo. En el comienzo de nuestras vidas somos completamente dependientes, tanto es así que si nuestra madre no está cerca de nosotros cuando la necesitamos, lo pasamos realmente mal. Está claro que siempre va a hacernos falta tener amor y apoyo, pero si no conseguimos superar esta clase de exigencia infantil, acabaremos tratando de igual forma a las personas que amemos en el futuro, haremos que se preocupen de nosotros como si fueran nuestros padres y nos sentiremos amenazados cuando no lo hagan.

John: Esta clase de amor nos hace sentirnos «especiales», ¿no es así?, a la manera de los bebés, que reciben una atención exclusiva. Sin embargo, las familias realmente sanas no creen que el sufrimiento añada nada significativo a sus vidas.

Robin: No, no lo creen. Al no sentirse tan necesitados, cuando dichas exigencias infantiles no son satisfechas no tienen por qué justificarlas sufriendo lo indecible.

John: Permíteme que te pregunte algo que siempre me ha parecido un enorme misterio. Incluso las personas más sanas necesitan de vez en cuando algún tipo de apoyo emocional para superar un período especialmente difícil. Si son personas sanas, no tienen por qué tener ningún problema a la hora de pedir ayuda cuando realmente la necesiten, como tampoco lo tendrá su compañero o compañera, siendo una persona sana, a la hora de dársela. Entonces, ¿cuál es la diferencia entre esta relación y la de la gente «absorbente»?

Robin: Si son sanos, las dos personas pueden pedir ayuda francamente cuando la necesiten y aceptar de buen grado una negativa cuando el compañero o compañera no pueda ofrecerla. La relación no está basada en actitudes fingidas y fantasiosas. No hay lugar para el conflicto –como lo hay en el caso de las personas menos sanas– del tipo que se ocasiona cuando cada parte intenta manipular a la otra para que satisfaga sus exigencias respectivas y, al mismo tiempo, no se siente obligada a corresponder porque considera que es la parte que anda más necesitada. En la mayoría de los casos, las personas sanas son capaces de conseguir dicho apoyo y de corresponderlo siempre que haga falta. Ésa es precisamente la razón por la que no tienen que pegarse a su compañero y mostrar una insistencia desesperada para que se satisfagan sus exigencias.

John: ¿De ahí que suelan reponerse de la muerte del compañero y vuelvan a casarse con mayor rapidez que la gente menos sana?

Robin: Así es, fundamentalmente. No obstante, aquí entran en juego varios factores. En primer lugar, al ser personas tan cariñosas y simpáticas, tienen un círculo de amigos muy amplio, un sistema de apoyo emocional fuerte, de tal suerte que no experimentan la sensación de que sus vínculos afectivos han sido cortados y de encontrarse repentinamente abandonados. En segundo lugar, lo más probable es que la aflicción que padezcan se deba más a un sentimiento de condolencia hacia el compañero que a la preocupación por sí mismos, habida cuenta de que ya sienten la tranquilidad de que se pueden arreglar solos.

John: Sí, pero sentirán una pena si cabe más profunda por el mero hecho de que la relación ha sido excepcionalmente feliz.

Robin: Bueno, aquí nos encontramos con una curiosa paradoja. Con frecuencia, es más fácil aceptar la pérdida de la pareja o el final de una experiencia que ha resultado muy dichosa que recuperarse de una que ha sido insatisfactoria.

John: ¡Ah! Ya veo lo que quieres decir. A veces se me ha antojado difícil acabar una relación que no ha llegado a funcionar realmente porque... me parecía haberme sentido con la obligación de volver a empezar una y otra vez con el único objetivo de probar que sí podía funcionar.

Robin: Efectivamente. Sin embargo, si ha ido bien y te sientes feliz y realizado, aunque sólo sea pensando en ello, resulta más sencillo aceptar que no vas a tenerlo siempre, puesto que tu experiencia ha sido muy buena y su recuerdo te mantiene. Por ejemplo, cuando Prue, mi mujer, murió hace cinco años, vi que el dolor que sentía por su pérdida iba unido a un sentimiento de alegría cuando recordaba la vida que habíamos compartido. Este sentimiento no sólo me permitió soportar el dolor, sino que se convirtió en una nueva experiencia con ella, una buena experiencia.

John: ¿Sabes...? Cuando murió Graham Chapman, me puse a repasar mis días con Monty Python y comprendí, con mayor claridad que en cualquier otra ocasión, lo agradables que habían sido.

Robin: Claro. Lo paradójico es que acaba siendo más sencillo aceptar el final de una buena relación gracias al grato recuerdo que supone. De esa manera uno no se siente culpable ante la idea de que no ha funcionado y no sigue intentando arreglarla. A las personas corrientes como nosotros se nos hace más cuesta arriba la pérdida de un ser querido que a la gente sana. De hecho, pueden llegar a sentir una pena si cabe más profunda por el mero hecho de que se enfrentan con menor reserva a las emociones que dicha pérdida conlleva. Lo cual, como es lógico, significa que se recuperan con mayor rapidez y están en condiciones de proseguir su vida y disfrutarla mucho antes de lo que la gente corriente consideraría correcto. Y es que, tal y como decíamos en *La familia y cómo sobrevivirla,* es llorando la pérdida como uno se sobrepone a ella.

John: Mientras que la gente que tiene miedo a la tristeza puede llegar a utilizar todas sus defensas para evitarla, con lo que tarda años en recuperarse de la pérdida, ¿no es así?

Robin: Si es que llega a recuperarse.

John: ¿Podrías decirme en qué medida piensas que te has recuperado de la muerte de Prue?

Robin: En torno a los dos años después de su muerte, empecé a reanimarme y a sentir una mayor alegría. Me di cuenta de que, tal y como los libros que se ocupan de la pérdida de un ser querido prevén, la conmoción me había sumido en una depresión transitoria de tipo físico, me faltaba energía. Sin embargo, como ya sabes, llevábamos tratando de afrontar la posibilidad de su muerte desde el mismo comienzo de su enfermedad dos años antes, sin por ello retroceder ante el dolor que suponía, de tal suerte que ya estaba preparado psicológicamente cuando finalmente ocurrió y pude arreglármelas con mayor facilidad de la que cabía suponer. Como ya he dicho, el placer de haber compartido una vida feliz con ella contrarrestó de alguna manera la aflicción que podía sentir. A veces llegué a tener la sensación de estar cayendo en un estado de fuerte negatividad, pero no tardé en darme cuenta de que no era más que un modo de autocompasión y, por consiguiente, que se trataba de algo completamente destructivo. Era algo que no tenía que ver con ella, si no única y exclusivamente conmigo mismo, así que lo atajé rotundamente.

John: Espera un momento, Robin. Si la aflicción es la reacción humana más natural ante la pérdida de un ser querido y la manera de sobreponerse a ella, ¿cómo puedes distinguir entre este tipo de tristeza y la autocompasión?

Robin: La aflicción se da cuando se acepta la pérdida. Los sentimientos que te embargan tienen que ver con la persona que ha muerto, no contigo mismo. No retrocedes ante el sufrimiento natural que te produce, sino que permites que te afecte, que opere un cambio en tu persona y que, finalmente, haga que te desahogues. En cambio, la autocompasión es lo que se siente cuando *no* se acepta la pérdida. En vez de permitir que la experiencia te cambie, lo que quieres es que el *mundo* sea diferente, quieres que las agujas del reloj retrocedan como si nada hubiera pasado. Por desgracia, muchos libros que versan sobre la pérdida de un ser querido no aclaran esta diferencia e incluso pueden dar a entender que la autocompasión es una virtud.

John: Puede que esta pregunta te resulte algo extraña, pero... ¿llegaste a sentir en algún momento que deberías haber sufrido *más*?

Robin: Supongo que podría haberlo hecho si no hubiera estado tan familiarizado con la idea de que la aflicción no tiene por qué incapacitarte indefinidamente. De todas formas, creo que algunas personas se ofendieron un poco al ver que yo no parecía padecer tanto como ellas esperaban.

John: ¿Quieres decir que pensaban que te mostrabas insensible por no exteriorizar tus sentimientos?

Robin: Sí, y además estoy seguro de que su desaprobación me hubiera afectado –tal vez me hubiera hecho sentir culpable– y habría acabado sumiéndome en la autocompasión por pensar que era lo más adecuado.

John: ¿Hubo mucha gente a la que no le pareció bien la ausencia de dolor?

Robin: ¡Recuerdo que desde luego a ti, sí! En realidad, *la mayoría* de la gente se alegró por mí, incluso a pesar de lo sorprendidos que pudieran sentirse. Tal vez les ayudó a pensar que ellos también serían capaces de arreglárselas llegado el momento de enfrentarse a una pérdida parecida. Además, sentí que dichas personas se preocupaban por *mí* más que por sí mismas y por justificar sus creencias.

John: ¿Por qué piensas que algunas personas pusieron reparos?

Robin: Las personas que se indignaron porque yo no sufría más –me refiero a las personas que conocía bien– eran aquellas que yo sabía que habían roto en buena medida con sus sentimientos, a las que les daba miedo enfrentarse a su propia muerte o perder su pareja, de ahí que al ver mi reacción se les encogiera el ombligo. Si me hubiese mostrado más abatido, creo que se habrían sentido mejor..., ya que hubieran tenido la ocasión de concentrar sus sentimientos de pérdida en mi persona y de alejarlos de sí mismas... y *luego* se habrían ocupado de compadecerse de mí en vez de preocuparse de cómo se las apañarían cuando les tocara a ellas.

John: ¡Ah! ¿De manera que los sentimientos de pérdida les resultaban tan aterradores que querían que los acarreases tú por ellos?

Robin: Sí. De hecho, cuando me encontraba con estas personas, tendía a sentirme peor. Estaban convencidos de que me «apoyaban» al hablar de lo terrible que debía resultarme todo..., sin embargo, yo lo percibía como si me estuvieran «tendiendo una trampa». De forma que estar con ellos me suponía un verdadero esfuerzo: si oponía resistencia a su «apoyo», parecían sentirse molestos, puesto que entonces tenían que acarrear ellos los incómodos sentimientos que yo me negaba a abrigar, y se daban cuenta de que no podían hacerles frente.

John: Así que se dio un cierto tipo de conflicto entre vosotros para averiguar quién iba a cargar con esos incómodos sentimientos; y las personas de las que hablamos se sentían mal al ver que tú no estabas dispuesto a ser esa persona.

Robin: Eso es lo que parecía.

John: Muy bien. Bueno, ¿dónde estábamos? Hemos hablado de la muerte de Prue porque comentabas que la segunda característica de las familias más sanas es que su amor es de una independencia insólita. ¿Cuál sería la tercera característica de estos afortunados?

Robin: Bien, los dos rasgos siguientes están relacionados entre sí, por lo que deberíamos hablar de ellos al mismo tiempo. Ambos tienen que ver con la forma de tomar las decisiones en la familia.

John: ¿La forma de distribuir el poder?

Robin: Hasta cierto punto, sí. La primera característica es que los padres ocupan una posición de clara autoridad en la familia. No cabe ninguna duda de que son los padres los que mandan, que son los responsables de los hijos y que, en última instancia, éstos tienen que hacer lo que se les diga.

John: Pues me sorprende. Suena muy pasado de moda.

Robin: Presta atención a la segunda parte. En estas familias, a los hijos se les consulta todo, incluso al más pequeño, antes de que los padres tomen una decisión. Todos los miembros de la familia tienen voz y voto. De hecho, los hijos tienen libertad para discutir no sólo las decisiones sino incluso la manera que los padres tienen de emplear su autoridad a la hora de tomarlas. Por lo tanto, como adivinarás, los hijos en estas familias expresan sus opiniones con bastante franqueza, lo cual es algo que les parece bien a los padres y que aprueban. Así es como quieren que sea la familia.

John: Pero si el conjunto de la familia *no puede* llegar a un acuerdo...

Robin: ... O se da una emergencia, se supone que los hijos tienen que callarse y hacer lo que se les diga cuando llegue el momento de la verdad.

John: ¿Qué opinan los hijos de este tipo de situaciones?

Robin: Lo chocante es que, acaso porque normalmente se les consulta acerca de cualquier cosa, están dispuestos a aceptar la autoridad paterna, incluso cuando se trata de algo que va en contra de su voluntad.

John: Con todo, apuesto a que es algo que tienen que aprender. No estamos hablando de la respuesta instintiva del niño, ¿verdad?

Robin: No, es cierto. Cuando los hijos son muy pequeños, hacen lo que pueden por manipular a sus padres para salirse con la suya. Intentan poner a uno de los padres de su parte. Sin embargo, en el caso de estas familias tan sanas, la unión entre los padres es tan fuerte que los hijos no pueden dividirlos. La manipulación no funciona, así que los hijos tienen que «aflojar» al saber que, aunque pueden dar su opinión, han de ceder la responsabilidad de la decisión final a los padres. Incluso en el caso de las familias que he conocido profesionalmente, los niños acaban siempre aceptando la autoridad paterna cuando se los ha ayudado a hacerse cargo de la situación de la forma que hemos comentado, y parecen felices de conocer su posición en la familia. A decir verdad, cuando se les pregunta qué piensan que deberían hacer sus padres para resolver un problema familiar que les afecta a todos, son ellos mismos los que solicitan la intervención de la fuerte unión a la que acabamos de hacer referencia.

John: Así que, aunque los hijos pueden expresar lo que sienten, no disponen de mucho poder.

Robin: Disponen de todo el poder para el que están preparados, y éste es uno de los motivos por los que crecen con buena salud psíquica. Los hijos que tienen la ocasión de emplear la estrategia del «divide y vencerás», al provocar la confrontación de los padres acaban asustados, no sólo por el poder que obtienen de esa forma, sino también por el daño que llegan a provocar en la relación de los padres y en el equilibrio familiar. Como consecuencia, acaban sintiéndose inseguros y angustiados, y además el hecho de no experimentar lo que supone el ejercicio de un control consistente dificulta el desarrollo de su autodisciplina.

John: Bien, permíteme que te pregunte algo más sobre la fuerte unión paterna que has mencionado. ¿Cómo se reparte el poder entre el hombre y la mujer?

Robin: Uno de los descubrimientos más interesantes es que, en estas familias, mamá y papá comparten el poder prácticamente a partes iguales.

John: Esto va a ser del agrado de las feministas y de todos sus seguidores.

Robin: Y del de los «masculinistas», espero. Lo que puede que les guste más, si cabe, es que el equipo investigador de Timberlawn ha descubierto una serie de importantes cambios en los roles del hombre y de la mujer y en sus relaciones con el paso del tiempo. En su primer libro, publicado en 1976, se afirmaba que no existía una sola pareja que no siguiese el modelo tradicional, según el cual los papeles del hombre y de la mujer están claramente diferenciados y es el hombre y no la mujer quien gana un sueldo. Sin embargo, en su informe más reciente acerca de las familias más sanas, al estudiar las parejas nacidas en los años sesenta, han descubierto que dos tercios de las mujeres tienen trabajo y parte de ellas desempeñan el papel ejecutivo en la vida conyugal.

John: En ese caso, contésteme esta pregunta, señor psiquiatra. He llegado a oírle decir en alguna ocasión que se ha dado cuenta de que lo mejor es que sea el *padre* el que se encargue del buen orden y la disciplina en el seno de la familia.

Robin: Sí, durante mucho tiempo he creído que sostenía ideas contradictorias al respecto. A veces he tratado ciertos problemas familiares como si creyese que tenía que ser el padre la persona encargada de resolver una discrepancia, en el sentido de que fuese él el que tuviera la última palabra, llegado el momento. Llegué a esa conclusión al ver que, cuando nos poníamos a tratar al conjunto de la familia considerando a todos los miembros a un mismo tiempo, prácticamente la mitad de los problemas que tenían se solventaban en el momento en que le pedíamos al padre, en vez de a la madre, que asumiese la máxima responsabilidad de mando y disciplina. Dichos problemas no quedaban solucionados a menos que interviniésemos nosotros. Con todo, en otros casos mi actuación daba a entender que lo que yo proponía era un reparto equitativo del poder.

John: De modo que tu tratamiento variaba intuitivamente según los diferentes tipos de familia, sin que tú lograras darle una explicación.

Robin: Sí. Esta confusa situación quedó aclarada gracias al estudio de las familias más sanas, el cual explicaba que los dos enfoques que acabamos de describir, a pesar de lo contradictorios que semejasen, podrían ser los adecuados. Cada uno de ellos funcionaba con mayor eficacia según el grado de salud mental de la familia. El estudio dejaba bien claro que incluso una rígida jerarquía de tipo militar, fuese el padre o la madre quien se comportase en ella como un dictador, podía suponer al menos una mejora con respecto al terrible caos y el desorden que reinaban en las familias menos sanas, aquellas que los profesionales denominan «casos límite» o «multiproblemáticos».

John: Esto significa que es preciso que haya algún tipo de orden para que se pueda intentar aclarar algo.

Robin: Sí. Aunque, claro está, dicho comportamiento autoritario debe entenderse como una mera etapa intermedia en la búsqueda de algo mejor. Caí en la cuenta de que las familias con las que había obtenido los mejores resultados, poniendo al padre en el mando, eran las más desorganizadas, las más trastornadas, aquellas que, por ejemplo, había atendido en los distritos más pobres de la parte este de Londres. Como es lógico, también traté a familias pertenecientes al ámbito de las profesiones liberales con problemas parecidos...

John: Propietarios de periódicos, dictadores, directores de cine...

Robin: Con frecuencia, jefes de grandes organizaciones, sin duda, como, por ejemplo, ministros y magnates industriales.

John: Personas que se han visto forzadas a buscar el ejercicio del poder porque éste les permitía eludir experiencias a las que no podían hacer frente. Es decir, aquellas experiencias que los obligarían a reconocer la existencia de problemas psicológicos, ¿no es así?

Robin: Efectivamente. Una de las grandes ventajas de ser el gran mandamás, de estar a cargo de absolutamente todo, incluso de personas, es que *siempre se acaba haciendo lo que uno quiere*. No hay lugar para la *frustración*. Y si, además, eres en realidad un niño crecidito incapaz de afrontar la menor frustración, el ejercicio del poder en el que los subordinados se desviven por ti hace que te sientas fuerte y te releva de enfrentarte a dicha debilidad infantil.

John: En ese caso, ¿pondrías a esa persona a cargo de la familia?

Robin: Probablemente los animaría a asumir una mayor responsabilidad familiar, ya que con frecuencia estas personas dejan las cosas en las manos de la madre y se comportan en casa como un hijo más. Como consecuencia, la madre no recibe ningún apoyo y se siente abrumada, situación que los hijos aprovechan. Como es lógico, mi labor consistiría en ayudar al padre a que adquiriese una verdadera confianza en sí mismo, así como un mayor autocontrol, para hallarse en condiciones de desempeñar un papel más importante.

John: De modo que algunas de las familias que trataste vivían en una situación caótica, por lo que les hacía falta que alguien asumiese claramente el mando.

Robin: Sí, aunque muchas de las familias que vinieron a mi consulta tenían un cuadro clínico mucho más sano. Lo normal es que se quejasen de problemas de poca monta; este tipo de familia suele estar bien organizada, funciona de manera eficaz, y sus miembros gozan de un cierto éxito fuera del ámbito privado. El problema es que con frecuencia se muestran sumamente cohibidos y, por consiguiente, se ven incapaces de disfrutar de la vida. No se lo pasan demasiado bien. Mi tarea con esta clase de familias, las de tipo medio, consistía en concentrarme en que consiguieran suavizar las normas para que, de ese modo, tomase cuerpo una estructura más democrática, una forma de funcionar más libre y menos rígida. Esto suponía animar a los padres a que se mostrasen más equitativos y compartiesen el poder.

John: Así que, instintivamente, tratabas de poner orden donde había caos y, una vez que esto se había conseguido, introducías un funcionamiento más democrático. Suena a una clase de historia política.

Robin: Bueno, en mi opinión, se pueden aplicar los mismos principios en grupos de distintos tamaños, es cierto. Es algo que comprobaremos cuando lleguemos al tercer capítulo.

John: Me gustaría saber algo más acerca del equilibrio entre los padres al que has hecho alusión. ¿Qué dice el estudio sobre el papel de la madre en el crecimiento del niño en comparación al que desempeña el padre?

Robin: A riesgo de decir una obviedad, mi experiencia clínica me obliga a afirmar que, por lo general, las madres parecen estar mejor preparadas para acoger y querer al niño, así como para dispensarle el cuidado, el bienestar y la educación que requiere para que crezca aceptándose y obtenga la autoestima necesaria. A su vez, los padres están mejor preparados para ofrecer un amor más objetivo e imparcial, lo cual implica unas condiciones; es decir, exige que el niño desarrolle una autodisciplina y que aprenda a adaptarse socialmente. Creo que esto se deriva de forma lógica del hecho de que, en la mayoría de las familias, la madre tiene desde el principio una relación más íntima con los hijos, mientras que el padre se mantiene más distante emocionalmente, vive en el mundo exterior. Con todo, se dan muchas excepciones: un pequeño número de madres son paternales, mientras que algunos padres son más maternales que la mayoría de las mujeres, por lo tanto esto no es más que una generalización.

John: De acuerdo, pero ¿qué más dice sobre esto el estudio de las familias sanas?

Robin: Algunas conclusiones resultan algo inesperadas. Por ejemplo, en uno de los estudios, la autonomía de los hijos –es decir, la confianza y la capacidad para funcionar de modo independiente– estaba vinculada en concreto al papel de la *madre*.

John: ¿De veras? ¿Se fomenta la independencia en el mundo exterior?

Robin: Sí. El hecho de que la madre haya alcanzado un nivel alto de autonomía, empuja a los hijos a seguir su ejemplo.

John: Entendemos que «autonomía» significa lo contrario a «dependencia», ¿no es así?

Robin: Más o menos. Sin embargo, el estudio mostraba que incluso cuando la madre no disfruta de tal autonomía, puede realizar una buena labor educando a sus hijos de forma que crezcan llenos de confianza y sentido de la independencia, si es que dispone del amor y la fuerza suficientes para sí misma.

John: Por tanto, un padre o una madre pueden lograr educar a su hijo de tal modo que éste acabe siendo más autónomo que ellos mismos, con la condición de que gocen de una relación en la que los dos miembros se apoyen mutuamente.

Robin: Sí, sí que pueden.

John: ¡Menos mal! Espero que eso sea lo que estoy haciendo.

Robin: Ya ves, si uno está dispuesto a reconocer que tiene problemas personales, dichos problemas pueden dominarse y no llegar a afectar a los hijos.

John: Esa idea siempre consigue animarme. Además, es un buen estímulo, ¿no te parece? Ahora, bien, si la madre está vinculada en concreto a la autonomía del hijo, ¿en qué consiste la influencia del padre?

Robin: Esta parte del estudio afirmaba que el padre influía en la capacidad de la familia a la hora de comunicarse con libertad acerca de sus sentimientos y, por consiguiente, a la hora de resolver un problema. Esta capacidad para hacer frente a un conflicto suele depender de un sentimiento de seguridad generalizado, depende sobre todo de la confianza de saber que uno puede decir lo que verdaderamente siente, incluso si se trata de algo que puede molestar. Así coincidía que, en aquellas familias con facilidad para superar sus dificultades emocionales, el padre solía tener una relación cariñosa y espontánea con sus hijos, mientras que en las familias a las que esto no se les daba bien, el padre se mostraba por lo general severo y distante.

John: Bueno, he de decir que si me hubiesen preguntado, habría dicho lo contrario; que la madre influye en la comunicación y el padre en la autonomía.

Robin: Creo que la mayoría de la gente habría coincidido contigo. Sin embargo, para mí tiene sentido de esta manera. El ejemplo de la madre en este caso tiene que ver con la autonomía *individual*. En cambio, el padre lleva esto más lejos y añade el apoyo necesario para la autonomía del conjunto de la familia.

John: Bueno, esto ha sido un inciso en el tema que nos ocupaba: la forma en la que se ejerce el poder en las familias más sanas, en las cuales los hijos tienen voz y voto y, aun así, aceptan sinceramente la autoridad paterna, puesto que se los consulta debidamente y, además, fracasan si tratan de romper la coalición entre los padres. ¿Cuál es la siguiente característica de estas familias tan fastidiosamente sanas?

Robin: Se comunican sin problemas. Son francos: directos, abiertos y honestos los unos con los otros.

John: Eso no me sorprende. A todos nos gustaría funcionar de esa manera, así que supongo que lo más interesante será saber cómo lo consiguen...

Robin: Bueno, se da una serie de razones que, como es natural, están relacionadas entre sí. En primer lugar, en las familias sanas existe la convicción de que las necesidades y los impulsos de las personas no son algo malo. Ningún sentimiento humano tiene que ser motivo de vergüenza. Por lo tanto, los hijos no sienten ninguna necesidad de ocultar nada, no tienen que confundir, deformar o tapar lo que les ocurre. El sexo, el enojo, la envidia..., todos estos sentimientos se consideran parte natural de la experiencia humana. De forma similar –la importancia de esto se hará más evidente luego–, se acepta que uno pueda comportarse ambiguamente ante los acontecimientos y las personas, incluidos los padres; es decir, que uno experimente al mismo tiempo sentimientos positivos y negativos sobre ellos.

John: ¿Es así de sencillo? ¿Aprenden a ser abiertos porque no tienen la sensación de deber ocultar nada?

Robin: Y también porque estas familias evidencian un gran respeto por las opiniones de alguien sobre cualquier cosa. Se da cabida a la opinión de cada uno y se permite discrepar. No existe algo como una «opinión familiar» a la que todos tengan que atenerse, algo parecido a la «línea de partido» en el mundo de la política.

John: Evidentemente, esta idea también está relacionada con la última característica: los padres que no son autoritarios.

Robin: Y además, en tercer lugar, estas familias consiguen resolver sus problemas en el momento que surgen, lo cual es otra razón añadida para no temer el desacuerdo con los otros y para expresar lo que realmente se piensa...

John: Quieres decir que cuando una familia tiene un largo historial de resentimiento crónico debido a los conflictos no resueltos, sus miembros acaban por guardarse sus sentimientos con el fin de no empeorar su situación, ¿no es así? A decir verdad, si uno no admite sus problemas, no se los cuenta a nadie y se quedan sin resolver.

Robin: Correcto, con lo que en las familias en las que se dan señales de una gran transparencia, todo el mundo sabe en qué posición se encuentra. Todos tienen una idea clara de lo que los demás desean, de cómo se sienten, lo que les gusta y lo que les importuna.

John: Y supongo que el escuchar constantemente lo que los demás sienten les enseña a entenderse mejor, con lo que les es más fácil estar al tanto de los sentimientos ajenos.

Robin: Efectivamente. De esa manera evitan muchas de las cosas que suelen ocurrir en las familias menos sanas como, por ejemplo, el que alguien hable en lugar de otro, mientras los demás se imaginan lo que está pensando el resto y se equivocan. El estudio, así como mi propia experiencia clínica, indican que la libertad para ser tú mismo, para expresar tus sentimientos más profundos, es una característica muy típica de las familias que mejor funcionan.

John: Bueno, todo esto suena muy bien, pero es una lástima que no sea más interesante.

Robin: Incluso así, hay algo sorprendente en todo esto. A una persona ajena al círculo familiar que esté escuchando una de sus conversaciones le resulta bastante más difícil entender a una familia de las más sanas que a una de las más normales.

John: ¿Más difícil? ¿Por qué?

Robin: Su tipo de conversación es más rápida, más complicada. Se quitan la palabra de la boca los unos a los otros y terminan las frases de los demás. Se dan grandes saltos de idea a idea, de modo que parece que se pierde parte de la argumentación.

John: Pero ¿sólo a las personas extrañas les resulta confuso?

Robin: Precisamente. No parece que la conversación se estructure de forma tan cuidada, ordenada y lógica como ocurre en las familias algo menos sanas, aquellas que se aproximan al tipo de familia corriente. Las ideas son tan densas y van y vienen con tanta rapidez que acaban por interrumpir y rematar las otras afirmaciones. Eso es posible porque todos los miembros de la familia comprenden lo que el resto está tratando de decir antes de que pueda acabar de decirlo.

John: Porque se entienden muy bien los unos a los otros.

Robin: Exacto. De manera que lo que parece una falta de control es en realidad una señal de lo extraordinariamente buena que es su comunicación.

John: Ya veo. Empezaba a preguntarme si este tipo de gente tan sumamente sana no resultaría en realidad un poquito sosa, con toda esa buena voluntad y esa nobleza tan asfixiante. Después de todo, se suele decir que es el diablo quien cuenta los mejores chistes...

Robin: Siento decepcionarte, pero estas familias son extraordinariamente animadas, gozan de un gran sentido del humor y de una gran energía, son ingeniosas y bromistas, y se divierten mucho. Uno de los equipos investigadores empleó una bella metáfora para describir la impresión que le había causado el estudio de esas familias. ¡Las comparó con un circo de tres pistas!

John: Tanto ajetreo y, a pesar de ello, se consigue de algún modo tener todo bajo control.

Robin: Así es exactamente como las describieron: un montón de cosas que ocurren al mismo tiempo y a toda marcha. Y, aun así, cada persona lo hace todo a su ritmo, por mucho que a nosotros pueda parecernos que se encuentran al borde del caos.

John: Bien, yo mismo empiezo a sentirme así sólo de pensar en ello, lo cual no deja de recordarme que me encuentro en una posición poco envidiable en la escala de la salud mental. Si por casualidad llegase a vivir en una de esas familias, tendría que tomar el mando, calmar un poco las cosas y poner un poco de orden en la forma de hacerlo todo... o bien caería rápidamente en coma.

Robin: ¿Podrías decirme por qué?

John: Creo que sí: por la ansiedad. Lo primero que me vendría a la cabeza es que los vecinos se quejarían. Pero no sólo eso..., sentiría ansiedad por la cantidad de actividad y energía que se desarrollaría, por todos los alicientes... ¡tantas cosas que podrían irse de las manos en cualquier momento! En otras palabras, tendría una sensación de caos.

Robin: Es interesante que digas eso: ésa sería probablemente la reacción de las personas de «tipo medio». A medida que voy comprendiendo el significado de estas averiguaciones, más me convenzo de que las familias sanas viven a tope, puesto que emplean todo su potencial como personas. Parecen sentirse capaces de disponer de aquellas facetas de su personalidad que los demás –quiero decir, las personas corrientes, de tipo medio– tenemos miedo a utilizar, por lo que acabamos reprimiéndolas, controlándolas férreamente, frenándolas... En una ocasión les indiqué a los investigadores de Timberlawn que acaso la diferencia estribaba en que las familias más sanas se sienten más a gusto en medio de la «locura» que todos nosotros, aunque, claro está, para ellos no se trata de «locura», sino de un tipo de reacción más espontánea y natural que es precisamente la que nosotros nos preocupamos de controlar para que no se desmande. Estas personas pueden encauzarla en la dirección adecuada.

John: La analogía del «circo» resulta bastante acertada: nosotros disfrutamos de la animación que supone ver a un animal salvaje porque sabemos que la gente del circo lo tiene todo controlado. Mi experiencia con la terapia psicológica me ha enseñado que aquellas facetas de mi persona que yo creía que parecían «algo extrañas» y que, por la tanto, mantenía atenazadas y ocultas, acababan siendo precisamente las cualidades que me hacían falta y de las que pensaba que carecía.

Robin: Creo que todas las personas que han seguido una terapia han vivido la misma experiencia. Por ejemplo, en mi familia teníamos una vena violenta muy marcada: mi abuelo paterno sufría unos cambios de humor muy violentos que daban miedo cuando los expresaba; mi padre, por su parte, aunque mantenía sus sentimientos bajo un férreo control, a veces llegaba a explotar. De ese modo crecí sintiéndome molesto con todo sentimiento relacionado con la ira y procurando evitar ser como ellos. Cuando empecé a seguir una terapia, ya de mayor, me di cuenta de lo agresivo que era en el fondo y, conforme fui aceptándolo, logré convertirlo todo en una poderosa fuente de energía.

John: Bien, entonces, ¿en qué consiste la educación de la gente más sana, la que les permite vivir en un circo sin que por ello tengan que sentir ningún tipo de ansiedad?

Robin: Cabe pensar que se debe a la mucha confianza y apoyo mutuo de que gozan. Cuando se te da tanta libertad y tanto ánimo y, además, te sientes parte de un grupo que te apoya, aprendes a expresar tu energía hacia el exterior, por completo y libremente, a pesar de las consecuencias.

John: Es decir, los niños no tienen que frenar su espontaneidad por miedo a «molestar» a los demás.

Robin: No, no tienen que hacerlo. Los miembros de estas familias se dejan el espacio necesario los unos a los otros para que los demás se comporten como lo que son y desarrollen su especial personalidad siempre que no se conculquen los derechos del resto. No se los obliga a ajustarse a un modelo familiar con unos valores y unas expectativas concretas.

John: Eso suena realmente justo. A veces, cuando me encuentro muy emocionado por algo, me siento como si me estuvieran apretando, es una sensación física, como si se me presionara desde dentro. ¿Es eso debido a que no he llegado a aprender lo conveniente que es expulsar toda la energía?

Robin: Probablemente. Además, ése es un problema muy típico de los ingleses, ¿no crees?, sobre todo en la gente de clase media, de los que se espera que repriman bien sus emociones.

John: De modo que... las familias sanas se comunican con libertad, abiertamente, a pesar de que a la gente normal esta situación pueda parecerle un alboroto descontrolado. ¿Sabes qué? Me estoy empezando a cansar un poquitín de oír lo maravillosas que son estas personas. ¿No hay nada malo que decir de ellos... que se mueren muy jóvenes, que son hidrópicos o que les gusta el Arsenal?[1] Incluso si me dijeras que se les empieza a caer el pelo pronto me ayudarías a superar el pequeño ataque de envidia que estoy teniendo. Venga, dime algo de ellos que nos anime a todos. Invéntatelo si es necesario. *Por favor...*

Robin: Más del noventa por ciento de ellos puede volar.

John: ...No, lo que quería que te inventases era... Bueno, da igual. Entonces, Robin, ¿cuál es la siguiente característica de esta puñetera pandilla de pequeños babosos, tan majos ellos, tan generosos y alegres, tan dignos de admiración?

Robin: Bueno, la siguiente característica es que son personas sumamente prácticas y realistas, algo que ya he comentado brevemente. Dentro de lo que cabe, ven el mundo tal y como es, sin creerse ningún tipo de sueños o ilusiones sobre sí mismas o sobre los demás.

John: ¡Ah! ¿Estás dando a entender, entonces, que no son muy idealistas?

Robin: Pues..., depende de lo que entiendas por «idealistas». Aunque tienen un gran sentido de los valores, no intentan conseguir nada que no sea realista. Y como tienen los pies en el suelo, es más probable que lo logren. Por dos razones: no sólo desean aquello que saben que pueden conseguir, sino que tienen una idea muy clara de cómo obtenerlo.

John: ¿Por qué razón son capaces de percibir el mundo de una manera tan clara?

Robin: Bueno, tendríamos que volver a la idea de los «mapas mentales» que tratamos en *La familia y cómo sobrevivirla*: las imágenes, modelos o teorías que nos formamos en la cabeza, como guía a la hora de hacer frente al mundo. Si el mapa que te has dibujado es una representación precisa del mundo que te rodea y de tu situación en él..., sabrás cómo pasar de A a B.

John: Es decir, si tienes clara, digamos, la cantidad aproximada de poder que

1. Un club de fútbol del sur de Londres que juega en primera división. *(N. del T.)*

posees en una circunstancia determinada, será difícil que te pases en tus cálculos y que pienses que eres más poderoso de lo que realmente eres; por otro lado, tampoco subestimarás tu fuerza, con lo que no habrá ocasión de que pierdas algo que quieras conseguir.

Robin: Por ahí va. Tomemos los sentimientos, por ejemplo. Si el ambiente está cargado de ira, miedo, tristeza o envidia..., las personas sanas saben distinguir en qué medida esta situación se debe a ellos y en qué medida a los demás y, por lo tanto, actúan en consecuencia. No le ponen la «zancadilla» a los demás, algo que pueda provocar esas espirales de mal comportamiento que complican tanto la vida.

John: Y, empleando nuestra jerga favorita, no «rechazan» sus sentimientos para luego «proyectarlos» sobre los demás.

Robin: Exacto.

John: Pero ¿por qué esta gente tan «sanota» no hace esto si los demás lo hacemos? ¿Por qué no lo hace, aunque sólo sea un poco?

Robin: Bueno, acuérdate de que los sentimientos se rechazan porque, cuando el niño crece, descubre que estos sentimientos no son aceptables en el seno de la familia. Sin embargo, una de las características de las familias sanas es que aceptan y arrostran todo tipo de sentimientos. Saben que «hay una parte buena y otra mala en todos nosotros», como solía decir mi tío Fred. Así que, los miembros de las familias sanas no tienen problemas a la hora de reconocer que sienten ira, celos o atracción sexual y no temen la posibilidad de sentirse rechazados por ello. Además, se sienten libres para discutir lo que ellos y los demás están sintiendo. Los investigadores tienen una forma maravillosa de describir los efectos que se derivan de esto. Llaman al proceso «un intenso programa de preparación para definir dónde acaba mi piel y dónde acaba la de los demás».

John: De manera que su percepción de lo que ocurre a su alrededor suele ser correcta.

Robin: Sí. Y como se hacen cargo de sus propios sentimientos, no tratan de culpar a los demás por ese motivo y, por consiguiente, les es mucho más fácil llevarse bien con el resto de la familia...

John: Trabajo con alguien que pertenece a una de estas familias y hay que

decir que admite sus errores mucho antes que cualquier otra persona que conozca. La política sería ridícula si este tipo de gente estuviera en el poder.

Robin: Además, como es natural, si eres consciente de tus propias limitaciones, serás más comprensivo con las de los demás, con lo que no empezarás a tener un concepto exagerado de ellos y no te acabarán decepcionando. Por otro lado, tampoco te pasas con los aspectos negativos y, como consecuencia, no provocas a la gente como si anduvieses buscando problemas. De ahí que no los crees de forma innecesaria.

John: Exacto. Entonces, en resumidas cuentas, los hijos de las familias sanas crecen sabiendo que todos sus sentimientos son totalmente aceptables y, por consiguiente, obtienen una visión del mundo mucho más realista que les permite afrontarlo con mayor eficacia. No suena nada mal. Muy bien, doctor, ¿qué viene ahora? ¿Cuántas características nos quedan?

Robin: Llegados a este punto, sólo una: se trata de la notable capacidad que tienen estas familias para hacer frente a los cambios. Mientras que a la mayoría de nosotros nos resulta agobiante que una situación cambie más allá de un mínimo, este tipo de familias no sólo se encuentran a gusto, sino que parece que incluso se lo pasan bien y que les sirve de acicate.

John: Quieres decir que no les supone ningún problema ajustar rápidamente sus mapas mentales para acomodarse a la nueva situación...

Robin: ... Mientras que la mayoría de nosotros no podemos cambiar nuestras ideas con la suficiente rapidez. La nueva situación nos pilla de sorpresa y nos desequilibra, con lo que acabamos decepcionados porque las cosas no resultan como esperábamos.

John: Hagamos entonces la pregunta de rigor: ¿qué saben ellos que nosotros no sepamos?

Robin: Bueno, ¿te acuerdas de lo que decíamos en *La familia y cómo sobrevivirla* sobre la manera de enfrentarse a cambios abrumadores?

John: Creo que sí. Si sobreviene un gran cambio, está claro que no vamos a ser capaces de adaptarnos a las nuevas circunstancias inmediatamente. De manera similar, si se producen muchos cambios de poca monta al mismo tiempo, es muy posible que también nos sintamos apabullados. Sea lo que sea, nos hacen falta tres cosas para hacer frente a este tipo de situaciones. En primer lugar, se requiere tranquilidad, un período en el que, en la medida de lo posible, uno pueda olvidarse de los asuntos más urgentes y disponer del tiempo necesario para ponerse al día con las cuentas pendientes y realizar un reajuste.

Robin: Muy bien.

John: En segundo lugar, conforme vamos adaptando nuestro mapa mental al nuevo entorno, nos hace falta el consejo y la información de aquellas personas que han sufrido una experiencia similar y que han conseguido superarla.

Robin: Ya has mencionado dos cosas, ¿cuál es la tercera y la más importante de todas?

John: El apoyo emocional. Del mismo modo que a un niño se lo puede calmar cogiéndolo en brazos o simplemente acercándolo a su madre, cuando estamos acompañados de gente que nos quiere, obtenemos algo que resulta muy difícil de definir pero que es sumamente importante, algo que se deriva del mero hecho de que nos acompañen y que va más allá del cuidado o el consejo que puedan ofrecernos.

Robin: Bien, veamos estas tres ideas por separado. Las familias sanas saben muy bien qué tipo de necesidades emocionales tienen, por lo que no dudan en pararse a descansar si les hace falta o en pedir ayuda y consejo cuando así lo desean. Con todo, creo que es el tercer factor, el de la medida en que pueden recurrir a alguien que los ayude emocionalmente, el que explica por qué razón estas familias lidian tan bien con las situaciones de cambio. Los investigadores llegaron a contar tres tipos diferentes de ayuda que contribuyen a dicha capacidad de adaptación. La primera es la buena relación que los miembros de la familia disfrutan. La segunda es la que obtienen de la comunidad gracias al buen trato que han tenido con sus vecinos en el pasado. En tercer lugar, parece que no les es nada difícil conseguir ayuda del mayor de los sistemas...

John: Señor mío, no me venga con adivinanzas.

Robin: Sólo te estoy preparando para lo que es un «bocado informativo» de lo más sabroso. Por lo que a mí respecta, el descubrimiento más sorprendente de todo el estudio es que la principal fuente de apoyo de la mayoría de estas familias es una clase de sistema valores de lo trascendental, lo que para los investigadores supone un sistema de valores y creencias que da sentido y finalidad a la vida pero que va más allá del bienestar personal e incluso del familiar.

John: ¿Te estás refiriendo a la religión?

Robin: Sí, con frecuencia el sistema de valores proviene de la religión. Muchas de estas familias son fieles practicantes de alguna religión o se adhieren a alguna de las creencias tradicionales. Pero ése no tiene por qué ser el caso. A veces, los valores «trascendentales» no guardan relación con la religión sino con alguna causa humanitaria más amplia. Lo importante es que el origen de dichos valores radica en algo superior a la persona, algo superior incluso a la familia y que proporciona un significado, una finalidad que va más allá de cualquier tipo de pérdida o alteración, incluso la muerte de los seres queridos –sea la pareja o un hijo– o la idea de su desaparición final.

John: Así que pueden enfrentarse a los trastornos más desagradables porque se sienten vinculados a una fuente de apoyo emocional más intensa y permanente que la que pueden suponer las meras relaciones humanas, ¿no es así?

Robin: Sí. Una persona puede llegar a perder a todos sus seres queridos, como por ejemplo en el caso de una guerra o en un acontecimiento tan terrible como el exterminio nazi. E incluso, aunque alguien haya tenido la suerte de sortear la muerte, se puede sufrir un gran daño emocional al vivir una experiencia tan devastadora como la que acabamos de mencionar. Con todo, ciertas personas, de manera asombrosa, logran de algún modo adquirir la fuerza suficiente para continuar, gracias a la forma que tienen de encajarlo. Se podría decir que sus valores, lo que normalmente la gente denomina «fe», las ayudan a superarlo.

John: Victor Frankl, el psiquiatra, estuvo en Auschwitz y Dachau y se dio cuenta de que mucha gente, la que había tenido la suerte de sobrevivir, había aguantado gracias a la fe que tenían, la cual les había permitido mantener una idea del sentido de las cosas a pesar de la aterradora experiencia que habían vivido. Como consecuencia, dedicó el resto de su vida a desarrollar un método terapéutico –la logoterapia– cuyo objetivo era ayudar a la gente a descubrir por sí misma dicha idea.

Robin: Otro psicólogo, Bruno Bettelheim, también vivió una experiencia terrible en un campo de concentración nazi. Consiguió superarla y asimilarla, y así pudo aplicar sus conocimientos al tratamiento de los niños que habían sufrido serios daños psicológicos. Sus libros son sumamente emocionantes, además de ser una fuente de inspiración.

John: ...Me acabo de acordar de lo que me dijiste una vez, cuando estaba en tu grupo, sobre el hecho de que, cuando un paciente comienza a sentir interés en los valores superiores a la persona, por lo general se trata de una señal de que ya ha emprendido el camino hacia un tipo más sano de funcionamiento.

Robin: Sí, es cierto. Y lo más sorprendente del asunto es que en la época en que descubrí lo que acabas de decir me resistía a las ideas religiosas.

John: ¿Crees que es posible que alguien esté sano mentalmente si no siente que existe algo más grande e importante que su persona?

Robin: Creo que es imposible, casi por definición. Pero ésta es una cuestión tan importante que preferiría ocuparme de ella más tarde, cuando hablemos en el cuarto capítulo de las creencias y de los sistemas de valores.

John: De acuerdo... Hemos comentado la capacidad que tienen estas familias para superar los cambios y hemos enumerado sus principales características. Ahora bien, como sólo soy un tipo de lo más corriente, creo que sería conveniente hacer un buen resumen de lo que has dicho, un resumen que sea claro, estructurado e incluso excesivamente ordenado. Voy a probar, a pesar de que a muchos de los lectores de *La familia y cómo sobrevivirla* mis resúmenes les parezcan una pesadez. Supongo que se trata de los lectores sanos.

Robin: No creo que les resulten pesados, simplemente se los saltan...

John: ... Y saben valorar que a otros lectores les resulten útiles. Ahí vamos pues... ¡Atención, tontos del bote!
Lo que caracteriza a los habitantes del País de la Alegría es, en primer lugar, una actitud básicamente positiva y amable; en segundo lugar, tienen un gran nivel de independencia emocional, lo cual les permite disfrutar al mismo tiempo de autonomía y de intimidad, sin que esto cree ningún conflicto; tercero, la familia se estructura de la siguiente manera: los padres mantienen una alianza fuerte y equilibrada, y están dispuestos a aplicar la ley si es preciso, aunque para esto sea necesario consultar debidamente a los hijos primero; la cuarta característica es que la familia goza de una comunicación libre y abierta, que se fundamenta en el hecho de que los hijos son conscientes de que sus sentimientos no están prohibidos, de resultas de lo cual existe una gran sensación de libertad, alegría y buen humor; la quinta es que poseen una gran capacidad para ver el mundo con claridad gracias a la aceptación de sus propios sentimientos y, en consecuencia, a que no tienen que proyectarlos sobre los demás. Finalmente, no les resulta difícil afrontar sin titubeos aquellos cambios que a nosotros nos apabullarían, ya que gozan de un extraordinario apoyo emocional derivado de un sistema de valores trascendental. ¿Me he dejado algo?

Robin: No, has incluido prácticamente todo.

John: ¿Sabes qué? Por un momento me he imaginado a todos nuestros lectores clavando la mirada en el techo y pensando: «¿A quién demonios conozco yo que sea *así*?».

Robin: Bueno, ¿a cuántos ganadores de una medalla de oro olímpica conoces?

John: De acuerdo, asunto zanjado. Bueno, ahora, para apreciar todo esto en su justa medida, me gustaría que comparases el comportamiento de una de estas familias excepcionalmente sanas con, por un lado, el comportamiento corriente de tipo medio y, por otro, con el que es definitivamente poco saludable. ¿Por cuál quieres empezar?

Robin: Para que resulte más claro, comenzaremos por las familias menos sanas. Las relaciones en este tipo de familias están muy controladas y restringidas, al comportarse cada uno de sus miembros de manera sumamente exigente y posesiva. No existe el respeto por la identidad concreta de cada persona, debido a que nadie sabe lo que eso significa. Como consecuencia, todos tratan de imaginarse lo que los demás están pensando, creyéndose en el derecho de inmiscuirse en los asuntos ajenos tanto como les plazca.

John: De modo que su concepto de la propia identidad es de lo más precario.

Robin: Claro. Les resulta muy difícil distinguir dónde se hallan los límites de su ámbito personal y dónde comienzan los de los demás...

John: ... O, si utilizamos la metáfora de los mapas mentales, los mapas individuales están muy borrosos, al igual que las fronteras que dividen sus sentimientos de los de los demás.

Robin: Efectivamente. No saben hasta dónde pueden llegar, de ahí que se imaginen constantemente que los que los rodean sienten lo mismo que ellos, aunque sea un sentimiento que están reprimiendo y rechazando.

John: Y si rechazan un sentimiento propio, acabarán por proyectarlo sobre el resto de los miembros de la familia, con lo que creerán que son los demás los que lo están sintiendo en realidad.

Robin: Y no acaba aquí este caos..., aún se complica más. Debido a que las fronteras individuales están tan poco claras, tan desdibujadas, todos se sienten muy vulnerables en los «ambientes cargados de emociones» y acaban asumiendo los sentimientos ajenos cuando éstos son muy intensos. En realidad, en este tipo de familias hacer esto se considera una forma de amor.

John: De modo que ningún individuo en la familia llega a saber con exactitud lo que está sintiendo.

Robin: Exacto. Se considera un traidor a cualquiera que se ponga a pensar de forma independiente o no siga la «línea de partido», lo cual supone que acabarán sufriendo la desaprobación del resto de los miembros de la familia hasta que entren de nuevo en vereda. Aun así, y esto he de dejarlo bien claro, cuando esto ocurra interpretarán este tipo de posesión, esta necesidad de controlar a los demás, como algo positivo..., como «amor».

John: Pero ¿no estarán, en realidad, compartiendo unos sentimientos positivos y cariñosos?

Robin: Eso es lo que ellos entienden por amor, todo lo que pueden comprender. Pero de hecho se trata más bien de una desesperada necesidad de ayuda y de aceptación que se revela en forma de celos, reacciones posesivas y un sinnúmero de exigencias. Se aferran los unos a los otros más por miedo a que se los abandone que porque sientan el tipo de amor que los pueda llevar a preocuparse del bienestar de los demás.

John: ¿Y a qué se debe esto? ¿A que no pueden arreglárselas por su cuenta? ¿Aferrarse los unos a los otros les da una sensación de seguridad, como si estuvieran en un barco a la deriva?

Robin: Efectivamente. De ahí que el detonante de la crisis nerviosa de un individuo tenga su origen en algún tipo de separación. Por ejemplo, madurar sexualmente, tener un novio o novia, irse de casa para entrar en la universidad o para empezar a trabajar o, claro está, un fallecimiento en el seno de la familia.

John: Así que el gran pecado es ser diferente.

Robin: Un momento. No diferente, sino *autónomo*. Independiente, libre...

John: No veo la diferencia.

Robin: Bueno, en vez de ser individuos autónomos que viven vidas propias, acaban siempre por desempeñar un papel que se adecua a las necesidades de la familia. Por ejemplo, uno de ellos puede ser el «malo«, el chivo expiatorio.

John: ¡Ah! El chivo expiatorio es diferente, pero no autónomo. Ya entiendo. Lo siento.

Robin: La situación es justo la contraria a la que se da en las familias más sanas, en las que todos los sentimientos humanos son aceptables. En este otro caso, en el de las familias menos sanas, no se reconoce ninguna imperfección propia, porque nadie recibe de los demás el apoyo, aprobación y cariño que les haría falta para aceptarse a sí mismos. Como consecuencia, en el fondo terminan sintiéndose inútiles y desesperados, por lo que acaban creándose un mundo lleno de exigencias, un mundo que siempre les vendrá grande. A la postre, con el fin de sentirse mejor, tratan de darle la vuelta a la situación proyectando todos sus defectos sobre los demás, ya sea sobre el chivo expiatorio de la familia, ya sea sobre una persona o grupo que se encuentre fuera del ámbito familiar.

John: Están siempre echándose la culpa de todo los unos a los otros para sentirse mejor personalmente...

Robin: ...Con lo que se acaba jugando todo el tiempo a tratar de echarle el muerto al de al lado para así desembarazarse de los problemas y debilidades propios. Los que tienen más dificultades para quitarse el «muerto» de encima pueden acabar encontrándoselo en sus manos y cargando con la culpa de todos los males que hay en la familia, mientras que los demás creen que dichos problemas no tienen nada que ver con ellos. Cuando esta práctica del «chivo expiatorio» se lleva a los últimos extremos, la persona obligada a desempeñar ese papel puede acabar en un hospital psiquiátrico.

John: Resulta difícil no sentir rabia hacia la familia, aunque esto supondría entrar a formar parte del sistema paranoico en el que se encuentra el chivo expiatorio. Además, después de todo, no tienen ni idea de lo que están haciendo, ¿no es así?

Robin: Sólo hasta cierto punto. Dado su grado de salud mental, acaba siendo una consecuencia inevitable. No lo pueden remediar. Cuando se los estudia detenidamente, se observa que incluso las familias más destructivas intentan preservar algo bueno, aunque esto suponga tener que pagar el precio de cargar todos los sentimientos de culpa y odio sobre los hombros de una persona en concreto, la persona que acaba convirtiéndose en el «enfermo». La familia procura mantener el «bien» totalmente separado del «mal»...

John: ...Porque temen que si no el «mal» contaminaría el «bien» y lo corrompería, ¿no es así?

Robin: Exacto. Así que, cuando se les pide a los padres que vengan acompañados de toda la familia para el tratamiento, con frecuencia dejan al «bueno» en casa por temor a que se le haga daño. Lo interesante del asunto es que en el fondo hay un elemento de altruismo y autosacrificio en el comportamiento del chivo expiatorio. Resulta mucho más sencillo trabajar profesionalmente con una familia de este tipo cuando te das cuenta de que el «enfermo» supone que hacer el papel de «chivo expiatorio» con frecuencia impide que ocurra algo peor, como por ejemplo, la destrucción del matrimonio o la disgregación de la familia.

John: ¿Y todo esto resulta del hecho de que las fronteras de sus mapas mentales están muy poco claras?

Robin: Ése es uno de los muchos factores derivados del mal funcionamiento de la familia que contribuyen a crear esta situación.

John: Su situación es, punto por punto, la inversa a la de las familias más sanas, ¿no es así?

Robin: Sí. No hace falta repasarlos todos, pero se puede decir que si los padres tienen una actitud severa, negativa y crítica, los hijos ocultan sus verdaderos sentimientos, la comunicación queda entorpecida y no hay lugar para la diversión y la espontaneidad. La alianza entre los padres ni es fuerte ni comporta sentimientos de cariño, por lo que los hijos tienen la ocasión de enemistarlos y pierden esa situación de control claro y coherente que necesitan para fomentar la autodisciplina y la confianza en sí mismos. Los padres se muestran celosos y posesivos, lo cual es un obstáculo para que los hijos se desliguen de ellos, tengan relaciones fuera del entorno familiar y consoliden una forma de vida independiente, a no ser, claro está, que provoquen una ruptura violenta, etcétera, etcétera... Aunque los detalles varían en cada caso, cada fracaso se acumula y forma una espiral viciosa.

John: Bien. Pasemos ahora de las familias menos sanas a las de tipo medio, la gente corriente, aquellas personas que ni están enfermas, ni son exageradamente sanas, sino que son normalitas, la generalidad, los que están dentro de la norma común desde un punto de vista patológico. Háblanos de nosotros mismos, Robin.

Robin: Bueno, resulta bastante sencillo entender el significado de «normal» una vez que se han comprendido los principios por los que se rigen las personas que se encuentran en los dos extremos de la escala...: la gente normal, claro está, se encuentra entre los dos extremos.

John: Estamos a medio camino.

Robin: Sí. Nos hemos librado de la confusión y la ambigüedad que distingue el nivel menos sano y hemos alcanzado una cierta claridad sobre lo que somos y sobre nuestra identidad. Contemplamos a los demás como personas individuales que tienen sentimientos propios y hemos aprendido a controlarnos, a sentirnos a gusto en la sociedad y a desempeñar un papel en ella.

John: «Nosotros» somos, además, la gran mayoría de los habitantes de la tierra, ¿no es así?

Robin: Bueno, sí... Algunas sociedades muestran un mayor nivel de salud mental que otras, pero ya hablaremos de esto en el tercer capítulo. Con todo, al menos en los países desarrollados, los estudios indican que para un veinte por ciento de la población, el que se encuentra en la parte baja de la escala, la vida supone un verdadero esfuerzo. Luego existe otro veinte por ciento de personas que se hallan en el otro extremo y que funcionan bien...

John: Espera un momento. Las personas que acabas de mencionar no son los *excepcionalmente* sanos, ¿verdad?

Robin: No. Probablemente sólo una cuarta parte de este veinte por ciento funciona excepcionalmente bien. Los investigadores de Timberlawn denominan «óptimo» a este grupo.

John: De acuerdo. Eso nos deja a los demás...

Robin: ...A la enorme masa que quedamos, el sesenta por ciento, en la mitad. Somos lo que se denomina el «tipo medio»...

John: ...El cual abarca tanto a aquellas personas a las que la vida les supone prácticamente el mismo esfuerzo que a las menos sanas, como a aquellas que se quedan a las puertas del veinte por ciento de las que le va bien, ¿no es así?

Robin: Sí.

John: Pero entonces, ¿se puede afirmar algo realmente útil acerca de un abanico tan amplio de personas?

Robin: Se puede generalizar, aunque está claro que hay que tener en cuenta si la posición que una persona determinada ocupa dentro de esa zona media es más alta o más baja.

John: De acuerdo. Entonces, ¿existe una clave que defina el perfil psicológico de estas familias de tipo medio?

Robin: Sí, la rigidez.

John: Muy bien, si continúas, procuraré relajarme y ascender un poquito en la escala.

Robin: Volvamos al concepto de los mapas mentales que la gente, con mayor o menor claridad, utiliza para representar el mundo, y observemos cómo funcionan. Como ya hemos visto, los miembros de las familias menos sanas tienen una idea muy borrosa de la frontera que separa el ámbito de acción de su personalidad del ámbito de las de los demás. Bien, pues, nosotros, la gente normal, hemos superado ese grado de confusión; hemos alcanzado un nivel superior de estabilidad al hacérsenos más claro lo que somos, qué sentimientos nos pertenecen, hasta dónde podemos llegar. Como consecuencia, tenemos una idea más clara de nuestra identidad. Hemos logrado un cierto equilibrio, un orden, una claridad...

John: Lo cual es algo bueno, ya que ninguna sociedad podría funcionar sin dicho equilibrio.

Robin: Cierto. El problema es que, en el fondo, no tenemos la suficiente confianza como para ser capaces de conservar lo que hemos conseguido. Nos preocupa la posibilidad de perder esa claridad y ese equilibrio en cuanto dejemos de prestarles atención y, por tanto, intentamos que todo lo nuestro, nuestros principios, posturas, opiniones, ideas, creencias, etc., quede bien sujeto, por decirlo de alguna manera, para que no se suelte y empiece nuevamente a flotar a nuestro alrededor. Imagínate la situación cuando estás aprendiendo una nueva técnica. Al principio sólo lo puedes hacer si te concentras y le prestas toda tu atención, ya que, en caso contrario, empezarás a cometer errores. Aunque el hecho de que te vaya saliendo bien te produce satisfacción, no deja de suponer un esfuerzo que sea así: no puedes relajarte, por lo que no resulta del todo divertido.

John: Es como representar una escena sin saberte todavía tu parte del guión. Siempre vas barruntando o pensando en si acabas de equivocarte. Tienes la sensación de que si te relajas un instante lo vas a echar todo a perder...

Robin: Eso es.

John: ¿Me estás diciendo entonces que ésa es la manera que tenemos la gente corriente de vivir la vida? Tienes que pasarte el día prácticamente en estado de alerta, sin poder relajarte del todo, para disfrutar de una salud normal, mientras que la gente más sana, como ya ha conseguido dominar las «técnicas vitales», puede despreocuparse y ponerse a disfrutar con toda confianza de su vida, ¿no es así?

Robin: Exactamente. Tienen energía y atención de sobra para emplearlas en pasárselo bien. Es una situación parecida a cuando estamos aprendiendo a bailar y de repente nos damos cuenta de que estamos disfrutando hablando con nuestra pareja y no pensamos en nuestros pasos.

John: Me estás diciendo, además, que las personas de tipo medio temen que, si bajan la guardia y no se esfuerzan por mostrarse más categóricos y seguros, pueden volver a caer en una situación incierta y confusa, ¿verdad?

Robin: Sí. También hay que tener en cuenta que han alcanzado esa sensación de orden y claridad gracias a un control férreo, suprimiendo tajantemente cualquier sentimiento que pueda ser motivo de una intensa preocupación. Hasta cierto punto se encuentran aislados, guardan las distancias para protegerse de aquellos sentimientos, ya sean positivos o negativos, que no se ven capaces de controlar. Una manera de alcanzar dicha seguridad es manteniendo las distancias con los demás desde un punto de vista afectivo.

John: De modo que no podemos permitirnos ser tan francos como la gente más sana.

Robin: Efectivamente. Aunque nos mostremos educados y demos a entender que tenemos buenas intenciones, siempre subyace en nuestra actitud una pizca de desconfianza o, al menos, una cierta cautela. Si se nos compara con las personas más sanas, a las cuales les sobran las buenas intenciones y la amabilidad, se ve que la gente como nosotros no está dispuesta a ser muy generosa por miedo a no tener bastante para sí misma.

John: Somos más calculadores. Nos preguntamos si recibimos tanto como lo que damos.

Robin: Algo que también ocurre en las relaciones íntimas. Las personas de tipo medio tienen que guardar una distancia para conservar sus «fronteras», con lo que no dejan de aislarse emocionalmente de los demás. Les parece difícil exteriorizar sus emociones y mostrarse receptivos ante los sentimientos de los otros.

John: Una verdadera intimidad puede llegar a infundir miedo en una de estas personas, ¿no es así?

Robin: Sí, ésa es la razón por la que se suele dar una marcada división de sexos en las parejas de tipo medio. Con mucha frecuencia no tienen una noción muy clara de lo que es el otro sexo, ni tampoco lo ven como una fuente de placer, excepción hecha de cuando están en la cama. Pero incluso en esas ocasiones la mujer dice que a él sólo le interesa la parte física y que no se implica emocionalmente, mientras que el hombre dice que ella sólo quiere carantoñas y que no se entrega sexualmente. En resumen, el placer sexual es un sentimiento tan fuerte que puede llegar a significar una amenaza para una persona que ha afianzado poco su autocontrol, de resultas de lo cual se suele mantener bien guardado en un compartimiento separado, lejos de expresiones amorosas como la ternura o de otras formas de diversión. De ahí que dos personas de diferente sexo se vean la una a la otra como si fueran especies diferentes, y que la pareja pueda sentirse decepcionada con la relación. Con todo, incluso en el caso de las parejas que se encuentran en los umbrales del nivel sano, las mujeres se suelen sentir más decepcionadas que los hombres.

John: ¿Por qué?

Robin: Porque la relación entre el hombre y la mujer suele ser tradicional y desigual, al contrario de las que se dan en las familias más sanas, que son equitativas. A la mujer se la ha programado para llevar las de perder y para dejar que el hombre tome la iniciativa, por eso él se lo pasa mejor y ella se tiene que aguantar, que es de lo que se quejan, y con razón, las feministas.

John: Si los padres se sienten decepcionados con la relación, su coalición no será tan fuerte de cara al cuidado de los hijos.

Robin: Ésa es una de las consecuencias, aunque se puede llegar más lejos. Si el matrimonio no es lo bastante satisfactorio, es posible que una de las dos partes busque en uno de los hijos la confianza y la comprensión que echa de menos cuando está con la otra parte. Esto supone un verdadero trastorno para la familia y una gran carga para el hijo en cuestión. También es muy probable que dicha persona, la que se siente excluida, sienta la necesidad de comenzar una relación con un gran contenido sexual fuera del ámbito familiar, lo cual puede desembocar en una aventura amorosa y convertirse en una amenaza para el equilibrio familiar.

John: Ya veo. Si en estas parejas no existe el mismo grado de cariño y de igualdad que en las familias más sanas, ¿cuál es su postura ante el «amor»?

Robin: Bien, para las familias corrientes, el «amor» no supone una situación de posesión y de control como la que se da en las familias más enfermas. Sin embargo, las personas que se encuentran en este nivel medio no tienen la seguridad de que se vayan a satisfacer todas sus necesidades, ni tampoco de que ellas mismas se vayan a ocupar personalmente de dichas necesidades. Como consecuencia, se suele intentar controlar a la pareja con la intención de que no se sienta independiente y no pueda irse.

John: ¿Cómo hacen eso?

Robin: Lo más habitual es que los dos eviten poner de manifiesto su capacidad para funcionar bien por cuenta propia por temor a que dicha capacidad anime a la pareja a volverse más independiente. A la postre, el peligro surge del hecho de que los dos se han creído la supuesta incapacidad para funcionar sin la pareja, con lo que los dos se vuelven más dependientes y pegajosos. En resumen, en este nivel medio el «amor» viene a significar que uno necesita a su pareja hasta tal punto que no le entra en la cabeza vivir sin ella.

John: Pero se supone que el feminismo ha tenido el efecto de conseguir que las mujeres sean mucho más independientes. ¿Ha significado esto una mejora de la salud de las parejas?

Robin: En aquellos casos en los que la mujer es realmente más independiente –y no se limita a adoptar una postura rebelde como respuesta a la sumisión anterior, lo cual equivaldría a caer en un nuevo tipo de dependencia–, yo creo que se ha notado una sensible mejoría. Esta situación da pie a una relación mucho más rica, pero para que esto ocurra es preciso que las dos partes se vuelvan más independientes. El problema es que con frecuencia la emancipación de la mujer pone al descubierto esa dependencia que el hombre siente pero que siempre ha rechazado, dependencia a la que la mujer también había contribuido y que no había llegado a desafiar. Si el hombre es capaz de enfrentarse a esta nueva situación, y de superarla como ella lo ha hecho, entonces la relación podrá mejorar. Es algo que yo mismo he intentado hacer y por lo que me siento agradecido, ya que los cambios que ha supuesto me han sido de un gran provecho. Por desgracia, muchos hombres no han estado a la altura de las circunstancias y, o bien se han dedicado a impedir el desarrollo de la mujer, o bien se han echado atrás y se han negado a intervenir, invirtiendo los papeles y adoptando una postura pasiva y sumisa. Todo esto conduce a un empeoramiento de las relaciones y, en última instancia, al divorcio.

John: Volvamos a la rigidez de la familia de tipo medio. ¿Cómo influye todo esto en los hijos?

Robin: Bueno, está claro que acarrea un gran trastorno. Sin embargo, hay que tener en cuenta que los miembros de estas familias no se sienten tan «libres» como los de las familias más sanas. Debido a la gran importancia que se otorga al equilibrio y a la prudencia en una situación de este tipo, cada miembro de la familia se ve obligado a comportarse de manera convencional, a hacer lo que «de ellos se espera». Como consecuencia, es muy posible que tanto padres como hijos acaben representando un papel que nada tiene que ver con el verdadero carácter de cada uno de ellos...

John: ... Entonces los hijos no se sentirán tan libres como para tomar decisiones y seguramente se verán obligados a adaptarse a la nueva situación, ¿no es así?

Robin: Sí, es lo más probable: una de las reacciones es conformarse. Sin embargo, también cabe rebelarse y virar en dirección contraria..., lo cual, aunque tal vez resulte mejor que transigir, puede que sea una manera larga y complicada de llegar a tu objetivo. Al fin y al cabo, la rebelión es una reacción casi tan inflexible como la conformidad, ya que significa que todavía estás tratando de definir tu vida según los valores y las expectativas de los demás y no intentas volverte independiente y vivir conforme a lo que tú mismo has descubierto por tu cuenta.

John: Pero en esta vida uno tiene que asumir este tipo de «papeles».

Robin: Sin ninguna duda. Lo que pasa es que en las familias más sanas los hijos se desarrollan con un gran sentido de lo que son y se sienten a gusto con esa idea. De ese modo, no les es difícil desempeñar un papel determinado cuando resulta útil socialmente, para luego dejarlo cuando ya no es necesario.

John: Saben distinguir entre su identidad y esos «papeles».

Robin: Y, en contraposición, las personas de tipo medio suelen identificarse con dichos papeles y se sienten perdidas cuando no pueden seguir uno de estos patrones sociales automáticos. Sus vidas se van restringiendo cada vez más.

John: Por lo tanto, los hijos de estas familias crecen asumiendo estereotipos sexuales como los de «Rambo» o «Barbie».

Robin: Sí, ésa es la razón por la que con frecuencia acaban encasillados en posturas enfrentadas, librando la aburrida batalla de los sexos. Les da miedo no poder recuperar su posición anterior si intercambian los papeles con su pareja para hacerse cargo de sus tareas.

John: Además, los papeles tradicionales le ofrecen a la gente de tipo medio la posibilidad de guardar más distancia, lo cual es algo que seguramente prefieren, dado que su intimidad es algo problemática.

Robin: Eso es verdad. No confían lo bastante en la masculinidad y la feminidad respectivas como para mostrarse francos y disfrutar de su intimidad, mientras que las parejas más sanas son tan amigos como verdaderos amantes.

John: Antes has dicho que en las familias más sanas el marido y la mujer comparten el poder. ¿Qué ocurre en una familia de tipo medio?

Robin: Se parece más a una jerarquía, ya que es uno de los padres quien lleva las riendas. En las familias de tipo medio que se acercan a las más sanas, uno de los padres acepta su condición de segundo de abordo, lo cual no tiene que funcionar mal desde el punto de vista de los hijos, ya que hay unas normas claras con las que todos están de acuerdo y los hijos conocen su posición en la familia. Sin embargo, en las familias de tipo medio que se encuentran más abajo en la escala, los padres discuten y compiten constantemente en pos de la posición de cabeza. Esto les plantea a los hijos el problema de las lealtades divididas y las pautas inconsecuentes.

John: Ahora bien, debido a los cambios en los papeles sexuales tradicionales y el alto nivel de divorcios, en este momento hay más familias. ¿No deja esto a los hijos en una peor situación?

Robin: Bueno, no me cabe duda de que la solución ideal es aquella en la que hay dos padres sanos, felices, que se llevan bien y que están de acuerdo en lo fundamental sobre el cuidado de los hijos. Pero, como ya he aclarado, la realidad es con frecuencia muy diferente a la imagen que acabo de describir. Los hechos dan a entender que los hijos tienen más que perder viviendo con dos padres enfrentados e infelices que «siguen juntos por el bien de los niños», que con uno de ellos que es más feliz gracias a la separación, a condición de que el bienestar de los niños sea algo prioritario y que los padres cooperen para que los niños mantengan el contacto con ambos. Como es lógico, también son pertinentes en este caso todos los principios de los «niveles de salud». Si el cabeza de una familia con un solo cónyuge se ha separado de su pareja por culpa de sus problemas psicológicos, estos problemas seguirán causándole quebraderos de cabeza después de la separación. Una persona que es en el fondo hostil al sexo opuesto no dejará de minar la relación que sus hijos tengan, no sólo con la persona de la que se acaba de separar, sino también la que puedan tener con la persona que ocupe el puesto de esta última. Sin embargo, aquella persona que ha perdido a su pareja, con la cual solía tener una buena relación afectiva, se ocupará de que sus hijos tengan un buen sustituto.

John: Sigamos adelante. El siguiente punto en la lista es la comunicación, la cual se dará de forma más controlada y prudente..., nada parecido a un circo.

Robin: Y no lo será porque los hijos habrán descubierto que muchas de sus reacciones y emociones no son del todo aceptables, con lo que, por temor al rechazo de la familia, habrán aprendido a reprimirlas en vez de sentirse libres para experimentarlas y expresarlas de tal modo que acabasen por aprender a controlarlas.

John: Bien, la siguiente característica que distingue a las familias más sanas es... que ven el mundo de manera realista.

Robin: Bueno, las personas de tipo medio, las que integran la generalidad, tienen una concepción del mundo mucho más precisa que la que tienen los menos sanos, pero se diferencian de los más sanos en su marcada tendencia a echar la culpa a los demás, ya sea dentro o fuera del entorno familiar. Lo que hacen es proyectar sobre los demás gran parte de los sentimientos que rechazan.

John: Hay una mayor probabilidad de que tengan prejuicios hacia otra gente, ¿no es así?

Robin: Sin lugar a dudas, y más aún cuanto más bajemos en la escala y nos separemos del tipo medio.

John: ¿De qué otra manera se puede manifestar la menor claridad que tienen estas personas en su visión de la realidad?

Robin: De manera parecida a la que hemos apuntado al referirnos a las familias menos sanas, aunque en menor proporción. Las novedades y las incertidumbres no son de su agrado como lo pueden ser para las más sanas, de ahí que se aferren a las ideas y creencias ya conocidas y no estén dispuestas a revisarlas constantemente a la luz de sus nuevas experiencias. Siguen creyendo en sus antiguos «mapas mentales» y desestimando las evidencias, en vez de interesarse directamente en el «territorio» y manejar el «mapa» como lo que es: algo secundario, una aproximación provisional. Son fieles a sus principios, apoyan firmemente una política concreta o un partido determinado y comparten ciertos prejuicios de clase o racistas, incluso cuando las circunstancias demuestran lo contrario. Normalmente también tienen una imagen bastante idealizada de su propia familia, una imagen formada por los sentimientos que suelen evitar y rechazar, y que contribuye a mermar su capacidad para verse a sí mismos con claridad. Una imagen que se traduce en cosas como: «Nunca sentimos envidia en nuestra familia», «nos sentimos todos muy unidos», «en realidad pertenecemos a la aristocracia terrateniente, por mucho que hayamos perdido nuestras tierras y nuestro dinero».

John: ¿Cuál es entonces su comportamiento en la vida real..., en el trabajo, por ejemplo?

Robin: Bueno, el estudio indica que las personas más sanas del tipo medio suelen tener un gran éxito en el trabajo. Son personas amables, responsables que, dentro de lo que cabe, ven el mundo con claridad. Es más, pueden ser sumamente eficaces a la hora de garantizar que se realiza un trabajo.

John: Pero ¿se les da tan bien el trato con la gente como a las personas más sanas?

Robin: No. Por lo general se concentran en el trabajo, lo cual puede ser un motivo de frustración y enojo cuando tienen que trabajar cooperando con otras personas y ello les impide sacarles el mayor partido. Por el contrario, se suele decir que los padres de las familias más sanas «se sienten a sus anchas» en el trabajo; es decir, obtienen una gran satisfacción si los demás se superan gracias a su ejemplo...

John: ... O, por decirlo de otra manera, mientras que a ellos les encanta trabajar con otras personas, es muy probable que los padres de las familias de tipo medio tengan la sensación de que los demás «andan siempre por medio».

Robin: Evidentemente, y si tienen esa sensación, tendrán muchas dificultades para colaborar con sus compañeros de trabajo. Pero ya nos ocuparemos de eso en el segundo capítulo.

John: De acuerdo. Por último, ¿cómo nos sientan los cambios a las personas de tipo medio? Supongo que la rigidez generalizada que has mencionado va a suponer un obstáculo para que la gente pueda adaptarse con facilidad a las nuevas circunstancias.

Robin: Nuevamente se encuentran a medio camino entre los más sanos, los cuales disfrutan con los cambios y se adaptan con facilidad, y los menos sanos, que no pueden enfrentarse a la nueva situación de ninguna manera y tratan de «detener el tiempo». Pongamos el caso más extremo, el fallecimiento de un miembro de la familia. En esa circunstancia las personas de tipo medio son incapaces de llorar la pérdida, adaptarse y seguir adelante con libertad, tal y como lo hacen las más sanas. Sin embargo, no se cierran en banda ante la pérdida, como lo hacen los menos sanos, sino que se adaptan, aunque con lentitud y dificultad. Esto conlleva un peligro: se transfieren los sentimientos relacionados con la persona fallecida a otro miembro de la familia, el cual puede verse afectado negativamente al recibir un trato que no le corresponde...

John: ...Y como estamos hablando de un grupo de personas que asciende a cerca del sesenta por ciento de la población, es fácil comprender por qué tenemos todos unas actitudes tan conservadoras.

Robin: Algo que parece muy normal.

John: Tengo que decir que cuanto más pienso en la gente sana, más clara se me hace la curiosa relación que hay entre sus características. Es extraño..., resulta difícil encontrar las palabras para expresarlo..., pero uno tiene la impresión de que sería difícil que una existiese sin las demás.

Robin: Acuérdate de que el equipo de investigación que se ocupaba de las familias *excepcionalmente* sanas tituló su libro *No Single Thread* (*Ni un solo nexo*), para dejar bien claro que no existía un único «ingrediente milagroso» que permitiese disfrutar de una salud tan extraordinaria.

John: Sí, pero no se trata sólo de eso. Me refiero a la sensación de que cada factor facilita la existencia de los demás y viceversa. Puedes empezar por donde quieras: pongamos por caso el hecho de que los niños crezcan sabiendo que todos sus sentimientos son aceptables. Evidentemente, esto permite que se comuniquen con las demás personas con más franqueza, tanto es así que éstas reaccionarán de igual forma. De esa manera aprenden más fácilmente cómo es la gente, lo que los lleva a tener una visión del mundo más precisa y, a su vez, los ayuda a ser más realistas. Esto supone que sus expectativas no quedarán defraudadas en demasía, con lo cual podrán disfrutar más de la vida, se sentirán mejor y, por consiguiente, serán más francos con los demás. Es un proceso circular.

Robin: Realmente lo es. Pongamos otro ejemplo de este proceso circular positivo que relaciona las diferentes características que hemos descrito: el hecho de que los padres permitan a los hijos tener voz y voto, no sólo les enseña a éstos a ser francos y a ver lo que piensan y sienten los demás, sino también a respetar las opiniones personales de cada uno, lo cual fomenta el sentimiento de identidad y autonomía de cada individuo. De esa forma ganan una mayor independencia emocional, sienten una mayor libertad para comportarse como lo que realmente son y evitan tener que «avenirse a la situación» y «acatar la línea del partido familiar». En definitiva, se sienten liberados y felices, y pueden disfrutar de su participación en el «circo».

John: Y formar parte de un circo en el cual todo el mundo está a gusto te infunde confianza, con lo que si surge un problema de vez en cuando, no te va a parecer una amenaza. De ahí que no tengas que ocultar los sentimientos negativos y, cuando se produzca una riña o una discusión, se puedan resolver con facilidad gracias al ambiente de cariño y apoyo que hay en la familia; «las tres pistas del circo» son el ámbito adecuado para que todo el mundo se sienta alegre, lo que permite que sean más creativos a la hora de buscar soluciones para las riñas. Por consiguiente, la familia tiene una mayor facilidad para resolver dichos conflictos y se encuentra más relajada en lo referente a los sentimientos negativos. En resumidas cuentas, se sienten más liberados y se lo pasan mejor...

Robin: ...Lo que los hace ser más francos, algo que les infunde confianza en sí mismos. De ahí que tengan confianza en su propia autonomía y dejen a los demás que tengan la suya...

John: ...En virtud de lo cual les es dado entregarse a una mayor intimidad, con lo que tienen la oportunidad de ayudarse y complacerse mutuamente, motivo por el que aumenta su confianza y por el que se sienten mejor capacitados para afrontar los cambios que puedan acontecer. Como consecuencia, saben que pueden sobrellevar cualquier cosa que llegue a ocurrir, algo de lo que derivan una mayor sensación de libertad, etcétera, etcétera, etcétera... Es como para ponerte enfermo, ¿no te parece?

Robin: Hay un factor que puede parecer obvio, pero voy a mencionarlo de todas formas. Como sabes, gracias a que los esposos se comportan como una verdadera pareja, los hijos reciben un mensaje explícito que les puede ayudar a formar parejas equilibradas cuando crezcan, en vez de caer en el molde típico en el que se da una relación de dominio y sumisión.

John: Mmm..., todavía me asombra lo estrechamente vinculado que está todo.

Robin: Eso se debe a que la familia es un sistema de «relaciones mutuas».

John: ¿Y qué demonios significa *eso*?

Robin: Bueno..., antiguamente se pensaba que las relaciones de causa y efecto se asemejaban a una fila de vagones de tren en una estación de maniobras, chocando uno detrás de otro. Sin embargo, hace unos cuarenta años, los investigadores de diversas áreas científicas comenzaron a mostrar mayor interés en el estudio del *conjunto* que en el de las *partes*, y a concentrarse más en las *relaciones entre las cosas* y menos en los *elementos dispersos*.

John: Te refieres al concepto de «sistema» cuando hablas de «conjunto», ¿no es así?

Robin: Efectivamente. Cuando empezaron a estudiar sistemas de las clases más diversas –desde sistemas de control de armas hasta ordenadores, pasando por familias–, los investigadores se dieron cuenta de que existía una mayor ligazón y dependencia entre las cosas que la que habían pensado. El funcionamiento no se asemejaba tanto al de una fila de vagones de tren como al de un sistema de calefacción central, en el que cuando se calienta la caldera, se apaga el termostato, lo que permite que aquélla se enfríe y, como consecuencia, que éste se vuelva a encender, lo cual mantiene la temperatura constante.

John: Entonces, una familia se parece a un sistema homeostático que tiene un gran número de variables conectadas entre sí, ¿no?

Robin: Bueno, no es necesariamente eso..., en algunos sistemas, si una cosa lleva a otra y ésta, a su vez, pone otra en funcionamiento en lugar de desconectarla, lo que te encuentras más bien es una situación de pánico creciente en la que el miedo se multiplica debido a que el grito de una persona afecta a las demás y provoca una reacción en cadena escalonada parecida a la de una explosión nuclear. Sea como sea, se ha visto que la relación de causa y efecto en un sistema la mayoría de las veces es de tipo *circular*.

John: De modo que, por lo que respecta a las familias, ¿es válido decir que el origen de los problemas serios está en el «círculo vicioso» que forman las cosas más pequeñas al multiplicarse indefinidamente?

Robin: Exacto. Ése es el gran descubrimiento que supone la utilización en las terapias familiares del modo sistemático de pensar que hemos descrito. Dicho descubrimiento nos permite afirmar que es posible romper los «círculos viciosos» –los cuales tienen una dinámica de espiral descendente que provoca una mayor infelicidad– para convertirlos en «círculos virtuosos», que van en la dirección contraria. Esto significa que, con sólo unos pocos cambios de tipo práctico, se puede operar una multiplicación que genere una felicidad creciente.

John: Es algo fascinante. Ya sabía que la terapia familiar podía dar resultado rápidamente. Ahora sé por qué.

Robin: Ésa es una de las razones. Otra es el recurso a la inteligencia del conjunto de la familia. Como cada miembro de la familia suele percatarse de cosas relacionadas con el origen de los problemas familiares que los demás no han advertido, uno dispone de mucha más información. Muchas veces es uno de los hijos –uno de los hermanos o hermanas que según los padres no supone ningún problema– quien ve con más facilidad que los demás dónde está la causa de dichos problemas. Si toda la familia entra en juego, uno puede animar a todos a que cooperen en la resolución de esos problemas una vez que los han entendido.

John: Bueno, después de la pausa publicitaria, podemos volver a hablar de las familias que no necesitan terapia. Hemos visto la conexión existente entre todas las características. ¿Hay alguna que se quede fuera?

Robin: Yo diría que no. Las familias más sanas siempre muestran las variables que hemos mencionado de una forma o de otra. Sin embargo, suele haber diferencias significativas en el grado en el que éstas se dan en cada familia.

John: De forma que no existe «una solución», sino más bien una «mezcla diferente» para cada caso, ¿no es así?

Robin: Efectivamente.

John: Esto me recuerda lo que dice Tolstoi al comienzo de *Ana Karenina*: «Todas las familias felices guardan parecido unas con otras, mientras que las infelices lo son por cuenta propia».

Robin: Sí, creo que eso es esencialmente cierto. Está claro que cada familia es única, al igual que una huella dactilar. Sin embargo, parece como si las familias más sanas funcionaran de acuerdo con los principios que acabo de esbozar, con lo que lógicamente tienes menos formas para solucionar algo que las que tienes para complicarlo.

John: ¡Qué listillo era Tolstoi...! Siempre tan bueno con las estadísticas. Ahora bien, Robin, llevas un buen rato charlando sobre lo que se suele llamar una familia sana, ofendiendo así, con la mayor alegría, a esa parte de nuestros lectores que hasta ahora creían que disfrutaban de una buena salud. Muchas gracias. Seguro que estarán subiéndose por las paredes, furiosos porque no te he planteado preguntas más agudas, difíciles y puñeteras sobre los datos que nos has presentado. En resumen, ¿qué estudio respalda todo lo que estás diciendo?

Robin: Bien, como he dicho al principio, el interés en las familias sanas es algo relativamente nuevo, por lo que no es fácil encontrar muchos estudios al respecto. Además, el problema se complica debido a que los investigadores estudian y valoran fenómenos ligeramente diferentes entre sí y no emplean los términos de igual forma.

John: ¿Quieres decir que no han llegado a un acuerdo sobre el significado de «sano»?

Robin: Hasta cierto punto, pero si se tiene en cuenta la diversidad de las cosas que están estudiando bajo distintas denominaciones, en el fondo no existe una discrepancia significativa.

John: ¿De veras?

Robin: Se trata de algo que se da no sólo en las *investigaciones* más formales, sino también en las conclusiones a las que llegan los principales *terapeutas* familiares a raíz de la experiencia práctica que supone trabajar con las familias. Te puedo asegurar que coincide con todo lo que he aprendido de mi trabajo clínico. No conozco ni una sola característica que cualquier investigador o terapeuta considere vital para la salud y que sea refutada por otro experto en el tema. En realidad, el grado de acuerdo es asombroso. Froma Walsh dice en *Procesos en familias normales,* un libro excelente en el que repasa todo lo publicado sobre la materia, que «...resulta notable el hecho de que los diversos modelos familiares estén exentos de cualquier tipo de contradicción o anomalía de importancia» y añade que «ningún teórico ha dado a entender o ha afirmado de forma explícita que una variable que otro teórico haya juzgado esencial para el buen funcionamiento de la familia, no tenga importancia o tenga una relación inversa con el funcionamiento normal».

John: ¿Qué tipo de investigación? ¿Podrías darme un ejemplo?

Robin: Bueno, aparte de los proyectos de Timberlawn que ya he mencionado, y de mis observaciones y las de los colegas con los que he discutido sobre esta materia, hay un trabajo sobre los estudiantes más sobresalientes de Harvard que ha descrito George Vaillant en el libro *Adaptation for Life (Adaptación a la vida)*. El estudio consistía en seguir la evolución de estos estudiantes durante no menos de treinta años, empleando cuestionarios y entrevistas complementarias.

John: ¿En qué se basaron para elegir a los estudiantes?

Robin: Comenzaron con varios cientos de estudiantes varones, de los que excluyeron a los que tenían problemas académicos, físicos o psicológicos. Del grupo que quedó, los decanos de la universidad seleccionaron a los más «estables», a aquellos que parecían capaces de «arreglárselas por su cuenta», lo cual redujo el grupo a noventa y cinco personas.

John: ¿Se le dio mucha importancia a la independencia?

Robin: Sí, como también se la dio al éxito, a aquellas personas a las que se les daba bien competir. Posteriormente, se ha comprobado que estas personas son las que más éxitos laborales han cosechado de todos los estudiantes de Harvard de la época. Sin embargo, a la hora de elegirlos no se tuvo mucho en cuenta otra cualidad: la capacidad para disfrutar de la vida íntima.

John: ¿No eran interesantes los hedonistas que tenían facilidad para adaptarse?

Robin: Me temo que no. La muestra se basaba en varones del tipo WASP,[1] «blancos, protestantes y anglosajones». Con todo, el setenta por ciento de los seleccionados se autodefinió como «liberal», en el sentido más amplio de la palabra, y un noventa por ciento del total se declaró contrario a la guerra de Vietnam, en el año 1967.

John: Entonces..., primera pregunta: ¿Qué salud tenían estos individuos?

Robin: Ya he dicho antes que alrededor de un veinte por ciento del conjunto de la población se encuentra entre los que gozan de una buena salud mental. Pues bien, Vaillant calculó que en torno a un ochenta por ciento de las personas que había estudiado entrarían en el grupo de cabeza, en el veinte por ciento de los sanos. Se cometieron algunos errores en la selección original, de ahí que el resto resultara ser menos sano que el grupo que hemos mencionado, aunque está claro que todos evidenciaban cierta vulnerabilidad. Como conclu-

1. White, Anglo-Saxon, Protestant.

sión a su estudio, Vaillant dice que «...ninguno ha sobrevivido al juego de la vida sin realizar un esfuerzo o sin sentir dolor e inquietud».

John: ¿Qué examinaba el estudio?

Robin: Se hicieron comparaciones entre los estudiantes para averiguar qué tipo de influencias podían contribuir a la mejora de la salud mental y a la consecución del éxito a la hora de enfrentarse a la vida. Vaillant examinó en concreto el comportamiento de estos hombres cuando se hallaban en situaciones que provocasen tensión nerviosa, y analizó la clase de defensas de las que hacían uso.

John: ¿«Defensas»? ¿No nos estará intentando colar algo de jerga, verdad, doctor?

Robin: Bueno, me limpiaré la boca con agua y jabón. Tienes razón, se trata de una palabra técnica que equivale a los métodos que emplea la gente para superar una situación dolorosa y para no sentirse tan abrumada, desde un punto de vista emocional, que se vea incapaz de avanzar.

John: ¿Significa eso que una defensa es la manera que uno tiene de evitar hacer frente a la verdad y, por lo tanto, de evitar «algo malo»?

Robin: No necesariamente. Todos hemos de construirnos algún tipo de defensa cuando la tensión está aumentando. Lo importante es que esas defensas sean saludables, de ahí que Vaillant decidiese estudiar varias clases diferentes de defensas y que las subdividiese en «defensas inmaduras», «defensas neuróticas» y «defensas maduras».

John: ¿Una defensa «inmadura» es menos saludable que una «neurótica»?

Robin: Sí.

John: Bueno, vamos a ver..., empecemos por abajo..., ¿en qué consiste una defensa «inmadura»?

Robin: En creerte que las cosas son diferentes a la realidad para así no tener que vértelas con una situación difícil e incómoda. Por ejemplo, la *fantasía*: pensar que vives en Jauja, en un mundo de ensueño donde eres famoso y tienes éxito, en vez de realizar un verdadero esfuerzo por tener amigos y triunfar en el trabajo. La *proyección* y la *paranoia*: decir que tus limitaciones no son tuyas en realidad sino de los demás o, si no, echarles la culpa a los demás por ellas. El *masoquismo* y la *hipocondría*: tratar de conseguir algo manipulando a los demás para que te lo den, en vez de responsabilizarte tú mismo de tu vida. La *actuación*: ceder a tus impulsos sin pararte a pensar en su significado o consecuencias, de tal forma que no te supongan ningún conflicto o frustración.

John: ¿Existe algún punto en común entre las personas que emplean este tipo de defensas?

Robin: Sí. Piensan que no tienen ningún problema y, por consiguiente, no mejoran. Por ejemplo, la fantasía las aísla de cualquier tipo de ayuda que se les pueda prestar. Vaillant descubrió que ninguna de las personas que hacía uso de la fantasía tenía amigos íntimos, y sólo unas cuantas mantenían el contacto con sus familias. En segundo lugar, pueden suponer un verdadero problema para los que las rodean. La actuación y la paranoia son típicas de los criminales y, lo que resulta interesante, también de los revolucionarios, los cuales pueden llegar a expresar sus conflictos internos en la lucha política. Luego, como es lógico, los casos extremos de este tipo de defensas van aumentando conforme uno desciende en la escala de la salud y se aproxima a la verdadera locura. Vaillant no incluyó el cuarto grupo, el de las defensas «psicóticas», que se encuentra en el extremo más bajo de la escala, porque no encontró a nadie durante su investigación que estuviera tan mal.

John: Ya, pasemos a la siguiente categoría. ¿Qué es una defensa «neurótica»?

Robin: Es un modo de combatir la tensión y la ansiedad poco habituales al que suelen recurrir las personas de tipo medio. Por un lado, implica una deformación o un relativo rechazo de la realidad, mientras que por otro nos permite prestar atención a las necesidades de los demás, lo cual nos ayuda a integrarnos en la sociedad. Por ejemplo, la *represión* significa que dejamos las ideas menos agradables en la «trastienda» de la cabeza para creernos que no existen casi nunca. Las dejamos «detrás de la pantalla», como decíamos en *La familia y cómo sobrevivirla*. El *aislamiento* y la *intelectualización* son fenómenos parecidos. En el primer caso, reprimimos la idea pero no el sentimiento; es decir, podemos llegar a sentir ansiedad pero sin saber por qué. En el segundo, hacemos lo contrario: recordamos la idea pero ignoramos el sentimiento con el que está relacionada; podemos imaginarnos que realizamos un acto violento, pero no sabemos qué tipo de sentimiento lo acompañaría normalmente. El *desplazamiento* significa que mezclamos ideas y sentimientos: si un hombre está enfadado con su jefe, para evitar que éste se entere y lo despida, lo que hace es enfadarse con su mujer. Finalmente, tenemos lo que se llama *formación de reacciones*, algo así como hacer lo imposible por evitar un impulso o un sentimiento al que se le tiene miedo, concediéndole una importancia excesiva al sentimiento contrario. Por ejemplo, podemos adoptar una actitud tensa y escrupulosa para mantener nuestros sentimientos sexuales a raya o bien un pacifismo quisquilloso que nos sirva de barrera contra nuestro violento enfado.

John: Entonces, ¿qué peligro entrañan las defensas de tipo medio si, en realidad, nos permiten mostrar consideración hacia los demás?

Robin: El problema es que ahogan nuestras reacciones emocionales, con lo que nuestra vida se convierte en algo soso, triste y severamente controlado.

John: Ya veo. Ahora, por un millón de pesetas, dígame: ¿cuáles son las reacciones maduras a una situación de verdadera tensión nerviosa?

Robin: Bien, una de ellas es la *anticipación*. Si se te presenta un gran reto, puedes reducir la tensión nerviosa previendo lo que puede pasar y preparándote para hacerle frente. Por lo tanto, como has hecho tus deberes, por así decirlo, te puedes relajar un poco porque sabes que te las puedes arreglar, llegado el momento. Por ejemplo, por poco que uno se conozca a sí mismo, se puede predecir con más facilidad cómo va a reaccionar y puede considerar las posibles consecuencias. Ésta es una manera, según la psicoterapia, de hacer que la vida de la gente sea más eficaz y agradable. Por otro lado, tenemos la *supresión*: en vez de reprimir un sentimiento que nos asusta y quitárnoslo de la cabeza enseguida, lo mantenemos a raya y aguantamos la incomodidad de *sentirlo*, lo cual significa que es más probable que seamos capaces de descubrir la forma de afrontarlo, a poco tiempo que se nos dé.

John: Creo que es un modo de abordarlo un tanto blandengue y aburrido.

Robin: Me parece que la elección del término «supresión» ha sido algo desafortunada, porque denota una idea de pesadez y apatía, mientras que en realidad supone una situación de suspense en la que se espera que llegue el momento adecuado. Esta contención puede hacer que aumente la intensidad y, por consiguiente, que uno se sienta vivo, pletórico, mientras espera que llegue el momento de dejar que la emoción explote y se convierta en acción. Pero sigamos. Otra reacción es la *sublimación* o la búsqueda de distintas maneras de expresar un sentimiento o un impulso problemáticos que, además de ser motivos de satisfacción, la sociedad acepta y considera creativos. Un ejemplo es el *altruismo,* que se podría definir como un placer vicario: disfrutar al hacer algo por los demás que te gustaría que hiciesen por ti, como cuando les contamos a nuestros hijos aquellas experiencias que nosotros desearíamos vivir. Lo mejor de todo, sin embargo, es algo que te va a encantar: ¡el *sentido del humor*! Con el sentido del humor sientes todo a flor de piel; no hay manera de zafarse del pleno conocimiento de las circunstancias más dolorosas de la vida... Aun así, puedes dominarlo todo si lo transformas en placer y alegría.

John: ¡Lo mejor de todo! ¡Qué maravilla!

Robin: Vaillant utiliza una cita de Freud que dice: «El sentido del humor se puede considerar como el supremo sistema defensivo».

John: Estupendo, pero, un momento..., por millón y medio de pesetas, dígame: si el uso de defensas maduras significa que no se debe evitar la realidad, que no se deben evitar los sentimientos incómodos y destructivos proyectándolos sobre los demás, sino que, al contrario, hay que aceptar el impacto de la vida con toda su fuerza..., entonces, ¿en qué gana la gente «madura», en felicidad o en responsabilidad?

Robin: En felicidad, sin lugar a dudas. Cuando Vaillant entrevistó a todas las personas que había incluido en su estudio, veinticinco años después de que dejaran Harvard, las preguntas que les hizo estaban relacionadas principalmente con la felicidad, el trabajo, la salud, el matrimonio y, sobre todo, con el «momento presente»: ¿era el momento presente el más feliz de sus vidas? Lo que descubrió fue que la felicidad era cuatro veces más frecuente en las vidas de las personas que empleaban defensas maduras.

John: Háblame entonces de esas personas cuya felicidad es cuatro veces más habitual que lo normal..., son las personas más sanas, ¿no es así?

Robin: Sí. Está claro que no tenían que ser necesariamente las más ricas o las más poderosas, aunque más del noventa por ciento decía que se sentía satisfecha con su trabajo. Es decir, estaban haciendo algo porque disfrutaban realmente haciéndolo, y no porque les diera prestigio. Luego, claro está, solían tener un gran número de amigos, en contraposición a la mayoría de los hombres con defensas «inmaduras». Podían tomarse unas verdaderas vacaciones –el sesenta por ciento de los «inmaduros» no podía hacerlo– y eran capaces de mostrarse enérgicos ante otras personas si era necesario, mientras que sólo un seis por ciento de los «inmaduros» llegó a decir eso. Como colofón, te complacerá saber que lo que más les gustaba a los «maduros» eran los deportes competitivos...

John: A propósito, ¿y el matrimonio?

Robin: Bueno, si hay algo que indique tajantemente el nivel de salud mental, eso es la capacidad para mantener un matrimonio feliz durante largo tiempo.

John: Vamos a dejarlo...

Robin: Veintiocho personas de las treinta «más maduras» habían formado matrimonios estables antes de llegar a la treintena y seguían casados después de los cincuenta.

John: Bueno, bueno, no sigas...

Robin: Sin embargo..., lo que Vaillant dice es que: «...No se trata de que el divorcio sea algo malo, sino de que amar a una persona durante mucho tiempo es algo bueno».

John: Eso está muy bien dicho, y con eso quiero decir que me hace sentir mejor.

Robin: En último lugar, la tasa de mortalidad de los «más maduros» era la mitad que la de sus compañeros de clase.

John: La vida es injusta, ¿no te parece? A uno le gustaría pensar que el sufrimiento tiene sus compensaciones.

Robin: Bueno, es obvio que el sufrimiento innecesario –ser un hipocondriaco, por ejemplo– no compensa. Podemos convencer a los demás para que nos dejen eludir algo que no queremos hacer o, más concretamente, convencernos a nosotros mismos para eludirlo, digan lo que digan los demás. Con todo, el esfuerzo para nuestro bienestar es enorme y no nos resarce, a pesar de las ventajas que pueda entrañar, por lo que, si mantenemos esta situación durante mucho tiempo, podemos llegar a ponernos enfermos.

John: Aun así, esto me recuerda a ese chiste de Woody Allen que dice: «¿Por qué los judíos mueren siempre antes que sus mujeres? Porque quieren».Veamos dónde estamos. Tras haber examinado la salud excepcional desde el punto de vista del funcionamiento de las familias sanas, hemos visto cómo las personas sanas encaran las situaciones agobiantes. Parece como si los dos puntos de vista guardasen un paralelismo, ¿no crees? Ambos subrayan las ventajas de enfrentarse a la realidad sin tapujos.

Robin: Los mismos principios son válidos en casos diferentes. Por un lado, la tolerancia y el evitar la existencia de chivos expiatorios en la familia; por otro, la aceptación de uno mismo y la ausencia de una severa represión en el individuo. Una comunicación abierta en la familia y franqueza por parte del individuo en lo referente a su personalidad. En los dos casos, todos estos aspectos conducen a una combinación de la armonía y la integración con la libertad...

John: ... Aunque los dos suponen puntos de vista claramente direrenciados, lo cual está bien, es decir..., cuando se discute algo complejo, resulta útil hacer varias divisiones con el fin de que cada faceta arroje luz sobre la cuestión y nos ayude a comprender la idea central del todo.

Robin: Sí. A esto me refería cuando hablaba de la validez del estudio. Sean cuales sean los méritos de ciertos aspectos de la información que se nos da, lo que resulta más convincente es la forma que tienen todos los datos –el estudio de individuos, grupos o familias, cualquiera que sea el criterio– de concordar y cobrar sentido a partir de cosas que antes parecían incomprensibles.

John: Bien, Robin, ahora quisiera que me dieras tu opinión sobre este asunto de la salud mental, ¿cuál es tu parecer al respecto?

Robin: Si tomamos en consideración toda la información de la que disponemos, junto a todo lo que he aprendido a partir del trabajo clínico que he realizado con diversas personas, nos encontramos en una posición diferente para examinar la salud que a mí me parece muy útil. Esta manera de ver las cosas vincula el estudio de «las familias sanas» con la terapia familiar, con el psicoanálisis y con las ideas que Eric Berne emplea en *Games People Play*, que hicieron que la psicología fuese más comprensible para mucha gente corriente.

John: Ese libro causó mucho revuelo en los años sesenta, ¿no es así? Se convirtió en la biblia del análisis transaccional, algo que desde entonces se ha utilizado mucho para preparar a ejecutivos de empresa.

Robin: Efectivamente. Como ya sabes, Berne afirmaba que nos podemos quedar atascados en partes de nuestra personalidad en vez de emplearla en su integridad. Por ejemplo, si deseamos ser dependientes e irresponsables, o si nos asusta el sexo, podemos hacer uso de nuestros aspectos infantiles, con lo que evitamos tener que desarrollar la faceta más «adulta» y responsable de nuestra personalidad. Por otro lado, si lo que nos asusta es sentirnos vulnerables, indefensos o poco seguros, no es posible renegar de nuestra faceta infantil para así concentrarnos en la más adulta y responsable.

John: Lo primero corresponde a lo que Berne llama el «niño» que hay en nosotros, y lo segundo a lo que llama el «padre», ¿verdad?

Robin: Sí, de esa manera podemos pasar muchos años de nuestra vida mostrando esa parte de nosotros y relacionándonos con los demás gracias a ella, mientras las otras permanecen prácticamente cerradas. Sea como sea, no nos es posible funcionar por nuestra cuenta porque la mitad del conjunto de nuestra maquinaria, la cual nos es necesaria para hacer frente a la vida, no está siendo empleada.

John: Así que alguien que funcione de acuerdo con el «niño» siempre sentirá la necesidad de que alguien lo cuide, ¿no es así?

Robin: Así es, y el que tenga en cuenta la parte del «padre» necesitará alguien de quien *cuidar*.

John: Entiendo cómo funciona el primero, aunque no lo tengo muy claro respecto al segundo: ¿por qué las personas que cifran todas sus fuerzas en su faceta adulta han de ocuparse de otra persona?

Robin: Han cerrado la parte más espontánea, animada y emotiva de su personalidad y son conscientes de que les falta algo, consecuentemente se sienten atraídas por aquellas personas que expresan dicho aspecto, incluso a pesar de que lo desaprueben. Además, siempre que se las apañen para estar en una situación en la cual puedan fijar su atención en un comportamiento infantil ajeno a sí mismos, el de otra persona, es menos probable que su propio infantilismo –que para ellos es un tabú– se asome desde detrás de la pantalla.

John: ¿Y en el caso de una persona adulta?

Robin: Una persona verdaderamente madura no se encuentra en ninguna de las dos situaciones. Él o ella puede hacer uso y disfrutar de la parte infantil y de la parte paterna. En otras palabras, una persona adulta es aquella en la que las dos partes están integradas y funcionan al mismo tiempo. Sin embargo, cuando una persona sólo tiene la mitad de su personalidad en funcionamiento, se siente atraída hacia alguien que sólo utiliza la otra mitad. Por lo tanto, entre las dos disponen de todo el equipamiento psicológico que la vida requiere.

John: Tienen que elegir una pareja que les sirva de complemento...

Robin: Por lo que alguien que funciona principalmente gracias al aspecto infantil –un alcohólico, por ejemplo– busca lo que se suele llamar un «rescatador», una persona a la que no le gusta sentir dependencia y que, por lo tanto, rechaza su parte más infantil. Al «rescatador» le hace falta el contacto con la persona infantil para poder enfrentarse de una manera vicaria a la dependencia que ha rechazado. Por decirlo de otra forma, las dos personas necesitan a alguien que sobrelleve esa parte de ellos con la que no se encuentran a gusto y que quieren eludir desembarazándose de ella.

John: ¿Cabe presumir entonces que a este tipo de parejas les resultará imposible sentirse afectivamente independientes el uno del otro?

Robin: Sí. Es como si cada uno de ellos contuviese en su seno una parte del otro, de ahí que al separarse tengan la sensación de que han perdido algo propio, aunque, claro está, no entienden por qué se sienten tan mal.

John: ¿Tienen que ver el «niño» y el «padre» con el «superyó» y el «ello» de los que hablaba Freud?

Robin: Guardan cierto parecido. Como ya sabemos, Freud distinguía tres partes en la persona: ello, yo y superyó. Aun así..., sí, el ello corresponde a los instintos y deseos espontáneos y desenfrenados que asociamos con la infancia, y el superyó guarda relación con el «padre» de Berne, ya que se compone de todos los valores, todas las normas y prohibiciones sociales que hemos aprendido de las figuras paternas en nuestra niñez; una especie de padre que está sentado sobre tu espalda y te va diciendo lo que debes y lo que no debes hacer.

John: ¿Y qué hace el yo?

Robin: Es la maquinaria ejecutiva, la cual trata de hallar una serie de compromisos aceptables entre el ello y el superyó, entre la parte más infantil y la parte más paternal. Su objetivo corresponde más o menos a lo que Berne entiende por «adulto», o, por expresarlo de otra manera muy tosca: ello, yo y superyó corresponden a lo que en lenguaje corriente llamamos deseo, autocontrol y conciencia.

John: Creo que, más o menos, lo entiendo a excepción de una cosa: ¿estás identificando los «sentimientos», la vida afectiva de una persona, únicamente con la parte del niño? ¿Significa esto que no hay emociones adultas?

Robin: Una persona que sólo es capaz de sentir emociones y deseos y no tiene autocontrol o sentido de la responsabilidad para con los demás, sin lugar a dudas está todavía funcionando como un niño, sea cual sea su edad. Sin embargo, si los otros aspectos que forman parte de uno mismo se desarrollan conforme crecemos, la vida afectiva cambia, se vuelve menos extrema y violenta, y se hace más sutil y rica.

John: Muy interesante..., pero he perdido el hilo, ¿qué tiene que ver todo esto con la salud mental?

Robin: Cuando el nivel de salud es muy alto, los tres aspectos que hemos descrito se hallan muy desarrollados; la persona los conoce y los puede utilizar. Dicha persona está en contacto con su vida afectiva, siente las cosas con intensidad, espontaneidad y creatividad, algo que puede hacer porque se siente segura, confiada en lograr controlar esos sentimientos cuando sea preciso. Además, sabe muy bien qué cosas son aceptables en la sociedad y qué cosas no lo son, qué cosas son buenas y cuáles hacen daño a los demás y a sí misma; esto es, dispone de la maquinaria que empuja la nave, el timón para gobernarla y una carta de navegación para dirigirla en dirección a puerto. Como tiene estos tres aspectos a su alcance y éstos se encuentran conectados entre sí, puede funcionar por esta vida adecuadamente por su cuenta cuando sea necesario, que es a lo que nos referimos cuando decimos qué es una persona sana...

John: Así que, si me permites que comparta contigo la asombrosa revelación que acabo de tener, no estar sano significa que uno no dispone de las tres partes, ¿no es así?

Robin: Sí. Lo has pillado. Los miembros de las familias menos sanas se necesitan los unos a los otros de tal manera que ninguno de ellos tiene las tres partes en buen funcionamiento. Puede que, aunque uno de ellos, acaso un niño o un adolescente, sea una gran fuente de emociones y espontaneidad, y dé vitalidad a la familia, no sea capaz de controlarla. Puede que el padre, por su parte, sea lo bastante fuerte como para ayudar a controlarla, pero que también sea demasiado irresponsable como para preocuparse.

John: Funciona el yo, o el adulto, pero no el superyó o padre.

Robin: Y puede que la madre sea demasiado débil como para tomar el mando pero sea muy consciente, algo que los demás no son, de lo que la sociedad acepta.

John: Sí, eso está claro. ¿Y bien?

Robin: Cuando me encontraba desarrollando mis métodos sobre la terapia familiar, me di cuenta de por qué podíamos ayudar a ciertas personas por medio de la psicoterapia individual y por qué razón, en otros casos, no llegábamos a ninguna parte, a menos que no viéramos al conjunto de la familia.

John: ¡Ah! Ya comprendo. Lo que quieres decir es que los casos en los que la terapia individual daba resultado eran aquellos en los que las tres partes de la persona estaban conectadas y en orden, si no equilibradas... Sin embargo, cuando los diferentes miembros de la familia se «ocupan» de diferentes funciones, hay que verlos a todos reunidos para conseguir que las compartan y así cada uno se ocupe de al menos parte de las tres, ¿no es así?

Robin: Efectivamente. Si se quiere llegar a alguna parte, evidentemente hay que conseguir que el *problema*, la *preocupación* sobre el problema y la *habilidad para hacer algo al respecto* se encuentren reunidos en la misma habitación. A esa conexión entre las tres funciones la llamo «red mínima necesaria»; has de tener las tres facetas en funcionamiento y unidas para poder realizar una acción inteligente cualquiera. Si dicha red se encuentra en una sola persona, ésta puede funcionar de manera independiente y uno puede trabajar con ellas individualmente. En otros casos, sin embargo, la «red mínima necesaria» sólo se da cuando hay tres personas o más en la habitación y se las «conecta» hablándoles.

John: Muy instructivo, si dejamos a un lado la terrible jerga que has empleado...

Robin: A mí tampoco me gusta nada, pero en aquel entonces no pude encontrar nada mejor. Si te agrada más, lo llamaremos los «tres componentes básicos».

John: Eso está mucho mejor. Los «tres componentes básicos» del doctor Skynner..., así que tu forma de analizar la salud mental es siempre con vistas a integrar los componentes básicos de la personalidad.

Robin: Es sólo un aspecto más de la salud mental, aunque nos fue tremendamente útil en el momento de elegir el tipo adecuado de terapia para las personas que venían a vernos, lo cual supuso un éxito.

John: Bueno, creo que hemos machacado hasta lo indecible la pregunta: «¿En qué consiste la verdadera salud mental?», así que ya va siendo hora de que, por dos millones de pesetas, me respondas a lo siguiente..., un redoble, maestro, muchas gracias... Ahí vamos: habida cuenta de que el ochenta por ciento de la personas sobre la faz de la tierra no son gente muy sana y que del veinte por ciento restante la mayoría no es gente *precisamente* sana..., ¿por qué no está todo el mundo dando vueltas por ahí gritando: «Quiero estar mejor»? ¿Se te ocurre alguna idea?

Robin: Bueno, me temo que aquí hay trampa..., porque cada nivel de salud mental tiene un sistema de valores propio y distinto a los demás.

John: Y el sistema de valores típico de cada nivel de salud mental decide qué cosas son saludables y cuáles no, ¿correcto?

Robin: Correcto. Además, mira por dónde, cada nivel afirma que las características propias son las más saludables y que las características de los otros niveles –tanto los de arriba como los de abajo– son menos saludables.

John: De igual manera que a nosotros nos disgustaba la idea de «autonomía» en una relación afectiva la primera vez que nos la topamos, porque nos parecía algo falto de cariño, si no insensible.

Robin: Exacto.

John: Ah..., de manera que todo el mundo está convencido de que su sistema de valores es el bueno y de que es gente sana...

Robin: Te daré unos cuantos ejemplos. En el extremo inferior de la escala de salud, las familias que tienen un miembro esquizofrénico normalmente creen que ellas están bien y que el único problema es esa persona. Según mi experiencia, cuando se entrevista a estas familias, suele ser difícil conseguir que confiesen sus problemas, incluso aquellos que la generalidad de la gente da por supuestos. Es decir, se presentan como si fuesen personas extraordinariamente sanas.

John: Excepción hecha, claro está, de aquel miembro que está «mal» o se ha vuelto «loco»: el chivo expiatorio de la familia.

Robin: Sí. De este modo se pretende que dicha persona, por decirlo de alguna forma, contenga todos los problemas de la familia, con lo que ésta se puede mostrar como si fuera algo casi perfecto.

John: Casi perfecto... Muy bien. Ascendiendo en la escala de la salud mental,

¿cuál es el siguiente grupo y de qué manera justifica su sistema de valores su comportamiento?

Robin: Bueno, un paranoico, por ejemplo, justificaría el genocidio con la idea de que se está purificando la raza humana.

John: El asesinato, el terrorismo y la expropiación se convierten en «limpieza étnica»...

Robin: ...Y, como en el caso de la mafia, se le da un gran valor a la lealtad, pero ninguno si se trata de alguien que está fuera del círculo familiar.

John: ¿Qué explicación le daría este paranoico a una persona que no perteneciera a la familia?

Robin: En primer lugar, justificaría su acción diciendo que lo hace por el bien de su familia. Incluso podría llegar a decir que estaba endureciendo a la gente, que estaba dando una lección sobre cómo es la realidad.

John: Haciéndoles a los muy bobos una mala pasada sin darles siquiera una segunda oportunidad.

Robin: Algo así. Si la persona es algo más sana, pero todavía funciona de modo paranoico, se sentirá atraída por la idea de la supervivencia del más dotado.

John: Al igual que las personas más despiadadas del mundo de los negocios o los políticos, a los que les preocupan bien poco aquellas personas que no pueden cuidar de sí mismas en una meritocracia.

Robin: Si seguimos subiendo en la escala, nos acercamos a los depresivos. Dan gran valor a la bondad, la sensibilidad, la tolerancia y la comprensión, pero desaprueban las confrontaciones y las críticas enérgicas y directas.

John: Por lo general, piensan que la saludable vehemencia con la que nos expresamos habitualmente resulta de una agresividad muy desagradable, y que la confianza es, en realidad, una forma de arrogancia, ¿no es así?

Robin: Sí, de esa manera es muy probable que acaben admirando y justificando cierto tipo de debilidad.

John: Los héroes y heroínas que admiran son gente que ha sufrido muchísimo, escritores tuberculosos, mártires políticos, pensadores incomprendidos. Era una idea muy en boga en el tipo de escuela privada inglesa a la que yo iba en la década de los cincuenta. El capitán Scott[1] y el general Gordon,[2] por ejemplo..., hombres bastante tristes y solitarios, de vida sexual incierta, que cosecharon unos fracasos clamorosos. Tenía la impresión de que había que venerarlos, no como en el caso de las personas felices que gozaban de éxito, las cuales resultaban superficiales y desconsideradas.

Robin: Luego está la ira, que para los depresivos suele ser un tabú..., a no ser que se exprese en contra de una autoridad, o en nombre de otras personas..., y también la violencia de cualquier clase

John: Muy bien. ¿Quiénes vienen después de los depresivos?

Robin: Si continuamos subiendo en la escala, llegamos a los obsesivos. Dan un gran valor al orden, la limpieza, el control y la conciencia. La espontaneidad no les resulta cómoda, ya sea la suya propia o la de los demás.

1. Scott, Robert Falcon. Marino y explorador británico (1868-1912). En una segunda expedición alcanzó el Polo Sur (18 de enero de 1912) ya conquistado por Amundsen treinta y cuatro días antes. Murió durante el penoso regreso a la base. *(N. del T.)*

2. Gordon Bajá (Charles George Gordon, llamado). Militar inglés (Woolwich, 1833- Jartum, 1885). Sofocó la rebelión de los taeping en China (1863-64) y fue gobernador de Sudán (1876-79). Murió en la toma de Jartum por los rebeldes sudaneses. *(N. del T.)*

John: Sus héroes son los administradores, los contables, los guardias de tráfico y los especialistas en filosofía de la lengua.

Robin: Por ahí va. Como es lógico, dan gran importancia al trabajo y suelen sentirse a disgusto si no tienen nada que hacer cuando la gente está de buen humor o animada...

John: Si te lo pasas demasiado bien, se te considera un desaforado... Así, pues, ya hemos hablado de los sistemas de valores que sirven de autojustificación para las personas esquizofrénicas, las paranoicas, las depresivas y las obsesivas. Si avanzamos en la escala, nos encontramos con la gente corriente, con nosotros mismos. ¿Cómo nos vemos a nosotros mismos?

Robin: Bueno, está claro que estoy pasando por alto el margen en el que se mezclan los dos niveles pero, con todo, nosotros, las personas de tipo medio, somos más conscientes de nuestras limitaciones y estamos más capacitados para hacernos cargo de nosotros mismos, nuestros sentimientos y nuestros problemas. Sin embargo, por el hecho de ser la gran mayoría y en ausencia de los criterios necesarios para poder juzgarnos como personas diferentes, tendemos a considerar nuestra forma de actuar como algo totalmente «normal», «natural» y «sano».

John: Así que nos creemos que somos los más sanos y que los demás funcionan a un nivel inferior.

Robin: Efectivamente.

John: Muy bien; entonces, ¿qué opinión tendría esta gente tan normalita de las personas más sanas?

Robin: Creo que su franqueza y cordialidad nos resultarían algo extrañas al principio, por lo que seguramente empezaríamos a preguntarnos: «¿Qué se traen éstos entre manos? ¿Qué esperan sacar?». Cabe la posibilidad, por otro lado, de que pensemos que son algo ingenuos y de que nos produzcan un poco de lástima porque nos da la impresión de que se los puede «camelar» con facilidad. En cualquier caso, lo más probable es que pensemos que están corriendo un riesgo algo tonto al mostrarse demasiado confiados y no proteger sus propios intereses. Luego, además, puede que veamos su independencia emocional y su capacidad para la autonomía como señal de indiferencia y despreocupación, como algo bastante egoísta y falto de cariño. Por lo que respecta a la disciplina, es fácil que creamos que los padres evidencian una excesiva benevolencia para con los hijos al preguntarles sus opiniones con tanta frecuencia, aunque no dejará de sorprendernos el hecho de que los hijos acepten las decisiones de los padres de tan buen grado, como tampoco lo hará el hecho de que «los sanos» discutan aquellas cosas que no conviene mencionar o que expresen sus sentimientos negativos con tan poco tacto y tanta falta de sensibilidad. Por otro lado, es muy fácil que el animado ambiente del «circo de tres pistas» nos resulte excesivamente caótico y desordenado, y que nos preocupe la posibilidad de que las cosas se desmanden, si es que no lo estaban ya antes. Además, nos dará la impresión de que algunas de sus opiniones sobre la vida son un tanto duras y descorazonadoras, y de que tienen una actitud poco romántica en lo referente a las ilusiones que tanto solemos valorar nosotros. El hecho de que las personas sanas se las arreglen tan bien en situaciones de cambio será motivo de perplejidad y crítica por nuestra parte, ya que en las familias de tipo medio un comentario del tipo: »No has cambiado nada» o «Eres el mismo de siempre», se considera un cumplido.

John: Eso es verdad. Es un cumplido algo extraño, ¿no te parece?: «Llevas todos estos años sobre este planeta y todavía no has aprendido nada de nada. ¡Eres fantástico!». ¿Por qué somos tan críticos con la capacidad de la gente para cambiar?

Robin: Bien, lo que le disgusta a la familia de tipo medio es lo siguiente: que la persona lo haya hecho por su cuenta. Se trata de un progreso personal. El cambio no es propiedad de la familia, por decirlo de alguna manera, con lo que, cuando se produce un cambio en una persona, la pegajosa «cohesión» que el resto de la familia equipara al amor se ve amenazada.

John: Esto supone una paradoja. Si la gente de tipo medio, la cual, al fin y al cabo, forma el grueso de la población, tiene esa sensación, entonces los «sanos» deberían ser muy poco populares. Sin embargo, tú has dicho que se llevan realmente bien con sus vecinos.

Robin: Creo que son lo suficientemente sensibles y considerados con los sentimientos de los demás como para amoldar su comportamiento al tipo de compañía en la que se encuentran.

John: ¿Quieres decir con esto que se comportarían de una forma parecida a la de tipo medio?

Robin: Si estuviesen acompañados por personas de tipo medio, sí, sí que lo harían. Su actitud sería del tipo «allí donde fueres haz lo que vieres», en vez de intentar imponer a los demás su propia filosofía.

John: Así que nunca repararías en el hecho de que son personas sanas... ¿Ellos también piensan que su nivel de salud mental es el mejor?

Robin: Bueno, cuanta mejor salud tienen, más dispuestos están a confesar sus limitaciones, por lo que se muestran más abiertos a la posibilidad de mejora. Por ejemplo, una vez superados los cuarenta o cincuenta años de edad, el cuarenta por ciento de las personas del estudio de Harvard ya había ido al psiquiatra a causa de algún problema.

John: Esa cifra es asombrosa, es un porcentaje altísimo..., ya que, se supone que en un principio, todas estas personas habían sido elegidas por ser los estudiantes más sanos e independientes.

Robin: Sí, aunque hay que tener en cuenta que en Estados Unidos acudir a la consulta del psiquiatra es algo aceptado, algo normal, como la visita al dentista. Lo que este hecho sí da a entender es lo dispuestos que estaban estos hombres a mejorar su forma de actuar, a pesar del gran éxito del que gozaban.

John: Ésa es la lección que tú has aprendido, ¿no es así?: la gente más sana no tiene ningún reparo en buscar ayuda si les hace falta durante una temporada, y la gente menos sana se muestra más reacia.

Robin: Efectivamente, de lo cual se deriva lo que antes mencionaba sobre los diferentes tipos de defensas. La gente que está realmente loca, o que emplea «defensas inmaduras», no puede enfrentarse a la realidad y suele vivir en un mundo de fantasía. Echan la culpa a los demás por todo lo que va mal, y por tanto no sienten la necesidad de cambiar. Son las personas que utilizan «defensas neuróticas» y que son conscientes de sus dificultades más íntimas y luchan por solucionarlas –a pesar de que lo hagan con frecuencia de una manera poco eficaz y dolorosa–, las que tienen más probabilidades de darse cuenta por sí mismas de la necesidad de una terapia.

John: ¿Suelen ser personas de tipo medio?

Robin: Sí. Y cuanto más sanas estén, más dispuestas estarán a seguir algún tipo de terapia si la necesitan, a no ser que se conozcan a sí mismas lo suficientemente bien como para conseguir dicha ayuda de los amigos. El hecho de que las personas *más sanas* del estudio de Harvard, aquellas que empleaban defensas «maduras», nunca buscaran ayuda psiquiátrica es algo digno de mención.

John: Muy bien, tras escuchar incansablemente tu relato acerca de la excepcional salud mental de esta gente y sentir una envidia persistente de principio a fin, me gustaría saber de qué manera han llegado a donde están...

Robin: Bien, pues, ya hemos visto al hablar sobre la investigación de Timberlawn que si los hijos son educados por padres sanos, es muy posible que hereden la misma sana disposición de ánimo de estos últimos. De igual manera, en el caso de los estudiantes de la investigación de Harvard, Vaillant hace una comparación entre los que han tenido una educación llena de cariño y los que han vivido una infancia triste y carente de afecto. Las diferencias entre los dos grupos son notables. Los primeros tenían una posibilidad cinco veces más grande de acabar en el grupo de los más sanos y la probabilidad de que sufrieran una enfermedad mental era cinco veces menor. Los últimos carecían de amigos a ojos vistas, eran extremadamente fríos desde un punto de vista afectivo, eran exigentes, egocéntricos y recelosos, y de igual manera que habían sido incapaces de jugar cuando eran niños, no podían jugar ni divertirse como adultos. Además, la probabilidad de que los hijos de las familias menos sanas acabasen siendo delincuentes o en un hospital psiquiátrico era ocho veces mayor.

John: En resumen, lo que estás diciendo es que la mejor forma de lograr un alto grado de salud mental es naciendo en una familia sana.

Robin: ¡Bravo! Lo has entendido.

John: Bueno, muchas gracias. Es reconfortante... y alentador, además. Sólo hay que elegir a los padres idóneos, tan sencillo como suena. Deberías escribir un libro al estilo de «Aprenda usted mismo a...» sobre el tema.

Robin: Oye, espera un momento. Lo que he dicho es que ésa es «la mejor manera...»

John: Sigue entonces. A ver si me animas.

Robin: Ya verás cómo sí...

John: Quítame la desilusión de encima de esa manera tan cabal que tienes de hacerlo...

Robin: El estudio de Harvard muestra además que cuando las personas que han tenido una infancia poco satisfactoria cumplen los cincuenta, ya pueden funcionar de una manera tan sana como la gente que viene de un entorno familiar feliz. Llegados a esa edad, los investigadores no podían adivinar el tipo de educación que habían tenido estas personas a partir de su comportamiento actual.

John: ¿De veras?

Robin: Es algo alentador, ¿no te parece?

John: De repente, me he acordado de lo que decías en *La familia y cómo sobrevivirla*: si no se aprovecha una etapa de tu desarrollo, se puede volver atrás para aprender de ella *si* se admite que eso es algo necesario.

Robin: Estoy convencido de que eso es así, a condición tan sólo de que, como tú dices, no nos ocultemos el hecho de que carecemos de algo, sea lo que sea, y de que de ello se deriva una determinada debilidad. Si en el estudio de Harvard, los hombres que habían tenido una infancia difícil y que habían mostrado los resultados de ésta durante su juventud, fueron capaces de mejorar hasta tal punto que al cumplir los cincuenta no se los podía diferenciar de los que habían tenido una infancia feliz, entonces debieron de vivir ciertas experiencias que supusieron un remedio para la privación que habían sufrido anteriormente.

John: Y, como en un principio habían sido seleccionados para formar parte de un grupo de personas que disfrutaba de una salud excepcional, había menos posibilidades de que negasen que tenían problemas, menos posibilidades de que los ocultaran «detrás de una pantalla». Como consecuencia, les será más fácil que a la mayoría encontrar las experiencias que conlleven una mejora.

Robin: Sí, yo lo explicaría así.

John: Así que, por tres millones de pesetas...: si eres una persona de tipo medio y, supongamos, además, que gozas de buena salud, pero quieres mejorar y ser más feliz, ¿dónde está el truco?

Robin: Bien, tengo la intención de ocuparme de este asunto con un lujo de detalles abrumador en el último capítulo. Pero antes, me gustaría volver a hablar de las familias más sanas.

John: ¿No lo hemos hecho ya de forma machacona?

Robin: Me refiero a familias mucho, mucho más grandes.

Apostilla: Hay que reírse

John: Los cómicos no suelen estar muy seguros de su prestigio, por lo que resulta tranquilizador saber que el sentido del humor y la risa son algo típico de las familias que tienen una salud excepcional y que además los psiquiatras consideráis el sentido del humor como una forma «madura» de enfrentarse a los problemas.

Robin: Ya sabía yo que eso te iba a gustar.

John: ¿Cómo lo explicas en tu calidad de psiquiatra? ¿Es la salud la causa de la risa o, más bien, es al revés, un efecto, como la espuma de la cerveza, por decirlo de algún modo?

Robin: Yo diría que son las dos cosas. Tenemos que observarlo de una forma circular. Confianza, relajación, diversión, creatividad, alegría, entusiasmo, la sensación de saber que hay tiempo de disfrutar de las cosas, todo esto forma parte del mismo estado de ánimo, un estado de ánimo sano. Cada uno de estos factores sustenta y refuerza a los demás y, a su vez, es estimulado por éstos. Se trata de un «círculo virtuoso».

John: Que es lo contrario de un «círculo vicioso» o de una «espiral descendente».

Robin: Correcto. Pero se supone que tú eres el experto en el tema del sentido del humor y la risa. ¿Tú cómo lo ves?

John: Bueno, lo único que puedo asegurar es que una conversación sobre este tema siempre suele decepcionar a la gente porque piensan que, por alguna razón, va a ser «graciosa», al igual que las conferencias sobre Ibsen tienen que ser teatrales o los análisis sobre la música de Bach tienen que llevar a un estado semimístico. De todas formas, trataré de sugerir un par de ideas si me prometes que lo que esperas no es diversión.

Robin: Adelante.

John: Bien, para empezar, el sentido del humor es algo muy diferente a la risa, lo cual complica algo las cosas. Aunque nos reímos por muchísimas razones, muchas de ellas no tienen nada que ver con el sentido del humor.

Robin: ¿Te refieres a cuando nos reímos por pura alegría?

John: Sí, como cuando vemos a alguien a quien queremos mucho y no hemos visto en mucho tiempo. Se suele reír mucho en esas ocasiones, a pesar de que no se haya dicho nada gracioso. Por otro lado, he visto que a veces nos reímos por puro gozo, o de una destreza pasmosa, o la primera vez que se ve una gran obra de arte o un paisaje precioso, o la primera vez que se prueba un vino extraordinario o un plato de cocina delicioso. Una reacción de ese tipo no tiene nada que ver con el sentido del humor, sino con el reconocimiento de la perfección. Luego, por otro lado, he visto que si juegas con un niño pequeño y haces la misma cosa dos o tres veces y de repente haces algo diferente, el niño se ríe, así que creo que nos reímos porque algo resulta inesperado, porque es diferente a lo que habíamos previsto.

Robin: Y también nos reímos, claro está, cuando nos sentimos aliviados, ¿no crees? Cuando sucede algo alarmante y poco después nos damos cuenta de que no se ha producido ningún daño y que nadie ha resultado herido, nos reímos.

John: Recuerdo que, en una ocasión, J. B. Priestley hizo un comentario sobre un hombre que se distinguía por su risa convulsiva: «Nadie que tenga sentido del humor se puede reír tanto». Y es que la risa se puede *forzar* por varias razones: para crear un ambiente cordial, para encubrir una situación embarazosa, para sacudirte de encima una sensación de agobio y, sobre todo, para demostrar a los demás –y a nosotros mismos– que tenemos sentido del humor, incluso si no lo tenemos. *Eso* es lo que provoca la risa más fuerte...

Robin: Luego está la risa desagradable. Cuando alguien ha tenido éxito en detrimento de otra persona que le cae mal; o cuando una persona poco popular hace el ridículo y la gente se ríe de ella con desdén e insiste en lo humillante y violento de la situación para hacerlo sentir peor; o cuando una broma pasa de las buenas intenciones a ser realmente hiriente...

John: ...Y además hay otro tipo de risa que no debemos pasar por alto, la clase de risa que surge de una situación graciosa. En definitiva, Robin, ¿por qué es la raza humana la única criatura de Dios que ríe? Aparte de los gasterópodos, claro está.

Robin: Bueno, dejando a un lado las razones de salud, creo que la risa sirve para un fin muy importante, aunque para explicarlo tengo que dar un rodeo.

John: Sigue, no te preocupes, los lectores siempre pueden saltarse un par de páginas.

Robin: Bien, Darwin tenía muchas cosas interesantes que decir sobre la risa.

John: Un tipo gracioso, ese Charlie.

Robin: Como ya sabrás, su concepto de la evolución surgió a raíz de sus observaciones sobre las similitudes y las diferencias en la forma y la función de los cuerpos de los animales. Más tarde, empezó a interesarse en cómo las distintas emociones se expresan mediante las diferentes formas y pautas de tensión que adopta el cuerpo.

John: ¿Te refieres a la postura?

Robin: La postura, la actitud, la expresión de la cara..., todas las manifestaciones físicas de las diferentes emociones.

John: Es decir, el hecho de que podamos averiguar de qué humor está alguien a partir del aspecto que tiene.

Robin: Más que eso. Una fisióloga llamada Nina Bull escribió un libro titulado *The Attitude Theory of Emotion* en el cual describía unos experimentos en los que, tras hipnotizar a una serie de personas, se les pedía que adoptasen la postura típica de una emoción. Después, que expresaran la emoción contraria *sin moverse*, sin cambiar la posición del cuerpo o la tensión de los músculos.

John: ¿Y lo hicieron?

Robin: ¡No pudieron! Ni una sola persona, por ejemplo, consiguió aguantar en la postura de la depresión mostrándose al mismo tiempo confiada y alegre. Tampoco ocurrió al revés: nadie pudo pasar a sentirse desgraciado sin antes cambiar su actitud original de animación y optimismo. Cuando se les permitía *cambiar* la posición de sus cuerpos, lograban casi siempre obedecer la orden del hipnotizador de expresar la emoción contraria.

John: ¿Qué explicación daba la autora?

Robin: En el libro dice que una emoción es el preludio a una acción: una «postura de listos».

John: ¿«Listos»?

Robin: Sí, «listos». Ya sabes...: preparados... listos... ¡Ya! Dar la señal de salida de una carrera con el grito de «listos» significa que los músculos de los corredores deben ponerse en tensión en la forma requerida durante la carrera, aunque no se pongan a correr todavía. Es, por decirlo de alguna manera, una especie de acción en reserva. Como sabrás, cuando se participa en una carrera es cuando se siente una emoción más intensa. En el momento que se empieza a correr, toda la energía se pone en movimiento. Las emociones están íntimamente ligadas a tensiones musculares y a posturas concretas.

John: ¿Y bien?

Robin: Bien, ésta es la observación de Darwin: la *risa* ocurre cuando dos ideas incongruentes provocan dos posturas contradictorias o dos pautas de tensión en los músculos que corresponden a dos emociones contradictorias.

John: Es decir... un *choque de dos tensiones diferentes* en los músculos *causado por dos emociones o ideas contradictorias* incita a la risa.

Robin: Darwin recalcó que *si* se sorprende a la persona. Luego añadiría que uno sufre «una descarga convulsiva de energía muscular».

John: Bueno, no cabe duda de que alivia la tensión y nos relaja. De todas formas, ¿por qué dio importancia al factor sorpresa?

Robin: Creo que porque si no se nos coge por sorpresa, no nos podemos proteger ante la pérdida de control que la explosión acarrea.

John: Sí, porque la risa es *involuntaria,* ¿no es así? Resulta realmente difícil reírse de manera convincente si uno está fingiendo. Muy bien. Esto es muy interesante, pero ¿qué tiene que ver con el propósito de la risa?

Robin: Bien, para explicar esto, tengo que decirte antes algo con respecto a las dos maneras que todos tenemos de relacionarnos con el mundo. Fundamentalmente, funcionamos según dos modalidades: la modalidad «abierta» y la «cerrada».

John: Muy bien, haré la pregunta. ¿En qué consiste la modalidad «abierta»?

Robin: Ésa es la modalidad que adoptamos cuando nos abrimos al mundo, cuando asimilamos información nueva y permitimos que cambien nuestros mapas internos para que resulten más comprensibles y precisos, de esa manera reflejarán mejor cómo es el mundo en realidad y cómo nos las podemos apañar para obtener de él lo que queremos.

John: ¿Y la «cerrada»?

Robin: Pasamos a la modalidad «cerrada» cuando tenemos que pasar a la acción, cuando tenemos que prestar nuestra atención a la consecución de un objetivo determinado. Como consecuencia, reducimos nuestro punto de mira provisionalmente y dejamos de asimilar toda la información de nuestro entorno.

John: Es verdad. Si uno se está enfrentando a un nido de ametralladoras, no conviene pararse a disfrutar del paisaje.

Robin: Correcto..., o incluso a ver el aspecto divertido de lo que se está haciendo. En definitiva, aunque la modalidad «abierta» suena bastante halagüeña al describirla...

John: ...Ya que se traduce en un conocimiento más profundo, una mayor amplitud de miras, una mayor relajación, una actitud más festiva y filosófica, etcétera, etcétera...

Robin: ...También necesitamos la modalidad cerrada para todas las ocasiones en las que tengamos que pasar a la acción.

John: Así que para funcionar de una forma realmente eficaz, hemos de ser capaces de alternar las dos modalidades. Bueno, entonces... ¿cómo pasamos de una a otra?

Robin: Trasladarnos de la modalidad abierta a la cerrada es fácil, ya que, hasta cierto punto, no depende de nosotros. Es posible que alguna circunstancia ajena nos advierta que la acción es necesaria. Pongamos que alguien llama al timbre o que el niño se pone a llorar o que empieza a arder la casa..., en estas situaciones se nos invita a pasar a la modalidad «cerrada» para así poder hacer frente al problema,

John: O si no, tomas simplemente una decisión que has estado considerando y, de manera consciente, pasas a la modalidad cerrada con el fin de hacerla efectiva. Muy bien. Hasta aquí ningún problema, compañero. Pero qué me dices de la dirección contraria, ¿cómo nos trasladamos de la modalidad «cerrada» a la «abierta»?

Robin: Bueno, al parecer eso resulta mucho más difícil. Una vez que nos encontramos en la modalidad cerrada, tenemos muchas dificultades para olvidarnos de ella y relajarnos para pasar nuevamente a la modalidad abierta.

John: Eso es cierto. Una vez que he conseguido concentrarme y empiezo a sentir ese leve pero agradable placer que tienes cuando estás a «cargo de la situación» pero no dejas de estar tenso, suelo seguir así durante el resto del día, incluso cuando realmente necesito detenerme y dar un paso atrás para observar con cierta distancia lo que estoy haciendo y así cerciorarme de que voy en la dirección adecuada para la consecución de mis objetivos.

Robin: Efectivamente. Cuando uno se encuentra en la modalidad cerrada ha de tener presente el viejo eslogan de la IBM: «No confundas la actividad con el éxito».

John: Porque pararse a examinar la actividad que estás realizando puede parecer *complaciente*. «No hay tiempo para eso, hemos de seguir adelante.»

Robin: Ése es el verdadero problema que entraña la modalidad cerrada. Una vez que nos hallamos en ella, nos *cerramos* al tipo de información que podría servirnos de acicate para salir de ella. Es como si uno pusiera el piloto automático, que es, por supuesto, la situación en la que nos encontramos, ya que nos limitamos a seguir un programa que se ha puesto en marcha con una determinada postura o emoción, y que ha sido provocada en primer lugar por la necesidad de ponerse en acción.

John: Claro, de ahí que de hecho nos resulte desagradable tener que admitir la existencia de cualquier tipo de información nueva que sea perturbadora. En realidad, no queremos pensar y arriesgarnos a tener que cuestionar nuestra actividad.

Robin: Por consiguiente, no podemos *aprender* realmente nada, sólo podemos añadir detalles a lo que ya sabemos. Si hemos de cambiar nuestras ideas, si tenemos que buscar soluciones y volver a valorar nuestros objetivos, tenemos que hallarnos en la modalidad abierta.

John: Muy bien, doctor, ¿cómo podemos escaparnos de la modalidad cerrada?

Robin: Bueno, hay ocasiones en las que ciertas emociones positivas de gran intensidad pueden obligarnos a hacer un alto en el camino para que nos mostremos abiertos y reflexionemos. Experimentar sensaciones de temor y asombro tiene ese efecto, ya sea en un contexto religioso o cuando presenciamos algo realmente bello o acaso cuando somos testigos de un acontecimiento conmovedor. Los cambios de postura que se asocian con este tipo de emociones suponen una tendencia hacia la relajación y la expansión de nuestra conciencia, no hacia la concentración.

John: Nos quedamos con la «boca abierta»...

Robin: Exacto, semejantes experiencias atenúan la tensión y nos «aflojan» y relajan, de igual forma que lo pueden hacer –lo cual es bastante sorprendente– emociones tales como la confusión y la perplejidad *si* logramos evitar ante ellas una reacción de ansiedad. Estas emociones nos pueden dejar en la modalidad «abierta», en la cual es más fácil que encontremos la respuesta a lo que nos desconcierta. De todos modos, estas experiencias no son muy comunes...

John: ¡Ajá! Ya estamos llegando al final de esta interminable digresión. Lo que vas a decir ahora es que la risa corriente y moliente es la mejor manera de volver a la modalidad abierta.

Robin: Acertaste.

John: Con lo cual, ahora puedo explicarle a un banquero suizo el valor de los chistes desde el punto de vista de su utilidad para facilitar la solución de problemas.

Robin: De hecho, sí que podrías.

John: ¡Soy más importante de lo que pensaba!

Robin: Tal vez. ¿Te acuerdas de la conferencia que diste después del banquete conmemorativo del treinta aniversario de la Asociación de Psicología y Psiquiatría Infantil? Yo ya había soltado mi rollito sobre las ideas que hay detrás de *La familia y cómo sobrevivirla*, por lo que cuando acabaste, tuve la oportunidad de observar la reacción del público.

John: Algo típico de los psiquiatras: observar al público en vez de prestar atención a la actuación.

Robin: Bueno, yo ya había visto tu actuación con anterioridad, y la reacción del público era realmente interesante a la luz de lo que estamos hablando ahora. En un principio, los asistentes al acto parecían dudar. No sabían si lo que les aguardaba era otra charla seria o una actuación de Monty Python. Entonces dijiste: «Todo el mundo sabe que vosotros, los psiquiatras, estáis *locos de remate*» y todos se quedaron con la boca abierta, mientras se daban la vuelta en la medida de lo posible, ya que estábamos sentados en un lugar atestado y acabábamos de terminar un gran banquete. ¿Se lo tomaron a bien, como personas que saben encajar una broma? Hubo un momento en el que el público soltó una risa sofocada, nerviosa, que tú cortaste tajantemente cuando dijiste «... y lo mejor de todo es que *no os importa lo más mínimo estar locos*. De hecho, os gusta estarlo, porque de esa manera os resulta más sencillo entender a vuestros pacientes y les ayuda a ellos a entenderse a sí mismos. ¡Qué valentía hay que tener! ¡Menudo altruismo! No sabéis cómo os *admiro* por ello». Conforme decías esto, las caras de los que te estaban escuchando oscilaban entre emociones enfrentadas, alternando la tensión y la relajación de la risa. Se podían ver las caras de los presentes haciendo gestos nerviosos, mientras se preguntaban si sería mejor fingir una dignidad y una normalidad mayor que la habitual o hacerse un poco el loco. Algunos de ellos trataron claramente de hacer ambas cosas al mismo tiempo, aunque cabe preguntar si les fue posible. Pronto se vio que tenían que volver a posturas determinadas y solemnes para tener un aspecto serio y tratar de «entender» lo que tú querías decir *en realidad* con lo que estabas diciendo. Luego, sin embargo, les planteaste otra paradoja, la cual supuso una nueva explosión de carcajadas. Era algo parecido a ver a un perro de caza cuando trata de permanecer inmóvil ante la presencia de un faisán y por detrás se le está haciendo cosquillas con una pluma.

John: Apenas me acuerdo. Siempre tengo que sacarme este tipo de cosas de la manga, y luego me resulta realmente difícil acordarme de lo que he dicho.

Robin: Lo cual encaja dentro de la modalidad «abierta», ¿no te parece? Es muy probable que ésa sea la razón por la que eres capaz de llevar también al público a la modalidad «abierta». De ahí que resultara tan interesante observar al público, ya que trataba de permanecer en la modalidad cerrada, en la que se habrían sentido a gusto y su actitud no habría sido cuestionada por las cosas que tú estabas diciendo, a favor o en contra, de acuerdo o en desacuerdo, satisfecho o insatisfecho, una cosa *o* la otra. La paradójica combinación de crítica y admiración que planteaste produjo tales carcajadas que les resultó imposible decantarse y, por consiguiente, tuvieron que «guardárselo dentro» para poder pensárselo más adelante.

John: Claro, ahora recuerdo que tú hacías exactamente lo mismo en nuestro grupo. Cuando todos estábamos intentando concentrarnos para «entender» lo que estabas diciendo, haciendo un esfuerzo por prestar nuestra inquieta y huidiza atención a la preciosa información que nos dabas, de repente tú te ponías cómodo y soltabas: «A veces me pregunto si hay algo de verdad en toda esta tontería de la psiquiatría...» con lo que nosotros nos quedábamos con la boca abierta. Ahora comprendo que la situación en la que nos dejabas, de perplejidad más que de infelicidad, era propicia para que nosotros asumiéramos algo nuevo, algo que no habríamos sido capaces de hacer de haber dejado que nuestra atención se perdiera dando vueltas sobre lo mismo.

Robin: ¿Crees que ésta es la razón por la que *Video Arts,* la empresa para la que has trabajado, utiliza el humor en sus vídeos de formación y dirección publicitaria?

John: Bueno, prácticamente todos hemos hecho la función de profesor en algún momento y sabemos que la risa ayuda a mantener la atención de las personas, ayuda a que se mantengan despiertos. También sabemos que se puede transmitir información objetiva *corriente* sin tener que recurrir a ello, aunque si de lo que se trata es de cambiar la actitud y el comportamiento de las personas –algo que tiene una faceta emocional muy arraigada– lo cierto es que el humor, al parecer, es vital a la hora de lograr dichos cambios.

Robin: Eso es lo que quiero decir. Nos ayuda a mostrarnos más flexibles cuando nos «empeñamos» en mantener una actitud fuertemente emocional. Cuando nos reímos, nos liberamos, nos soltamos y adoptamos una disposición adecuada para movernos en cualquier dirección. Es algo parecido a cuando un jugador de tenis comienza a dar saltitos a la espera del servicio.

John: El año pasado tuve ocasión de entrevistar al Dalai Lama y le hice una pregunta sobre el sentido del humor, ya que era la primera vez que lo tenía delante y no sabía muy bien qué tipo de pregunta podía hacerle. Hasta ese momento no había tenido ocasión de conocer a muchos Dalai Lamas en Weston-super-Mare, así que no sabía si lo que se suponía que tenía que decir era algo así como: «Llevas un par de sandalias muy bonito, ¿dónde lo has comprado?» o «¿Es ésta tu mejor reencarnación hasta el momento?». Me limité a mirarlo un rato, tras lo cual nos pusimos a reír durante más de dos minutos. Todavía no sé de qué nos estábamos riendo; lo que sí que sé es que fue una sensación maravillosa.

Robin: En las fotografías siempre parece tener un buen sentido del humor.

John: ... Así que le pregunté por qué los budistas tibetanos se ríen con tanta frecuencia, y me dijo: «A veces me parece útil gastar bromas, ya que de esa manera el cerebro se abre. Resulta útil para tener ideas nuevas. Si se piensa con demasiada seriedad, tu cerebro se acaba cerrando de alguna manera».

Robin: Exacto, de eso se trata precisamente... Dice exactamente lo mismo, aunque de una manera muchísimo más clara y sencilla. Ahora bien, ¿cuál es *tu* opinión al respecto?

John: Creo que no tengo una opinión muy convincente, ya que existe la dificultad de hallar una explicación que lo abarque todo, desde los juegos de palabras y los chistes hasta la alta comedia y la sátira, pasando por la farsa y las payasadas.

Robin: ¿Has encontrado alguna teoría que te guste?

John: Casi todas suponen la idea de que algo es «gracioso» como resultado de la unión de dos marcos de referencia que normalmente están separados, de tal modo que parecen estar momentáneamente conectados.

Robin: Bueno, eso coincide perfectamente con la teoría de Darwin sobre «las dos ideas incongruentes».

John: Sin lugar a dudas. Veamos entonces los diferentes tipos de sentido del humor.

Robin: No cabe duda de que da una explicación a los juegos de palabras, y a que se trata precisamente de eso mismo.

John: También da una explicación a prácticamente todas las bromas que se me ocurren, como por ejemplo la vieja historia de la mujer que está investigando el comportamiento sexual, para lo cual entrevista a varias personas, y entre ellas, a un piloto. Al preguntarle cuándo tuvo relaciones sexuales por última vez, el piloto le responde: «En el treinta y cinco». La investigadora, que conoce el tipo de persona que son los pilotos, se sorprende y pone en duda su respuesta, ante lo cual el piloto, tras echar un vistazo a su reloj, le dice: «Bueno, sólo son menos cinco, por lo que han pasado veinte minutos».

Robin: De manera que los dos marcos de referencia son el minutero y la forma de expresar los años. Repentinamente, los dos entran en colisión...

John: Hay otro factor en juego en este caso. Siempre se presta mayor atención a un chiste como el del piloto que a un juego de palabras, debido a que hay un componente emocional más importante. Hay una curiosidad sexual y un cierto azoramiento también de tipo sexual, además de un componente de ansiedad en lo tocante a la naturaleza íntima de la cuestión, etcétera...

Robin: Y cuanta más importancia tenga el componente emocional, más posibilidades habrá de que la respuesta sea una carcajada.

John: Exacto. Creo que fue Arthur Koestler quien explicó esto de un modo más claro. Dijo que en cualquier chiste, el desenlace hace «descarrilar un tren lleno de emociones que se había puesto en marcha en la primera parte del chiste». Es decir, en primer lugar, los chistes suscitan y perfilan las emociones del público, además de la *ansiedad* que esas mismas emociones conllevan... y luego el desenlace consigue, por un lado, desvelar las emociones que eran inapropiadas y, por otro, descargar su energía en forma de risa. Ésa es la razón que explica por qué la gente se ríe tanto de los chistes sexuales, a pesar de que hay muy pocos realmente divertidos, y también que la gente cuente chistes sobre personas marginadas o poco populares. Incluso en el caso de que el chiste sea divertido, el resentimiento aporta una gran cantidad de emociones –un tren lleno– e incrementa la descarga de risa.

Robin: Y esto es debido a que el sentido del humor pone a todo el mundo en su sitio. Incluso cuando el carácter de la broma es cálido y cariñoso en vez de hostil, el resultado sigue siendo algo doloroso precisamente por esa razón.

John: Es fundamentalmente de carácter crítico, de ahí que uno no se pueda substraer al hecho que expresa...

Robin: Y sea tan útil a la hora de quitar los humos a los que defienden la ampulosidad.

John: Es verdad. Cuanto más ampulosa sea la persona, más risa suscitará el alfilerazo que se le dirija.

Robin: Como es lógico, eso explica por qué la gente que se tiene por importante siente tanto miedo a estar en un ambiente divertido. Saben lo que les espera, por lo que exigen un tono solemne que les sirva de *protección.*

John: Es lo que ellos *denominan* «seriedad», lo cual es un engaño para la gente. He llegado a hablar en alguna ocasión sobre la importancia de no confundir la «seriedad» con la «solemnidad», ya que a ciertas personas las han camelado con la historia de la ampulosidad, llegando a creer que no se puede tener una conversación seria de principio a fin que sea motivo de risa.

Robin: Algunas personas creen que hay algo irreal en el hecho de tener sentido del humor. Creo, con todo, que Arthur Miller tenía razón cuando dijo: «La comedia es probablemente una forma más equilibrada de expresar lo que la vida es en realidad, ya que está llena de absurdos, algo que la tragedia no admite porque, si no, resultaría divertida».

John: Y los buenos chistes no son tan sólo profundos, sino también convincentes, puesto que si te ríes de él, estás al mismo tiempo reconociendo la verdad de lo que está afirmando...

Robin: Y cuanto más importante sea el tema del que se ocupa, mayor será la risa, debido a que hay más emociones en juego, si bien no es el número de emociones lo que determina el volumen de la risa. Volvamos nuevamente a Darwin... Como ya hemos comentado, el factor sorpresa es necesario. Bien pues, cuanto más grande sea el factor sorpresa en un chiste, con mayor rapidez tendrá lugar el descarrilamiento y, como consecuencia, mayor será el volumen de la risa.

John: Estoy seguro de que ésa es la razón por la cual el saber ser oportuno es tan crucial en la comedia. Hay que tener eso en cuenta en cualquier análisis, dado que algunas personas son capaces de contar el mejor chiste del mundo en una situación de absoluto silencio. El saber ser oportuno tiene que ver con la capacidad para combinar la mayor cantidad de emociones con el momento más sorprendente para provocar el descarrilamiento.

Robin: Entonces, ¿qué trucos se necesitan para sacar el mayor partido al factor sorpresa?

John: En primer lugar, cuanto más original sea la broma, mayor será la sorpresa. Con ello se consigue alimentar las expectativas del que te está escuchando sobre la posibilidad de que ocurra algo *diferente*. Los escritores de comedias suelen referirse a la «norma del tres»; es decir, cuando algo ha ocurrido dos veces, existe la esperanza de que ocurra una tercera y cuando no ocurre, la sorpresa y la risa son mayores. Es *exactamente* a lo que me refería cuando he dado el ejemplo del niño. Como es lógico, hay muchas formas de crear expectativas aparte de ésta, por ejemplo, las situaciones familiares. Si una persona entra en una tienda especializada en problemas del oído y dice: «Buenos días. Me gustaría comprar un audífono», y el encargado le contesta: «... Perdone, no le he oído bien», la situación resulta divertida porque asumimos que alguien que trabaja en una tienda de ese tipo no tiene que tener ningún problema auditivo. Esta situación no sería divertida en una carnicería. Por consiguiente, se puede hacer una comedia en un ambiente tan corriente y poco imaginativo como el de un hotel. La ventaja es que todo el mundo ha estado en un hotel y sabe lo que se *supone* que tiene que ocurrir en dicho ambiente. Sin embargo, se puede crear una situación expectante por el mero hecho de darle la vuelta a una frase muy conocida, de ahí que cuando Mort Sahl dijo que el presidente Eisenhower tenía delirios de competencia, el público rompió a reír, debido a que en el preciso instante en el que oyeron la palabra «delirios», ya se había formado la expectativa de oír «de grandeza», de ahí la sorpresa.

Robin: Muy bien. Ya hemos hablado de cómo dos marcos de referencia independientes pueden llegar a unirse y cómo el hecho de que cuanto mayor sea la emoción ligada a esta unión, y cuanto mayor sea la sorpresa y la brusquedad que dicha unión lleve consigo, mayor será la risa. Sin embargo, sólo hemos hablado de chistes. ¿Vale este razonamiento para el tipo de comedias que vemos en el teatro, en la televisión o en el cine?

John: Permíteme decirte, en primer lugar, lo agradable que resulta que por una vez seas tú el encargado de hacer los resúmenes. En segundo lugar, la respuesta más sencilla es que no lo sé. No me he parado a pensar en ello. Resulta evidente que es necesario que se dé el mismo factor sorpresa, por lo que conocer el momento adecuado es igual de importante. Por lo que respecta a las emociones, resulta más fácil cuando hay una serie de personas interpretando la escena, ya que podemos ver y oír las emociones, no tenemos que imaginarlas. Estoy seguro de que la necesidad vital de que haya verosimilitud en la comedia está determinada por la posibilidad de que incrementa el grado emocional que el público experimenta en esa situación. A partir del momento en el que se deja de creer en el comportamiento de un personaje, sea porque su papel no está bien escrito, sea porque el actor no lo está interpretando bien, se pierde la intensa complicidad que hasta ese momento se había dado con la acción y, como consecuencia, la risa que puede provocar dicho personaje no es ni tan sonora ni tan agradecida. Hay una cantidad menor de emoción que pueda ser «descarrilada» y, consecuentemente, la comedia se convierte en un montón de «bromas». Pero, si hemos de referirnos a los dos marcos de referencia..., me vas a permitir que te pida que lo dejes por un momento y que pases a la modalidad abierta mientras yo sigo hablando sobre Henri Bergson.

Robin: El filósofo francés que escribió *La risa*.

John: Efectivamente. Suya es la explicación que a mí me ha parecido más útil a la hora de analizar la comedia durante los últimos veinticinco años. En resumidas cuentas, lo que viene a decir es que la risa es una sanción social contra un comportamiento inflexible que requiere una anestesia provisional para el corazón.

Robin: Y eres tú el que me toma el pelo por utilizar un lenguaje técnico...

John: Ya sé, ya..., déjame que lo desglose. Comencemos por el comentario sobre el comportamiento inflexible. Bergson dice que la gente resulta más divertida cuando su comportamiento es más mecánico, lo cual es todo un acierto por su parte. El ejemplo más obvio es el comportamiento obsesivo, que resulta casi siempre divertido. ¿Conoces esa historia de Barry Humphries sobre el náufrago que llega a una isla desierta y que sólo tiene por compañía a un perro y a un cerdo?

Robin: No.

John: Pues bien, conforme pasan las semanas su libido aumenta y, claro está, no sabe qué hacer al respecto. Es entonces cuando el hombre cae en la cuenta de que el cerdo es más atractivo de lo que pensaba, por lo que decide tratar de trabar amistad con él. Sin embargo, cada vez que intenta aproximarse al cerdo, el perro da un salto desde el arbusto en el que se halla escondido y se pone a ladrar, logrando que el cerdo huya. Esta situación continúa durante varias semanas hasta que una noche el hombre decide realizar un esfuerzo especial para así lograr conocer al cerdo. En el momento en que está sentado pensando en cómo puede hacerlo, surge del agua la mujer más bella que se pueda imaginar. Es una mujer arrebatadora. Mide un metro setenta y cinco, es rubia y tiene un tipo estupendo. Sale del agua y se aproxima hasta donde está él para preguntarle: «Hola. Puedo hacer algo por ti?». Él le responde: «Sí. ¿Podrías sujetar este perro unos minutos?». Bien, lo que resulta tan divertido en esta situación es que el hombre se ha vuelto totalmente inflexible. Una vez que ha dirigido su libido al cerdo, se siente incapaz de responder de una forma flexible cuando se le ofrece algo mejor. ¿No es así como definirías una obsesión?

Robin: Sí, las personas obsesivas son inflexibles, están «empeñadas» en funcionar de una forma determinada. Se limitan a repetir las viejas normas de comportamiento una y otra vez sin ser capaces de parar, igual que cuando un disco se raya y no deja de repetir lo mismo.

John: Luego están todas las bromas sobre bombillas. Cada una de ellas trata sobre un tipo de gente que se comporta de forma inflexible cuando se ven en la situación de tener que enroscar una bombilla: los polacos se ponen de pie sobre una mesa y tratan de dar vueltas sobre ella; la madre judía espera que se la deje en la oscuridad; las feministas hacen un documental al respecto; un taxista londinense dice: «¿Hay que subir hasta ahí arriba para luego volver a bajar vacío?»; el actor dice: «*Yo* podría haber hecho eso». Ésa es la razón por la que las bromas sobre estereotipos funcionan. Dan por supuesta la actitud inflexible, algo que resulta divertido.

Robin: Se trata del contraste que se da entre el comportamiento inflexible y el comportamiento que resultaría adecuado para la situación que se ha producido. Nuevamente, nos encontramos con la contradicción, la colisión entre las expectativas ante lo que puede pasar y lo que realmente pasa.

John: Incluso el atisbo de un comportamiento obsesivo puede ser divertido. Al principio de la película *¿Teléfono rojo?: volamos hacia Moscú*, cuando Sterling Hayden menciona por primera vez los «fluidos corporales vitales», todo el público hace un movimiento nervioso y se pone a reír, porque saben que se trata de algún tipo extraño de obsesión, atípica en un hombre que puede lanzar un ataque nuclear. Me acuerdo de una actuación de Rowan Atkinson[1] sobre unos montañeros que se están preparando para una escalada. Uno de ellos no deja de decir que le apetece comer pastel de menta. Al cabo del tiempo, uno se da cuenta de que la única razón por la que está escalando la vertiente norte del Eiger es porque quiere comer pastel de menta y la escalada en sí es algo que le trae sin cuidado. Lo que le importa es el pastel de menta. Eso sí, aunque podría comerse el pastel sin necesidad de hacer montañismo, los dos conceptos están asociados de una manera tan inflexible en su cabeza que ni se le ocurre pensar en ello.

1. Actor cómico británico, conocido en España por su papel en la serie *Mr. Bear*. *(N. del T.)*

Robin: Sin embargo, el concepto del comportamiento inflexible va más allá de la obsesión, ¿no es así?

John: Sí, por supuesto. He comenzado por las obsesiones porque son los ejemplos más obvios. Bien, entonces, mi opinión sobre la emoción en la comedia es la siguiente: si un actor cómico reacciona ante una situación con la debida emoción, la situación no resulta divertida. Pero, desde el momento en que el actor se queda *atascado* en esa emoción, es decir, cuando la emoción persiste una vez que ya ha pasado el momento en el que resultaba adecuada, *entonces* sí que resulta divertida. Por ejemplo, el enfado que muestra Basil Fawlty es la mayoría de las veces inapropiado, ya que evidencia muy poca flexibilidad cuando pone de manifiesto sus emociones, las cuales van de la irritación a la furia más virulenta, pasando antes por la indignación, el resentimiento más corriente, la contrariedad, el enfado y la rabia. Pasa lo mismo en el caso de la señora Thatcher. Lo que la hace graciosa es el mecánico, inflexible e invariable recurso al enfado. De igual manera, Jack Benny asume en su carácter el rasgo de la tacañería, de ahí que, cuando en una ocasión lo asaltó un ladrón que le espetó «la bolsa o la vida», tardó unos cuatro minutos en decidirse. Ocurre lo mismo con cualquiera de los «pecados capitales».

Robin: Incluso en la vida real somos capaces de reírnos de alguna experiencia terrible que hemos vivido una vez que ya *ha ocurrido*. En el transcurso de la experiencia, nos sentimos atenazados por una emoción como, por ejemplo, la ansiedad, el enfado o el azoramiento, y nos resulta muy difícil ver el lado divertido. Cuando, más tarde, sí que podemos hacerlo, ya no nos encontramos en poder de la emoción y nos sentimos flexibles.

John: James Thurber dice que: «El humor es igual al caos emocional cuando lo recordamos en una situación tranquila».

Robin: ¡Exacto! De forma que... si el hecho de que reaccionemos una y otra vez con una emoción equivocada a una serie de situaciones resulta mecánico y, por consiguiente, divertido... ¿puede resultar divertida una emoción «buena»?

John: Yo diría que sí, en caso de que sea inapropiada para la situación o de que sea desproporcionadamente grande o pequeña. En *Un pez llamado Wanda*, Michael Palin interpreta a Ken, un amante de los animales. Lo divertido del personaje no es que ame a los animales, sino que los ame *muchísimo* más de lo que ama a los seres humanos.

Robin: Incluso cuando una persona ama a otra, se puede dar una situación

divertida para los presentes si las dos personas muestran un entusiasmo tal que acaban por olvidarse de lo que los rodea y del tipo de comportamiento que se estima apropiado.

John: Está claro que existe toda una tendencia humorística que consiste en reírse de la estupidez, si bien los ejemplos que se me ocurren se reducen a una sencilla falta de flexibilidad mental.

Robin: Bueno, sí. Es gracioso ver a alguien que es inflexiblemente flexible y que, por ello, llega a extremos ridículos con tal de adaptarse a los demás. Es un ejemplo más de *in*flexibilidad.

John: En una ocasión una persona me dijo: «Haz una comedia sobre San Francisco de Asís y verás cómo es un verdadero rollo». Si intentas imitar a Jesucristo o a Buda, verás que es muy difícil conseguir que resulten divertidos, por el mero hecho de que siempre reaccionarían, pasara lo que pasase, de forma muy flexible.

Robin: De manera que si, como tú dices, la inflexibilidad no es divertida, ¿qué hacemos con el concepto de los «dos marcos de referencia»?

John: Supongo que si hay dos marcos de referencia, éstos deben ser: a) la inflexibilidad de alguien que está atrapado en su forma de pensar o sentir y b) el comportamiento flexible de un ser humano que ha sabido adaptarse perfectamente. ¡Ah! Ya lo tengo. Claro, una vez que te has reído de alguien que se encuentra atrapado en una emoción, no resulta tan divertido ver que la situación persiste sin más. La manera de hacer que sea divertido es conseguir que dicha persona intente volver a un comportamiento más flexible, para *luego* regresar *nuevamente* al comportamiento inflexible. En definitiva, es la oscilación entre las dos situaciones lo que nos hace seguir riendo. Un único marco de referencia, el de la inflexibilidad, no es suficiente.

Robin: Sí. Lo esencial es que se dé la «explosión de los músculos», que ha sido motivada por dos emociones o expectativas diferentes, que nos libere de la actitud en la que nos hemos empeñado. Ya sé que estás hablando del sentido del humor y no de la risa pero, en mi opinión, cualquier tipo de sentido del humor tiene el mismo efecto, incluso si es a menor escala: una sonrisa o una risa sofocada.

John: Estoy contento de que la idea de Bergson encaje con la de los dos marcos de referencia, puesto que ambas me han parecido siempre acertadas. Sin embargo, sólo hemos hablado de la primera parte de lo que dijo Bergson. La segunda afirma que antes de poder reírnos de algo hemos de sentir «una momentánea anestesia en el corazón».

Robin: No creo que puedas reírte de nadie sin antes haber retrocedido para tomar distancia durante un instante, lo cual me imagino que supone una falta provisional de comprensión para con la persona de que se trata.

John: Cierto. Si vemos que alguien se siente infeliz, está herido o en peligro, no cabe duda de que no vamos a echarnos a reír.

Robin: Esa persona puede ser objeto de las risas si el público sabe que, en su fuero interno, dicha persona se encuentra «bien».

John: Eso es verdad. Podemos reírnos al ver a Harold Lloyd aferrándose a la aguja de un reloj a una altura impresionante porque sabemos sencillamente que, en el fondo, no se va a caer, a pesar de que su situación esté provocando una situación de terrible ansiedad. Cada vez que resbala, contenemos la respiración porque, en ese momento, nos olvidamos por un instante de que en realidad está a salvo. En todas las películas mudas de antaño, las personas son atropelladas, golpeadas y pateadas continuamente y, aun así, nunca llegamos a preocuparnos por ellos.

Robin: Mientras que en la vida real, nos sería imposible reírnos.

John: Sí, por consiguiente, el público tiene que ser capaz de recordar que no es más que una «farsa». Tienen que mostrar un cierto despego con respecto a las experiencias de los actores, como si todo se tratara en realidad de un cómic.

Tomemos por ejemplo a Michael Palin en *Un pez llamado Wanda*. En la vida real, los espectadores se hubieran sentido verdaderamente aterrorizados y, sin embargo, en el cine, no podían parar de reír, porque el objeto de sus risas era la *idea*, de igual forma que ocurre cuando les divierte ver a Tom persiguiendo a Jerry con una apisonadora.

Robin: Aun así, ¿no tuviste que volver a hacer la toma de la secuencia en la que uno de los perros resulta aplastado?

John: Sí. El primer plano que filmamos en principio había sido decorado primorosamente por el director, Charlie Crichton, con unas vísceras que nos había dado el carnicero del barrio. Cuando mostramos esta secuencia a los espectadores, se quedaron atónitos. La reacción instintiva de horror fue más fuerte que su capacidad para reírse de una idea abstracta. Como consecuencia, tuvimos que sustituir la secuencia del «perro ensangrentado» por la toma, totalmente ridícula e inverosímil, de un perro de paja sin tomate ni nada, lo cual provocó verdaderos gritos de entusiasmo en el público. Por otro lado, no creo que el público se hubiese reído si los perros no hubieran sido esos horrorosos bichejos peludos que en nada se parecen a un perro de verdad. Es realmente difícil saber lo que el público va a aceptar.

Robin: Además, está claro que cada persona tiene un «umbral» diferente, por lo que aunque acertases con la mayoría de la gente, siempre ofenderías a unos cuantos.

John: Sí, resulta extraordinariamanete difícil –no sé por qué– parecer razonable y comprensivo cuando tienes que defender una broma contra la acusación de que es cruel e insensible, aun sabiendo que una hora antes esa misma broma ha cosechado verdaderas carcajadas en el público.

Robin: Cabría decir que puede lograrse que se deje de sentir comprensión por un personaje sin necesidad de dejar de sentirla *toda*.

John: Sigue.

Robin: Muchas personas creen que es de gran ayuda mostrar tu más absoluta comprensión cuando alguien tiene dificultades. Según mi experiencia, eso no es del todo cierto, a excepción de situaciones realmente críticas. Una actitud cariñosa consiste en ser capaz de apoyar a una persona y, a un mismo tiempo, mostrarse crítico y desafiarla cuando resulte apropiado. Al fin y al cabo, todos sabemos lo saludable que es reírse de uno mismo, lo cual no supone que uno no sea comprensivo consigo mismo, ¿no crees?

John: Sí. Recuerdo, además, lo que me dijiste en una ocasión, cuando estaba en tu grupo, sobre el hecho de que las personas que empiezan a reírse de sí mismas demuestran un indicio de su recuperación.

Robin: Ésa ha sido mi experiencia, qué duda cabe... Hemos de dar un paso atrás para obtener la distancia necesaria con respecto a nuestro comportamiento. El sentido del humor nos facilita dicha distancia. Es una forma de engaño. Cuando engañas a alguien, en realidad lo que estás haciendo es aludir a una parte de su comportamiento que resulta problemática y a la que es preciso que presten atención. Si esto se hace con verdadero cariño, es posible que la persona en cuestión se pare a pensar en ello más tarde y cambie como consecuencia de lo que ha visto. Si no se hace con cariño, la impresión que la otra persona tiene es que la están persiguiendo, por lo que será incapaz de ver el aspecto divertido del asunto, no podrá asumir la crítica que se le haya hecho, ni tampoco querrá cambiar, ya que le resultará demasiado doloroso.

John: Eso es interesante. Todos los cómicos saben que resultan más divertidos si muestran algún tipo de afecto hacia sus víctimas, de ahí que la anestesia del corazón, como dice Bergson, sólo pueda ser *momentánea*. Muy bien. Pasemos a la tercera y última parte de la definición de Bergson: la risa es una sanción social, con lo cual quiere decir que se trata de la reacción de un grupo social. Nunca he llegado a entender esto del todo.

Robin: ¿Por qué?

John: Bueno. Comprendo que uno se ría con más frecuencia cuando se encuentre con más personas. La risa es contagiosa y todo eso... También puedo comprender que la risa incremente la cohesión en el seno del grupo; basta pensar en cómo los políticos consiguen que el público se sienta bien por el mero hecho de gastar una serie de bromas sobre los otros partidos. A propósito, ¿sabes qué tipo de gente gasta las mejores bromas?

Robin: No.

John: ¡Los vendedores! Saben que se establecerá con gran rapidez una buena relación si logran que el posible comprador se ría. Con todo, y volviendo a lo de antes, siempre me resulta molesto ver que, por lo general, la bonita y agradable cohesión que se forma en ciertos grupos se obtiene a expensas de personas ajenas. Lo cual me ha llevado a pensar que hay un tipo diferente de risa, algo que durante los últimos años he llegado a valorar mucho más. Se trata de la risa que dice: «Sí, eso es divertido, y es divertido porque reconozco que yo también soy partícipe de este tipo de comportamiento, en realidad es un comportamiento del que *todos* somos partícipes, puesto que es algo intrínseco a todos los seres humanos. Es la forma de ser de las personas». Ésta es definitivamente la mejor clase de risa, ya que cuando se produce, nadie es ajeno a ella... Me temo que esto empieza a resultar algo confuso.

Robin: Creo que puedo echarte una mano. ¿Te acuerdas de la conclusión a la que llegamos al final del primer capítulo con respecto a la salud mental?

John: ¿Te refieres a que las personas menos sanas son paranoicas y necesitan la presencia de otras personas para poder echarles la culpa y despreciarlas, mientras que las personas más sanas son «afiliativas»?

Robin: Sí. A lo que me refiero es que el sentido del humor, como los demás aspectos del comportamiento humano, puede ser analizado de igual forma. Es decir, cualquier ejemplo de un determinado sentido del humor puede colocarse en un punto determinado del espectro formado entre el extremo paranoico y el «afiliativo». Por ejemplo, tomemos la clase más desagradable de bromas racistas: no es más que la manera que tiene un grupo de expresar su hostilidad hacia otro. Como consecuencia, este tipo de bromas pertenecen al extremo más paranoico del espectro. Sin embargo, el tipo de bromas que acabas de describir, aquellas que hacen que las personas reconozcan que se están riendo de una situación que es común a todos los seres humanos, que son parte de la condición humana, se ubicarían en el extremo más sano del espectro.

John: En este último caso no nos encontramos con grupos ajenos. Nuestro sentido del humor viene a decirnos: «¿No es realmente gracioso que *todos* nosotros, los seres humanos, seamos en realidad semejantes a pesar de nuestras presunciones?».

Robin: Luego, claro está, se puede contar el mismo tipo de chiste con intenciones muy diferentes, y, como consecuencia, puede ser interpretado también de forma diferente.

John: Sí, ciertos chistes «insultantes» *son* realmente divertidos. Nuestra reacción al escucharlos dependerá, en primer lugar, de si han sido contados con una intención agresiva o simplemente porque son intrínsecamente graciosos. Con todo, sería espantoso censurarlos por el mero hecho de que los paranoicos los emplean de manera poco sana. Después de todo, *cualquier* clase de humor puede ser empleada de forma paranoica.

Robin: Efectivamente. Basta pensar en cómo reacciona la gente a lo que hace Basil Fawlty. Ciertas personas se ríen de él como si lo que dijera no fuese con ellos..., se creen que pertenecen a una especie diferente. Otras personas llegan a reconocer, aun riéndose, que a veces se sienten como él. La segunda actitud es mucho más saludable, por lo que habría que colocarla en el extremo sano del espectro junto al tipo de chistes que afirman que la condición humana es tronchante.

John: He de decirte que lo que acabas de comentar viene a ser como una revelación para mí. Jonathan Miller dijo en una ocasión que el verdadero sentido del humor da lugar a una gran intimidad. Ahora entiendo el porqué. El mejor sentido del humor recalca las similitudes entre las personas, no las diferencias.

Robin: En mi opinión, eso es lo más valioso del sentido del humor. No se trata tan sólo del placer y la sensación de bienestar que suscita, sino de la manera que tiene de recordarnos día tras día que tenemos limitaciones por el mero hecho de ser seres humanos... *y* que es realmente fácil *olvidarse* de ello.

2
Mamá, mamá, soy el presidente de una multinacional

John: Y bien, ¿a qué te refieres con lo de las «familias mucho más grandes»?

Robin: Bueno, conforme crecemos vamos pasando una y otra vez de sistemas más pequeños a más grandes. En el seno de la familia, nuestra madre es probablemente la persona que ejerce la mayor influencia sobre nosotros durante los primeros años, de ahí que en un principio nos sintamos profundamente afectados por sus debilidades y actitudes. Sin embargo, la influencia de nuestro padre se hace notar muy pronto, y a pesar de que sus actitudes sean similares en muchos sentidos a las de nuestra madre, las diferencias existentes sirven para contrarrestar los prejuicios heredados de la madre. Más tarde, los hermanos y hermanas, así como el resto de la familia, los vecinos y los amigos, tendrán un efecto similar de contrapeso: todos procurarán impedir que nos sintamos obligados a copiar los prejuicios y las debilidades de cualquier persona o subgrupo.

John: Después de esto, entramos a formar parte de grupos tales como equipos de fútbol, clubes, etcétera. Nos integramos en instituciones como escuelas y universidades, para más tarde pasar a organizaciones del calibre de una empresa, el funcionariado, las fuerzas armadas, lo que sea... ¿Son éstas entonces las «familias más grandes», los sistemas de los que pasamos a formar parte?

Robin: Sí. Conforme pasamos de un sistema más pequeño a otro más grande, las oportunidades para tener acceso a información nueva aumentan, tenemos más posibilidades de ver las cosas de forma diferente a como las veíamos en el limitado entorno de nuestra familia. Siempre que estemos preparados para cambiar y dar el paso a un sistema más grande gracias a la experiencia que hemos acumulado en el sistema anterior, podremos enfrentarnos a la tensión que este cambio acarrea y acceder a un mundo más complejo y a una nueva fuente de información y de salud que hasta el momento nos había estado vedada.

John: Aún me acuerdo de la sensación que tuve mi primer día de escuela, la combinación de emoción y terror, la intensidad de la experiencia, la cantidad de impresiones y recuerdos, mucho mayor que los que uno podría acumular normalmente en un plazo de seis meses. Es lo que ahora se llama «la parte más empinada de la curva educativa».

Robin: Yo también me acuerdo de la tensión que sentí la primera vez que hube que enfrentarme a este tipo de cambios. Sobre todo, recuerdo que cuando tuve que ir al internado a la edad de quince años, algo que decidí yo mismo en cuanto tuve ocasión de hacerlo, puesto que ya había sufrido una experiencia bastante desagradable en uno de ellos con anterioridad, tan desagradable que al final tuvieron que sacarme de allí. ¡Quería probarme a mí mismo que podía hacerlo! Mi familia no me había preparado para experiencias de este tipo, experiencias que suponían una separación, por lo que la segunda vez fui voluntariamente, hice frente a la situación y me acabó gustando, a pesar de que durante un tiempo me sentí realmente desesperado. Esta experiencia me dio una confianza que no hubiera obtenido de otra manera. Viví una experiencia similar, a la edad de dieciocho años, durante la segunda guerra mundial. Me presenté como voluntario para ingresar en las fuerzas aéreas. Al principio fue realmente difícil, pero en cuanto empecé a hacerme cargo de la situación, me resultó mucho más agradable y me abrió las puertas a muchas cosas. Como es lógico, una situación de tal envergadura, como la de una guerra, te obliga a vivir experiencias que terminan por ampliar tus horizontes, lo cual te hace madurar de una manera que, de otra forma, no hubiera sido posible.

John: En resumidas cuentas, insinúas que la vida consiste en una serie de lecciones que nos enseñan a afrontar situaciones nuevas, a condición de que dispongamos del apoyo emocional preciso para mantenernos en pie mientras dure la tensión.

Robin: Sí.

John: ¿En qué consiste la última cosa que has aprendido?

Robin: Bueno, te lo diré, ya que me lo preguntas: he aprendido a montar a caballo. Mi compañera, Josh, me organizó una «sorpresa» la semana pasada:

me dijo que condujera por la autopista M1 hasta llegar a la escuela de equitación, donde ya había preparado unas clases para los dos. Yo me creía demasiado viejo para empezar una cosa así y pensaba que acabaría asustándome. Sin embargo, resultó algo realmente divertido; en seguida empecé a sentirme como si fuera un vaquero, espoleando al caballo y gritándole para que corriera más rápido. Éste es otro buen ejemplo de una situación a la que te ves abocado y que de otra manera habrías evitado.

John: Este mes pasado he vivido una experiencia completamente nueva: la ampliación de nuestro círculo familiar, con la llegada del primer novio realmente adulto de mi hija mayor. «Un patriarca desmoronado da un paso más hacia la tumba» podría haber sido el titular adecuado, cabría pensar. Sin embargo, la experiencia ha tenido el curioso efecto de hacerme sentir menos responsable.

Robin: Siempre se trata de algo nuevo. En esto consiste la educación en realidad: está claro que no se reduce tan sólo a lo que recibimos en la escuela, sino a algo que debería continuar el resto de nuestra vida, hasta el momento de nuestra muerte.

John: Me encanta lo que dijo Charles Mandy en una ocasión: «El aprendizaje no es tan sólo el conocimiento de las respuestas, ya que entonces consistiría en la mera acumulación de datos... El aprendizaje se mide únicamente según la experiencia del crecimiento..., su propósito no es averiguar lo que las demás personas ya saben, sino resolver nuestros propios problemas...»

Robin: En mi opinión, lo más importante es conocer las limitaciones de lo que sabemos. Si no conocemos dichas limitaciones, no podemos sentir ni curiosidad ni la necesidad de aprender.

John: No obstante, gran parte de la educación –de un tipo más o menos académico– tiene lugar en la escuela. ¿Podríamos afirmar que ciertas escuelas son más «sanas» y que educan a muchachos más sanos en contraposición a otro tipo de escuelas que obtienen menos éxito?

Robin: Se ha investigado mucho sobre ello. Se han comparado diferentes escuelas para ver de qué tipo de ambiente provienen los estudiantes que funcionan mejor, no sólo desde el punto de vista del éxito académico, sino también desde el del comportamiento en general, la regularidad en la asistencia, la tendencia a continuar los estudios más allá del límite de edad obligatoria y el índice de delincuencia. Se ha demostrado que estos factores están vinculados los unos a los otros y, por supuesto, a la manera de funcionar de la escuela.

John: ¿Cómo operan este tipo de escuelas?

Robin: Vas a sorprenderte... Operan de forma muy parecida a la de las familias más sanas.

John: Sigue, sigue...

Robin: El principio fundamental es la actitud «afiliativa». Se da una actitud benigna, fortalecedora, cariñosa, no sólo para con los alumnos sino también en lo tocante a los edificios de la escuela y al ambiente en general, si bien el crecimiento y el éxito de los niños es el objetivo principal. A los niños se los respeta como individuos, y la escuela les da la ocasión de implicarse en el funcionamiento de la misma, ofreciéndoles la responsabilidad de encargarse de varios asuntos en la medida que sea posible y de que se preocupen por su entorno. Algunas escuelas admiten incluso a los representantes de los alumnos para los puestos de dirección. Como consecuencia, existe una comunicación abierta y fluida entre el profesorado y los alumnos, y éstos saben que siempre pueden consultar a sus profesores si se les presenta algún problema.

John: ¿Dónde entra el aspecto «disciplinario» del asunto?

Robin: Este aspecto también sigue las pautas de las familias más sanas. En las escuelas con más éxito, se da un buen equilibrio entre la estructura y la libertad. Si bien los profesores tratan a los alumnos con respeto y los escuchan, también esperan de éstos que trabajen y obtengan resultados. A los niños se les pide que se «extralimiten» –algo que siempre he notado que les gusta–, por lo que se convierten en adultos.

John: Por la experiencia que tuve como docente durante dos años, sé que los niños detestan dos cosas concretas: el aburrimiento y la inconsecuencia disciplinaria. Es algo que aborrecen tanto que pueden llegar a hacer cualquier cosa, inclusive la insurrección armada, con tal de remediar la situación.

Robin: De ahí que los profesores tengan que dar buen ejemplo preparando las clases a conciencia para así mantener a los alumnos ocupados en actividades productivas y evitar que se produzcan situaciones caóticas.

John: ¿Y si se comportan mal?

Robin: Normalmente, los profesores son capaces de advertir los problemas con antelación y de ocuparse de ellos con firmeza, si es preciso recurriendo al castigo. Por lo general, sin embargo, se ha demostrado que la crítica y el castigo no son fruto de un enfoque eficaz –de hecho, las escuelas en las que abunda este tipo de reacciones, el comportamiento empeora– y que, siempre que sea posible, el profesor ha de animar y elogiar al alumno.

John: ¿Estarías de acuerdo con la idea de que «el elogio es la mejor motivación»?

Robin: Sí. Se han realizado muchas investigaciones que demuestran la bondad de esta afirmación, aunque, en mi opinión, se trata de algo que hemos averiguado todos por nuestra propia cuenta. Si un profesor o uno de nuestros padres muestra una actitud de ánimo, apoyo e interés, esto genera una ilusión y un entusiasmo de carácter más sólido que la sensación que produce el miedo al castigo. Esta actitud nos ayuda a entregarnos a la labor que estamos realizando, no nos invita a sustraernos de las críticas.

John: Esta actitud tiene que ser la correcta, ¿no te parece? El hecho de avanzar sobre la base de lo que las personas han hecho *bien*, en vez de dar una prioridad inmediata a lo que han hecho *mal* y cuestionar su confianza. No obstante, todos los adultos que conozco cuentan verdaderas historias de terror sobre las barbaridades que les decían los profesores, observaciones negativas y gratuitas que, incluso desde el punto de vista del profesor, resultaban totalmente contraproducentes. Es posible, acaso, que algunos profesores tengan miedo a que un niño cuya confianza esté creciendo acabe por comportarse peor y, por lo tanto, sea más difícil de controlar.

Robin: Eso es cierto en el caso de un mal profesor que tiene que controlar a sus alumnos mediante el miedo. Sin embargo, en el caso de un profesor que infunde respeto, los alumnos que sienten confianza se comportan de una forma más positiva.

John: A los niños no les molestan las críticas siempre que se hagan con cariño y entrega, ¿no es así? En una ocasión, un profesor describió mi intento por aplacar a alguien en un partido de rugby como el «baile propio de una mariposa minusválida», comentario que me gustó, *incluso* en ese momento. Sin embargo, en otra ocasión, un profesor de ciencias me dijo: «Tu madre dice que eres inteligente, lo cual es algo que no alcanzo a ver», con lo que, en mi opinión, lo único que consiguió fue quitarme definitivamente parte de la confianza que tenía en la física. Pero vayamos al grano...

Robin: No, no vas mal encaminado. Por regla general, se ha descubierto que los niños se comportan de acuerdo con lo que se espera de ellos: serán responsables y trabajadores si se los trata como si eso fuera lo natural; serán irresponsables y se comportarán mal si los profesores esperan que sean de esa manera.

John: ¿Serán también más inteligentes si eso es lo que se espera de ellos?

Robin: Pues..., sí. Si se reconoce su posible capacidad y se los ayuda a desarrollarla, los niños rendirán al máximo de sus posibilidades.

John: De todas formas, los buenos resultados que estas escuelas han cosechado dependen en buena medida del tipo de alumnos matriculados, ¿no es eso?

Robin: ¿Te sorprenderás si te digo que en buena parte de los casos eso no es así? Si se matricula una proporción muy alta de estudiantes flojos y poco prometedores, resulta más difícil crear un ambiente que fomente el orgullo y la satisfacción por lo que se ha logrado; pero, con todo, esto no altera el excepcional carácter de la escuela. Incluso la calidad de las instalaciones y de los servicios deja de tener importancia vital si la actitud psicológica es la adecuada. De hecho, aún me acuerdo de que, cuando era director de una clínica de orientación pedagógica en una zona muy necesitada de Londres, había dos escuelas que disfrutaban de todas las ventajas materiales, mientras que las instalaciones de una tercera se hallaban diseminadas por varios edificios. Esta escuela se hacía cargo de los estudiantes más problemáticos, precisamente aquellos que los directores de las otras dos escuelas querían evitar... *Con todo,* la tercera escuela logró superar a las otras dos en lo tocante a las cualidades que he mencionado.

John: Conozco un caso en que la escuela menos disciplinada es la más completa. ¿Qué me dices del comportamiento de los chavales que se espera que sean problemáticos?

Robin: En las mejores escuelas, no se suele asociar la delincuencia con un número de niños con desventajas sociales que sea incluso alto, si bien las investigaciones muestran la existencia de una íntima relación entre estas dos cosas desde un punto de vista individual.

John: Es decir, la buena influencia de la escuela puede superar la tendencia estadística...

Robin: Sí.

John: Debido a que, presumiblemente, estas escuelas de calidad facilitan a los alumnos las experiencias sustitutorias que les permitirán aprender aquellas cosas que las familias no han podido ofrecerles, ¿correcto?

Robin: Es muy probable. Dada la existencia de una comunicación más abierta, y el hecho de que los niños se sientan aceptados y respetados por lo que *son*, en vez de por lo que se espera que sean –es decir, que se ajusten a un molde–, el profesorado tiene más facilidad para observar las necesidades emocionales de los niños. Como los profesores tienen una actitud sumamente constructiva y se sienten cómodos al poder, por un lado, animar y apoyar a los estudiantes y, por otro, mostrarse duros y firmes cuando sea necesario, lo más probable es que algunos profesores acaben por ofrecer la clase de relación que cada niño necesita con el fin de subsanar cualquier carencia que pueda existir por su educación social.

John: ¿Qué ocurre entonces cuando los niños se encuentran con un sistema menos saludable?

Robin: Cuando esto ocurre, se suelen recrear las pautas familiares. Si venimos de una familia poco sana, la forma que tenemos de enfrentarnos a la situación es la única que conocemos. Si pasamos entonces a otro sistema poco saludable, nuestro comportamiento será el mismo que empleábamos en nuestra familia, por lo que lo más probable es que el sistema reaccione de forma parecida; es decir, de forma negativa. Si en el sistema anterior éramos el «chivo expiatorio» o el «niño mimado», en el nuevo sistema provocaremos el mismo tipo de reacción y, como consecuencia, la pauta que hemos seguido hasta el momento se confirmará e intensificará. Sin embargo, si la escuela tiene un ambiente saludable y no lo manipulamos, pronto aprendemos nuevas maneras de relacionarnos y nuevos puntos de vista con respecto a nosotros mismos y a los demás.

John: Se me acaba de ocurrir algo quizás interesante. ¿Podría ser contraproducente para un niño el hecho de que los padres sean los únicos que opinen a la hora de elegir la escuela? Es decir, ¿no tratarían de algún modo de elegir una escuela que presentara sus mismos problemas?

Robin: Bueno..., sí. Me temo que tienes algo de razón, por lo menos en lo que respecta a los padres menos sanos. Por ejemplo, los padres con dificultades para aceptar la autoridad y que nunca han sido capaces de admitir un «no» por respuesta suelen elegir una escuela permisiva, por lo que el niño también tendrá dificultades para adaptarse. Me acuerdo que en una ocasión tuve que tratar a un adolescente cuyo padre era muy pasivo y reservado. El mal comportamiento del hijo suponía un intento evidente de provocar al padre, de conseguir que se mostrase más firme para que así pudiese ayudar a su hijo a controlarse mejor. Lo que ocurrió fue que acabaron mandando al muchacho a una conocida escuela progresista en la que no cambió de comportamiento. Cuando el director me expresó sus quejas, tuve que explicarle que lo que el muchacho requería era que los profesores lo trataran con la firmeza de la que carecía en casa. La respuesta del director fue: «Será mejor que le pregunte a mi esposa al respecto», con lo cual demostraba que era tan débil como el padre del muchacho.

John: Supongo que las escuelas convencionales se elegirán por razones igualmente equivocadas. Los padres que exhiben una gran inhibición a la hora de mostrar afecto a sus hijos se inclinarán por escuelas más severas en las que las expresiones de cariño y ternura sean objeto de censura. Este tipo de padre no pondrá ningún reparo a la existencia de escuelas extremadamente competitivas.

Robin: Efectivamente. Estoy convencido de que ésa es la razón que explica las duras condiciones que imperaban hasta hace poco en el sistema británico de escuelas privadas. Afortunadamente, hoy en día tenemos menos reparos en

expresar nuestros sentimientos, de ahí que no nos sintamos obligados a enseñar a nuestros hijos a hacer lo mismo.

John: Muy bien. Hemos dicho que la escuela es la primera organización que nos encontramos cuando nos aventuramos más allá del entorno familiar. La siguiente, para la mayoría de nosotros, es el lugar de trabajo, ¿no es así? Si hablamos del funcionamiento de las familias más grandes, ¿en qué medida son aplicables las características de la familia en este caso?

Robin: Se trata de una continuación del mismo proceso: aprender a afrontar sistemas más grandes y relaciones cada vez más complejas. Los desafíos que acarrea el primer trabajo son parecidos, en buena medida, a los que nos hemos encontrado con anterioridad, sólo que las exigencias son más difíciles, la situación entraña un peligro y hay una menor flexibilidad que en casa y en la escuela. Uno tiene que enfrentarse a un tipo de reacción, a un tipo de seguimiento más realista en lo referente a la persona y a su rendimiento; si se fracasa, es posible que se llegue al despido, de manera que el riesgo es mayor, aunque también aumentan las expectativas. Uno no puede acabar siendo igual que el padre de la familia en la que ha crecido, ni se va a convertirse en director de la escuela a la que ha ido por muy buenas notas que saque. En cambio, uno sí que puede convertirse en el presidente de su propia empresa, de ahí que el trabajo suponga una nueva disciplina.

John: ¿Qué quieres decir exactamente?

Robin: Es más duro, así de sencillo. Si bien, por un lado, esta situación provoca una gran ansiedad como resultado del posible fracaso, por otro, plantea la posibilidad del éxito, la cual trae consigo confianza y respeto en uno mismo. Al mismo tiempo, esta situación acarrea una serie de cambios en casa; la mayoría de nosotros hemos sido testigos de cómo los padres cambian su forma de tratar a los hijos cuando éstos comienzan a trabajar y se independizan. Una persona que está a la altura de las circunstancias que el trabajo impone, se armará de valor, se hará más competente y adquirirá verdadera autoridad ante los demás. Por consiguiente, tendrá el verdadero respeto de su pareja y de sus hijos, lo cual supondrá una fuente de confianza y equilibrio para la familia. En definitiva, el trabajo es, por diversas razones, esencial para el desarrollo psicológico.

John: Por aprender a formar parte de un equipo, a hacer frente a la rivalidad y la envidia, a aceptar que lo que hagas en ocasiones no será del agrado de los demás, a tomar decisiones difíciles que pueden afectar la vida de otras personas...

Robin: ... A encontrar el equilibrio entre las exigencias del trabajo y las del hogar, a presentarte en público, ¡a todo!

John: Muy bien. Pasemos del valor del trabajo a otra cosa. Cuando una persona se inclina por un determinado trabajo, ¿en qué medida determinan los factores psicológicos esta elección?

Robin: En una gran medida. Las personas se sienten atraídas por su tipo de trabajo y por las organizaciones compatibles con su propia psicología de forma automática, del mismo modo que cuando eligen a su pareja. Como es lógico, igual que en el caso del matrimonio, también hay otros factores que influyen en la decisión, aunque la búsqueda de lo «adecuado», desde un punto de vista psicológico, siempre está ahí, subyacente, aunque la mayoría de la gente no sea consciente de ello.

John: ¿Te refieres a que tratarán de elegir una empresa que se asemeje a la familia en la que crecieron?

Robin: Sí, una familia que opere con un nivel de salud similar de acuerdo con los principios que hemos discutido en el primer capítulo. Una persona sana intentará elegir un ambiente de trabajo sano; una persona menos sana se sentirá atraída por un entorno menos sano.

John: Cuando hablamos de los diferentes tipos de matrimonios en *La familia y cómo sobrevivirla*, tú dijiste que existen distintas soluciones, dependiendo de si una persona quiere quedarse igual o prefiere cambiar y ser más sana. ¿Ocurre lo mismo cuando una persona elige una empresa?

Robin: Sí. Cuando una persona tiene una salud muy mala, su elección está basada en la necesidad de negar sus propios problemas y de culpar a los demás. De manera que un individuo que tenga muy mal genio, se sentirá más a gusto en una organización dirigida por un jefe con muy mal genio y en la que las relaciones estén, por lo general, basadas en una rivalidad negativa. Aunque este tipo de gente siempre presenta un humor hostil y negativo propio, en realidad estarán convencidos de que no es más que una «reacción natural» ante un ambiente de trabajo desagradable.

John: Algo que no tiene nada que ver con ellos... ya que serían un verdadero encanto si trabajaran en un lugar diferente. Es algo parecido a lo que le pasa a la pareja protagonista de *Quién teme a Virginia Wolf*: los dos creen realmente que serían felices si estuvieran casados con otra persona...

Robin: Sí, aunque en realidad se sentirían peor en una situación más positiva, puesto que tendrían que hacer frente a su verdadera personalidad y admitir que la solución del problema depende de ellos.

John: Existe otro tipo de arreglo psicológico más sano, mediante el cual las parejas pueden evitar sus problemas. En el matrimonio que se describe en *Casa de muñecas*, la relación es más positiva y demuestra una mayor cooperación, pero cada miembro de la pareja asume ciertas funciones de la personalidad del otro, de modo que no tienen necesidad de cambiar en absoluto.

Robin: Lo mismo ocurre cuando se tiene que elegir trabajo. Ciertas personas se pueden inclinar por una empresa cuya estructura y cuyos valores son parecidos a las pautas de su familia, por lo que no se cuestionan ningún tipo de actitud, ya que todos dan por supuesto que están en lo cierto. De esa manera, dichas personas no sienten ninguna presión que las induzca a cambiar y pueden tranquilamente evitar tener que enfrentarse a sus problemas.

John: ¿Puedes dar algún ejemplo?

Robin: Tomemos a alguien que ha crecido en una familia en la que no se confía en las emociones y las relaciones son bastante distantes. En este caso, esta persona se sentirá más a gusto en un trabajo de procesamiento de datos, en el que la principal necesidad es la utilización del cerebro y no hay lugar para una gran relación afectiva con las personas. Tomemos ahora a alguien que ha crecido en una casa en la que el control, el orden y la disciplina son cosas esenciales. Este tipo de persona encajará perfectamente en un trabajo como el de contable o el de funcionario. Alguien que venga de una familia en la que se den situaciones airadas, pero en la que no se permitiría una agresión abierta, se encontrará a sus anchas trabajando de abogado, ya que tendrá que protagonizar interrogatorios de carácter agresivo, dentro de un marco de normas determinado y bajo el control de una figura paterna. La persona que venga de una familia necesitada en la que, sin embargo, nadie admite dicha situación, no tendrá que volver a vivir esa privación si se convierte en asistente social o se integra en una organización con ese propósito. Hay que tener muy presente que no hay nada *equivocado* en este tipo de decisiones. Por la misma razón que explica que este tipo de trabajos se ajustan a las pautas que estas personas siguen normalmente, éstas tienen muchas posibilidades de hacerlo bien y de disfrutar de ellos. Sin embargo, también es posible que esta decisión elimine el tipo de desafío emocional que las ayudaría a crecer.

John: Ahora bien, dejando a un lado a Virginia Woolf y a *Casa de muñecas*, existe un tercer tipo de matrimonio en el que las dos partes se eligen mutuamente para ayudarse y mejorar su estado de salud.

Robin: Puede ocurrir exactamente lo mismo cuando se elige un trabajo concreto o se opta por una empresa determinada. La gente joven que tenga la sensación de que no es lo bastante fuerte, de que carece de autodisciplina o de la capacidad necesaria para hacer frente a una situación adversa, puede intentar ingresar en las fuerzas armadas o en la policía.

John: Pero no porque estas instituciones se caractericen, en general, por su excepcional estado de salud.

Robin: No, aunque haya individuos concretos que puedan tenerlo. De lo que se trata es de que cada tipo de trabajo requiere una aptitud determinada. Las personas que carecen de ese tipo de aptitudes pueden llegar a desarrollarlas con la ayuda de una institución de estas características. Está claro que la institución misma puede recalcar excesivamente la importancia de dichas aptitudes y dar pie entonces a un ambiente poco «saludable», aunque eso no quita que ciertos individuos puedan sacar partido de los aspectos buenos de la institución. Como ya he dicho antes, se puede utilizar una institución de diversas maneras: se le puede echar la culpa de tus problemas, se puede uno quedar tranquilamente en ella sin necesidad de enfrentarse a ningún cambio o se puede emplear como acicate para crecer y mejorar el estado de salud. Todo depende de la persona, de su actitud y de cómo quiere enfocarlo.

John: ¿Puedes mejorar tu estado de salud si empiezas a trabajar en un entorno poco sano?

Robin: Sí, es posible, porque siempre puedes aprender algo de las personas que te rodean y de la situación en la que te encuentras. Se puede emplear una mala experiencia para aprender a enfrentarte a experiencias negativas. Con todo, creo que lo que es posible llegar a aprender resulta bastante limitado. Para obtener el mayor beneficio hay que intentar encontrar la institución que, en términos generales, tenga un nivel de salud superior al tuyo.

John: Muy bien. Supongamos, sin embargo, que alguien que no viene de una familia muy sana logra entrar en una institución que funciona de acuerdo con unos principios realmente sanos. ¿Cuál va a ser la reacción de la institución?

Robin: No demasiado buena. Por ejemplo, cuando Charles Schreiber se hizo cargo de una empresa en malas condiciones y anunció que iba a anular la obligación de «fichar», los trabajadores amenazaron con ir a la huelga ante el temor de que trampeara sus salarios. De todas formas, en una institución sana se harán más concesiones a las personas que sufran ciertas limitaciones y defectos. Se les prestará una ayuda gracias a la cual, con el tiempo, las personas menos sanas acabarán mejorando. Es una cuestión de proporciones: si la discrepancia entre los niveles de salud que muestran la institución y el empleado cuando están trabajando es demasiado grande, este último no se sentirá del todo a gusto.

John: ¿Por qué?

Robin: Bueno, si hay una gran libertad y un margen para la iniciativa demasiado amplio, el empleado puede sentirse inseguro y llegar a preocuparse porque nadie le diga lo que ha de hacer.

John: Supongo que la confianza y el vigor de sus colegas le hará sentir más incómodo.

Robin: De igual forma que un ambiente de comunicación abierto le resultará amenazador. Por consiguiente, cuando sea objeto de una crítica constructiva, se sentirá dolido. A ciertas personas no les supone ningún problema que se las insulte o se les grite, ya que pueden distanciarse, pensar que la crítica ha sido en realidad una «grosería» y olvidar el comentario sin detenerse a pensar si era indicado o no.

John: Una empresa que no esté sana es una excusa sumamente conveniente para ciertas personas, ¿no es así?

Robin: Sí. De hecho, un amigo mío que está a cargo de varias empresas con un índice de salud insólitamente alto, me dijo en una ocasión que había tenido serios problemas con un grupo de personas cuyo índice de salud era muy inferior al del resto de sus empleados. Cuando abandonaron la empresa, evitaron tener que enfrentarse al hecho de que la empresa disfrutaba de una salud mejor que la suya inventándose una serie de historias realmente paranoicas con el fin de tener las razones necesarias para irse.

John: Ya veo. Bueno, finalmente, pensemos en el caso en el que se encontraría una persona que viniese de una familia no precisamente sana en una empresa que no se caracterizara por su buen estado de salud, ¿es ésta la combinación perfecta?

Robin: No cabe duda de que ninguna de las dos ayudaría a mejorar a la otra, aunque por otro lado, puede que resultase una situación conveniente para ambas. Las personas menos sanas disponen de una fuerza y de una aptitud propias de las que carecen las personas más afortunadas. Es posible que un niño necesitado que ha aprendido a sobrevivir sin mucha ayuda logre enfrentarse a una situación difícil, como lo sería trabajar para Robert Maxwell,[1] mejor que una persona que haya tenido las facilidades propias de una familia cariñosa y pudiente. Una empresa que funcione de forma deshonesta puede convertirse en una buena oportunidad para quien quiera mentir y deshacerse de las pruebas.

John: Muy bien. En caso de que nuestros lectores quieran encontrar, o evitar, una organización sana, empecemos en primer lugar por examinarlas y tratemos de averiguar qué es lo que las convierte en organizaciones sanas. Supongo que de lo que estamos hablando son empresas, hospitales, el funcionariado...

Robin: La mayor parte de las investigaciones está basada en empresas. No cabe duda de que resulta más sencillo ver cuáles funcionan bien y cuáles no.

John: ¿No significa eso que el único criterio que empleas es el éxito económico?

Robin: No, sólo utilizo el éxito económico a *largo plazo* como criterio principal, ya que un líder carismático puede dirigir una empresa boyante a partir de

1. Maxwell, Robert. Editor y político británico de origen checoslovaco (1923-1991). Vinculado al partido laborista. Sus negocios abarcaban el ámbito de la comunicación y fue dueño del grupo *Mirror. (N. del T.)*

principios muy poco sanos durante cierto tiempo. Al cabo del tiempo, cuando ya ha pasado esa temporada, las consecuencias empiezan a hacerse patentes. Cuanto más tiempo ha estado esa persona a cargo de la empresa, más graves son las consecuencias.

John: Ya veo... Entonces, ¿cómo deberíamos empezar a examinar las organizaciones sanas?

Robin: Yo sugeriría que repasáramos las características de las familias sanas y que luego las comparáramos con las de las organizaciones.

John: ¿De veras? Me sorprendes. ¿En serio crees que las empresas se parecen lo suficiente a una familia como para que la comparación nos sea útil?

Robin: Sí, por lo general sí que se parecen. Acuérdate de que en *La familia y cómo sobrevivirla* comentamos que las personas que han tenido una infancia similar sienten una atracción mutua automática, se suelen casar y acaban educando a sus hijos según el mismo molde. Los hijos, a su vez, suelen sentir atracción por una persona de un molde parecido, tienen hijos, etcétera, etcétera...

John: Sí, sí que me acuerdo. ¿Quieres decirme con esto que las personas que empiezan un negocio intentan contratar a personas que se les parecen?

Robin: Y a su vez, ¿quién contratará a las personas que se le parezcan? No cabe duda de que existe una tendencia muy fuerte a que ocurra esto.

John: Bueno, sé que muchos empresarios dicen que cada empresa tiene una personalidad propia, aunque no se me había ocurrido que se refiriesen a la personalidad del miembro fundador...

Robin: Es evidente que una persona con un gran carácter puede tomar las riendas de una empresa y cambiar el ambiente, si bien el cambio hará que la empresa se parezca a su nuevo jefe. Sea como sea, con el paso del tiempo, las personas que se encuentran en la parte de abajo de la jerarquía acaban normalmente por reflejar las actitudes, los valores y la filosofía de los que la dirigen.

John: ¿Así que las empresas tienen valores, modos de hacer las cosas, de la misma forma que puede tenerlos una familia?

Robin: Efectivamente. Una corporación se asemeja mucho a una familia.

John: Entonces, desde el punto de vista de la persona que está considerando la posibilidad de trabajar en esa empresa, ¿cómo va a producirse el «contacto»?

Robin: Si se trata de la combinación adecuada, se parecerá al encuentro de dos extraños en una habitación llena de gente.

John: ¡Vamos, hombre!

Robin: En serio..., acuérdate de que las personas pueden obtener de forma inconsciente una gran información sobre las demás. Dicha información acaba por decirles si una persona es la adecuada o no. Si se está buscando a una persona para un puesto de relativa importancia en una empresa, al principio se intercambiará una gran información y se dará lugar a que cada parte se guíe inconscientemente por sus intuiciones...

John: ... Y por la parte más racional y consciente.

Robin: Claro. Todo interviene, aunque el inconsciente resulta mucho más poderoso precisamente por *ser inconsciente.* Acuérdate de lo que dijimos sobre el «enamorarse».

John: ¿Y qué ocurre en la parte de abajo de la empresa? No creo que les den muchas vueltas al hecho de contratar nuevos empleados a ese nivel, a menos que hablemos de Nissan.

Robin: No, pero, aun así, los factores inconscientes siguen ejerciendo algún tipo de influencia sobre la persona que esté encargada de elegir, aunque sea una influencia muy pequeña. Está claro que a ese nivel la gente no va a afectar la personalidad de la empresa de manera determinante. Y, si se sienten a disgusto, acabarán abandonándola. Si, por el contrario, están a gusto, si el ambiente es bueno y resulta «familiar», éste les influirá cada vez más, y su forma de actuar corresponderá cada vez en mayor medida a la personalidad de la empresa conforme vayan siendo promocionados.

John: En resumidas cuentas, si la empresa funciona de una manera similar a como funcionaba tu familia, no tendrás problemas para adaptarte.

Robin: Exacto. Si las actitudes básicas son parecidas a las que aprendiste de tu familia, te sentirás como «en casa».

John: De igual modo, hay más probabilidades de que la empresa te acepte porque eres una persona a la que ellos pueden entender y, por consiguiente, saben qué esperar de ti. ¿Me estás diciendo entonces que entras en una empresa con unas expectativas inconscientes sobre su funcionamiento?

Robin: Sí.

John: ¿Y qué pasa si una persona piensa que esas expectativas han sido defraudadas?

Robin: Ocurrirá lo mismo que en el caso de una pareja: surgirá un conflicto, cuya gravedad puede provocar que esta persona tenga que irse. También es posible que se llegue a un punto muerto en la relación, en el que las dos partes se sienten insatisfechas pero siguen adelante. Finalmente, como en el caso de un matrimonio sano, esta persona tendrá que adaptar sus valores a los de la organización, lo que a su vez llevaría a cambiarla.

John: ¿Cómo puede una persona que esté leyendo esto comprobar si ha conseguido adaptar sus valores a los de la empresa?

Robin: Puede comparar sus características con las que enumeramos en la última sección en referencia a las «familias sanas» y luego compararlas con las de empresa que vamos a enumerar ahora. Finalmente habrá que ver si coinciden.

John: Muy bien. Hagamos como dices y repasemos la lista de las características de las familias más sanas para ver si pueden aplicarse a las empresas... En primer lugar, ¿presentan las así llamadas empresas sanas una «actitud afiliativa»?

Robin: No cabe la menor duda de que las empresas de más éxito operan sobre esta base por lo que respecta a clientes, empleados, distribuidores, proveedores o quien sea.

John: Hablemos de los clientes.

Robin: En el ámbito de la fabricación, se tiene en cuenta al cliente desde el momento en el que se empieza a considerar el producto. Las empresas de mayor éxito confían en tener un rendimiento del cien por cien en sus productos. No cabe tolerar un defecto ocasional o un error «razonable». Como es lógico, es prácticamente imposible alcanzar por completo este objetivo, aunque si se aspira a ello, es más fácil conseguir los mejores resultados posibles.

John: La primera vez que oí hablar de esta política del «defecto cero», no alcancé a comprender qué sentido podía tener. Entonces alguien me preguntó lo que pensaba sobre una empresa llamada Supermarvellex, la cual tenía como objetivo series mínimas de un noventa y ocho por ciento, algo admirable, ya que supone que ninguna regla de un metro puede salir de la fábrica si no mide al menos 98 centímetros. Entonces me preguntaron qué pensaría si el metro de Londres anunciara que su propósito para el año próximo es un mínimo de cincuenta incendios y un máximo absoluto de veinte muertes. Un consejero administrativo, amigo mío, me dijo que las empresas que planean un presupuesto para el absentismo acaban obteniendo lo que habían programado.

Robin: Bueno, no cabe duda de que la política del «defecto cero» funciona por lo que se refiere a los clientes. Las empresas más astutas se han dado cuenta de que los clientes están dispuestos a pagar por la calidad tanto ahora como en el futuro. De ahí que, por ejemplo, Tesco[1] invierta sus beneficios en el control de calidad y no en la bajada de precios.

John: En un vídeo de formación de empresas que hice en una ocasión en torno a la consecución de un nivel de calidad del cien por cien, traté de transmitir la idea de que ese objetivo sólo es posible si cada parte del proceso es estudiada de manera constante y mejorada a la luz de las reacciones de todas las personas vinculadas a ella, es decir, de todas las personas involucradas en dicho proceso, las cuales son consultadas constantemente.

Robin: Un abogado que solía defender este tipo de ideas fue el estadounidense Alfred Deming. A pesar de que sus sugerencias, por lo general, se ignoraron en Estados Unidos, a partir de 1945, Japón se hizo eco de ellas demostrando un gran entusiasmo. Ahora se le considera uno de los baluartes del gran éxito industrial que ha obtenido dicho país. Alfred Deming pensaba que el esfuerzo conti-

1. Cadena de supermercados inglesa. (*N. del T.*)

nuado por mejorar la calidad no sólo haría que los clientes volvieran a encargar nuevos pedidos, sino que les haría alardear del producto, lo cual acarrearía un aumento del número de clientes. Las empresas estadounidenses empezaron a hacer caso a este abogado cuando sus productos comenzaron a ser barridos por los japoneses, debido a que los consumidores de su país se habían dado cuenta de que los productos japoneses eran mejores.

John: Resulta asombroso, pero Nissan es ahora uno de los exportadores británicos más importantes. Los supervisores de Nissan se reúnen todos los días para discutir cualquier aspecto que pueda mejorar el trabajo. La máxima en la que basan sus esfuerzos es: «Consigue que el proceso sea el adecuado y los aspectos financieros se convertirán en la última consideración». De hecho, Nissan ha llegado a obsesionarse con mejorar la relación entre los supervisores y la mano de obra.

Robin: Este tipo de empresas tienen una filosofía de servicio al cliente que parece ir más allá de las consideraciones comerciales «racionales». Cuando algo va mal, pongamos por ejemplo el producto de una empresa estadounidense como Caterpillar o IBM, o de una británica como JBC o ICL, se realiza un esfuerzo tremendo por reponerlo o por arreglarlo en el mínimo tiempo posible, al igual que si estuviéramos en un período de guerra y la victoria dependiera de ello. En este tipo de situaciones, esta clase de empresas envían a alguien, normalmente alguien de edad avanzada, sin pararse a pensar en los gastos.

John: Sí. Y si se consigue rectificar el error de manera satisfactoria, se puede lograr que la persona que se había sentido defraudada a causa del defecto y que se había quejado, se convierta en un cliente para toda la vida, puesto que pocas personas disfrutan quejándose y saben que, cuando lo hacen, están adelantándose a los problemas. Por lo tanto, si se las recibe con calidez, se escucha atentamente lo que tengan que decir sobre el problema y éste queda resuelto, la sensación de alivio y gratitud que tienen es enorme, probablemente mayor que si el producto hubiera funcionado bien desde el principio.

Robin: Todo el mundo da por supuesto que Marks & Spencer admite todo tipo de devoluciones sin hacer la más mínima pregunta, de ahí que a nadie le preocupe cometer un error. Se puede realizar una compra con plena confianza y acabar comprando más si cabe.

John: Muy bien, pasemos de los clientes a los empleados. Decías antes que la «actitud afiliativa» también es aplicable a estos últimos.

Robin: Resulta evidente en la actitud de responsabilidad que asumen de cara al cliente. Todos conocemos la política que siguen las empresas japonesas más importantes en lo tocante al empleo vitalicio, si bien también hay muchas empresas occidentales –Hewlett Packard es una de ellas y United Biscuits otra– que se toman la enorme molestia, al parecer contraria a su interés económico más inmediato, de proteger a su mano de obra del desempleo. Este tipo de empresas ven la necesidad de dar un empleo nuevo a aquella persona que de otra manera se iría al paro, lo cual es una buena razón para diversificar sus operaciones. Por añadidura, se preocupan por sus empleados de las formas más asombrosas, las cuales van desde los programas sanitarios a las ayudas para obtener una casa, pasando por los deportes y los servicios sociales que en principio no parecen guardar prácticamente ninguna relación con la consecución de beneficios a manos de la empresa. El efecto que tiene todo esto es fomentar un nivel muy alto de lealtad y compromiso en la mano de obra, de tal suerte que todos participan en la consecución del éxito de la empresa. Basta fijarse en los diferentes índices de volumen de ventas en las distintas tiendas.

John: Sin embargo, hay quien diría que este tipo de benevolencia es paternalista –y esencialmente manipuladora– y que la gente no es por naturaleza tan altruista.

Robin: Yo lo veo como la muestra de una responsabilidad humana natural de los unos para con los otros. Las personas mayores y más fuertes se encargan de la parte correspondientemente más pesada cuando se encuentran en una posi-

ción de favor. Es el mismo principio que defendía la vieja máxima del ejército británico: «Un oficial no empieza a comer hasta que las necesidades de sus subordinados han sido atendidas». Ese principio no difiere del que rige en una buena familia, si exceptuamos el hecho de que el grado de intimidad y de responsabilidad mutua es menor.

John: Además, los niños y los adolescentes también asumen una cierta responsabilidad, ¿no es así? Tal vez la actitud suspicaz que suele darse con respecto a la gente que ocupa los puestos de poder presupone que la dirección y la mano de obra están compuestas por dos tipos de personas diferentes.

Robin: Efectivamente. La gente prefiere trabajar en un lugar bien organizado, que tenga un ambiente amistoso y en el que pueda pasárselo mejor.

John: Tengo una duda sobre esto. En las empresas punteras, la así llamada «actitud afiliativa» va más allá de las consideraciones comerciales racionales, ¿no es así?

Robin: Eso creo. Se parece al comportamiento «afiliativo» de las familias sanas. Este tipo de empresas no parecen guiarse por lo que puedan obtener a la postre, sino por sus creencias.

John: Si lo dices así, suena casi a creencia espiritual.

Robin: De hecho lo es en ocasiones. Si te paras a pensar en las empresas que tienen éxito a largo plazo, las empresas que sobreviven y siguen manteniendo un nivel de calidad excepcional que va más allá de la pérdida del principio director del miembro fundador, verás que buena parte de los principios que guiaban a dicha persona eran «espirituales».

John: ¿En qué sentido?

Robin: Bueno, esto puede suponer la pertenencia a un movimiento religioso concreto. Thomas J. Watson, el fundador de IBM, dijo de manera explícita que su filosofía comercial se basaba en valores cristianos, incluso si parecían bastante prosaicos, estilo Dale Carnegie. Konosuke Matsushita, fundador de la enorme sociedad eléctrica japonesa que lleva su nombre, se sintió profundamente influido por un movimiento religioso japonés, por lo que trató de aplicar sus principios al desarrollo de su empresa de forma sistemática. Luego, obviamente, hay que tener en cuenta a las grandes familias cuáqueras: Cadbury, Fry, Rowntree y Kellogg. Sin embargo, algo más importante que un credo concreto es el hecho de que el «fundador» viva de acuerdo con unos principios éticos determinados, principios comunes, probablemente, a todas las grandes religiones y filosofías del mundo.

John: Así que lo que importa es su comportamiento más que su sistema de valores, ¿no es así?

Robin: Correcto. Es muy probable que la influencia más importante que hayan recibido haya sido la de las familias en las que crecieron, si bien es posible que posteriormente haya habido en sus vidas otras influencias importantes, en la escuela, en el trabajo, o por parte de un mentor o una fuente espiritual. Así y todo, dichas influencias tendrán efecto en los insólitos valores de estas personas sin que éstas hayan tenido que pensar demasiado en su origen.

John: Sencillamente, tienen una opinión muy positiva de lo que las personas son capaces de hacer, si se confía en ellas, se las motiva y se les permite trabajar en unas condiciones agradables.

Robin: Y dan por hecho que la honradez, es decir que se dé un buen producto a cambio de un precio razonable y que se ofrezca un buen servicio, es algo que merece la pena *por sí mismo.*

John: Además de ser una buena táctica comercial. Entonces, cabe suponer que la diferencia entre una persona que «cree» en dichos valores y una persona que simplemente trata de «ponerlos en funcionamiento» porque puede derivarse un beneficio de ellos, es que esta última no va a seguirlos con la misma convicción y tenacidad cuando las cosas vayan mal, cuando no «funcionen» desde el punto de vista económico. En época de crisis, tendrá la tentación de reducir costes, algo que la gente percibirá en seguida. Como consecuencia, nunca volverá a tener la misma reacción «afiliativa» en contraposición a la persona que da un buen producto a cambio de un precio razonable y que ofrece un buen servicio contra viento y marea y cueste lo que cueste.

Robin: De hecho, hay una persona en Japón que trata de llevar una empresa siguiendo las líneas que Marks & Spencer ha impuesto aquí, pero está muy frustrada porque no logra obtener los mismos beneficios. Cada vez que se encuentra con una persona que conoce Marks & Spencer, intenta sacarle toda la información posible para averiguar la razón por la que Marks & Spencer funciona mejor que su empresa y aplicar los mismos principios. Aun así, no saca nada en claro, ya que Marks & Spencer no obtiene unos beneficios tan excepcionales gracias a una actitud tan egoísta y esquemática como la que denotan sus preguntas.

John: Wolworths suele contar esta historia. Hace pocos años trataron de aproximarse a la línea de Marks & Spencer comprando unos uniformes nuevos para levantar la moral de toda la plantilla. El problema era que los uniformes no tenían bolsillos y de esa manera la plantilla no podía robar. Como consecuencia, la moral de la plantilla empeoró porque, en primer lugar, quitar los bolsillos a los uniformes no impide que la gente robe, aunque si eso es lo que tienes en la cabeza, es posible que te anime a hacerlo. En segundo lugar, todas las personas que advirtieron la intención que ocultaba este acto se sintieron profundamente insultadas.

Robin: Ése es un ejemplo maravilloso que demuestra que la gente siempre puede advertir, de una manera muy sutil, si un acto ha sido motivado por una actitud genuinamente «afiliativa» o si entraña intenciones manipuladoras.

John: Me parece realmente alentador que un comportamiento genuinamente generoso dé como resultado algo bueno. Seguro que Maquiavelo está revolviéndose en su tumba. De todas formas y volviendo al tema que nos ocupaba antes, ¿se expresan las creencias de una manera espiritual?

Robin: Normalmente, no. La mayoría de los líderes aspiran a que su empresa sea «la mejor» y valoran mucho a sus empleados en cuanto individuos. Si vuelas con una compañía como Delta Airlines o Virgin Atlantic, comprobarás que la actitud hacia los pasajeros demuestra una gran atención y una amabilidad relajada, algo motivado por la importancia que estas compañías dan a las buenas relaciones entre la dirección y la tripulación, lo cual, a su vez, crea un gran ambiente de trabajo y una intensa sensación de orgullo y bienestar que se transmite a los clientes. Las investigaciones demuestran que, allí donde se encuentra este tipo de dedicación para alcanzar un gran nivel haciendo que la gente dé lo mejor de sí misma, los empleados acaban creyendo fervientemente en la importancia del crecimiento económico de la empresa.

John: Sí, es algo que se deriva del hecho de que las personas se sientan valoradas, puesto que si tienes la sensación de que lo que estás haciendo es algo valioso..., entonces puedes sentirte orgulloso del éxito de la empresa, un éxito que en realidad te pertenece. Si un equipo de rodaje ha disfrutado de veras durante la película, el posible éxito de taquilla resulta una sorpresa agradable para todos.

Robin: Aun así, está bien claro que para que se tenga esta sensación en una empresa, las personas que ocupen los puestos de dirección deben formar parte del «equipo», ya que sólo los líderes con una actitud «afiliativa» llegan a tener la gran aptitud gestora necesaria para hacer que la gente «corriente» que pertenece a la empresa dé lo mejor de sí misma. De este tipo de gente se ha dicho que «forma el sesenta por ciento de la empresa y que hace uso de un cincuenta por ciento de sus habilidades». Que den estas personas lo mejor de sí mismas supone ver lo bueno que tienen, tener confianza en ello y saber sacarlo a la luz, invitando a los empleados a que desarrollen su capacidad mediante incentivos económicos y aumentando sus competencias y el respeto por sí mismos. Todo esto promueve en el trabajo una sensación de orgullo y de satisfacción.

John: El problema estriba en que, si la gente no ha tenido esta experiencia con anterioridad, les será difícil creer que sea posible.

Robin: Exacto, los empresarios menos sanos no creen que «lo mejor» esté en sus empleados. Si no vienes de una familia sana, tendrás que vivir una experiencia que te muestre que todo esto es posible.

John: Muy bien, he de decir que me siento realmente emocionado y que me entran ganas de gritar «¡oe, oe, oe!», aunque, claro, luego pienso...: «Un momento, ¿no se aprovechará la gente de este sistema? ¿No me enseñaron en la escuela que si la gente es tratada de esta forma, se acaba "relajando"?».

Robin: En la práctica, no suele ocurrir esto. Si no se dan disparidades y la dirección actúa guiada por la generosidad y la confianza en los demás, lo normal es que la reacción dé como resultado la misma actitud. ¿Te acuerdas de la «filosofía de la abundancia» de la que hemos hablado con anterioridad? Si una persona hace gala de dicha filosofía, la persona que tiene al lado reaccionará de igual forma. Por ejemplo, este tipo de empresas no utilizan ni un reloj para fichar ni otras formas de control para asegurarse de que los empleados estén trabajando realmente por el dinero que se les paga. Lo que hacen en su lugar es confiar en que los empleados les paguen con la misma moneda por la buena voluntad y la confianza que se ha depositado en ellos y por haberlos tratado como personas adultas y responsables. Funciona de esta manera. Existe un estudio que muestra que sólo entre un tres por ciento y un ocho por ciento de los empleados llega a abusar de la confianza que se ha depositado en ellos.

John: ¿Y qué pasa con los empresarios que dicen que la manera de mantener a los empleados «a raya» es asegurándose de que sepan que serán despedidos si su trabajo no es de buena calidad?

Robin: Ésa es una de las maneras que hay de alcanzar un nivel alto, es verdad. Sin embargo, si se emplea sólo esta medida, se crea un ambiente de gran ansiedad y tensión que acaba por desbaratar las buenas relaciones existentes entre la dirección y la mano de obra. Por otro lado, esta medida anima a la gente a ocultar sus errores e inhibe la creatividad. El enfoque que he descrito, que es más positivo, funciona mejor. Después de todo, si el rendimiento de los empleados es inferior al nivel medio, una actitud «afiliativa» no supone que no tengas que mencionarlo.

John: En una ocasión trabajé para Vídeo Arts, una empresa que realiza vídeos de formación de empresas, y me acuerdo que hicimos una película en torno a esto. La idea fundamental es que cada trabajo tiene un «nivel» de rendimiento que puede medirse de forma objetiva. Si el trabajo de un empleado queda por debajo de dicho nivel, el problema se discute con el director con el fin de identificar la causa de la deficiencia. En siguiente lugar, se analizan las posibles formas que hay de mejorar el rendimiento y se llega a un acuerdo. El problema, por tanto, se enfoca desde un punto de vista cooperativo. No se trata de que el director grite: «¡Hay que hacer un esfuerzo!», sino de que diga:«Nos enfrentamos a un problema objetivo. ¿Cómo podemos recuperar el nivel adecuado?». Esto, por supuesto, no excluye la posibilidad de despedir a alguien si no se logra subir el nivel, ya que si no se consigue, otra persona tendrá que ocuparse del trabajo.

Robin: De hecho, aunque resulta doloroso decirle a alguien que su trabajo deja que desear, la mayoría de la gente se siente finalmente agradecida de tener el tipo de jefe que es capaz de indicarle el problema, pero que recalca la necesidad de prestarle ayuda para que sea más competitiva. Como es lógico, luego está la cuestión de cómo se ha llegado a ese nivel: si ha sido producto de un acuerdo entre la empresa y el empleado, éste se sentirá mucho más comprometido.

John: Ésa es la otra lección del vídeo.

Robin: Se trata, qué duda cabe, de un proceso basado en la cooperación y la confianza, lo cual no significa que el trabajo no sea controlado de forma eficaz. En realidad, en un ambiente de cooperación, se da la posibilidad de controlar el trabajo con *más facilidad*, gracias a lo cual los problemas se pueden identificar antes.

John: De acuerdo. Pasemos ahora de los clientes y los empresarios a los distribuidores y los proveedores, ¿emplear el término «actitud afiliativa» sería correcto también en este caso?

Robin: De igual manera. McDonalds, Nissan y Marks & Spencer son unos ejemplos excepcionales, ya que muestran una actitud muy alentadora y positiva con respecto a los proveedores. Como es lógico, esperan obtener una calidad alta y no se dan por satisfechos con algo inferior –lo cual supondría una decepción tanto para sus clientes como para sí mismos–, de forma que guardan una relación muy estrecha con los proveedores y procuran darles la ayuda necesaria para que alcancen el nivel requerido. Incluso muestran el mismo tipo de preocupación por sus propias condiciones de trabajo que por las que existen en las compañías de los proveedores. Por lo visto, un antiguo presidente y director ejecutivo de M&S, Marcus Sieff, pedía ver los servicios cada vez que visitaba la empresa de uno de sus proveedores, ya que sabía que de esta manera tendría una impresión precisa sobre las molestias que se tomaba el distribuidor por las condiciones de trabajo.

John: De modo que las empresas sanas hacen gala de su actitud «afiliativa» no sólo en presencia de los clientes sino también en la de los diversos grupos con los que tratan, algo que hacen porque «creen» en la franqueza y la cooperación como forma de vida, y no porque sea casual que este tipo de comportamiento dé los mejores resultados.

Robin: Desde luego, ésa es la impresión que uno acaba teniendo.

John: Muy bien, pasemos a discutir la segunda de las características de las familias sanas: el amor.

Robin: Si te acuerdas, el aspecto más sorprendente del amor en las familias sanas era la estrecha relación que guardaba con la independencia y la autonomía, la facilidad que tenía la pareja para, tras haber estado juntos y haber compartido una situación de gran intimidad, volver a separarse y funcionar de forma independiente y confiada.

John: Sí, se trataba de no tener una relación «absorbente», de no controlarse mutuamente.

Robin: Pues bien, existe un verdadero paralelismo con la forma de funcionar de algunas organizaciones. Resulta sorprendente ver cómo ciertas empresas de éxito dan independencia a sus empleados, cómo les otorgan el poder para asumir ciertas responsabilidades al permitirles que trabajen bajo una supervisión verdaderamente flexible. Además, hay ciertas empresas punteras que prescinden por completo de la supervisión mediante la utilización de concesionarios. Las compañías de reparto de leche hacen su trabajo principalmente a través de concesionarios.

John: Me imagino que esto no será en realidad tan sorprendente. Todos sabemos que en las organizaciones que funcionan mal el gerente trata de controlar a todo el mundo porque no se puede esperar que alguien haga algo a derechas. Como consecuencia, acaban todos «agarrándose» unos a otros por la falta de seguridad que sienten y nadie consigue hacer nada...

Robin: Al igual que ocurre en una familia ansiosa, deprimida e infeliz...

John: ... Y también en algunas películas de Hollywood. Cuando se reúne el típico rebaño de productores, todos muy emocionados y mostrando unos talonarios enormes, nadie llega a expresar nunca una opinión clara y menos si se ha de hacer en presencia de los demás. Todos están dispuestos a ayudar a los otros, pero a la hora de la verdad nadie hace nada a excepción de vigilar al de al lado. De pronto, un día concreto, todo el rebaño empieza a decir al mismo tiempo: «Esto es un desastre, me lo estaba figurando». El siguiente paso es conocido como «la caza del culpable», algo que se les da muy bien, aunque su habilidad principal sea que su opinión no llegue a distinguirse de las de los demás.

Robin: En contraposición, las empresas sanas muestran un gran respeto por los individuos y su independencia. En primer lugar, los líderes son elegidos con frecuencia por lo poco convencional de sus cualidades –de hecho, suelen suponer un desafío a las convenciones–; como consecuencia, se intenta identificar a los «pelotas» al principio de sus carreras para poder despabilarlos. La falta de convencionalismo es considerada como una parte importante del carácter de la empresa, el cual se ha formado gracias a las aportaciones de los innovadores más prestigiosos que en un principio se consideraron disidentes. De igual forma, cuando se intenta encontrar a alguien nuevo para la plantilla, se tienen en cuenta las actitudes poco convencionales. Una vez que estas personas han entrado a formar parte de la empresa, se las ayuda y protege, con frecuencia bajo la tutela de uno de los directores de más edad.

John: ¿A pesar de que, con frecuencia, los disidentes acarrean problemas?

Robin: Efectivamente.

John: Bueno, ahora que lo pienso, Tony Jay, una persona que trabajó como ejecutivo para la BBC durante varios años, me dijo en una ocasión que cada jefe tiene que elegir entre un departamento que funcione de forma tranquila y amistosa basada en la cooperación y el orden, y uno que produzca buenos programas.

Robin: Por desgracia, las personas agradables y convencionales no suelen ser muy creativas, de ahí que a las empresas sanas no les suponga ningún problema comprar innovación y creatividad a cambio de algún problemilla.

John: Un momento. Hasta ahora hemos hablado tan sólo de individuos, cuando en realidad los individuos no pueden conseguir grandes cosas *por su cuenta*. Para conseguir algo hay que cooperar, así que difícilmente podrán organizarse estas empresas de esta manera.

Robin: Tienes razón. Este respeto por la independencia y la autonomía es el resultado de la estructura organizativa ideada a partir del principio de Schumacher: «Lo pequeño es bonito».

John: ¿Más grande que uno, pero aun así pequeño?

Robin: Sí. Por muy grande que sea la empresa, los grupos de trabajo se mantienen a escalas muy pequeñas para que así puedan trabajar en equipo.

John: ¿De qué tamaño tienen que ser?

Robin: De alrededor de diez personas, de esa manera todos pueden llegar a conocerse bien. Además, como ya he dicho, a cada grupo se le permite funcionar con una gran independencia.

John: Esto resulta interesante. En *El hombre de empresa,* Tony Jay indica que la unidad de infantería básica está formada por diez hombres, hablemos del ejército estadounidense, del británico, del romano o del de Genghis Khan. Los grupos en los deportes de equipo también rondan este número. Los miembros del jurado son doce, un grupo de oración judío está formado por unas diez personas...

Robin: A los «círculos de calidad» que emplean ciertas empresas para analizar ideas no se les permite ser mucho más grandes.

John: En una película bien organizada hay que realizar entre siete y diez trabajos clave. Sólo había doce apóstoles.

Robin: Los grupos que formo para la terapia no rebasan las ocho personas.

John: Parece como si los seres humanos sólo pudieran cooperar bien y llegar a comprenderse de forma casi instintiva cuando están «conectados» en grupos de trabajo que no superen un número de, digamos, quince personas.

Robin: Sí, si no se rebasa ese número, uno puede beneficiarse de todas las ventajas propias de la comunicación de una familia, de forma que se logra reaccionar con bastante rapidez ante los acontecimientos.

John: De todos modos, Robin, un grupo requiere una gran confianza si tiene que actuar con rapidez e independencia. Y esa confianza sólo puede venir de la gente de arriba.

Robin: Estoy totalmente de acuerdo. En las empresas punteras, los directivos procuran animar a los empleados a que prueben cosas nuevas, en vez de preocuparse de que se discuta cada idea que se plantea, de que se haga un informe al respecto y de que éste se envíe a los distintos estamentos de la jerarquía para su comentario y aprobación.

John: ¿Cómo se puede hacer todo esto sin perder el control por completo?

Robin: En buena medida, tal y como lo hacen las familias sanas. Se trata de un sistema llamado «control flexible / control rígido». El director ejerce un control muy *rígido* sobre un número *pequeño* de «reguladores» totalmente cruciales, sin dejar por ello de darles la mayor libertad posible.

John: ¿Qué tipo de cosas regulan?

Robin: La mayoría de las veces es algo relacionado con el dinero. Después de todo, la única cosa que puede detener el negocio es la bancarrota. Si no lo detiene, sigue funcionando, aunque requiera alguna mejora.

John: De forma que los aspectos «rígidos» del sistema que has mencionado son fundamentalmente financieros.

Robin: Sí, siempre que exista un control sobre los «reguladores» a los que me he referido, el resto de la operación del grupo puede seguir funcionando con cierta «flexibilidad». Desde un punto de vista económico, si los grupos no tienen problemas con las grandes sumas, pueden permitirse el lujo de divertirse con todo lo demás. Las oficinas centrales no objetarán nada si un grupo saca algo de dinero de un presupuesto y lo emplea en otro, ya que lo que se busca es que se hagan cosas nuevas sin necesidad de acudir a los de arriba. A esto se lo llama «contrabando», una actividad alentada por las personas encargadas, desde el momento en que hacen la vista gorda.

John: Bien, si la mayor parte del control que se ejerce es tan «flexible» como lo describes, ¿cuál es la función del director?

Robin: Aparte de controlar a los reguladores «cruciales», la cadena de mando tiene una función fundamentalmente orientativa. Un director ha de escuchar y sugerir antes que ordenar. El general Sir John Hackett solía llamar a la cadena de mando del ejército la cadena de la confianza.

John: En resumidas cuentas, el control –así como el poder, la toma de decisiones, la autoridad o como lo llames– es una función compartida, una labor de equipo.

Robin: No cabe duda de que, hasta cierto punto, ése es el caso en cualquier organización. Incluso en una prisión, ciertas decisiones y tareas se delegan a personas de confianza. Las empresas que disfrutan de cierto éxito y un buen nivel de salud son conscientes de esta realidad, la reconocen de forma explícita y tratan de fomentarla, para lo cual diseñan una estructura que aproveche este hecho de la mejor manera posible.

John: Así que, obviamente, si el control es así de «flexible», no existe el miedo a que la gente cometa errores.

Robin: No. Siempre que la gente siga con su trabajo de una forma sana e independiente, se acepta sin mayor problema la existencia de un margen razonable de error.

John: Deben de haber oído el viejo proverbio inglés: «El que nunca se equivoca es muy probable que nunca haga *nada*».

Robin: Seguro. De hecho, en las empresas más sanas el tabú no consiste en cometer una falta sino en *ocultarla.*

John: Ya que si se ocultan, no se pueden remediar. Sir Peter Parker, un hombre notable encargado de la compañía de ferrocarriles británica, dijo en una ocasión: «Si alguien llama a mi puerta y dice: "Lo he echado todo a perder", le diré que pase».

Robin: Sin embargo, los directores de empresa tienen que esforzarse mucho para transmitir ese mensaje, ya que nos resulta realmente difícil reunir la confianza necesaria para admitir que hemos cometido un error. Nuestra educación nos dice lo contrario, que hay que ocultarlos.

John: Tengo un pequeño discurso sobre lo importante que es permitir a las personas cometer errores. Seguro que cuando lo lean, algunas personas acudirán a mí para decirme que están de acuerdo, pero que les gustaría que se lo dijera a sus jefes... El miedo a cometer errores puede llevar a la gente a comportarse de forma muy poco sana; por ejemplo, puede llevarla a rellenar informes que den por sentado que no tienen la culpa de nada...

Robin: ... Mientras ganan unos sueldos que no pueden arriesgarse a perder por haber cometido un error susceptible de provocar su despido.

John: Durante los últimos años, me he dado cuenta de que cuando ciertas empresas me abordan para preguntarme si quiero trabajar para ellas, tengo que hacer tres llamadas para averiguar si abrigan dicho temor a los errores. Si lo tienen, me limito a rechazar el trabajo, y no sólo porque siempre acaban poniendo dificultades para desarrollar los proyectos, sino porque sencillamente nunca llegan a sacarse adelante. Es decir, una vez que has terminado tu trabajo, nunca llegas a enterarte de si lo que has hecho ha tenido algún valor, porque ni siquiera la empresa lo sabe. Ninguna persona de la dirección sabe si lo que se ha hecho está «bien o mal», porque si tomara esa decisión, se establecería una serie de criterios que podrían utilizarse para poner en evidencia *otros* errores que en realidad quieren ocultar..., si es que son errores, porque ni ellos mismos lo saben.

Robin: Lo que acabas de decir me resulta familiar gracias a la labor de asesor que he desarrollado para diversas empresas. En las empresas más confiadas ocurre lo contrario: las personas toman decisiones y actúan de forma acorde porque eso es precisamente lo que se espera de ellas. Si se equivocan, no hay ningún problema, porque los criterios están claros. Como consecuencia, los problemas derivados de dicha equivocación pueden corregirse inmediatamente.

John: En mi discurso sugiero que el modelo que deberíamos seguir es el de Gordon, el misil teledirigido, puesto que es capaz de comprobar si su curso es el correcto cada instante y de corregirlo automáticamente... Por tanto, aparte de fomentar el comportamiento independiente en los equipos que la empresa organiza en su seno, ¿poseen las empresas mejor organizadas alguna otra forma de respetar la individualidad?

Robin: Tienen una que es muy significativa: muestran interés por todas las facetas de la personalidad del individuo.

John: Es decir, la empresa no se interesa tan sólo por la cara que ofrece la persona en el trabajo, ¿no es eso?

Robin: Efectivamente. Tom Peters, coautor de *En busca de la excelencia,* lo explica de la siguiente manera: al hablar con varios ejecutivos de la empresa, les dice que si preguntaran a diez empleados suyos en qué emplean su tiempo libre, verían que un par de ellos podrían ser diáconos de su parroquia y que uno de ellos, con quien pensaban que no podían contar, tal vez sería el tesorero de la parroquia. Otros dos podrían ser expertos en electrónica, y el quinto, haberse construido su propio barco. Otra persona podría estar a cargo de la sociedad teatral local y la siguiente podría ser la actriz principal. La octava persona bien podría ser el monitor de un club para gente joven, mientras que la novena sería un artista gráfico que habría expuesto sus obras en varios lugares. Tan sólo la décima persona no sería tan competente. Peters concluye diciendo a los empresarios que todos sus empleados son individuos inteligentes, cuidadosos, creativos, considerados, dotados y enérgicos a excepción de cuando se encuentran en el trabajo.

John: Lo que acabas de decir es tan acertado que da miedo. En cuanto nos enteramos de que nuestro talento no es necesario, no nos cuesta nada desempeñar una labor mucho más limitada por deprimente que resulte. Nos limitamos a renunciar a aquellos aspectos de nuestra personalidad que no han sido bien recibidos. Basta pensar en lo borregos que nos volvemos cuando nos ponemos en manos de una compañía aérea: en una ocasión una azafata me dijo que los pasajeros facturan el cerebro junto al equipaje. Le contesté que estaba de acuerdo con ella, pero que no dejaba de ser una consecuencia directa de la forma que tienen de tratarnos.

Robin: Déjame contarte otra historia.

John: ¡Qué bien!

Robin: Tiene que ver con las «partes básicas» que hemos mencionado en el primer capítulo: las tres partes principales de nuestra personalidad.

John: «Padre», «adulto» e «hijo». O «superyó», «yo» y «ello». Ya me puedo ir poniendo cómodo.

Robin: En los años sesenta, Isabel Menzies realizó un estudio sobre el sistema de enfermería de los hospitales británicos a petición de la gerencia, que se encontraba muy preocupada por la baja moral y el gran movimiento de personal. Creo que no he de recalcar que el trabajo en un hospital exige que la gente sea capaz de enfrentarse a situaciones de gran ansiedad debido a que hay que asumir una gran responsabilidad. El «producto» consiste en la salud de la gente, y los errores, en su defunción. Como consecuencia, el objetivo es un nivel de «defecto cero». Bien, pues lo que Isabel Menzies averiguó fue muy interesante: descubrió que la organización era tal que ningún miembro de la plantilla de enfermeros era capaz de emplearse a fondo en su trabajo. En vez de utilizar todas y cada una de las «partes básicas», éstas se repartían entre los diferentes estamentos de la jerarquía. Toda la «responsabilidad» estaba en manos de las enfermeras jefe, de las que se esperaba un comportamiento serio e inflexible. Como consecuencia, todo el mundo creía que éstas eran en el fondo unos dragones fieros y severos. Por otro lado, se creía que eran las enfermeras en prácticas las que se mostraban más divertidas y alegres y, en consecuencia, eran consideradas niñas inmaduras.

John: Por lo tanto, se las trataba como si fueran personas irresponsables e indignas de confianza.

Robin: Precisamente. Su alegría natural, su franqueza y calidez eran objeto de censura, así que se vieron obligadas a reprimirse. Sin embargo, en ningún momento se les dio la oportunidad de desarrollar su capacidad para la responsabilidad, por lo que también se vieron privadas del placer de desplegar sus aspectos más maduros. Como es lógico, de esta forma el hospital desaprovechaba el beneficio que se hubiera derivado de estas cualidades...

John: Y, mientras, «los dragones» no podían divertirse de ninguna manera...

Robin: Estaban obligadas a mantener un férreo control de todo y, por consiguiente, de sí mismas. El resultado fue que se vieron privadas a su vez del aspecto más sensible y emotivo de su personalidad, lo cual fue en menoscabo de los pacientes, que no tuvieron ocasión de recibir un trato más humano y comprensivo.

John: ¿Qué pasó con las enfermeras que se encontraban en medio?

Robin: Se vieron en una especie de «tierra de nadie». Debido a que las enfermeras jefe estaban encargadas del control, y las enfermeras en prácticas se ocupaban de los aspectos más humanos, las enfermeras corrientes se vieron desprovistas de, por un lado, la alegría que se deriva de la responsabilidad, y, por otro, del placer de compartir de forma espontánea sus sentimientos con los pacientes. En resumidas cuentas, se hicieron cargo de sus funciones ejecutivas, haciendo lo que se les mandaba mecánicamente, sin manifestar sus sentimientos y sin necesidad de «perder» el tiempo tratando de hacer felices a sus pacientes. Se encontraban, por decirlo de alguna manera, en la cuerda floja, temerosas, por un lado, de suponer un desafío a la autoridad de sus mayores y, por otro, de dar una impresión infantil e irresponsable.

John: Así que, en realidad, cada uno de los tres grupos funcionaba de acuerdo con cada una de las «partes básicas» desaprovechando de esa manera las otras dos. Las enfermeras jefe asumían el «superyó» o la función del padre. Las enfermeras corrientes, por su parte, asumían el «yo» o la función adulta. Finalmente, a las enfermeras en prácticas sólo les quedaba el «ello» o la función infantil.

Robin: Otra explicación es que cada grupo percibía ciertos aspectos de su personalidad respectiva como si éstos se encontrasen tan sólo en los otros miembros del equipo de enfermería. Todas se encontraban encerradas en unos papeles fijos y limitados, encorsetadas por restricciones y, como consecuencia, se sentían incapaces de satisfacer adecuadamente las necesidades de sus pacientes.

John: ¿Por qué se encontraban organizadas de una manera tan rígida?

Robin: Está bien claro que el sistema había sido diseñado como consecuencia de una preocupación por la protección de los pacientes ante la eventualidad de un error. Sin embargo, el resultado había sido el contrario: aparte de haber aumentado la ansiedad de las enfermeras, éstas se veían incapaces de expresarla y reconocerla. Ninguna de ellas era capaz de pedir la ayuda y la orientación necesarias para hacer frente al miedo y el agobio que les suscitaba el trabajo. En definitiva, el riesgo de sufrir una depresión aumentó, lo cual acarreó una gran movilidad en la plantilla y un gran desgaste por parte de las enfermeras en prácticas.

John: Por lo tanto, la rigidez del sistema, que tenía como objetivo la prevención de los errores y la reducción de la ansiedad, acabó por convertirse en algo ineficaz.

Robin: Lo cual se debió a que ninguna persona lograba utilizar el conjunto de aptitudes que reunía su personalidad. La lección, entonces, es la siguiente: cuanto antes reconozca una empresa la individualidad de una persona, antes podrá esa persona sacar partido del conjunto de su personalidad: la parte responsable y juiciosa, la parte competente y la parte divertida y creativa. Por ejemplo, Avon Rubber decidió cerrar una fábrica para inaugurar otra muy cerca de la primera empleando a las mismas personas pero siguiendo las pautas que hemos descrito. Como consecuencia, la productividad y la calidad mejoraron espectacularmente.

John: Eso es fascinante, ¿no crees? En resumidas cuentas..., en las organizaciones sanas, el «amor» se manifiesta a través del respeto y la consideración por los individuos; la voluntad de emplear a personas poco convencionales incluso en puestos de importacia; y una actitud poco controladora en lo tocante a los grupos pequeños que estructuran este tipo de organizaciones.

Robin: ¿Cuál era la siguiente característica de las familias sanas? No recuerdo hasta dónde hemos llegado...

John: Es una combinación de dos factores: la autoridad absoluta que detentan los padres y el hecho de que consulten a sus hijos en todo momento.

Robin: Exacto. En las familias sanas, aunque se procura negociar todos los asuntos con los hijos, los padres están dispuestos, si es necesario, a asumir la responsabilidad y a tomar decisiones que disgustan a los hijos. En las organizaciones más sanas observamos un fenómeno prácticamente idéntico. Para empezar, se demuestra un verdadero fanatismo por las consultas.

John: ¿En qué se basa este fanatismo?

Robin: Si hay una idea predominante, creo que se trata de la determinación que toma la dirección por *emplear la inteligencia del conjunto del sistema...*

John: ¡Oh! Eso me gusta.

Robin: En lugar de emplear la inteligencia de los directivos y de tratar a los demás como meros instrumentos para la ejecución de las órdenes. Ya hemos hablado sobre un aspecto relacionado con esto: el alto grado de autonomía que se da a los pequeños grupos en las organizaciones de éxito.

John: Animar a estos grupos a que tomen decisiones y las pongan ellos mismos en funcionamiento es mejor que las consultas.

Robin: Sin embargo, cuando se trata de una decisión de alto nivel, todas las personas afectadas pueden hacer su pequeña aportación.

John: Por lo que resulta obvio que cualquier organización de este tipo será más inteligente que una en la que la junta directiva se encargue de tomar todas las decisiones, puesto que las personas que saben si hay algún problema con la correspondencia son las que trabajan en el servicio de correos, y las que saben si el producto es defectuoso son los que se ocupan del mantenimiento y los vendedores. De manera que si logras reunir toda su inteligencia antes de tomar una decisión, llevarás una enorme ventaja sobre los competidores que se nutran tan sólo del conocimiento y las ideas de la dirección.

Robin: Eso explica el enorme éxito de ciertas empresas japonesas como Honda, la cual ha fabricado el coche más vendido en Estados Unidos durante tres años seguidos. No obstante, ahora la General Motors se ha puesto al día y ha decidido organizar una sucursal para la fabricación de un nuevo coche llamado Saturno. Han dividido la mano de obra en equipos de entre seis y quince personas, cada uno de los cuales dispone de su propio presupuesto, contrata a los empleados que necesita, organiza su propia preparación, planea su trabajo y controla la calidad. Las personas que han sido empleadas están encantadas con el convenio, y el proyecto ha tenido un éxito enorme. Al hacer que todas las personas se involucren de esta manera, se tiene un acceso constante a la información, las interpretaciones y las ideas de todos durante el proceso de la toma de decisiones. Hay, además, otro aspecto igualmente importante que merece la pena comentar.

John: Ya sé lo que vas a decir. Hace años estaba haciendo un estudio para una película de Video Arts en torno al tema de la toma de decisiones. A medida que iba hablando con una serie de directores experimentados, me fui convenciendo de que la parte más difícil *no era* tomar una buena decisión, sino conseguir que la gente se *comprometiera* a respetarla *incluso si no estaba de acuerdo con ella*. Al buscar una explicación para esta respuesta, me di cuenta de que la clave estaba en las consultas, dado que si se hubiera invitado a estas personas a dar sus opiniones y se las hubiese *escuchado realmente*..., entonces, incluso en el caso de que no hubiesen estado de acuerdo con la decisión final, no habrían puesto ningún reparo, sino que con toda probabilidad habrían dicho: «Muy bien, me han escuchado y me han tomado en serio, por lo que, si bien pienso que es una decisión equivocada y no estoy de acuerdo con ella, voy a dar mi visto bueno».

Robin: Exacto. Creo que los occidentales podemos aprender una lección muy importante de las molestias que los japoneses se toman para asegurarse de que se llegue a un acuerdo sobre el plan. Consiguen que todo el mundo participe en las larguísimas discusiones que se organizan al respecto...

John: Eso es verdad; en una ocasión los ejecutivos británicos de Sony me dijeron que la primera vez que fueron a Japón no podían creerse lo extensas y desorganizadas que resultaban las reuniones.

Robin: Bueno, los japoneses estiman que es un tiempo bien empleado.

John: El problema que tenemos en Occidente es que nos sentimos continuamente presionados por el tiempo. En las reuniones, la gente cree que no tiene ningún derecho a expresar sus objeciones o sus preocupaciones, dado que comparten la idea de que resultaría «negativo» o detendría las cosas, a pesar de que lo que tengan que decir pudiera ser muy importante. Sin embargo, se sienten cohibidos y mantienen la boca cerrada a causa, tal vez, de las dificultades que tienen para expresarse con claridad, o de la impaciencia del presidente. Como resultado, siempre se pasa por alto algún problema serio.

Robin: Los japoneses, por otro lado, dan deliberadamente el tiempo suficiente para que dichas objeciones salgan a la superficie y se puedan tener en cuenta, en vez de pasarlas por alto y permitir que crezcan y se conviertan así en un obstáculo imprevisto. Al principio, aunque pueda ser motivo de retrasos, se intenta que todo el mundo esté a favor del plan para que toda la resistencia psicológica, que en Occidente afloraría con posterioridad, se resuelva lo antes posible. La otra ventaja es que, desde un punto de vista práctico y técnico, todo el mundo tiene la ocasión de cuestionar el plan, lo cual significa que cada persona acaba sabiendo qué parte del trabajo le corresponde y qué relación guarda con el de los demás. Sir John Harvey-Jones, el antiguo presidente de ICI, describió en una ocasión el proceso de construcción de dos plantas de paraxyleno, una en Japón y otra en el Reino Unido. Los japoneses aún estaban manteniendo sus interminables discusiones cuando los británicos ya habían comenzado a construir. Sin embargo, en cuanto los japoneses empezaron a construir, según lo que dice Harvey-Jones, «se pusieron a trabajar a la velocidad del rayo» y lograron acabar la planta siete meses antes que los británicos. Además, su planta funcionó a la perfección desde el primer día, mientras que, tras abrir los británicos la suya después de siete meses de espera, tuvieron que esperar otros tres a causa de una serie de problemas.

John: Bueno, esto empieza a ser preocupante. Cuando escribí la parte correspondiente a las reuniones para el vídeo sobre formación de empresas de Vídeo Arts, una de mis sugerencias fue que el presidente debería especificar cuántos minutos iban a dedicarse a ciertos puntos del orden del día... No me lo puedo quitar de la cabeza..., ahora creo que esto sólo debería seguirse en lo tocante a trivialidades. Bueno, supongo que, en ocasiones, este tipo de control no está de más, si bien ciertas reuniones deberían tener un *final abierto*. De este modo, las ideas más vagas tendrán tiempo de salir a la superficie y de aclararse, ya sean el murmullo motivado por la inquietud o unas ideas realmente creativas que no pueden surgir de buenas a primeras.

Robin: Además, no se trata tan sólo de una cuestión de tiempo, ¿no te parece? Lo importante es el tipo de ambiente que el presidente puede crear: ¿se anima a los asistentes a que mantengan sus mentes abiertas? No está nada mal que ciertas personas vengan a la reunión con las ideas claras, pero si estas personas se sienten demasiado identificadas con sus ideas, la batalla entre sus egos acaba subordinando la forma adecuada de tomar decisiones.

John: Hay un lema que se puede aplicar a este tipo de reuniones: «La cooperación entre las personas es equivalente a la competición de ideas».

Robin: Perfecto. El trabajo del presidente es ocuparse de que ocurra precisamente eso.

John: Aquí nos encontramos, no obstante, con un problema algo diferente. Cuando consultas a alguien para saber su reacción sobre algo que ya se ha decidido y que ha sido llevado a la práctica –de esa manera se puede saber si es necesario cambiar algo–, es muy delicado lograr que te diga exactamente lo que piensa. Mi experiencia me dice que la gente ha sido educada para pensar que sus críticas no gustan a nadie, a pesar de que su opinión pueda ser vital. Por lo tanto hay que emplear un subterfugio. En los primeros pases de mis películas, si quiero que los espectadores me hagan partícipe de sus críticas –de esa manera puedo más tarde volver a montar lo que esté mal–, en vez de decir: «¿Qué es lo que no os ha gustado?», pregunta que nadie va a contestar, digo: «Si volviera a empezar la película desde el principio, ¿qué consejo me daríais para mejorarla?». De esa forma, una persona puede decir algo que suena positivo cuando de hecho está expresando una crítica. En definitiva, el gran problema consiste en que no se consigue oír una crítica a menos que así se desee. Si uno se limita a fingir, la persona a la que se le ha hecho la pregunta lo descubre y no reacciona de manera honesta. Los asesores de la junta directiva saben que en ocasiones son contratados para mostrar su conformidad con la junta, algo que no dudan en hacer si los tiempos son difíciles.

Robin: Los japoneses tienen una forma muy inteligente de enfrentarse a las reticencias a expresar una crítica. Cuando ya se ha acabado la discusión y ha llegado el momento de las decisiones, el presidente invita a todos a dar su opinión, pero *comienza preguntando a la persona más joven* entre los asistentes, para luego continuar por orden de edad. De esa manera nadie tiene que estar en desacuerdo con una persona mayor y disminuye la probabilidad de que alguien repita lo que ha dicho el jefe. Finalmente, el trabajo del presidente es llegar, siempre que sea posible, a una decisión por consenso.

John: Estupendo. Sólo podemos mejorar la situación con la colaboración de todos. El único escollo que esta idea presenta es que, cuanto más se colabore, más dolerá, algo de lo que somos muy conscientes en Occidente. La gente muestra poca disposición a hablar porque sabe que nadie va a escucharla.

Robin: Sir John Harvey-Jones afirma que «es fácil encontrar a los cobistas. Lo que no es tan fácil es encontrar a personas críticas y constructivas».

John: Muy bien..., creo que ahora empiezo a sentirme algo perdido. Estamos hablando de las críticas y de la inutilidad de consultar a la gente si uno no desea sentirse ofendido. Esta idea surge del hecho de que las organizaciones más sanas siempre realizan consultas pormenorizadas antes de tomar una decisión. Esto está relacionado con la manera que tienen los padres sanos de consultar a sus hijos. Así y todo, no hemos hablado todavía sobre la otra cara de la moneda: la autoridad absoluta de los padres.

Robin: Bueno, ya hemos mencionado un aspecto muy importante: como en el caso de las familias, la consulta pormenorizada lleva a que las decisiones que se tomen en última instancia sean aceptadas con mayor facilidad incluso cuando no se esté de acuerdo con ellas.

John: Sí, eso es verdad.

Robin: Aun así, hemos de sacar a colación algo que ya hemos comentado con anterioridad en relación a los grupos pequeños y fundamentalmente autónomos que las organizaciones sanas fomentan. La autoridad del líder es aceptada porque éste *delega toda la que le es posible a los de abajo.* Sólo conserva el poder relativo a la toma de decisiones que tenga que retener, el poder que no se puede delegar a los de abajo a partir de cierto nivel.

John: Sí, ya veo cómo esto puede aumentar la autoridad del líder. Si se deposita una gran confianza en la gente, habrá más posibilidades de que ésta escuche atentamente a la autoridad en aquellas áreas en las que ésta ha sido afirmada.

Robin: ¿Cómo deduces eso?

John: Porque si se te confía aquello de lo que puedes ocuparte, tienes una idea más clara de lo que queda fuera de tu competencia, por lo menos en ese momento.

Robin: Estoy seguro de que eso es así. Si hay una situación de crisis, el líder no tendrá miedo a utilizar su autoridad y a hacerse cargo por completo de dicha situación si eso es necesario. Es decir, tendrá que tirar de las riendas. En cuanto la crisis pase, las empresas más sanas permitirán que las aguas vuelvan a su cauce.

John: Entonces el grado de autoridad necesaria es variable.

Robin: Sí. Esta flexibilidad es vital. Se ha de ser capaz de soltar las riendas y retomarlas cuando sea necesario. El principio sería: no ejercer más control que el que sea necesario en un momento dado.

John: Lo cual vuelve a servir de refuerzo al conjunto del sistema. Un grupo puede empezar a trabajar con toda confianza y, al mismo tiempo, asumir ciertos riesgos por varias razones: en primer lugar, el grupo sabe con exactitud qué requisitos tiene que satisfacer; en segundo lugar, el grupo, por lo tanto, sabe precisamente cuánta libertad de acción tiene; en tercer lugar, al grupo se lo anima activamente a que continúe con su trabajo; en cuarto y último lugar, el grupo tiene la confianza añadida de estar protegido por una red de seguridad, dado que la directiva se ocupará de ejercer un control más severo si las cosas empiezan a ir mal.

Robin: Eso es cierto, ¿no te parece? Estamos mucho mejor preparados para probar algo nuevo si sabemos que todo está bajo el control de alguien en quien confiamos. De hecho, hasta cierto punto, de eso es de lo que trata la terapia. El terapeuta trata de facilitar a los pacientes experiencias nuevas, puntos de vista nuevos que, precisamente por resultar desconocidos, pueden ser motivo de alarma. Los pacientes, en cambio, se pueden arriesgar a vivir esa experiencia si saben que el terapeuta es digno de su confianza; es decir, si saben que va a ser capaz de detener la situación, si va a ser capaz de tender una red de seguridad. Es la misma situación que se da en una familia sana, en la cual los pequeños dan sus primeros pasos conforme van adquiriendo confianza gracias a que tienen la seguridad de que sus padres, si es necesario, ejercerán un control férreo para impedirles ir demasiado lejos.

John: Esto me parece realmente interesante. Todas las posturas que adoptamos con respecto a la autoridad se encuentran profundamente enraizadas en nuestro ser. Algunas personas se sienten fundamentalmente «a favor», mientras que otras están «en contra». En este tipo de organizaciones, la gente acepta la «autoridad» de buena gana si se ejerce adecuadamente. Cuando éste *no* es el caso, la gente reconoce el problema inmediatamente, se lo toma a mal y empieza a poner reparos; lo cual, para la persona con tendencias autoritarias, no es más que una prueba de que sus subordinados son personas difíciles, poco cooperadoras e indignas de confianza, algo que, a su vez, justifica una postura más autoritaria y que hace que dichas personas pasen a mostrarse hostiles y a poner verdaderos obstáculos. Esta situación se puede perpetuar; es decir, sea cual sea la opinión que el líder pueda tener con respecto a sus subordinados, para éstos dicha opinión será verdadera, ya que se trata de una profecía que por su propia naturaleza tiene que cumplirse: cada tipo diferente de conducta autoritaria produce la reacción que predice.

Robin: Efectivamente. El teórico en gestión Douglas McGregor demostró lo que acabas de decir en 1960 con su «Teoría X» y su «Teoría Y». La «Teoría X» mantiene la creencia general de que al ser humano medio no le gusta el trabajo y es capaz de evitarlo a menos que se dé un control coercitivo. Esta actitud conduce inevitablemente al tipo de liderazgo autocrático y al tipo de reacción que tú has descrito, una reacción resistente y poco cooperativa, además de animar el círculo vicioso que se sigue de la idea de «cuanto más control, más resistencia».

John: ¿Y la Teoría Y?

Robin: La Teoría Y afirma que la gente disfruta ejercitando su inteligencia y sus aptitudes, acepta la responsabilidad de buen grado y además en la mayoría de las ocasiones dispone de la creatividad y de la cantidad de recursos necesarios para resolver problemas organizativos. Si la dirección atendiera estas ideas, aumentaría la cooperación y subiría la moral de los empleados.

John: Entonces, ¿cuál fue el descubrimiento de McGregor?

Robin: Bueno, es algo bastante divertido. McGregor llegó a ser rector de una universidad. Cuando pasó a ocupar el cargo, trató de poner sus ideas en práctica siguiendo la Teoría Y para así evitar la discordia y las confrontaciones. Sin embargo, pronto se dio cuenta de que, en ocasiones, no tenía otra alternativa que utilizar su poder y aplicar la ley. En definitiva, hay un lugar para la autoridad y otro para las consultas: el equilibrio tiene que ajustarse dependiendo de la necesidad del momento al igual que ocurre en las familias sanas. Las organizaciones sanas son conscientes de esto, por lo que no ven ninguna contradicción en el hecho de mostrarse autoritarios incluso si su objetivo es seguir la Teoría Y.

John: Todo esto nos lleva al siguiente aspecto de las características de las familias sanas: una comunicación buena y franca.

Robin: Las organizaciones sanas se desviven porque esto sea así.

John: ... ¿No podrías decir algo menos sorprendente, Robin? Ya sabes: «Siempre contratan a un par de mentirosos patológicos, preparados para la ocasión por Robert Maxwell, que sean capaces de mantener a todo el mundo a raya». O si no, algo como: «Los jefes de cada departamento tienen que decir exactamente lo contrario a lo que afirman los jueves por la mañana». ¿No podrías decir alguna cosa así?

Robin: ... Bueno, lo que resulta sorprendente es que...

John: ¿*Muy* sorprendente?

Robin: ... *Bastante* sorprendente... es que fomentan la comunicación, incluso cuando no tienen un objetivo claro o inmediato.

John: Eso está mejor. Lo que quieres decir es que está considerado como algo bueno en sí mismo. Punto.

Robin: Las organizaciones sanas saben que siempre hay algo de lo que merece la pena hablar, de ahí que muchas compañías traten de impulsar el contacto entre las personas.

John: ¿Cómo?

Robin: Digamos, por ejemplo, que utilizando mesas muy largas en los comedores para dar pie a reuniones y conversaciones inesperadas, en vez de mesas pequeñas, las cuales acaban siempre ocupadas por los mismos grupúsculos. También habilitando ciertas habitaciones para que la gente se reúna y hable con libertad. Los directores estarían paseando constantemente, charlando con los trabajadores, respondiendo a las preguntas que éstos pudieran plantear y anotando los comentarios, en vez de estar encerrados en sus despachos o en la dirección. A esto se lo llama PD: «Paseos de la Dirección».

John: Conozco una historia muy buena sobre el hecho de que dos personas se animen a hablar. Oliver Blandford, que fue presidente de Upper Clyde Shipbuilders hace veinte años, tenía un serio problema con el absentismo, por lo que decidió colgar una lista con los nombres de los implicados, ordenada según el nombre de los respectivos jefes de sección. Como se comprenderá, algunas secciones tenían un número superior de absentistas que otras. Cuando los jefes correspondientes se quejaron, Blandford repuso: «No se trata de una crítica. Sencillamene se me ha ocurrido que a algunos de vosotros os gustaría saber qué jefes tienen el menor absentismo para que así podáis preguntarles qué medidas han tomado que a vosotros se os hayan escapado».

Robin: Claro. Siguiendo el mismo principio, la dirección suministrará los fondos necesarios para la formación de todo tipo de grupos sociales, por poca relación que guarden con las actividades comerciales de la empresa. Al parecer, hay muchas probabilidades de que las amistades que se formen en el seno de la empresa acaben beneficiándola a largo plazo.

John: Resulta interesante que se deposite esta confianza en la comunicación informal.

Robin: Y resulta sorprendente que, por otro lado, se desconfíe tanto de las formalidades de la maquinaria administrativa, del tipo de comités que se forman para resolver un problema y que acaban convirtiéndose en entes independientes que no hacen sino expandir el ya de por sí creciente imperio ejecutivo. Como consecuencia, en vez de crear este tipo de comités, las empresas prefieren las sesiones breves e intensas. Para los problemas más importantes, se organizan equipos de trabajo *ad hoc* integrados por un número de personas limitado a las que se anima a que hagan un trabajo minucioso y rápido para evitar el apoyo administrativo que se requeriría si se generara mucho papeleo en vez de propuestas prácticas.

John: No se confía nada en la burocracia.

Robin: Siempre se procura reducirla al mínimo para alcanzar una comunicación óptima. Existe, además, una forma *estructural* de hacerlo: hay que reducir al mínimo el número de estamentos en la jerarquía de la organización, ya que cada estamento añadido frena la comunicación y retrasa la reacción ante el mundo exterior. Con frecuencia, el estamento añadido no es necesario. Por ejemplo, Wal-Mart, el comercio minorista con base en Arkansas, tiene un volumen de ventas de unos treinta mil millones de dólares y tan sólo tres estamentos en su jerarquía. Ciertas empresas de ese tamaño tienen en cambio unos diez estamentos. British Steel ha llegado a imprimir en alguna ocasión una gráfica organizativa que cubría las paredes de un despacho de tamaño corriente.

John: De modo que estas organizaciones creen fervientemente en la comunicación... Con toda seguridad tratarán de impulsarlas en una dirección *ascendente* –ya hemos hablado acerca de las consultas que realizan–, aunque, ¿podría decirse lo mismo de la dirección *descendente*? ¿Cuánta información desea el presidente que tengan?

Robin: Lo más completa posible, y no sólo sobre cuestiones de una relevancia inmediata para los trabajos de los empleados, sino también información relacionada con lo que la empresa está realizando en ese momento, con sus planes futuros, con los cambios que hay en estudio... Es decir, se trata de dar a todo el mundo la perspectiva más amplia que se pueda sobre el negocio.

John: ¿No hay ciertas cosas que no pueden comunicarse?

Robin: ¿Qué quieres decir?

John: Cosas que quieren mantenerse en secreto.

Robin: Sí, si bien las empresas ya no guardan tantos secretos como antaño. La tendencia actual va en la dirección contraria. Tom Peters ha encontrado sólo tres ámbitos legítimamente secretos: la información relativa a la plantilla, por mor de la mano de obra; la información relativa a las patentes, para salvaguardar las ventajas competitivas de la empresa; la información relativa a las adquisiciones, de acuerdo con la forma de operar que tiene el mercado. Aun así, Peters estima que esto es todo lo que la dirección debería guardarse. Existen estudios que muestran que los empleados quieren más información, son capaces de entenderla y la emplean con responsabilidad.

John: Me encanta oír esto, porque uno siempre ha tenido la sensación de que la franqueza es preferible, así que... Bueno, es maravilloso saber que, al parecer, funciona. Con todo, al menos por experiencia propia, se trata de algo que requiere un gran esfuerzo, ¿no es así? El defecto humano más natural es olvidarse de contar a los demás lo que estamos haciendo y pensando, como si creyéramos que van a ser capaces de percibirlo extrasensorialmente.

Robin: Estoy convencido de que ésa es la razón por la que estas organizaciones no dejan de repetirlo una y otra vez, con el fin de que a nadie se le pase por alto.

John: Así y todo, hay otros obstáculos que impiden la comunicación. En ocasiones, nos contenemos porque pensamos que el hecho de compartir nuestra información puede llevarnos a compartir el poder del que disponemos. Además, compartir nuestras ideas puede exponernos al ridículo si la gente no da dichas ideas como buenas. Existe un temor generalizado a la «equivocación» y a que la gente nos subestime.

Robin: Eso es cierto. De ahí que sea tan importante que la actitud del jefe y el ambiente de trabajo que él o ella cree sirva para anular esa sensación y para fomentar la participación.

John: Cuando empezamos a preparar *Un pez llamado Wanda*, pensé mucho en esto. En primer lugar, traté deliberadamente de infundir confianza en las personas con las que iba a trabajar para que se sintieran bien consigo mismas, algo que no me resultó muy difícil porque las había elegido yo mismo y mis sentimientos eran auténticos, con lo que lo único que tuve que hacer fue asegurarme de que conocieran mis sentimientos. Tenía confianza en que esto las haría sentirse libres para decirle a quienquira cualquier cosa que les viniera a la cabeza, sin por ello sentirse obligadas a pensarlo dos veces ante de soltarlo, por temor a que fuera algo «equivocado» o «tonto». Es más, traté de destruir las barreras que se habían levantado a causa de las limitaciones impuestas por las funciones de cada persona: ya sabes lo habitual que resulta la demarcación de territorios desde un punto de vista profesional. Es una forma de defensa: nadie cuestiona el área de conocimientos de los demás para asegurarse de que los demás no cuestionen la suya. Por consiguiente, procuré quitar de en medio este obstáculo para la comunicación dando ejemplo y comencé a preguntar a todos si tenían alguna sugerencia para el guión. La primera vez que lo leyó, el ayudante de dirección me sugirió un diálogo muy bueno, por lo que prescindí del que había escrito yo e incorporé el suyo. Esta decisión sorprendió mucho a ciertas personas –sobre todo a los estadounidenses–, pero consiguió infundirles ánimo. Lo significativo es que el hecho de invitar a la gente a que entraran en mi «territorio» me permitía entrar en los suyos sin que pusieran ninguna pega: se convirtió en una especie de trato. No hacían hincapié en los «territorios» porque yo no lo hacía y, en consecuencia, al final acabaron contribuyendo a la redacción del guión veinticuatro personas sin que por ello dejara yo de tomar decisiones y los demás se pusieran a la defensiva...

Robin: Me acuerdo de que cuando visité el plató, no podía dejar de sonreír continuamente. El ambiente era muy relajado, como el que puede encontrarse en una familia grande y feliz. Tal vez lo que pasaba era que estabas poniendo en práctica lo que habías aprendido de la investigación.

John: Bueno, ésa era mi intención... ¿Cuál es la siguiente característica? ¡Ah! Sí, muy oportuno. El denominado circo de tres pistas: la sensación conjunta de libertad, diversión, individualidad y creatividad.

Robin: Resulta sorprendente lo bien que lo pasan en muchas de las empresas mejor organizadas... Todos los factores que hemos mencionado animan la diversión. Por un lado, está la flexibilidad estructural que se deriva de la existencia de grupos semiautónomos que se mantienen reducidos para conseguir la mayor cantidad de cooperación, diversión y ayuda mutua. Por otro, el líder, el cual deposita toda su confianza en estos grupos para que se esmeren en su trabajo y lo hagan de forma innovadora. Los grupos saben que si algo empieza a ir realmente mal, la directiva va a ser capaz de intervenir, lo cual les da más confianza. Además, existe una comunicación informal, abierta y fluida y una actitud tolerante ante la posibilidad de que se cometan errores de vez en cuando. Ésta es una razón más para tener confianza. Finalmente, tenemos a los disidentes, que aportan ideas inesperadas y animan a los demás a que tengan las suyas, a pesar de que sean personas difíciles y de que su comportamiento sea algo extraño. El ambiente en su conjunto anima a todos a ser activos, a entrar en acción y a probar cosas nuevas.

John: ¡Y no sólo eso! Las personas se vuelven mucho más creativas en este tipo de ambientes, ya que cuando nos sentimos confiados, solemos mostrarnos más divertidos. Estoy completamente seguro de que la creatividad y los juegos son cosas inseparables. Existe un estudio impresionante realizado por Donald

MacKinnon en la Universidad de Berkeley, en los años setenta, en el que se examinan diferentes profesiones con el fin de descubrir qué es lo que hace a la gente más creativa. El investigador descubrió que el comportamiento de los clasificados como los «más creativos» mostraba dos características: una, tenían una mayor facilidad para pasar a un estado anímico más chistoso e «infantil»; dos, estaban preparados para meditar sobre los problemas durante un período mucho más largo que lo habitual antes de pasar a resolverlos. Por lo tanto, la confianza no sólo conduce al juego y, por lo tanto, a la creatividad; también nos permite pensar durante más tiempo antes de tomar una decisión, debido a que nos ayuda a tolerar la ansiedad que bulle en nuestro interior mientras posponemos el momento de la resolución. En definitiva, el hecho de infundir confianza en nuestros empleados aumenta la creatividad de dos formas diferentes.

Robin: Escucha lo que dijo Akio Morita de Sony hace poco: «El niño tiene una curiosidad innata que desaparece paulatinamente conforme va creciendo. Considero que es mi trabajo alimentar la curiosidad de la gente con la que trabajo, porque en Sony sabemos que una idea realmente buena tiene más posibilidades de surgir en un ambiente abierto, libre y de confianza que en un lugar en el que se calcula todo, se analiza cada acción y se asigna cada responsabilidad mediante un gráfico organizativo».

John: Has dado en el clavo. Desgraciadamente, no todas las personas se dan cuenta de que no se te pueden ocurrir las mejores ideas trabajando de manera lógica a partir de ideas y métodos establecidos. Es lo que Edward de Bono llama «hacer el agujero más profundo». El método contrario es cuestionarlo todo, seguir a tu imaginación y aceptar el hecho de que no todo lo que llegue a surgir ha de tener sentido.

Robin: O, *más bien...*, no lo tiene al principio, pero sorprendentemente, más tarde se ve que los disparates sí que presentan cierto sentido, cierta forma de la que uno no era consciente al principio.

John: Hemos aprendido a decir lo primero que nos viene a la cabeza cuando nos quedamos atascados con el libro. Incluso ahora tenemos frecuentemente la sensación de que es una pérdida de tiempo vagar de aquí para allá sin ningún propósito.

Robin: Sin embargo, en el transcurso de la conversación, o cuando ya la hemos dejado atrás y podemos permitirnos verla con cierta distancia, casi siempre descubrimos un patrón que anteriormente se nos había pasado por alto pero que ahora nos está indicando la respuesta.

John: Lo que a mí me parece curioso es lo que me ha costado llegar a confiar en este proceso, sobre todo si considero que soy una persona «creativa». Sin embargo, *tenía* una gran confianza en él cuando trabajaba como cómico. Era capaz de tener ideas buenísimas sin esperar a que tuvieran algún sentido inmediato. Al fin y al cabo, crecí pensando que los problemas más importantes tenían que ser resueltos aplicando el típico razonamiento lógico-crítico que se nos enseña en Occidente. La idea de suspender este tipo de razonamiento, al enfrentarme a problemas *serios,* me resultaba casi alarmante. Parecía que el «pensar» no fuese realmente válido si no conocía su funcionamiento.

Robin: Es asombroso lo poco que sabemos sobre el proceso que nos hace llegar a ideas nuevas, algo que sólo ocurre, claro está, cuando nos sentimos receptivos y creativos. Cuando examinamos este proceso con el microscopio y tratamos de «explicarlo», no hacemos sino retrotraernos automáticamente al razonamiento lógico-crítico, con lo que el proceso que intentamos estudiar desaparece.

John: Los psicólogos dedicaron grandes esfuerzos al estudio de la creatividad durante los años sesenta y setenta, pero se quedaron atascados al llegar a un punto a partir del cual ya no podían explicar nada más.

Robin: Sin embargo, a la hora de resolver problemas necesitamos los dos procesos. Es decir, después de haber dado rienda suelta a tus pensamientos, tienes que volver al proceso lógico y ponerte a analizar, lo cual te lleva a enfrentarte con nuevos problemas, para lo cual es necesario volver al juego. Al cabo, verás que tienes que emplear la lógica crítica para analizar las conclusiones a las que hayas llegado. El proceso prosigue hasta que decides que merece la pena ponerse en acción.

John: Aunque una vez que decides lo que vas a hacer no te puedes echar atrás...

Robin: Estoy de acuerdo. Así y todo, una vez que la acción ha sido realizada y que se han analizado las reacciones con el fin de averiguar si se ha elegido el camino adecuado, uno tiene que volver al proceso espontáneo para intentar mejorar la línea de acción que se tiene en mente.

John: Es lo mismo que hace Gordon, el misil teledirigido. El secreto no está ni en la capacidad para jugar ni en la capacidad para actuar con decisión. El secreto está en la capacidad para pasar de un proceso a otro dependiendo de lo que se considere más apropiado en cada momento. La estructura de las organizaciones sanas, al gozar de un ambiente propio del «circo de tres pistas», infunde a las personas la confianza necesaria para hacerlo, ya que, cuando nos falta dicha confianza, no podemos ni actuar con decisión ni depender de nuestra creatividad.

Robin: Sólo hay un problema: uno tiene que saber *cuándo* y *cómo* tiene que pasar de un proceso a otro, lo cual es algo que lleva tiempo. De ahí que la selección y la preparación de los «facilitadores» que se encargan de los «círculos de calidad» sea tan importante.

John: Muy bien. Pasemos al penúltimo rasgo que caracteriza a las familias sanas: la percepción realista de los acontecimientos...

Robin: Sí. Son capaces de ver el mundo con gran claridad y no se hacen ilusiones sobre la posibilidad de que sea mejor o peor de lo que lo es en realidad. Además, aparte de disponer de un buen mapa mental del mundo, se incluyen *a sí mismos* en él.

John: ¡Ah, claro! Con el lugar y el tamaño adecuados. De esa manera pueden conseguir lo que quieren de la vida.

Robin: Por otro lado, hay otro aspecto en la actitud que estas organizaciones muestran en lo tocante a la acumulación de información: les encanta tener ideas nuevas y no les importa su lugar de origen.

John: Cierto. Recuerdo que en una ocasión un ejecutivo británico me dijo que había sido contratado por una empresa a la que había sugerido una serie de ideas que ya habían tenido éxito en su anterior empresa. Sin embargo, el presidente le había hecho un movimiento negativo con la cabeza y le había dicho: «NIA». Con esto zanjó la cuestión. A la salida de la reunión, mi amigo preguntó el significado de esas siglas y obtuvo la siguiente respuesta: «No inventado aquí».

Robin: En contraposición, a las empresas más sanas les encanta pedir prestado.

John: ¿«Pedir prestado»? Esto empieza a gustarme. Los cómicos «roban», los artistas «son influidos», los ejecutivos «piden prestado». Estupendo...

Robin: ¡Silencio! Acuérdate de los japoneses. Nunca han sentido ninguna inhibición a...

John: ¡Cuidado!

Robin: ... la hora de asumir los conocimientos industriales de Occidente desde que empezaron a abrirse al mundo después de 1868. Y no han dejado de mejorarlos desde entonces. Ésta es una de las principales razones por las que han convertido sus empresas en punteras.

John: Eso es «científico», ¿no es así? No fingir que tienen más conocimientos que los que en realidad se tienen.

Robin: Sí, valorar principalmente la realidad y no la presunción y las apariencias.

John: Ya sabes que, cuando nos paramos a pensar en la razón que impulsa incluso a los científicos a perder el respeto por la realidad y la verdad, vemos que es a causa de la personalidad de cada uno, del «yo» del individuo. Cuando una persona se siente vinculada a una idea, deja de prestar atención a la evidencia. Sin embargo, estas empresas animan a sus empleados a mantenerse abiertos, a seguir buscando evidencias, a revisar sus ideas constantemente...

Robin: Porque, para empezar, tienen unas expectativas razonables y buscan la manera más juiciosa de hacerlas realidad.

John: Algo que, evidentemente, también puede aplicarse a las empresas sanas.

Robin: Efectivamente. En realidad, poco más se puede decir al respecto.

John: Algo encontrarás.

Robin: ... Creo que lo realmente interesante es comprender la razón por la que la empresa llega a percibir el mundo de una forma tan clara. Eso se consigue mediante una actitud abierta con respecto a toda la información que se puede obtener sobre tres cosas: la empresa misma, el mundo exterior y la relación entre ambos.

John: Bueno, me parece que ya hemos hablado bastante sobre cómo estas empresas potencian el movimiento de información dentro de su organización. ¿Qué pasa entonces con la información que viene de fuera?

Robin: Te daré un ejemplo muy sencillo. En 1976, la Confederación de Empresas Británicas decidió cambiar completamente su actitud respecto a la participación de los empresarios a causa de un estudio que demostraba que el proceso aumentaba los beneficios.

John: Estupendo.

Robin: Está claro que en una organización sana todo el mundo sabe que es necesario prestar una atención constante a las reacciones, aunque, ¿no te ha sorprendido el hecho de que estas organizaciones reciban muchas más reacciones que las que recibirían si fueran organizaciones corrientes?

John: ¿Te refieres al hecho de que trabajen mucho más?

Robin: Sí. Los grupos pequeños que exploran y tratan cosas nuevas se parecen a los grupos de científicos que realizan más experimentos. Como se explica en *En busca de la excelencia,* cada prueba «consiste sencillamente en llevar a cabo una acción, un ensayo que te ayuda a aprender algo, tal y como ocurre en la clase de química del instituto».

John: Entonces, en cierto sentido, estas organizaciones son completamente científicas, ¿no es así?

Robin: Si nos guiamos por lo que se entiende últimamente por «científico», no cabe duda de que lo son.

John: En una ocasión realicé un vídeo sobre presupuestos y me sorprendió la

actitud tan científica que llevaba aparejada la idea. La antigua actitud ante los presupuestos consistía en estudiar las cifras del año anterior, hacer una estimación sobre el presupuesto, ponerlo en un lugar seguro y olvidarse de ello. Sin embargo, hoy en día el presupuesto es considerado como una herramienta vital para la gestión de la empresa. En primer lugar, la estimación de las cifras se realiza de forma sumamente cuidadosa. Después, conforme van saliendo las cifras reales, se van comparando con las presupuestadas. Cualquier diferencia es considerada como una información crucial enviada por el mundo exterior y que indica que algo ha ido mal y tiene que ser investigado, con vistas a cambiar el comportamiento de las empresas para que vuelva al camino correcto. Por lo visto, las empresas poco sanas prefieren evitar este tipo de información y hacen lo posible por no obtenerla.

Robin: Al igual que un avestruz cuando mete la cabeza en la arena...

John: Muy bien. Pasemos al último concepto de nuestra lista. Los cambios.

Robin: Cuanto más aprendo acerca de las organizaciones que tienen éxito, más me sorprende la capacidad que tienen para hacer frente a los cambios. Todas consideran las situaciones de cambio como algo normal, a diferencia de las organizaciones menos sanas, las cuales, en el mejor de los casos, piensan que no es más que un desagradable ejercicio al que tienen que enfrentarse cada año. Las empresas punteras invierten todas sus energías en la innovación, tanto en la forma que tienen de funcionar como en el carácter de sus productos y servicios, de forma que cuando tengan que satisfacer las exigencias del mundo exterior, no se encuentren con ningún problema.

John: Suena agotador.

Robin: Bueno, es verdad que algunos expertos como, por ejemplo, Peter Drucker y Abraham Maslow, han indicado que esta política puede suponer una gran tensión para los miembros más débiles de la organización. A pesar de ello, a la mayoría de la gente le gustan los cambios. De hecho, se toman grandes molestias para que así sea, incluso cuando en ocasiones no son capaces de hacerles frente. La mayoría de nosotros quiere tener vacaciones por esa razón, si bien la dificultad que dicho cambio supone para la gente «corriente» puede acabar convirtiéndolas en un motivo de tensión y hacer que deseemos volver a la tarea diaria. Con todo, las organizaciones eficaces, como por ejemplo las familias sanas, logran, al parecer, que los cambios resulten agradables y estimulantes. En mi opinión, hay varias razones que explican el hecho de que a las personas que trabajan en ellas les parezca seguro cambiar: la gente que está a cargo de la empresa es realmente competente; los empleados se apoyan mutuamente; los cambios son considerados como normales y necesarios, y no como un período de transición que hay que evitar siempre que sea posible; al acostumbrarse a los cambios, las personas ganan confianza y tranquilidad y, por consiguiente, se las arreglan mejor.

John: Hay otro aspecto relacionado con los cambios en las organizaciones que me intriga. Cuando hablábamos sobre las familias, he llegado a la conclusión de que su capacidad para hacer frente a este tipo de situaciones era una especie de subproducto de todas las otras características. Sin embargo, me temo que en el caso de las empresas es justo al revés: la necesidad misma de enfrentarse a una situación de cambio obliga a las empresas a adquirir todas las características positivas.

Robin: Creo que estás en lo cierto. No se puede ir en contra del mercado. En última instancia, tenemos que adaptarnos a un sistema superior a nosotros y del cual formamos parte.

John: Todo esto es algo muy reciente, ¿no es así? Cuando comencé a realizar vídeos hace veinte años, no se daba gran importancia al hecho de escuchar a las demás personas, delegarles responsabilidad y tratarlas como a verdaderos seres humanos. Ahora todos mis vídeos giran en torno a este tema.

Robin: Es parte de un cambio que ha venido teniendo lugar desde el comienzo de la historia de la sociedad: un cambio en nuestra forma de ver y pensar las cosas que tiene como fin el que consigamos ver con mayor claridad la *conexión* existente entre todas las cosas.

John: Sin embargo, las ideas no son tan nuevas. La semana pasada tuve ocasión de leer una obra escrita por un tal R. Likert en el año 1961 titulada *New Patterns of Management,* la cual estudia muchas de las cosas de las que hemos estado hablando. Aun así, no creo que hace treinta años hubiese mucha gente interesada en esto. Ha sido la abrumadora velocidad a la que el mundo está cambiando lo que nos ha obligado a volvernos más sanos.

Robin: De hecho, muchos de los principios fundamentales que sustentan el funcionamiento sano del que estamos hablando los explicó con gran claridad Mary Parker Follett, que murió ni más ni menos que en 1933. Fue una mujer que se adelantó a su tiempo al hablar de este tipo de cosas en un mundo industrializado, dominado completamente por el hombre, preocupado tan sólo por el trabajo y que pasaba por alto el factor humano. Su sabiduría –extraordinaria para su época– estuvo influida por su condición de mujer y por el trabajo social que realizó antes de comenzar sus estudios industriales. Esto sirve para mostrar lo importante que es contar con las dos opiniones, la femenina *y* la masculina, en la confección de una política de alto nivel. Aun así, la necesidad de sobrevivir en el mundo industrial de hoy en día está equilibrando la balanza, gracias a Dios. Ante todo, no hay que olvidar una cosa: *la mayoría de nosotros* somos gente corriente y por lo tanto algo inflexibles. Es natural, por tanto, que nos haga falta un fuerte empujón del mundo exterior para que aceptemos una vida llena de cambios, incluso si eso nos ayuda a convertirnos en individuos más sanos.

John: ... Con sólo echar un vistazo a las características que definen a las organizaciones sanas, me pasa lo mismo que con las familias..., me quedo aturdido por la forma que tienen todas de actuar recíprocamente.

Robin: Bien, al igual que en el caso de las familias, te estás enfrentando a un sistema; es decir, hay una serie de partes que se relacionan para formar una unidad. En realidad, lo que estás presenciando es un proceso de relaciones mutuas. Al analizarlo y observarlo desde diferentes –y fundamentalmente artificiales– puntos de vista, resulta más sencillo de entender..., y de cambiar, si así se desea.

John: Entiendo, pero así y todo sigue siendo asombrosa la forma que tiene todo de relacionarse. Por ejemplo, el hecho de que exista confianza y no se tenga miedo a cometer errores hace que la comunicación sea mucho más fluida; en consecuencia, se potencia la información, lo cual significa que la mano de obra va a tener un mejor conocimiento de lo que debe hacer. Esto supone que lo que vayan a hacer tiene todas las probabilidades de éxito. Por consiguiente, se reduce el número real de errores que puedan cometer y se gana en confianza.

Robin: O también, el respeto por la autonomía del grupo de trabajo hace que el líder reduzca el número de «reguladores», lo cual infunde confianza al grupo de trabajo y lo anima, a su vez, a comunicarse con mayor libertad con su líder. De ahí que el líder tenga mayor respeto por la autonomía del grupo de trabajo y que éste acepte con más facilidad la autoridad del líder en caso de que se ejerza.

John: Cada aspecto refuerza los demás...

Robin: De ahí lo realmente emocionante de todo ello: la pequeña mejora de un aspecto acaba *multiplicándose* al afectar a todos los demás, y, por lo tanto, puede acarrear una enorme mejora en toda la organización. Al igual que pasa en el caso de las familias, una pequeña intervención puede dar unos resultados enormes siempre que se haga bien. Izuzu necesitó cinco años para llevar a cabo un gran cambio cultural en la planta de camionetas de la General Motors en Luton.

John: A condición de que se haga *bien* porque, desgraciadamente, el tiro también puede salir por la culata. La llegada de un manipulador paranoico hecho y derecho, o de una persona verdaderamente incompetente, puede producir el mismo efecto.

Robin: Bueno, creo que ahora eres algo pesimista, ya que, en realidad todo depende del nivel de salud en el que la empresa esté funcionando en ese momento. En una organización caracterizada por el caos, la confusión y el recelo, una comunicación pobre, una gran desconfianza y el escaso reparto de responsabilidades, la llegada de una persona como la que has descrito puede hacer un daño considerable. Sin embargo, cuanto más saneada esté la organización en el momento de su llegada, menos efecto tendrá su intervención. Es algo parecido a la salud física: cuanto mejor sea nuestra salud, más resistentes seremos a las infecciones o a la tensión nerviosa y, como consecuencia, antes nos recuperaremos de cualquier enfermedad. De igual forma, los principios que hemos comentado garantizan a la organización la posibilidad de hacer frente con rapidez a todo tipo de amenazas y, como resultado, a aprender y hacerse fuerte.

Apostilla: Mucho trabajo y ninguna diversión

John: Me gustaría preguntarte algo más sobre el valor del trabajo. Ya has descrito la forma que tiene de sacarnos de nuestro entorno para integrarnos en un sistema más grande y también las ventajas psicológicas que se derivan de tal situación.

Robin: Ése es uno de los efectos importantes que se producen.

John: Sin embargo, ha de haber otras formas de funcionar que nos permitan vivir este tipo de experiencias. En el mundo clásico el trabajo era considerado como algo propio de los esclavos, así que supongo que el ejército y la política se encargarían de ofrecer ese tipo de desafíos. Digamos las cosas claras, durante los últimos dos mil años la gente que ha estado en la cumbre no se ha preocupado jamás por lo que tú y yo llamamos «trabajo». A principios de este siglo, incluso las personas de clase media «con unos ingresos privados» no le encontraban ningún sentido al hecho de buscar trabajo. Por lo tanto, ¿por qué se le da tanto valor hoy en día? ¿Por qué hay tanta gente que organiza su vida en torno al trabajo? Y sobre todo, ¿por qué hay tantas mujeres que lo consideran importante? ¿Qué supone en sus vidas?

Robin: Bueno, para empezar, hoy en día el trabajo guarda una relación directa con el poder y la posición social, de ahí que la rígida división de papeles que establecía antiguamente que sólo el hombre podía salir de casa para trabajar y ganar dinero, algo que era considerado muy importante, le diese a éste más poder que a las mujeres. En consecuencia, el deseo de las mujeres de garantizar un acceso equitativo al empleo se ha convertido en algo natural en la lucha por equilibrar la estructura social.

John: Supongo entonces que hace cien años tu posición en la jerarquía estaría bastante bien consolidada y que si se trataba de una posición alta no tendrías que hacer nada para justificarla. Sin embargo, hoy en día, al haberse impuesto las ideas meritocráticas, tu posición social depende del hecho de que tengas profesionalmente un éxito razonable.

Robin: Sí. La transición a la que aludes es una consecuencia natural del cambio de poder, de la élite aristocrática a la clase media, que ha tenido lugar en el seno de la democracia.

John: Has empezado hablando de la posición social. ¿Qué importancia tienen entonces los ingresos? En eso consiste el trabajo para mucha gente, ¿no es así?

Robin: Bueno, es verdad que todos tenemos que ganar lo suficiente para cubrir nuestros gastos y responsabilidades. Con todo, ésta no es la razón por la que la mayoría de la gente elige su trabajo ni la mayor satisfacción que obtenemos de él. Estoy convencido de que casi todos nosotros nos conformaríamos con un poquito menos de dinero, si con ello tuviéramos mayor probabilidad de ser felices en casa y de tener más tiempo libre.

John: ¿Crees todavía que el dinero no es la principal preocupación en este país después de todos los cambios que la señora Thatcher ha llevado a cabo en este ámbito?

Robin: No cabe duda de que ha hecho lo que ha podido por lograr que vivamos en una sociedad más egoísta y mercenaria. Me temo, además, que en buena medida, se ha salido con la suya. Así y todo, según mi experiencia, la preocupación por el dinero hace a la gente más desgraciada.

John: Espero que tengas razón. Nunca olvidaré cuando pregunté a un padre que me encontré en la escuela a la que iba mi hija mayor el número de estudiantes que regresaban. Sentí curiosidad por saber si algún grupo parecía más feliz que lo normal. «Sólo un grupo –me contestó–, los que van a la *City*. Por lo general son los más desgraciados.»

Robin: Me lo creo. El problema que tenemos, sin embargo, es que estamos *encerrados* en un sistema en el que el trabajo es una de las principales prioridades.

John: Efectivamente. Eso es lo que me preocupa, por eso quiero averiguar más cosas. Si examino mi vida, me doy cuenta de que, por norma general, las partes que me han hecho más feliz y que me han producido una mayor satisfacción no son las relacionadas con el trabajo. Estudiar, hablar con mis amigos, meditar, escribir un diario, pasar el tiempo con mi familia, contemplar los cuadros que he pintado..., todas estas actividades me resultan, normalmente, mucho más gratificantes que mi trabajo. Aun así, a pesar de que soy consciente de ello, siempre estoy demasiado ocupado: es decir, la vieja ética protestante sigue siendo preponderante en mi vida a pesar de que estoy convencido de que en el fondo no deja de ser una actitud neurótica, ¿no crees?

Robin: Estoy de acuerdo, aunque no cabe duda de que también nos ha supuesto indirectamente una serie de logros en el ámbito científico, en el artístico y en el industrial. Lo que hace falta es encontrar un equilibrio entre lo que acabo de decir y los valores basados en las relaciones humanas, el desarrollo personal y el disfrute de la vida. De lo contrario, esta ética acaba legitimando la avaricia y el egoísmo en las personas pudientes y justificando la explotación de las que no lo son.

John: ¿De dónde surge la ética del trabajo?

Robin: De varias fuentes. En mi opinión, el énfasis exagerado en el trabajo está basado en el temor al placer y en las consecuencias que éste puede acarrear: «Cuando el diablo no tiene nada que hacer, con el rabo mata moscas».

John: Al parecer esa idea fue predominante en los albores del puritanismo. Aunque creo que es un episodio bastante conocido de Benjamin Franklin, merece la pena citarlo..., es algo que escribió en 1748: «Acuérdate de que el *tiempo* es oro. La persona que pueda ganar diez chelines en un día con su trabajo, y luego lo deje y permanezca ociosa durante la otra mitad del día, incluso si gasta seis chelines durante su tiempo de ocio o diversión, no sólo tiene que contar *dicho dinero* como el único gasto; en realidad ha gastado además, o más bien tirado, cinco chelines».

Robin: No sería fácil trabajar para ese hombre.

John: Con todo, supongo que los adictos al trabajo estarán desempeñando una serie de funciones que nosotros no estamos dispuestos a admitir abiertamente. Por ejemplo, en mi opinión, lo que hacen da un objetivo a la vida de la gente, ¿no crees? Es decir, los asuntos más complicados de esta vida –por qué estamos aquí, qué somos realmente en cuanto personas, si llevamos nuestras relaciones con las personas que queremos de forma adecuada– son bastante amedrentadores y, dado que cuando llegamos a este planeta nadie nos dio un folleto explicativo que nos indicara las reglas del juego, pueden llegar a asustarnos. De ahí que prefiramos esquivarlos para concentrarnos en las cifras trimestrales de las ventas del Sudeste o en la próxima promoción o aumento de sueldo. En resumidas cuentas, el trabajo puede dar un sentido a nuestras vidas del que careceríamos de otra manera.

Robin: Efectivamente. El problema, empero, es que se trata de un objetivo limitado y de miras estrechas. Nos encierra en la modalidad cerrada, por lo que acabamos concentrándonos en un propósito inmediato y cerramos nuestras mentes a cuestiones e intereses más complejos. Es como si lleváramos orejeras: sólo cuando una convulsión afectiva nos arrebata dichas orejeras emocionales –por ejemplo, el fracaso matrimonial, una enfermedad terminal o la muerte de un hijo– nos damos cuenta de que hasta ese momento hemos desperdiciado gran parte de nuestra vida.

John: Por otro lado, el trabajo nos ayuda a organizar nuestro tiempo, ¿no es así? Nos ayuda a superar el tipo de ansiedad que podemos sufrir durante las vacaciones cuando no tenemos nada que hacer.

Robin: Es verdad. De igual manera, la pérdida de esa organización explica las dificultades que sufre mucha gente cuando se jubila y no puede hacer frente a la libertad, el espacio y el tiempo que ello comporta.

John: Lo más curioso es algo que sospecho desde hace años: mucha gente está ocupada porque realmente no sabé qué hacer cuando no lo está. A esa gente le da miedo estar tranquila y sin actividad. Como dice Pascal: «El mayor problema del hombre es que no puede estar quieto en una habitación a solas». Tema de debate...

Robin: Creo que hay una explicación muy sencilla para eso. En la sociedad occidental no se anima a la persona a tener un conocimiento más profundo de sí misma, un conocimiento de su vida interior, de la posibilidad que tiene de divertirse y de la existencia de un significado en su vida, algo que se entiende y que se fomenta mucho más en el Este. En lugar de hacer esto, si nos encontramos en peligro de sentir algo de este tipo, nuestra familia nos sugiere que leamos un libro o que nos vayamos de paseo. De esa manera, la gente se pasa la vida rescatándonos de nuestros sentimientos simplemente porque está asustada de estar más en contacto consigo misma. En consecuencia, en Occidente existe una gran presión social para que no pasemos de la superficie, no preguntemos nada que sea demasiado profundo o nos permitamos vivir experiencias igualmente profundas.

John: Por lo tanto..., *aparte* de la posición social, de los ingresos y del hecho de que nos mantiene ocupados para que no entremos en profundidades, ¿cuál es en tu opinión el propósito real del trabajo? ¿Qué valor tiene fundamentalmente?

Robin: Aparte de los aspectos que ya hemos comentado, creo que el trabajo nos hace sentir más sanos por una razón diferente a las que hemos discutido en referencia a los grandes sistemas. A mi parecer, el buen trabajo nos ayuda a integrarnos, a «unirnos».

John: ¿De qué manera?

Robin: Bueno, déjame que te cuente algo en relación a un contemporáneo de Sigmund Freud: el psiquiatra francés Pierre Janet, cuyas ideas eran, en varios sentidos, parecidas a las de Freud. De hecho, fue Janet quien acuñó la palabra «subconsciente». Además, se anticipó a Freud al demostrar que los síntomas se podían curar mediante el «análisis psicológico» devolviendo al «consciente» las ideas y los sentimientos que se encontraban sepultados a mayor profundidad. Sin embargo, también sentía interés por la capacidad de la gente para prestar *atención*, un tema en el que prácticamente nadie se había fijado.

John: ¿Te refieres a la capacidad de la gente para concentrarse en algo?

Robin: Sí. Sentía interés por este tema porque creía que los sentimientos se acababan separando –o acababan escondidos «detrás de la pantalla», como solemos decir nosotros– con más facilidad en aquellas personas cuya capacidad para atender es insuficiente, puesto que esto significa que su capacidad para «mantener las cosas unidas en su mente» es débil.

John: Es decir, Janet creía que un nivel bajo de salud mental, como lo llamamos nosotros, se debe a cierta debilidad del poder de concentración.

Robin: Sí..., a una dificultad para prestar atención de una manera ininterrumpida, a una sensación de «somnolencia», «vaguedad» o «dispersión». Él creía que la dificultad que los pacientes tenían para «recomponerse» y encontrar un equilibrio y un control emocional se debía a eso.

John: ¿Qué tiene esto que ver con el trabajo?

Robin: Para Janet, la parte principal de su tratamiento consistía en el desarrollo y la ampliación de nuestro poder de atención mediante la realización del trabajo adecuado.

John: Fascinante. Nunca había oído antes nada parecido.

Robin: Es cierto, no hay mucha gente que lo conozca, incluso en mi profesión. A pesar de que las ideas de Janet fueron un anticipo, en varios sentidos, de las de Freud, fue éste quien llegó a acaparar la atención del público y de sus colegas. Por desgracia, el trabajo de Janet, en su mayor parte, ha sido pasado por alto, algo que también le ha ocurrido a otro contemporáneo de Freud, Alfred Adler, quien recalcó la necesidad que todos tenemos, por el bien de nuestra salud mental, de sentirnos parte útil de nuestra comunidad. El trabajo es la única manera que tenemos de experimentar este sentimiento, aunque, por supuesto, existan otras formas.

John: Una última pregunta en referencia al valor del trabajo. Aparte de la posición social, de la mejora de nuestra salud y de distraernos de lo inefable..., si realmente tenemos un objetivo en nuestras vidas, ¿qué otro valor tiene el trabajo para nosotros?

Robin: Deriva un gran placer del ejercicio de un oficio, en parte porque uno tiene que estar en un estado de gran concentración para hacerlo bien, y el tener que prestar una gran atención a lo que se está haciendo es algo que por sí mismo resulta sumamente placentero. En realidad, se trata de algo que todos sabemos gracias a las actividades que desarrollamos en nuestro tiempo libre: se trata de la diversión que comportan todos los juegos y deportes, ya sea el esquí, la pesca o el lanzamiento de dardos. Durante un lapso de tiempo, estamos completamente «en ello», en el presente, afinados como si de un instrumento musical se tratara, plenamente conscientes de lo que estamos haciendo y, en consecuencia, *sintiéndonos verdaderamente vivos*. Si prestamos ese tipo de atención a nuestro trabajo, podemos conseguir que resulte igual de agradable.

John: Muy bien. Ahora que has satisfecho mi curiosidad con respecto al valor del trabajo, te haré la pregunta más importante: ¿cuál es el equilibrio ideal entre el ocio y el trabajo?

Robin: Creo que lo ideal es saber disfrutar de ambos de tal forma que uno no sepa cuando está cruzando la línea que separa ambas actividades.

John: ¿Realmente crees que eso es posible?

Robin: A ciertas personas les resulta más fácil que a otras, como es lógico. Mi trabajo como psiquiatra siempre me ha parecido tan interesante que nunca he tenido la sensación de que fuera una imposición. Me encanta conocer gente y aprender más cosas sobre la vida, sea en compañía de un grupo de pacientes, de mi familia o de mis amigos. Mi pareja, Josh, que es pintora, vive la vida de esa misma manera: esté trabajando o no, siempre parece lograr disfrutar de las cosas.

John: Vosotros tenéis suerte al trabajar en cosas tan interesantes.

Robin: Bueno, hay que admitir que es más sencillo prestar toda tu atención a tu trabajo si sientes un interés natural en él. No hay que olvidar, sin embargo, que es la atención concentrada lo que es motivo de placer. Si piensas que nos resulta sencillo, también has de recordar que los dos elegimos nuestros trabajos respectivos deliberadamente, sin dar una importancia excesiva a los ingresos y sacrificándonos para llegar a donde estamos. Muchas actividades en mi profesión son terriblemente aburridas, y he tenido que renunciar a muchas cosas para acabar haciendo lo que me gusta.

John: Por tanto, las personas que eligen su trabajo a causa fundamentalmente de motivos económicos –buscando el sueldo más alto posible– tienen menos probabilidades de separar el trabajo del ocio, ¿no es así?

Robin: Creo que la clave está en ser capaz de encontrar la manera de alcanzar ese gran nivel de atención que resulte agradable. Eso es posible siempre que uno emplee su trabajo como una buena oportunidad para aprender y crecer. De hecho, conseguir esto puede ayudar a desarrollar el hábito de utilizar el resto del tiempo de una manera igualmente positiva y agradable.

John: De acuerdo. Tengo que hacerte una pregunta más, esta vez referente al equilibrio entre el trabajo y la vida doméstica, algo que preocupa a muchas personas. ¿Crees que una pareja puede educar a sus hijos de forma satisfactoria cuando las dos personas están principalmente ocupadas en sus carreras? ¿O crees que la familia necesita una persona que haga la función de «ama de casa», quienquiera que sea el que lo haga?

Robin: No pienso que haya ningún problema mientras los hijos estén en edad de ir a la escuela, al menos. En realidad, los niños tienen muchas probabilidades de sacar algún provecho si el padre y la madre tienen un estímulo y un punto de apoyo en el exterior, debido a que, como consecuencia, estarán más animados y alegres, y serán un objeto de interés tanto el uno para el otro como para los hijos. Como afirma el estudio sobre las familias sanas, las relaciones funcionan mejor cuando se dan tanto el espacio como la intimidad suficientes.

John: Eso me parece bien. ¿Qué pasa entonces cuando los hijos no han alcanzado todavía la edad escolar?

Robin: Bueno, no me cabe la menor duda de que, allí donde sea posible, los hijos se beneficiarán inmensamente del hecho de que uno de los padres esté siempre en casa al menos durante los dos primeros años, o mejor incluso, los tres primeros años. Lo ideal sería, acaso, cinco años.

John: ¿Qué te hace pensar eso?

Robin: Nos costaría bastante repasar todas las pruebas, pero ha quedado demostrado que los hijos desarrollan una gran sensación de confianza si consiguen formar un vínculo estable durante sus primeros años con una persona que esté siempre disponible y sea de fiar.

John: Pero supongamos que eso no sea posible, o incluso que los dos padres tengan tantas ganas de trabajar que ninguno de los dos esté dispuesto a quedarse en casa cuando el niño sea todavía muy pequeño.

Robin: En ciertos casos, el niño se encontrará en una situación más segura con unos padres que se sientan realizados y felices por el hecho de estar trabajando, que al cuidado de alguien que esté continuamente en casa pero que por eso mismo se sienta deprimido. Creo que la calidad de la relación de los padres con el hijo es incluso más importante que el tiempo que puedan pasar con él. Además, no importará mucho que el tiempo escasee, mientras haya alguien disponible que pueda dar amor y cariño de forma constante y pueda formar una relación a largo plazo con el niño, por ejemplo, una abuela o una canguro. Por cierto, que cuanta más gente comparta esta función de apoyo, aparte de la persona principal, mejor. Aunque, claro, no puedo sino generalizar. He sido testigo de resultados realmente buenos en casos en los que la madre trabajaba todo el día y de resultados realmente malos en casos en los que la madre se quedaba todo el día en casa.

John: Así que, aparte de cuando los niños son pequeños, no hay razón por la que nadie tenga que quedarse en casa todo el tiempo.

Robin: No, a menos que una pareja prefiera ese arreglo.

John: Supongamos que tanto el padre como la madre trabajan en puestos de gran responsabilidad.

Robin: Entonces trataría que los dos compartiesen de forma equitativa tanto las tareas domésticas como las relativas al cuidado del niño para evitar que el hombre, o la mujer, se limitara a ayudar. Es una satisfacción poder decir que, al parecer, hoy en día esto ocurre cada vez con mayor frecuencia, al menos en el caso de la gente joven.

John: Sin embargo, siempre habrá responsabilidades domésticas y laborales que entren en conflicto. ¿Cómo puede conseguir una pareja reducir la tensión que esto genera?

Robin: El factor clave es éste: si la pareja y su familia permanecen unidos durante el tiempo suficiente y éste es de calidad, entonces no será tan difícil enfrentarse a las ausencias y las crisis. Por lo tanto, lo principal es que, siempre que sea posible, la pareja dé un lugar prioritario a la familia aun aceptando que las exigencias del trabajo supondrán con frecuencia una interferencia a la que habrá que enfrentarse. La razón por la que sugiero que hay que dar un lugar prioritario a la *familia* es que las exigencias del trabajo suelen ponernos en la modalidad cerrada, la cual nos hace olvidarnos de otras cosas. Uno tiene que estar predispuesto, por tanto, a favor de la familia. De esa manera, se compensa la parte que el trabajo le quita a la vida familiar.

John: En los casos en los que se haya decidido que una parte se convierta en el amo de casa, ¿qué hará el «trabajador» para ayudar?

Robin: Lo ideal es mandar de vez en cuando al «amo de casa» de vacaciones, ofreciéndose uno a cuidar de la casa y de los niños durante una semana; mi experiencia me dice que no hay nada que demuestre tan claramente la función que comporta el trabajo del amo de la casa. A pesar de que, en un principio, parezca una tarea bastante imponente debido a la falta de experiencia del «trabajador», lo normal es que suponga un motivo de satisfacción para éste, sobre todo por el hecho de que, como consecuencia, se profundice la relación con el niño. Además, esta situación hace que la pareja se sienta más unida y que, en muchos casos, cambie consecuentemente de actitud.

John: Pero si es la mujer la que desempeña el papel del «amo de casa», ¿tendrá la suficiente confianza en el padre como para delegarle toda la responsabilidad que supone ocuparse de los niños?

Robin: En modo alguno. Cuando llega el momento de dejar a los niños en manos de otra persona, las madres se muestran, por lo general, poco dispuestas a aprovechar esa oportunidad de ser libres por miedo a que los hijos coman solamente productos enlatados y pasen el día viendo dibujos animados. Y seguramente tendrán razón, y habrá muchas más cosas a las que pondrán reparos, a pesar de lo cual los hijos estarán con su papá y se lo pasarán en grande. Nadie se muere por dejar de comer verdura durante una semana.

John: Una cosa que dificulta el equilibrio en la pareja es la poca atención que suelen mostrar los empresarios a lo importante que es la vida doméstica para la gente.

Robin: Bueno, como ya hemos visto, en las organizaciones más sanas a la gente se la trata como individuos y se tiene en cuenta el conjunto de la vida de los empleados. Todos los empresarios tienen que prestar más valor a este tipo de cosas, lo cual significa que tal vez el empresario ideal fuera una mujer. De todas formas, desde un punto de vista práctico, las empresas tienen que incorporar más mujeres en sus categorías superiores para así infundir este tipo de valores en el lugar de trabajo..., además de contar con hombres que estén dispuestos a escucharlas...

John: Hay una cosa que me preocupa de todo esto. Gran Bretaña comenzó la revolución industrial y parece haber pasado por la etapa de la «ética del trabajo» para acabar saliendo por el otro extremo. Si realmente logramos adoptar una actitud sana y equilibrada con respecto al trabajo, ¿no existe el peligro de que haya un conjunto de naciones inseguras, excesivamente ansiosas y competitivas y muy poco sanas que acaben por barrernos desde un punto de vista económico?

Robin: Eso podría ocurrir si dejáramos de ser eficaces. Sin embargo, si conseguimos alcanzar un equilibrio más sano como resultado de la asunción de todas estas características, entonces, como hemos tenido ocasión de ver gracias al estudio, seremos más eficaces, y no menos, en el ámbito económico.

3

Déjame seguir adelante: juntos, por mi cuenta...

John: Bien, ya hemos examinado los grupos de un hospital, una institución o una corporación. ¿Cuál es el siguiente nivel?

Robin: Deberíamos pasar a la sociedad.

John: ¿Te refieres a países, naciones?

Robin: Sí, principalmente, aunque también me refiero a grupos –por ejemplo, grupos étnicos– que se encuentren dentro de un país. Por «sociedad» entiendo una red de familias cuyo comportamiento está relacionado y coordinado a través de ideas, valores, tradiciones, obligaciones e instituciones compartidas, todo lo cual abarca ciclos vitales completos. El tamaño puede ser desde el de una pequeña tribu al de una superpotencia. Una sociedad integra a todo tipo de personas, edades y niveles de salud e inteligencia.

John: ¿Cuántas características de las familias sanas van a ser aplicables al nivel de la sociedad?

Robin: Muchísimas.

John: ¿Realmente crees que hay tantas similitudes entre las familias y las sociedades?

Robin: Sí, sí que lo creo. Está claro que cada sociedad contiene normalmente la gama completa de familias, desde las más sanas a las que menos lo están, por lo que cabe pensar que la salud mental de todas las *sociedades* es aproximadamente la misma: normal, media. Sin embargo, como ocurre en el caso de los individuos y las familias, las tensiones externas, la filosofía de vida y los valores que las guían afectan el nivel de salud general, por lo que mientras ciertas sociedades son más «afiliativas» y cooperadoras, otras promueven el antagonismo y la violencia; algunas respetan la individualidad y la diferencia, otras exigen uniformidad; unas animan la libertad de expresión y cuestionan abiertamente la política del gobierno, otras imponen la censura y ejecutan a las personas que realizan ese tipo de crítica.

John: A pesar de todo, vamos a encontrarnos con unos problemas enormes cuando tratemos de comparar los niveles de salud de las distintas sociedades, ¿no crees? Es decir, si cada familia desarrolla un código moral que afirma que su nivel de salud mental es el mejor posible, una discusión en torno a un grupo de culturas diferentes puede ser una locura. Nadie se pondría de acuerdo sobre los criterios.

Robin: Bueno, cabe la posibilidad de que nosotros dos nos pongamos de acuerdo... Además, después de todo, nadie tiene una respuesta definitiva al respecto. No es que tengamos la «razón»; simplemente esperamos que el conocimiento que tenemos ahora sobre las familias y las organizaciones en este momento pueda servir igualmente a una escala mayor. Me daría por satisfecho si esto animara a la gente a hablar y si dijéramos alguna cosa útil que otra persona pudiera desarrollar.

John: Me parece bien. ¿Por dónde empezamos?

Robin: Puede que sea más fácil si llegamos a algún tipo de acuerdo sobre el extremo enfermo del espectro. ¿Cuál dirías que sería el peor tipo de sociedad?

John: Lo primero que se me ocurre es la Alemania nazi.

Robin: En tu opinión, ¿qué convierte a la Alemania nazi en la peor sociedad?

John: Pues..., el sistema en su conjunto estaba basado en el terror. No se permitía ningún tipo de distinción: lo que se imponía era la uniformidad; si el líder levantaba el brazo, todos los demás tenían que hacer lo mismo o si no, recibían una paliza. No se permitía discutir nada, por no mencionar las críticas. Se animaba a todo el mundo a espiar a sus vecinos, y a los niños se los recompensaba por traicionar a sus padres. Los que peor estaban eran los grupos étnicos, como los judíos o los gitanos, a los que se utilizaba sistemáticamente como chivos expiatorios. En un principio, millones de ellos fueron perseguidos, para ser finalmente asesinados junto a otros grupos de «indeseables», como los homosexuales declarados y los disminuidos mentales. Se suprimió toda forma de creatividad y el arte se convirtió en propaganda de Estado. Por supuesto, cualquier país que todavía no había sido sometido era tratado como enemigo, por lo que se lo hostigaba y atacaba, para finalmente incorporarlo al sistema. En resumidas cuentas, doctor, los nazis no sacaron muy buena nota en la asignatura de «conducta afiliativa».

Robin: ¿Alguna característica que los redima?

John: Bueno, ésa es una pregunta interesante..., vamos a ver, los trenes eran puntuales.

Robin: Sigue.

John: Y supongo,... que en una sociedad de ese tipo, si haces lo que se te dice y no te «pringas», las cosas pueden irte bastante bien, desde un punto de vista material, quiero decir, y *si* perteneces a la raza adecuada, claro está.

Robin: ¿Y...?

John: Bueno, ahora que lo pienso..., a *condición* de que no muestres ninguna señal de que piensas por tu cuenta, supongo que las cosas parecen estar bastante bien organizadas. Hay comida abundante, las casas están en buenas condiciones, hay trabajo para todos, por supuesto, y un buen sistema asistencial y pensiones... y, no quiero dar la impresión de que haya algo que pueda producirme simpatía, pero en cierto sentido, su rendimiento durante la guerra fue extraordinario, quiero decir, para finales de 1941 ya controlaban casi toda la Europa continental. No cabe duda de que sus fuerzas armadas funcionaron bien, con disciplina, eficiencia e incluso, en ocasiones, con un gran espíritu de sacrificio. Además, su industria dio unos resultados soberbios: la velocidad con la que conseguían poner una fábrica nuevamente en funcionamiento era extraordinaria. Por otro lado, en las personas adecuadas, las que tenían el pelo rubio y los ojos azules, había un gran sentimiento de identificación con la patria. Supongo, entonces, que al tenerme sujeto a este interrogatorio socrático, lo que quieres es que me dé cuenta de que la Alemania nazi, si bien resultaba aterradora desde un punto de vista moral, gozaba de una serie de ventajas que convertían a otras sociedades en lugares *menos* atractivos para vivir.

Robin: No desde un punto de vista moral, sino desde el de la supervivencia. Es decir, si la ley y el orden se han venido abajo, si hay control sobre los grupos violentos, si no hay provisiones de comida, agua, medicinas, electricidad o lo que sea..., entonces lo normal es que todo el mundo se encuentre en una situación terrible y que nadie tenga la oportunidad de mejorar sus perspectivas de futuro.

John: Sí, eso es evidente, ¿verdad? Creo que el hipotético marco del «caos absoluto» no se me había ocurrido antes porque pensaba en la historia europea, en la cual las cosas nunca han llegado a *tales* extremos. Me imagino que el tipo de caos al que te refieres es el que, posiblemente, tuvo lugar en ciertas partes de Alemania durante la Guerra de los Treinta Años, en partes de Inglaterra durante la Guerra Civil y en partes de Francia durante el Gran Terror..., de hecho se daría en *algunas* partes de cualquier país en estado de guerra, como por ejemplo en Yugoslavia ahora mismo...

Robin: Y también, acaso, durante los primeros años de la República de Weimar, cuando la gente llevaba el dinero de un lado para otro en carretillas debido a que, con el paso de cada hora, la inflación provocaba una subida de precios desmedida. Esto es algo que siempre está ocurriendo en alguna parte. Conforme hablamos, Mogadiscio, la capital de Somalia, está funcionando de la forma caótica a la que nos hemos referido. Acabo de ver las noticias y me he enterado de que el ejército ya no es capaz de imponer ningún orden y disciplina, de tal suerte que pequeños grupos de soldados armados recorren la ciudad en vehículos disparando a cualquier cosa que se les antoje, sobre todo a los civiles que, por su aspecto, puedan tener algo que merezca la pena robar. Acaban de abatir a una niña de ocho años porque tenía una bolsa de arroz.

John: ... Sí, estoy de acuerdo. Cierto tipo de caos prolongado es peor que la maldad organizada. De todas formas, esto es algo que a ti ya te resulta evidente, ¿no es así? ¿Proviene ello de tu trabajo con familias?

Robin: Sí, es la razón por la que, casi por instinto, pienso de esta manera. Como creo que ya he dicho con anterioridad, se puede afirmar, más o menos, que las familias funcionan a tres niveles diferentes, los cuales son descritos de manera regular en el estudio al que nos hemos referido previamente. En mi trabajo de terapia familiar, he llegado a conclusiones parecidas. Los niveles corresponden a las diferentes etapas del desarrollo que los niños atraviesan hasta llegar a la madurez. En el nivel inferior, el nivel de salud que tienen las familias enfermas, no hay unas fronteras claras..., son muy borrosas, por lo que acaban coincidiendo las unas con las otras. De ahí que nadie sepa muy bien, en ningún momento, en qué lugar se encuentra o quién es. Por otra parte, todavía en un nivel inferior pero en una situación algo mejor, encontramos algo de orden y concierto: son los miembros de una familia que sabe dónde se encuentra pero que, a cambio, tiene que erigir unas fronteras sumamente rígidas y delimitar las identidades de una manera clara. Estas identidades están «protegidas» por la distancia emocional, una jerarquía inflexible y un tipo de control intenso, punitivo y violento. Si hemos de clasificar a las sociedades según esta escala, los nazis entran en este nivel autoritario, el cual se caracteriza también por la existencia de chivos expiatorios.

John: ¿Y si superamos el nivel autoritario?

Robin: Bien, en ese caso nos encontramos con la zona «corriente», en la que la gente es algo más sana, guarda una cierta consideración mutua y respeta la individualidad de los demás. Además, muestra una mayor flexibilidad en lo referente a las «fronteras». Finalmente, te acordarás de que en los niveles más altos es muy fácil que las funciones de los padres se confundan, que escuchen a sus hijos, que los consulten, que se sientan «a sus anchas» y que disfruten de una relación muy abierta, desde el punto de vista afectivo, debido a que se sienten seguros y no necesitan unas «fronteras» tan rígidas. Esto comporta una mayor tolerancia con respecto a la autonomía y los «rasgos distintivos» de los demás. Por tanto, los niveles más altos de salud corresponden más o menos a lo que sería una democracia en buen funcionamiento.

John: ¿Crees que estos tres niveles corresponden, dentro de lo que cabe, a la sociedad caótica, la totalitaria y la democrática?

Robin: Sí, me parece que son muy parecidos. Como es natural, en el nivel autoritario, la autoridad puede ser malévola, como por ejemplo en una dictadura fascista, o relativamente benigna, –Cromwell, por ejemplo–, lo cual supone una gran diferencia. Por otro lado, es posible que en las sociedades que llamamos «primitivas» pueda prevalecer un gran nivel de salud mental, si bien, fundamentalmente, en las sociedades más desarrolladas, las mayores posibilidades de elección, la responsabilidad y la libertad que se otorgan a los individuos suelen fomentar la salud mental. Al mismo tiempo, cuando las naciones democráticas utilizan a la CIA y al MI5[1] para actuar como vigilantes del sistema, deberíamos cerciorarnos de si dicho comportamiento no corresponde al de las sociedades más enfermas.

John: ¿Significa esto que la forma de gobierno tiene que ser la adecuada a la etapa de desarrollo en la que se encuentre la gente?

Robin: Claro.

John: Por lo tanto, la democracia no es necesariamente la mejor forma de gobierno para todos.

Robin: No. Cabe la posibilidad de que ciertas sociedades hayan de pasar antes por una etapa de transición.

1. MI5 *Military Intelligence 5*. Servicio de inteligencia y contraespionaje. (*N. del T.*)

John: Eso resulta bastante chocante...

Robin: Bueno, volvamos un momento a la analogía de la familia. En el caso de una familia caótica, lo más probable es que lo primero que necesiten sea algún tipo de orden que sirva para reducir el alto nivel de ansiedad que normalmente sienten. No se puede conseguir más orden en una familia caótica convirtiéndola en un sistema más democrático. Por lo tanto, hay que apoyar a cualquier persona que sea capaz de ejercer algún tipo de autoridad. En cambio, si de lo que se trata es de una familia en la que hay el equilibrio suficiente, entonces puedo plantearme la posibilidad de liberarlos, alentando unas formas de funcionamiento más democráticas gracias a que ya disfrutan del grado necesario de orden.

John: Esto me recuerda cierta historia que oí hace ya unos años acerca de unos exiliados rusos que habían huido a Estados Unidos. Estas personas no supieron qué hacer con tanta libertad, por lo que tuvieron que volver a Rusia.

Robin: Acuérdate de lo difícil que les resulta a ciertas personas salir de la cárcel y reincorporarse a la sociedad: les hace falta un período de transición para acostumbrarse nuevamente a la independencia. Y estamos hablando de personas que previamente, antes de ser encarceladas, habían sido capaces de funcionar en la sociedad de una determinada manera.

John: Entonces, acaso haya que esperar un tiempo para desarrollar las condiciones idóneas para vivir en democracia...

Robin: Sí, es un hecho que se olvida con frecuencia porque la gente está acostumbrada a hablar de cuestiones políticas y sociales en términos absolutos, como si pudieran decidir lo que hay que hacer y cuándo hay que hacerlo. En realidad, siempre nos encontramos con procesos en desarrollo que pueden resultar bastante lentos, algo parecido al crecimiento de los seres humanos. Basta pensar en la cantidad de siglos que ha costado desarrollarse a lo que ahora reconocemos como democracia occidental.

John: Los libros de historia suelen fechar el primer Parlamento inglés en 1265, el Parlamento de Simon de Montfort. A las mujeres se les concedió el derecho a voto en 1928. Seiscientos sesenta y tres años.

Robin: Es interesante ver lo rápido que ha sido el desarrollo en el África negra. Las naciones europeas legaron sus instituciones democráticas con motivo de la independencia de varios países, aunque en poco tiempo la mayoría de ellos ya

habían vuelto al sistema unipartidista. Durante los dos últimos años, sin embargo, unos diecisiete estados africanos han empezado a desarrollar una democracia multipartidista. Por tanto, es verdad que lleva tiempo, aunque no tiene que ser mucho necesariamente.

John: Desde luego, esto explica la razón por la que una revolución que derriba a un tirano acaba convirtiéndose, ella misma, en una tiranía. Si el pueblo no está acostumbrado a los métodos de funcionamiento democráticos, derribar entonces a un dirigente autoritario puede crear un vacío que sólo se puede llenar con la llegada de otro dirigente autoritario. De ahí que Robespierre siguiese a los Borbones, Lenin a los Romanov y Cromwell a Carlos I.

Robin: Sí. Si se quiere pasar a un sistema más democrático y abierto con demasiada rapidez, se puede acabar con una forma de gobierno de características más autoritarias que el anterior.

John: Así que, antes de que se pueda pasar de un sistema autoritario a uno democrático, la gente necesita un período de relativo equilibrio durante el cual puedan desarrollarse la semilla de una actitud y un «oficio» democrático, ¿no es así?

Robin: Efectivamente. Incluso a una escala más pequeña, la de las *instituciones,* en la que he tenido ocasión de trabajar, siempre ha sido muy interesante observar el hecho de que no se pueda hacer el tránsito a una democracia de una manera totalmente democrática. Al parecer, se requiere previamente algo parecido a una dictadura benévola, encabezada por alguien que *crea* en la democracia y que se sienta capaz de renunciar al poder en el momento adecuado, algo que, supongo, se parece mucho a lo que hacen los buenos padres para ayudar a sus hijos a crecer.

John: Por lo tanto, la tradición parlamentaria inglesa comienza a desarrollarse bajo el mandato de Isabel y Jaime I, se pone en reserva durante el período de Carlos I y Cromwell y resurge durante los relativamente tranquilos años del reinado de Carlos II. De ahí que, cuando llega la Gloriosa Revolución de 1688, seamos capaces de poner en funcionamiento un sistema democrático en el que, al menos, el rey tenía que gobernar con la mediación de los ministros, los cuales, incluso si no habían sido precisamente elegidos, necesitaban para su funcionamiento la cooperación y el consentimiento de parlamentos estables.

Robin: Sí, aunque no hemos de cometer el error de pensar que una vez que una nación ha alcanzado un cierto nivel de salud mental, luego puede limitarse a conservarla. De igual forma que el nivel de salud mental de los individuos sube y baja, dependiendo de lo favorables o agobiantes que sean las circunstancias, así también puede ocurrir en el caso de las naciones.

John: ¿Me estás diciendo que el estilo de gobierno que necesiten también variará?

Robin: Sin lugar a dudas. El caso más obvio es el de la guerra. Nadie pone en duda el hecho de que el gobierno tenga que ostentar un poder mayor en una situación de este tipo, dado que las decisiones tienen que ser tomadas con mayor rapidez, los planes tienen que mantenerse en secreto y las prioridades estratégicas han de ser reforzadas. Todos sabemos que hay que sacrificar partes de nuestra libertad y de nuestra individualidad a cambio de una acción conjunta y disciplinada.

John: Sí. No tiene mucho sentido dar al enemigo el beneficio de la duda, o dejar que cada pelotón vote si ha de atacar un nido de ametralladoras. En condiciones de guerra, hay que desalentar cierto tipo de comportamiento «sano».

Robin: Sí. Habría que desalentar, qué duda cabe, el tipo de comportamiento excepcionalmente sano que he estado describiendo, lo cual explica el hecho de que las dictaduras sean tan eficaces al principio de la guerra. Los primeros pasos son evidentes y todo se hace a gran velocidad y con mucha eficacia, gracias a que todo el mundo se ocupa de su trabajo y nadie se pone a discutir. Como es lógico, conforme avanza la guerra, el líder se muestra menos eficaz y comete más locuras, debido a que cada vez presta menos atención a las reacciones de su entorno y no puede responder adecuadamente a lo que está ocurriendo. De ahí la negativa de Hitler a enfrentarse al fracaso de la campaña de Rusia, a pesar de que la evidencia demostraba que a partir de Stalingrado, la suerte ya estaba echada.

John: Así que siempre hay que conservar un mínimo de salud...

Robin: Sí, incluso en tiempo de guerra, merece la pena ser *tan democrático como sea posible*; de esa manera se puede permanecer abierto a la información que vaya llegando y se pueden escuchar las críticas dirigidas a la política oficial.

John: Entonces, cuando la guerra llega a su fin, se puede prescindir de los tipos autoritarios que han sido tan útiles y poner en su lugar a personas que, por temperamento, parezcan más apropiadas para el gobierno democrático. Por ejemplo, la situación que se dio en 1945: Churchill tuvo que irse para dar paso a Attlee.

Robin: Exacto. Las naciones siempre experimentan, con el paso de los años, fluctuaciones relativas a la confianza o la ansiedad, algo de lo que el gobierno debería responsabilizarse. Por ejemplo, en mi opinión, el sistema más autoritario de la señora Thatcher fue elegido por el electorado cuando existía la impresión generalizada de que el Reino Unido se estaba viniendo abajo y de que su economía hacía aguas por todos los lados, a causa del excesivo poder que los sindicatos habían adquirido y de que el estado de bienestar y las industrias nacionales estaban empezando a no poder ser controlados.

John: Lo mismo ocurrió en Estados Unidos, cuando el electorado se inclinó por el ultraconservador Ronald Reagan como sustituto de Jimmy Carter, quien llevaba un tiempo poniendo a todo el mundo muy nervioso, sobre todo desde el momento en el que declaró que había sido atacado por un conejo cuando estaba en su canoa.

Robin: De hecho, en ese momento ocurrió algo fascinante. Los profesionales de los medios de comunicación se sintieron al principio aterrorizados ante la ignorancia y la falta de capacidad intelectual que Reagan mostraba en las con-

ferencias de prensa. Pero se dieron cuenta de que, si daban este tipo de información, se convertían ante la nación en personas muy poco populares. ¡Incluso se llegó a tildarlos de poco patriotas! La población media no estaba dispuesta a oír nada que perturbara su confianza en el Presidente, puesto que hasta aquel momento dicha confianza ya había sido perturbada en demasiadas ocasiones, primero con Nixon y Ford y luego con la crisis de los rehenes durante la época de Carter.

John: Por eso, Reagan pudo presentarse como la encarnación de los valores familiares, a pesar de que no tenía relación con sus hijos, y como el símbolo de los principios tradicionales, si bien más de doscientos cargos nombrados por él acabaron finalmente acusados de fraude.

Robin: Así y todo, lo llamaban «El Gran Comunicador», y se le daba maravillosamente el papel de líder –agrupar a la gente para que llegue a un consenso recurriendo a las preocupaciones y los valores comunes–, a pesar de que estaba profundamente equivocado en mucho de lo que decía.

John: Ya que no era el momento de disentir o de cuestionar ningún valor. Sin embargo, cuando en la década de los sesenta, las economías del primer mundo prosperaban, la sociedad fue capaz de tolerar los diversos movimientos sociales que florecieron en dicha época, cuestionando la autoridad y la tradición porque había un sentimiento subyacente de confianza.

Robin: Como pasa en las familias: cuando se sienten fuertes, se pueden permitir un mayor grado de libertad, diversidad y desacuerdo; cuando se sienten amenazadas o los padres están en una posición débil, la estructura se vuelve mucho más rígida.

John: Ahora bien, aunque puede que la democracia no sea lo apropiado para todas las sociedades, con todo hemos asumido que es el sistema más deseable porque se parece a la manera que tienen las familias sanas de operar. Examinémoslo en mayor profundidad. ¿Por qué es el mejor sistema para la gente que se encuentra en él?

Robin: Bueno, para contestar a esto he de volver directamente a lo que explicábamos al final del primer capítulo. ¿Te acuerdas de lo que he dicho sobre las «partes básicas»?

John: Lo que has dicho es que la gente funciona mejor y se siente más sana cuando está en contacto con las diferentes facetas de su personalidad y pueden hacer uso de ellas: los aspectos más infantiles, espontáneos; los más prácticos y organizativos; los más concienzudos, responsables, sobrios y paternales.

Robin: Efectivamente. La salud comporta la disponibilidad de todas estas partes, dentro de uno mismo, y el evitar entregar algunas de ellas a otras personas para que las empleen por ti. Acuérdate de lo que descubrió Isabel Menzies: el departamento del hospital funcionaba mal porque las funciones del superyó habían sido proyectadas hacia arriba en dirección a la enfermera jefe, la cual era considerada como una persona muy estricta; por su parte, el ello, o función emotiva, había sido proyectado hacia abajo en dirección a las enfermeras en prácticas, que eran consideradas como personas infantiles, irresponsables e indignas de confianza.

John: Lo cual suponía que a las personas que se encontraban en medio –las enfermeras preparadas– se les apretaban las tuercas. Por un lado, las habían privado de su sentido de la responsabilidad, porque éste había sido proyectado hacia arriba, y, por otro, de su sentido de la diversión, porque éste había sido proyectado hacia abajo.

Robin: Con ese arreglo todos acababan perdiendo. Nadie podía emplear los aspectos que caracterizaban su personalidad, por lo que sus habilidades quedaban desprovechadas. Esta situación se da, de igual forma, a una escala más grande. Cuando existe un liderazgo autoritario, el control, la responsabilidad y la confianza son proyectados hacia arriba en dirección al líder. Así que, si se desea que la gente pierda la razón y la dignidad, y se vuelva ingenua y dependiente, no hay más que organizar una manifestación tipo Nuremberg...

John: En la que el líder es el foco de atención y está rodeado por todos los símbolos de poder y una enorme masa de gente contemplándolo.

Robin: Ésa es la razón por la que lo hacen todos los líderes totalitarios, sean fascistas o comunistas. Hitler, Mussolini, Stalin, Ceaucescu, Kim Il Sung, Saddam Hussein... El objetivo que buscan es precisamente la división y proyección de las «partes básicas», de forma que el público se sienta cada vez más como una pandilla de niños dependientes y desvalidos y acaben, de hecho, deseando entregar al líder el mayor poder posible. Lo malo es que cuanto más grande es el grupo, la tendencia resulta más fuerte.

John: Por lo tanto, un dictador usurpa deliberadamente la confianza y la inteligencia de la gente.

Robin: Es como si perdieran su inteligencia, su conciencia y su sentido de la responsabilidad, como si le diesen un regalo al líder sin darse cuenta de lo que ha ocurrido y sin haber sido necesariamente forzados a hacerlo. Mediante este proceso de proyección, acaban convirtiéndose en zombis.

John: Sin embargo, no hace falta ser un líder totalitario para sacar partido de esta situación.

Robin: Desde luego que no. Si el líder es lo suficientemente listo en lo referente a la forma de arreglar los encuentros con la gente, se puede confiar en que el proceso de división y proyección acabará obligando a la gente a entregarle más poder. De igual forma que la competencia y la responsabilidad acaban siendo proyectadas hacia arriba, las cualidades que son *inaceptables* para el líder son proyectadas hacia *abajo* en dirección a la gente que se encuentra en el estamento más bajo.

John: Eso crea, o al menos acentúa, las divisiones sociales y promueve los conflictos y el odio hacia los pobres y las minorías. En casos extremos, lleva incluso a las persecuciones.

Robin: Exacto. Todo forma parte del mismo proceso psicológico.

John: En mi opinión, durante la última década, se ha fomentado en Inglaterra y Estados Unidos este tipo de divisiones sociales con resultados muy dañinos. Me pregunto si Reagan y Thatcher llegaron a emplear este mecanismo, siquiera de forma inconsciente, ya que ambos se preocuparon por controlar férreamente su contacto con los medios de comunicación. A la señora Thatcher no le supuso ningún problema mostrarse mucho más autoritaria que otros primeros ministros y los dos llegaron a asumir actitudes poco solidarias e incluso punitivas hacia las clases bajas.

Robin: No cabe duda de que los dos hablaban como si realmente no se sintieran en absoluto solidaridarios hacia las personas con menos recursos, como si fuera culpa de éstas y no mereciera la pena ayudarlas.

John: Creo que fue en esa época cuando la denominada «subclase» se separó realmente del resto de la sociedad.

Robin: ... Sin embargo, y esto es lo que estoy intentando explicar, este proceso de división tiene mucha menos trascendencia en Occidente, debido a que en las democracias la distancia que separa al dirigente del dirigido suele reducirse. Se puede ver a los políticos en televisión, o se puede oírlos por la radio en condiciones que no son precisamente las ideales, en condiciones en las que no pueden limitarse a exponer la cara positiva de las cosas, sino que más bien han de someterse al ataque de un debate público en el que todas las limitaciones e imperfecciones son descubiertas. Los periódicos, por otro lado, suelen presentar una situación si cabe menos halagüeña, al recalcar constantemente los puntos débiles, sobre todo en las tiras cómicas... Por otro lado, existe un nivel más alto de contacto personal con un número mayor de personas.

John: Esto también es válido para el caso de Gorbachov, cuando trató de transformar la Unión Soviética para convertirla en un sistema más democrático. En vez de verlo al lado de esas misteriosas figuras saludando en el desfile del Pri-

mero de Mayo, se lo podía ver arriesgándose, discutiendo en el Parlamento ruso, dando paseos entre el público, a pesar de los pesares.

Robin: Lo que resulta curioso de todo esto, sin embargo, es que el señor Gorbachov, en mi opinión, es un sorprendente ejemplo de un líder que no se dio cuenta de la imposibilidad de pasar directamente de un régimen autoritario a una democracia. Trató de acelerar el proceso de delegación de poder al pueblo con excesiva rapidez. Como probablemente recuerdes, predije que su proyecto sólo sería posible si conservaba el suficiente poder como para conducir el proceso a través de los disturbios y conflictos de intereses que inevitablemente iban a ocurrir. Así y todo, creo por principio que cuantas más responsabilidades y poderes relacionados con la toma de decisiones delegue un gobierno –lo que los políticos europeos llaman ahora «subsidiariedad»–, más responsable y competente será la población.

John: En definitiva, la democracia nos ayuda a crecer.

Robin: Sí, pero ése no es su único aspecto positivo. La sociedad funciona mejor cuando hay un mayor número de miembros autónomos, cuando se comportan de forma independiente y son capaces de contribuir en algo al conjunto de la organización.

John: Es decir, es entonces cuando funciona de un modo más eficaz.

Robin: Sí. Por esa misma razón, además, los individuos obtienen un mayor número de beneficios...

John: ...Volvemos a la idea de la utilización de la inteligencia de todo el sistema.

Robin: Exacto. Una sociedad en la que las personas más pobres, o la generación más joven, son tratados como niños incapacitados y en la que sólo las personas ricas y de mediana edad ostentan el poder, no va a ser eficaz.

John: Al fin y al cabo, el mundo comunista se vino abajo porque trató de llevarlo todo de acuerdo con un plan central, ideado por un grupo reducido de miembros del partido de edad avanzada. No se tuvo en cuenta la imposibilidad de que sólo un pequeño grupo se ocupe de las complejísimas relaciones que se dan en una sociedad compuesta por millones de personas.

Robin: Mientras que el sistema capitalista, con su economía de mercado, establece unas normas con las que se motiva a todo el mundo a emplear su inteligencia en su entorno, ya que es algo que es de su propio interés. Tienen que funcionar de forma inteligente si quieren sobrevivir. Por consiguiente, estamos hablando del mismo principio que encontramos en el caso de las corporaciones que disfrutan de la mejor salud y el mayor éxito: el arreglo más eficaz es aquel que provea cierto tipo de orden, es decir, *un número de normas generales básicas... que permitan el margen suficiente para que cada individuo pueda utilizar su inteligencia lo mejor posible.*

John: A condición de que estas normas generales tengan en cuenta las consideraciones sociales, ¿no es así?

Robin: Sí, de acuerdo.

John: Con todo, en mi opinión, todavía hay dos problemas totalmente insuperables.

Robin: ¿Cuál es el primero?

John: Que estamos hablando sobre la sociedad y que las personas que están en el poder son políticos.

Robin: ¿Y bien?

John: Bueno..., he tenido la suerte de hablar con J. B. Priestley en varias ocasiones, y nunca he podido olvidar lo que me dijo: «El problema de la democracia es que supone que las personas que se encuentran arriba sólo buscan el poder. La única manera de que alguien normal ostente el mando es mediante una monarquía hereditaria». Pues bien, aunque no estoy muy convencido de la segunda parte, de la frase no me cabe la menor duda de que la primera es cierta. Las personas que se pasan la vida en busca del poder son los últimos en abandonarlo. Su característica esencial es, con toda seguridad, que quieren controlar a los demás. Es decir, la señora Thatcher se convirtió en Primera Ministra proclamando su creencia en la libertad, pero a la hora de la verdad, no fue capaz de permitir a la gente que hiciera lo que a ella no le gustaba. Ningún político quiere que una persona vaya por ahí improvisando y aplicando principios que no se encuentran en el programa del partido. Me acuerdo de que en una ocasión, en la década de los setenta, unos amigos míos, unas personas estupendas que pertenecían al Partido Laborista, me dijeron que los resultados de los exámenes del instituto que habían corregido habían sido tan malos que habían tenido que guardar silencio al respecto, porque si no habría empezado a haber presión para cambiar el sistema, lo cual nos lleva a hablar de otro aspecto del deseo de controlar: a nadie le gustan las críticas, y la gran mayoría de los políticos utilizan su influencia para ahogarlas. Basta ver cómo Harold Wilson y, poco después, Margaret Thatcher se enfrentaron a la BBC. ¿Estás seguro, entonces, de que son los políticos las últimas personas que renunciarán al poder que con tanto ahínco han obtenido, con el fin de confiar en la inteligencia del sistema?

Robin: No es del todo sorprendente que las personas que ven el poder como un fin en sí mismo no puedan aguantar las críticas. Tenemos que entender que el problema de la política, al igual que el de mi profesión, es que atrae a muchas personas que tienen problemas consigo mismas y que no quieren afrontar una realidad que es dolorosa para intentar cambiarla.

John: Pero el hecho de que las personas que tienen el poder no quieran abandonarlo no es algo que afecte solamente al mundo de la política..., normalmente uno se encuentra con este tipo de personas tenaces y controladoras en la cúspide de los sistemas burocráticos, en los grupos de presión, en las empresas, en los sindicatos, en las asociaciones profesionales, etcétera. Son personas que creen que han de asumir la responsabilidad de todo porque no pueden confiar en que alguien tome alguna decisión o las lleve a cabo. Además de ellas están todos los fundamentalistas, sean cristianos, islámicos, judíos, hindúes, reformistas o cualquier fanático, los cuales tratan de imponer su sistema de valores a todos los demás mediante la vía legislativa o, si es necesario, mediante la violencia. Luego está ese gran grupo llamado los «padres», quienes, casi sin excepción, siguen controlando a sus hijos durante varias décadas después del límite apropiado. Como dijo una persona en una ocasión: «Una madre se pasa los primeros veinte años de la vida de su hijo ayudándolo a crecer, y él se pasa el resto de su vida intentando convencerla de que ya lo ha hecho». Puedo seguir si quieres...

Robin: No me cabe la menor duda, pero creo que ya he entendido el mensaje. Lo que todas estas personas tienen en común es que no quieren cambiar, por lo que les resulta mucho más cómodo tratar de *cambiar a los demás,* basándose en el principio de que el resto de la gente debe estar desfasada. Ésta es la razón por la que les preocupa tanto controlar a los demás: no pueden controlarse a sí mismas.

John: Lo que quieres decirme es que, si se encontraran junto a otras personas *sin* tratar de controlarlas, empezarían a experimentar una serie de sentimientos a los que no podrían hacer frente y que les harían sentirse incómodas, ¿no es así?

Robin: Efectivamente.

John: Ésa es la razón por la que todo el mundo trata, al parecer, de controlar a los demás, *sobre todo* los políticos.

Robin: No todo el mundo, sólo aquellas personas que son menos sanas. Las personas sanas tienen más interés en controlarse a sí mismas.

John: Bueno, si ése es el caso..., ¿qué posibilidades hay de que acabemos dirigiéndonos hacia una sociedad más sana, en la que se pueda utilizar la inteligencia de todo el sistema?

Robin: Creo que es algo que *ya está* ocurriendo, de una forma lenta pero segura. Inevitablemente, el proceso es tan gradual que no nos daremos cuenta de que está ocurriendo hasta que echemos la vista atrás; es algo parecido a observar el crecimiento de la hierba. Durante mi vida ha habido una serie de cambios tremendos: la aceptación de que debe existir una mayor igualdad entre los hombres y las mujeres y de que éstas deben participar más, la concienciación sobre una serie de cuestiones globales, por ejemplo, sobre las relaciones que se dan entre los seres humanos por todo el mundo, sobre las consecuencias de la contaminación y sobre la dejadez con respecto al equilibrio de la naturaleza, por citar unos cuantos ejemplos...

John: Sé que no dejas de tener razón, pero al mismo tiempo tengo la impresión de que la única esperanza que hay de que unos planteamientos tan sanos como éstos lleguen a la esfera política es a través del mundo de los negocios. Lo maravilloso de los empresarios es que su composición de lugar es más pragmática que ideológica: les gustan las cosas que funcionan. Si hay un número suficiente de empresarios que descubre que los planteamientos sanos a los que hemos hecho referencia tienen éxito en su propio ámbito...

Robin: De acuerdo, podrán introducir dichas ideas en una esfera social superior.

John: No se me ocurre otra forma de que pueda ocurrir. A no ser...

Robin: ¿Qué?

John: A no ser que todo el mundo lea este libro, haga exactamente lo que estamos diciendo y deje de tratar de controlar a los demás para que todos seamos felices y comamos perdices. Bajo el mandato de los demócratas liberales, por supuesto. Entonces nos erigirán unas estatuas enormes en todas las grandes ciudades para decirle a todo el mundo que lo que hemos dicho es que hay que ser modesto y humilde. No estaría nada mal, ¿no crees?

Robin: No, nada mal. Siempre que tú hagas lo que *yo* te indique, claro está. Bien, entonces, lo que estabas diciendo era que hay *dos* problemas totalmente insuperables en lo relativo a la existencia de una sociedad en la que los individuos puedan utilizar su inteligencia tanto como les sea posible. ¿Cuál es el segundo problema?

John: Bueno, hemos llegado a la conclusión de que eso sólo puede hacerse en el marco de una serie de normas básicas. En una sociedad moderna, es imposible que toda la gente llegue a un acuerdo sobre estas normas: los fundamentalistas islámicos dicen que la democracia es atea, los políticamente correctos dicen que hay que llamar a las chicas «premujeres» y Bush y Saddam afirman que los dos han ganado la guerra del Golfo.

Robin: Pero es que no hay que conseguir que se pongan de acuerdo. Eso es lo bueno de escribir un libro: tenemos que ver si podemos ponernos nosotros de acuerdo.

John: Se me había olvidado. ¡Qué alivio! De todas formas..., soy consciente de que mis prejuicios no pueden sino interponerse; quiero decir, si sugieres que Gran Bretaña necesita parte de la generosidad de los suizos, o la actitud latina con respecto a la corrupción, o una *joie de vivre* sueca, incluso si me dices que deberíamos intentar aprender de los franceses a ser el centro del universo..., no me quedará más remedio que decir que mi juicio está ofuscado por una nube de chovinismo, una palabra, a todo esto, de origen francés...

Robin: Bien, iba a sugerir que hay que observar los distintos tipos de sociedades para así tratar de averiguar cuáles son los valores que nos gustan más y qué deberíamos incorporar a nuestras normas básicas..., de modo que sería útil que comenzáramos por las sociedades que nos resultan menos familiares, para que así nuestros prejuicios no interfieran de buenas a primeras.

John: Buena idea. Comencemos nuevamente por el extremo que se encuentra peor. Dime una sociedad mala y poco familiar.

Robin: Bien, la que se me ocurre en primer lugar es una cuyos valores son, bueno, tan malos como cabe pensar. Se trata de una tribu africana que un antropólogo llamado Colin Turnbull se encargó de estudiar en profundidad, para lo cual decidió vivir con ellos una temporada.

John: ¿Te refieres a los ik?

Robin: Exacto. Viven en una zona montañosa del noreste de Uganda, cerca de las fronteras con Kenia y Sudán.

John: Peter Brook realizó una obra de teatro sobre ellos, ¿no es así?

Robin: Sí. Al igual que Turnbull, Brook creía que lo que les había pasado a los ik era una buena lección para todos nosotros.

John: Así que, presumiblemente, sus comienzos no fueron tan malos.

Robin: ¡Oh, no! En un principio, era una tribu de recolectores y cazadores nómadas que siempre habían disfrutado de la libertad de vagar de aquí para allá en busca de comida, en una zona bastante amplia que ahora está dividida entre los tres países que he mencionado.

John: Entonces no había ningún problema, ¿verdad?

Robin: Ninguno. En aquel entonces los hombres desempeñaban el papel de cazadores, si bien las mujeres y los niños los ayudaban acechando los animales para que ellos los capturasen con sus redes y los mataran. Las mujeres también colaboraban en la recolección de verdura y fruta.

John: Así que funcionaban en cooperación.

Robin: En buena parte, tal y como se dice que es la gente que vive este tipo de vida: generosa, cariñosa, honesta y compasiva.

John: ¿Qué cambió entonces?

Robin: Cuando las colonias africanas se convirtieron en naciones independientes, las fronteras pasaron a ser algo importante y muchas zonas fueron declaradas reservas naturales. En consecuencia, una tribu como ésta no podía continuar siendo nómada. Los ik acabaron confinados en una zona montañosa y baldía, en la que era realmente difícil hacerse con agua y alimentos.

John: Por lo tanto, su estilo de vida cambió completamente. Se encontraron con que no tenían los medios que los habrían ayudado a cambiar.

Robin: Por lo que su situación se hizo insostenible y empezaron a morirse de hambre. Como resultado, la estructura social cambió para hacerse cada vez más negativa.

John: ¿No acabaron completamente obsesionados por la comida?

Robin: Ésa fue la clave, efectivamente.

John: La única ocasión en la que ayuné de veras descubrí que, al despertarme tras la tercera noche, había soñado con chuletas de cordero. La imagen no me abandonó durante quince minutos: verdaderas exquisiteces doradas en la parrilla y con un aspecto realmente suculento, rodeadas de montañas de guisantes frescos, verdes y brillantes. En mi vida había soñado con comida, y no lo he hecho desde entonces. Con todo, la manera en la que me tuvo obsesionado tras sólo tres días de pasar hambre me dejó pasmado.

Robin: Para los ik el asunto alcanzó proporciones trágicas. Por ejemplo, en las ocasiones en las que una cacería salía bien, o cuando se tenía la suerte de descubrir otra fuente de comida, no se planteaba la posibilidad de compartirla. Los que se iban de caza o realizaban el descubrimiento, se ponían las botas y luego vendían a la policía lo que les había sobrado.

John: ¿Y lo de compartirlo con la familia?

Robin: Eso llegó a ser considerado una verdadera estupidez.

John: Dios mío... Supongo que esta negativa a compartir la comida les haría perder la capacidad de cooperar en otros ámbitos...

Robin: Me temo que tienes razón. Conforme se iban convirtiendo en personas más egoístas e individualistas, la preocupación por los demás y el deseo de ocuparse de ellos se vino abajo.

John: Todavía cuidarían de los niños, ¿no?

Robin: En realidad, no. Los padres mostraban muy poco interés en sus vástagos cuando las madres dejaban de darles el pecho. Cuando los niños llegaban a los tres años de edad, se los expulsaba de casa para que se las arreglaran por su cuenta.

John: ¿No se les permitía volver a casa?

Robin: No. Si se ponía a llover, se les permitía, acaso, sentarse a la entrada de la casa para guarecerse. Pero eso era todo. En caso contrario, los niños tenían que construirse refugios.

John: ¿Eran los niños capaces de cooperar entre sí?

Robin: Formaban grupos de diferentes edades para defenderse de los otros grupos, ya que solos no habrían sobrevivido. Era algo parecido a las pandillas rivales que hay en las grandes ciudades. Había mucha violencia, y las amistades no duraban mucho porque había peligro de traición.

John: ¿Y los ancianos?

Robin: Se los trataba incluso peor que a los niños, ya que eran los menos capacitados para conseguir comida y se morían de hambre. Mientras los ancianos morían, los demás se apresuraban a coger todas sus pertenencias, incluida la ropa, y a quitarles la comida de la boca.

John: Así que perdieron *todo* sentido de la solidaridad.

Robin: Sí, prácticamente todos lo perdieron. Su vida era tan horrorosa, tenían tanto por lo que sentirse afligidos y tan poco con lo que disfrutar, que acabaron aprendiendo a reprimir prácticamente toda su capacidad de sentir.

John: Me acuerdo de que, en *La familia y cómo sobrevivirla,* llegaste a afirmar que no podías reprimir un sentimiento sin reprimir todos los demás.

Robin: Efectivamente. Turnbull dice que resultaba realmente difícil detectar cualquier tipo de emoción en los ik. De hecho, los llama los «desafectos». También dice que se comportaban como si lo importante fuera no querer a nadie, lo cual, en su opinión, les protegía del dolor y la tristeza que habrían sufrido en caso contrario. Oigámoslo en sus propias palabras: «He visto poco de lo que se podría llamar afecto. Aunque he visto cosas que me han hecho sentir ganas de llorar..., nunca he llegado a ver a un ik sentir algo parecido, tan sólo las lágrimas de los niños causadas por la ira, el odio y la malicia». A esto añade: «No he visto ningún indicio del tipo de vida familiar que se podría encontrar en cualquier otra parte del mundo. Tampoco he visto ninguna señal de amor, ninguna disposición para el sacrificio o para aceptar que no somos nada por nosotros mismos, sino que tenemos que unirnos a los demás».

John: ¿Trataron los ik a Turnbull de igual manera que a los demás?

Robin: Sí, sí que lo hicieron. De ahí que no sea ninguna sorpresa que le resultase tan doloroso vivir con ellos. Disfrutaban, la mayor parte del tiempo, frustrando sus tentativas de obtener los conocimientos que había ido a buscar. Hablaban un idioma diferente para excluirlo. En una ocasión, estuvo tres días seguidos sentado junto a ellos cerca de una fuente: no abrieron la boca en todo el tiempo. En realidad, lo que querían era mostrarle lo que suponía ser uno de ellos: sentirse completamente aislado, estar completamente solo.

John: Así que llegó a sentirse como ellos.

Robin: Más aún. Turnbull muestra una gran franqueza en este aspecto y dice que, a medida que fue pasando el tiempo, tuvo la desagradable sorpresa de ver que empezaba a comportarse como ellos para protegerse. Su humor fue empeorando con el tiempo hasta hacerse algo crónico, mientras él se iba reconcentrando, aislando en el silencio. Lo creas o no, acabó disfrutando del hecho de poder excluir a los demás para comer a solas.

John: Se había identificado con ellos.

Robin: Sí. Creo que hubiera sido imposible resistirse a ello.

John: Has utilizado la palabra «disfrutar» al referirte a cuando se consigue que los demás se sientan mal, ¿no es así?

Robin: Sí, ése es un aspecto más de esta situación. Al parecer, los ik sacaban partido del poco placer que les podía deparar observar cómo otras personas lo estaban pasando mal. Por ejemplo, el hecho de que se cayera una persona que se encontraba demasiado débil como para levantarse, podía aprovecharse para humillarla y vejarla. A los ancianos que sólo podían arrastrarse se los empujaba por diversión.

John: Sí, eso *es* realmente divertido...

Robin: Calla la boca. Turnbull añade que, en más de una ocasión, la tribu intentó provocar su muerte sólo para divertirse. Lo peor de todo es que, por ejemplo, eran capaces de ver a un niño arrastrándose en dirección a una hoguera sin detenerlo o siquiera intentar avisarle, sino esperando con gran expectación a que tocase las llamas. En el momento en el que se quemaba, se echaban a reír.

John: Bueno, creo que ya entiendo el proceso de desarrollo de la crueldad. Lo puedo ver incluso en mi vida diaria: cuanta más tensión siento, menos ganas tengo de preocuparme por cómo se sienten los demás. Con todo, no entiendo todavía lo que me has explicado, un ejemplo de crueldad absoluta. ¿Qué sentido tiene?

Robin: Seguramente tenga varios. En primer lugar, hace falta tener un carácter muy fuerte –es decir, un buena salud– para soportar semejantes adversidades y no desear, al mismo tiempo, que sufran por igual otras personas que son menos desgraciadas que tú. Existe una tendencia natural a reducir el dolor propio extendiéndolo a los que te rodean, de tal forma que cuanto peor te sientes, peor te quieres portar con los demás. Lo ideal es que puedas infligir a los demás un daño muy *superior* al tuyo, para así sentirte más afortunado que ellos. Lo más sencillo es hacerlo con los niños, con los ancianos y con todas las personas que son débiles y vulnerables.

John: Muy bien. Si tenemos en cuenta este comportamiento, ¿cómo expresarías su código moral?

Robin: «Sálvese quien pueda». Es un código extremo que resulta cada vez más habitual en nuestra sociedad. No existe ninguna diferencia, a excepción hecha del grado al que se llega, con el concepto de «libertad de empresa» cuando éste se lleva hasta las últimas consecuencias. Tampoco existe mucha diferencia con la situación que se da cuando las personas que tienen trabajo se alegran de que haya un enorme número de gente que no lo tenga y no se plantean repartirlo y cobrar menos.

John: Supongo que el comportameinto de los ik tiene sentido desde el punto de vista de la teoría de la evolución, dadas las circunstancias que se dieron.

Robin: Turnbull llegó a esa misma conclusión. Para que la continuación de la *tribu* sea posible, es vital que los adultos sanos sobrevivan. Ellos eran los más capacitados para afrontar la situación y además podían tener hijos cuando quisieran.

John: Ahora dame un ejemplo de una sociedad que se encuentre en el otro extremo del espectro de la salud mental.

Robin: Bien, hablemos entonces de Ladakh. Hace poco que estuvimos allí, por lo que disponemos de una experiencia de primera mano.

John: Sí, se encuentra en el norte de la India, aunque culturalmente se halla más cerca del budismo tibetano. Es prácticamente la única zona en la que dicha cultura pervive, ya que los chinos la han ido destruyendo en el interior del Tíbet. El método que han utilizado es muy eficaz: se han dedicado a asesinar a un millón y medio de tibetanos, para luego ocupar su lugar con un número de habitantes que superaría al de los tibetanos supervivientes.

Robin: El hecho de que Ladakh se encontrara bajo la amenaza china animó al gobierno indio a impedir que los extranjeros entrasen en esa zona. Eso ha permitido proteger su forma tradicional de vida de las influencias exteriores hasta mediados de la década de los setenta, que fue cuando se abrieron las puertas a los visitantes. En aquel entonces, una investigadora llamada Helena Norberg-Hodge comenzó a visitar el lugar y se dio cuenta de que la gente que vivía allí era la más feliz y la más satisfecha que se había encontrado jamás, y que seguramente no había ningún otro lugar en el mundo que se le pudiera comparar. Otros visitantes contaban la misma historia: un pueblo increíblemente abierto, alegre, noble, sonriente y amable, que parecía disfrutar de la vida y poseer el secreto de llevarse bien con los demás. Al parecer, había un profundo sentimiento de paz y armonía que suscitaba una gran *joie de vivre* y una enorme alegría.

John: Cuando estuvimos allí en 1990, nos sorprendió la gran sensación de igualdad y respeto mutuo que había.

Robin: A pesar del hecho de que existe una jerarquía evidente y una aristocracia que todo el mundo reconoce.

John: Sí, pero no parece que haya división de clases, ¿no es así?

Robin: Eso es cierto. Todo el mundo da su opinión con absoluta confianza y se le escucha con respeto. De hecho, está claro que a los ladakhis se les respeta por lo que son, no por su posición o por sus posesiones.

John: Recuerdo que en una ocasión pasé por delante de un cobertizo y me dijeron que era la cárcel. En aquel sitio no cabrían más de cuatro personas jugando a las cartas. Nuestros huéspedes nos dijeron, además, que la cárcel estaba vacía casi siempre porque el crimen de cualquier clase era muy raro, y los crímenes violentos eran virtualmente inexistentes. Para lo único que utilizaban la cárcel era para alguna persona que necesitara pasar la noche, porque había bebido demasiado al chang y tenía que despabilarse. ¿Por qué crees que Ladakh funciona tan bien?

Robin: Bueno, las personas que se han dedicado a estudiarlo parecen estar de acuerdo en que una de las principales razones es el equilibrio que han encontrado entre la independencia personal y el sentido de la responsabilidad comunal. Un experto ha llegado a decir que Ladakh se aproxima a la «utopía rural» que buscaba Gandhi.

John: Lo que le sorprende a uno es la importancia de la cooperación más que la de la competición.

Robin: Excepción hecha de cuando juegan al polo, entonces todo está permitido; es decir, si bien pueden ser competitivos, sus valores básicos se orientan hacia la ayuda mutua y el mantenimiento de las buenas relaciones, de esa manera las disputas se aclaran con gran facilidad.

John: ¿De dónde surge esta cooperación?

Robin: El sistema de valores de los ladakhis es oriental y está profundamente influido por el budismo. Por lo tanto, funcionan según el principio de que todos somos interdependientes, que todas las cosas y todos los hombres están relacionados entre sí, y que las relaciones son esencialmente armoniosas si la gente se muestra abierta y honesta con los otros. Norberg-Hodge dice que nunca se «había encontrado con un pueblo tan sano como el de los ladakhis y que tuviera semejante seguridad emocional». La investigadora cree que «el factor más importante es que se tiene la sensación de que uno forma parte de algo superior a sí mismo, que uno se encuentra inextricablemente unido a su entorno».

John: En cambio, la visión occidental del mundo recalca la separación entre las cosas, de ahí que nos sintamos separados. La experiencia que tenemos entre nosotros es la de seres apartados de los demás y de la naturaleza.

Robin: E incluso así, no nos sentimos ni a gusto ni confiados con esa sensación de separación. Nos sentimos, en cambio, desgajados, aislados, solos. En contraposición, Norberg-Hodge dice que «los ladakhis son menos dependientes, desde un punto de vista emocional, que nosotros en nuestra sociedad industrial. Aunque hay amor y amistad, no es de un tipo egoísta, no se trata de poseer a la otra persona». La investigadora afirma además que el hecho de vivir en una sociedad sana «fomenta la independencia y la creación de vínculos sociales, facilitando a cada individuo una red de ayuda emocional carente de condiciones», y que «gracias a esta estructura educativa, los individuos se sienten lo bastante seguros como para convertirse en seres libres e independientes».

John: Además hay algo tranquilizador en ellos. Aparte de la alegría, la vitalidad y la amistad de la que hacen gala, resultan de lo más *normales*. Ladakh no es Shangri-La.

Robin: No, no es un lugar perfecto, como tuvimos ocasión de comprobar. John Crook, que se encargó de nuestro grupo y ya había estado varias veces en

Ladakh con anterioridad, comparte la visión positiva de los ladakhis, pero es consciente de que ellos también sufren sentimientos de tensión y agobio y que, en ocasiones, se ven obligados a acabar con ciertas relaciones. Lo que pasa es que, por lo visto, les resulta más fácil que a nosotros afrontar este tipo de situaciones. John Crook también dice que aunque la cooperación y la ayuda mutua entre los pueblos es muy frecuente y, a pesar de que tienen sistemas muy buenos para resolver las disputas y una gran capacidad para soportar los infortunios, siempre deben pagar un precio. Por ejemplo, el hecho de esperar que todo el mundo sea tan agradable puede ocultar algún tipo de tensión subyacente y, por consiguiente, las reacciones pueden llegar a parecer poco auténticas. La posibilidad de que uno no sea capaz de corresponder a un acto de generosidad puede ser motivo de ansiedad. Lo curioso del asunto es que es un precio parecido al que pagan los japoneses por su notable cohesión social. Así y todo, John no dejó nunca de sorprenderse de la enorme intimidad de la que los ladakhis podían llegar a disfrutar.

John: Sí, me acuerdo que cuando le comenté a mi madre lo mucho que me gustaban los ladakhis, me dijo que a ella también le habían gustado siempre los negritos..., estoy divagando. Todas las personas que han pasado una temporada allí están de acuerdo en que se trata de una cultura sorprendentemente sana. Además, si se compara con las características de las familias muy sanas, se da un número muy alto de coincidencias, lo cual viene a demostrar que hay una fuerte actitud «afiliativa» y una gran cooperación entre los grupos. Con todo, se logra mantener la independencia y el respeto por la individualidad de los demás.

Robin: Por otro lado, a pesar de que hay una estructura social clara, las relaciones son muy democráticas.

John: La comunicación es muy fluida. Incluso los viajeros que visitaron la región en el siglo XIX describieron a sus habitantes como gente «sincera». Además, son vivaces, espontáneos y parecen disfrutar de la vida.

Robin: Y son capaces, desde las alturas desiertas en las que se encuentran, de enfrentarse a las duras realidades de la vida con mucho ánimo. Además, aguantan los cambios, como una pérdida o una muerte, sin ningún problema. Los paralelismos son sorprendentes.

John: ¿Crees que tal vez los estamos idealizando?

Robin: No, la evidencia está ahí. Los antropólogos han demostrado con gran claridad que la vida «primitiva» es con frecuencia mucho más sana que la nuestra, si nos guiamos por los principios que hemos estado utilizando. Por ejemplo, Turnbull dice: «Desde el punto de vista de la dedicación consciente a las relaciones humanas que combinan la afectividad y la efectividad, no cabe duda de que las culturas primitivas van por delante de nosotros». Desde la más tierna infancia y a lo largo de todas las etapas de la vida, la comprensión y el «saber hacer» social es transmitido a todo el mundo de una manera concreta, mediante un aprendizaje social continuado. Prácticamente todo lo que ocurre –educación formal, los acontecimientos sociales, el trabajo, los juegos y, claro está, los rituales– contribuye a la consecución de la comprensión de la que he hablado. Turnbull cita un juego de niños que se practica en una tribu con un alto nivel de cooperación, que se llama Mbuti y habita en el noreste de Zaire. Unos niños suben, uno a uno, a un árbol joven y flexible, hasta que su peso es tal que el árbol se inclina, acercando su copa, por tanto, al suelo. El objetivo del juego es que salten todos los niños al suelo juntos y simultáneamente. Si uno de ellos no lo hace así, el resto saldrá despedido por el árbol, un error que no volverán a repetir. De esta manera la persona *comprende la necesidad de desempeñar un papel*; y aprende a jugar de una forma eficaz que permita a todos beneficiarse, incluida la persona en cuestión. En contraposición, en Occidente no hacemos prácticamente nada para fomentar este tipo de conciencia social y comprensión de la sociedad como conjunto, o por mejorar nuestra eficacia para desempeñar de manera adecuada nuestro papel ni por desarrollar un sentido de la responsabilidad al respecto.

John: Claro, hemos llegado al rompecabezas. Éste, señor doctor, es el enigma que se encuentra encerrado en la paradoja. Estas maravillosas sociedades, tan sencillas y felices –aquellas que creemos envidiar–, nunca consiguen resistirse a la corrupción materialista, cuando se les ofrece. El individualismo y el materialismo occidental van en contra de sus valores más profundos y, aun así, estas sencillas sociedades se aferran a estos conceptos con las dos manos, a pesar de que deben saber que, por este camino, acabarán perdiendo la mayor parte de lo que les es más preciado en su comunidad. ¿Te viene a la cabeza una sola sociedad que haya decidido no seguir el camino del materialismo a ultranza?

Robin: No, realmente no. Y no cabe duda de que Ladakh tampoco. Ahora que los ladakhis han entrado en contacto con los occidentales han empezado a sentirse pobres en comparación y su sentido de la dignidad ha comenzando a cambiar, por lo que han empezado a dudar de sí mismos y a subestimarse. El dinero y las ganancias materiales tienen cada vez más importancia. Antiguamente, cuando la región abrió sus fronteras, los visitantes eran tratados como huéspedes en todas las casas, mientras que ahora los ladakhis que entran en contacto con los visitantes se preocupan fundamentalmente por el dinero. Cada

vez resulta más evidente la falta de generosidad de la gente, los precios son cada vez más altos y hay incluso casos de robo en aquellos lugares en los que la influencia occidental ha sido más fuerte. Cuando esto ocurre, la gente empieza a sufrir tensiones y desequilibrios tales como la inquietud, la agresividad y la depresión. Se han llegado a dar casos de alcoholismo, y los ancianos no reciben los cuidados de los que gozaban antaño.

John: Tal vez sea difícil resistirse al atractivo de los valores de Occidente si no se sabe a dónde te pueden llevar.

Robin: Bueno, si no podemos resistirnos a ellos nosotros mismos, a pesar de todos los males que comportan: aumento constante de los índices de criminalidad, malestar y aislamiento social, un número creciente de separaciones matrimoniales y de familias disgregadas, abuso de niños, selvas que mueren por culpa de la lluvia ácida, un desastre de la gravedad de Chernobil que ya ha tenido efectos en todo el mundo y que es sólo el preludio de muchos más, un agujero en la capa de ozono que nos obliga a llevar sombreros y gafas en vez de poder disfrutar del sol, la destrucción de la vida salvaje, de la belleza de la naturaleza e incluso de los árboles que producen el oxígeno que respiramos... Si *todavía* no hemos entendido este mensaje resulta difícil culpar a personas como los ladakhis, a los que se les enseña un reloj o una radio pero no se les explica las consecuencias finales que todo ello acarrea, personas que entienden lo que decimos de forma literal porque son todavía sinceras y confiadas, mientras que nosotros no somos dignos de confianza y ni siquiera podemos hacer frente a la verdad por nosotros mismos...

John: ¿Sabes? Me acabo de dar cuenta de que estamos hablando del «materialismo de Occidente» y de los «valores de Occidente» como si Occidente siempre hubiera sido igual. Sin embargo, Occidente experimentó justamente el mismo proceso que acabamos de describir, exactamente la misma transición: la que lleva de una sociedad comunal y basada en la cooperación a una competitiva e individualista.

Robin: Continúa...

John: Es decir, el cambio que lleva de la cristiandad medieval a la Europa moderna. Por el mero hecho de que ocurriera hace mucho tiempo, olvidamos que se trata del mismo proceso. Si retrocedemos a la Edad Media, nos encontramos en Europa con una cultura sencilla y basada en la cooperación.

Robin: ¿Cuál dirías que era la idea subyacente?

John: ¡Ah!, las fáciles primero, ¿eh? Bueno, supongo que todo se basa en la indiscutible aceptación de que la sociedad es como es porque Dios lo ordenó de esa forma. Todo el mundo y todas las cosas se encuentran en el sitio preciso. Por lo tanto, no tiene ningún sentido intentar subir o bajar en la jerarquía o tratar de cambiar nada.

Robin: No es precisamente una fórmula que anime a la competición.

John: No, porque cada persona se siente tan identificada con su papel en el orden social que acaba considerándose miembro de un gremio, un caballero, un artesano o un campesino, y *no* un individuo que da la casualidad que ha ido a parar a esa posición. Por lo tanto, a nadie se le ocurre cambiar nada. Por otro lado, hay una serie de normas y de obligaciones que determinan prácticamente todo. De hecho, uno no puede vestirse o comer como quiere.

Robin: ¿Cómo se organiza la sociedad?

John: Bueno, la jerarquía feudal consiste en una red de obligaciones que funciona en dos direcciones... Bueno, el rey es el gallito del lugar, pero incluso él tiene que consultar a sus magnates, y la Carta Magna[1] es prueba de ello. Don-

1. El *Diccionario de términos históricos* de Chris Cook, define el término Carta Magna como: «Carta sellada por el rey Juan en 1215 por insistencia de sus barones. Establecía los principios para la gobernación del reino tanto para el rey como para el resto. En la imaginación popular, y desde el siglo XVII, la Carta Magna se convirtió en símbolo de las libertades y de las leyes fundamentales inglesas».

dequiera que estés en la estructura, siempre tienes una serie de obligaciones para con tu superior, quien a su vez ha fijado una serie de obligaciones para con tu persona. De esa manera, la tierra, la única fuente de riqueza, se convierte en algo muy difícil tanto de vender como de comprar, ya que cada extensión está gravada por los diversos derechos que la gente tiene sobre ella.

Robin: ¿Y los negocios?

John: Bueno, nadie puede ganar mucho dinero. La Iglesia fija un «precio justo» para todo y hay una serie de normas que te dicen dónde tienes que vender lo que poseas. Si eres comerciante, has de pertenecer a un gremio, lo cual bloquea la mayor parte de la competencia entre sus miembros, al obligarlos a compartir los secretos del negocio y la compra de las materias primas. Como es lógico, la usura está, por añadidura, prohibida para proteger de la explotación a los necesitados. En resumidas cuentas, la clave es que los principios económicos están subordinados por completo a las necesidades humanas. Como Richard Tawney dice: «Es justo que un hombre busque la riqueza necesaria para ganarse la vida. Buscar más que eso es avaricia... un pecado mortal».

Robin: Por tanto, la moral domina incluso las cuestiones económicas porque, para la mayoría de la gente, el cielo y el infierno son algo real.

John: Sí, la Iglesia, que es supranacional, fomenta un gran sentimiento de culpa con el fin de controlar a la población. Además tiene un poder asombroso: la tercera parte de la tierra es suya, controla los medios de comunicación –el púlpito era el telediario del Medievo– y deja bien claro que la única forma que uno tiene para comunicarse con Dios es a través de sus intermediarios. En los oficios, se emplea un lenguaje incomprensible, no hay disponibilidad de los textos sagrados que permita pensar por cuenta propia, y la única manera de evitar el sentimiento de culpa es haciendo un trato con el sacerdote.

Robin: Y además todos los conocimientos están en manos de la Iglesia.

John: A pesar de que, incluso en ella, el pensar por cuenta propia es un concepto extraño, puesto que cualquier tipo de argumento queda aclarado acudiendo a las autoridades, Aristóteles a ser posible, aunque alguno de los Padres de la Iglesia también sirve. Las autoridades cuentan todo tal y como es, por lo que no cabe ningún tipo de discusión y, de haberla, ésta se reduce al intercambio de citas y a las referencias a la jerarquía espiritual.

Robin: ¿Y a la gente no se le ocurre comparar ninguna cosa con la realidad?

John: No, porque ninguna persona que tenga un mínimo de educación siente un gran interés por el mundo real: las únicas cuestiones que les parecen importantes son la teología y la metafísica.

Robin: Luego no hay ciencia.

John: Por consiguiente, se tarda muchísimo en hacer una innovación técnica. Algo parecido ocurre en el ámbito del arte y la arquitectura: los artistas se limitan a copiar cuidadosamente a sus maestros, quienes ya se ocuparon de copiar a sus maestros en su día. Como es natural, nadie tiene que firmar el trabajo que ha realizado: Dios sabrá quién lo habrá hecho.

Robin: ¿Significa esto que la gente no se paraba a pensar demasiado en sí misma, que no trataba de analizarse?

John: Me da la impresión de que algo así no se les ocurriría porque, sencillamente, la introspección, que a nosotros nos parece de lo más normal, no era algo habitual en sus vidas. Como dice Erich Fromm: «El conocimiento del ser individual, el de los demás y el del mundo como entidades separadas, todavía no se había desarrollado del todo». Por lo tanto, si uno no puede verse a sí mismo como algo separado de todo lo que lo rodea, no puede pensar sobre sí mismo de una manera objetiva o incluso subjetiva.

Robin: Cierto. No se te incluiría en el «orden del día» como un asunto separado.

John: Con frecuencia, noto que me vuelvo más introspectivo cuando me siento inseguro e indeciso sobre algo. Fromm indica que el hombre del Medievo estaba «enraizado en un conjunto estructurado y, por lo tanto, su vida tenía un significado que no dejaba lugar, ni producía la necesidad, de la duda».

Robin: Así que, la otra cara de la moneda de la falta de conocimiento del individuo sobre sí mismo es una sensación enorme de pertenencia, de *seguridad,* ¿no es así?

John: Algo que a nosotros nos resulta difícil de entender ahora. Es como tratar de imaginar cómo se miraba un cuadro antes de que se inventase la perspectiva.

Robin: ¿Aproximadamente en qué epoca situarías el mundo medieval que has descrito?

John: Vamos a ver... Por lo visto hay una serie de cuestiones referentes a esta época que los historiadores aún no han resuelto, sobre todo por lo que respecta a las fechas en las que ciertas características comenzaron a desarrollarse. Un excelente grupo de historiadores de Oxford, dirigidos por Alan Macfarlane, afirma que Inglaterra era una sociedad tremendamente individualista en el año

1300. Hay otros historiadores muy respetados, sin embargo, que piensan que el proceso de individualización tuvo lugar doscientos o trescientos años más tarde. Por otro lado, en la Italia renacentista, el individualismo estaba mucho más limitado al grupo de personas más pudientes, mientras que la masa de la población continuaba siendo bastante uniforme. En la Europa del Norte, el individualismo formaba parte de una cultura que llegaba hasta la baja clase media. Por tanto, lo que estoy tratando de describir es, digamos, un retrato idealizado del sistema de comunas medieval, que incluye una garantía para molestar a cualquier historiador.

Robin: Y que tiene como objetivo que el contraste con la «Europa Moderna» quede más claro.

John: Exacto. Y que, además, recalque el cambio radical que tiene lugar con respecto a ésta, al caracterizar la «Europa Moderna» como una variedad de la Europa del Norte protestante de principios del siglo XIX.

Robin: Entonces, ¿cuál es la principal característica de la Europa Moderna a la que estás haciendo referencia pero sobre la cual no quieres dar demasiados detalles?

John: Bueno, como llegado ese momento los individuos tiene un mayor conocimiento sobre sí mismos, se sienten por lo tanto más separados del resto del mundo, lo cual les permite observarlo de una forma más objetiva. Jacob Buckhardt, el gran historiador del Renacimiento, dice que en ese momento un velo de ilusión se perdió en el aire.

Robin: Has dicho que la característica principal del mundo medieval era que todo estaba ordenado por Dios...

John: Efectivamente. La consecuencia de que se vea el mundo de una forma más objetiva es que se logra averiguar cómo funciona: tras los descubrimientos de Galileo, Descartes y Newton, la gloria de Dios se traduce en su «plan para el universo», es decir, en las leyes de la ciencia. Él ya no está a cargo de todo: se trata de un Dios «no ejecutivo». Ya no hay un orden fijo de las cosas, aparte de las mencionadas leyes.

Robin: Por lo tanto, no va en contra de la ley de Dios tratar de mejorarse uno a sí mismo. Mientras que la Iglesia medieval intentaba sofocar la competición, este nuevo punto de vista lo que hace es promoverla.

John: Además, la gente empieza a mirarse a *sí misma* de una manera más objetiva, lo cual les hace pensar que muchas de sus necesidades son válidas y no manifestaciones pecaminosas. Esto supone que la satisfacción de dichas necesidades no es algo inmoral: la búsqueda de la felicidad ya no es algo que se vea como un pecado.

Robin: Entonces, ¿en qué posición queda la Iglesia?

John: Los oficios eclesiásticos y las Sagradas Escrituras se traducen a las lenguas vernáculas, de manera que todo el mundo puede discutir de teología y puede expresar su propia opinión. El contacto directo entre cada individuo y Dios cobra importancia, por lo que las personas tienen que empezar a rendir cuentas a su Creador.

Robin: Es decir, la conciencia personal empieza a tener peso propio.

John: Exacto. Y la ética protestante del trabajo empieza a desarrollarse rápidamente, lo cual apareja un mayor énfasis en la acumulación de riquezas personales, no para ser gastadas, sino para convertirse en una medida de la laboriosidad, la frugalidad y la eficiencia personal: «Cuando el diablo no tiene nada que hacer, con el rabo mata moscas» y «El tiempo es oro».

Robin: De manera que la Iglesia católica dice que el capitalismo es totalmente aceptable, no pone ningún reparo a la usura, no existe una cosa parecida al precio injusto y una persona puede pagar el sueldo que le dé la gana.

John: Efectivamente, la Iglesia se hace tan capitalista que, más tarde, cuando se introduce la legislación en la Cámara de los Lores para limitar la utilización del trabajo infantil, los *obispos* votan en contra.

Robin: ¿Qué ocurre con los derechos que el campesinado más pobre tenía sobre la tierra?

John: Desaparecen, lo cual los obliga a trasladarse a la ciudad en busca de trabajo y acaban convirtiéndose en la mano de obra barata que los capitalistas necesitan. Gracias a esto, los terratenientes tienen ahora la libertad para explotar sus tierras con el máximo beneficio.

Robin: En resumidas cuentas, el comportamiento económico deja de ser un aspecto más del comportamiento personal.

John: Correcto. Aparece ahora un poder impersonal sobre las leyes económicas que las sitúa por encima de la consideración humana.

Robin: Es entonces cuando la gente empieza a decir: «Lo siento mucho, pero así son los negocios».

John: Exacto. Otro aspecto de este comportamiento individualista es la explosión de la creatividad. Los científicos no sólo descubren, sino que inventan. La revolución tecnológica es asombrosa y el arte se vuelve cada vez más inventivo e individualista. Se comienza a reconocer con más facilidad el estilo de cada artista y a ninguno de ellos se le ocurre dejar un cuadro sin firmar.

Robin: ¿Qué ocurre con la vida personal?

John: Bueno, el éxodo a las ciudades acaba con la familia numerosa y aumentan las posibilidades de elección individual en el matrimonio. Las relaciones, al parecer, se vuelven más románticas y menos «comerciales». El concepto prioritario es el de la privacidad. Las personas empiezan a pasar el tiempo a solas, leyendo, pintando, escribiendo diarios y pensando en sus vidas.

Robin: ¿De qué manera cambian las vidas de esas personas con respecto a la época medieval?

John: Cada individuo ha ganado enormemente en el conocimiento de su propia persona y del mundo. También ha ganado en libertad, algo que ha conseguido a cambio de una tremenda pérdida en los aspectos económicos, afectivos y de seguridad.

Robin: O lo que es lo mismo, todos los aspectos de la vida medieval que podían ser considerados como restricciones de la libertad eran, al mismo tiempo, una fuente de relaciones y apoyos para el individuo.

John: La libertad comporta soledad. Por tanto, señor psiquiatra, ¿existe un paralelismo entre lo que hemos estado comentando y la experiencia de un niño cuando crece y se separa de su familia?

Robin: La hay, qué duda cabe. Crecer de la infancia a la madurez –al menos en la sociedad moderna– es un proceso en el que la unión inicial entre la madre y el hijo va siendo substituida, de forma ininterrumpida, por una creciente autonomía e independencia a cambio de una mayor separación, un mayor sentimiento de soledad y la necesidad de cuidarse de uno mismo. Es algo que se ve sobre todo cuando el niño se niega a hacer lo que se le dice y exige hacerlo por su cuenta. El desprenderse de la dependencia y la seguridad supone una fuerte presión en la adolescencia. Te acordarás de que en *La familia y cómo sobrevivirla* comentaba que uno de los significados del mito del Paraíso –Adán y Eva desobedecen a Dios y son expulsados– tiene que ver con este proceso de «desasimiento».

John: Muy bien. Bueno, ahora he de pararme para ver dónde estamos. Hemos estudiado una serie de sociedades sencillas y colaboradoras y hemos podido comprobar que la occidentalización las ha hecho derivar hacia un modelo más individualista y competitivo. Luego..., hemos repasado el proceso tal y como ocurrió en Occidente hace unos cuantos cientos de años...

Robin: Espera un momento. ¿Por qué has elegido el comienzo del siglo XIX? ¿Era entonces cuando el individualismo estaba en su momento cumbre?

John: Creo que fue entonces cuando la situación era más clara. A partir de ese momento, la gente comenzó a darse cuenta del número de víctimas que la adopción de este sistema aparejaba. De ahí que empiecen a surgir ideas y movimientos que tratan de contrarrestar el capitalismo galopante. En un principio, son grupos privados y espontáneos los que llevan a cabo la mayoría de las mejoras, si bien pronto empieza el Estado a asumir un control cada vez mayor, lo cual comporta que las actitudes se politicen.

Robin: De ahí que, a medida que la gente que se encuentra más abajo en la jerarquía empieza a conseguir su derecho a voto, el proceso se va acelerando.

John: Las ideas socialistas que van a desarrollarse se manifiestan de dos formas diferentes. Una es el comunismo, el cual pretende substituir el capitalismo por completo pero se siente incapaz de enfrentarse a las complejidades de los mercados modernos...

Robin: Como el colapso del bloque soviético ha venido a mostrarnos a todos...

John: ... Aparte de ser en la práctica moralmente repugnante. Es decir, el concepto del comunismo tiene una gran validez moral, ya que es muy cristiano en algunos aspectos. En realidad, el hecho de que la gente lo vilipendie me hace pensar en lo que dijo G. K. Chesterton sobre el cristianismo: «No es que haya fracasado; sencillamente nunca ha sido llevado a la práctica». El problema es que la teoría que lo sustentaba era totalmente paranoica: la clase trabajadora es buena, la burguesía es mala. Como en una ocasión dijo Bertrand Russell, si ése es el caso, ¿por qué hemos de cambiar el sistema para dar a la clase trabajadora las ventajas que han hecho de la burguesía algo tan malo? Esta teoría paranoica atrajo a personajes igualmente paranoicos que siempre superaban en número a los que tenían una ideología verdaderamente comunal, algo que hizo empeorar el hecho de que el poder corrompa. Además, el comunismo monopartidista no contaba con ningún tipo de correctivo, puesto que en realidad el partido se había desprendido de ellos. La lealtad a éste se convirtió en la virtud suprema y el resultado fue el colapso del fuerte partido comunista.

Robin: Exacto. ¿Cuál decías que era la *otra* manifestación del socialismo?

John: Bueno, en aquellos ámbitos en los que ciertas ideas socialistas fueron incorporadas al sistema capitalista se alcanzó un buen número de logros. Nadie puede oponerse hoy a la necesidad del estado de bienestar, como hicieron los conservadores cuando se opusieron a la Ley de la Seguridad Social en la década de los años cuarenta.

Robin: Sin embargo, el socialismo fracasó en lo referente a la creación de riqueza, ¿no es así? Los burócratas no sólo no pueden encargarse de las operaciones empresariales, sino que obstruyen a las personas que pueden hacerlo.

John: Cierto. A mediados de la década de los setenta le pregunté a un profesor de la Escuela de Empresariales de Londres por qué la economía británica había tenido problemas desde 1945, y me dijo: «Aunque se supone que ha de ser una economía combinada, a la parte privada nunca se le ha permitido funcionar de forma adecuada». A pesar de que he votado al partido laborista en varias ocasiones, nunca he llegado a entender cómo se puede animar la inversión si se obliga a la gente a pagar el noventa y ocho por ciento de impuestos sobre los ingresos que se deriven.

Robin: Hoy en día lo normal es aceptar que sólo el capitalismo puede producir bienes.

John: De la mano del capitalismo viene la democracia liberal. Soy consciente de que Singapur y Corea del Sur no son *todavía* un dechado de virtudes democráticas, pero sé que la adopción de los principios del libre mercado conduce inexorablemente a unas libertades de tipo social y político. De ahí que en el momento actual el historiador estadounidense Francis Fukuyama diga: «Nos resulta difícil imaginar... un futuro que no sea esencialmente democrático y capitalista».

Robin: Bueno, incluso si es verdad, eso no significa que estemos viviendo en un modelo único de sociedad, ¿no crees? Después de todo, me da la impresión de que las dos democracias liberales que han tenido más éxito en el mundo se encuentran en los extremos opuestos del espectro individualista-comunal que estamos estudiando en este capítulo.

John: ¿Te refieres a Estados Unidos y Japón?

Robin: Sí. Estados Unidos, que tiene una larga tradición de fuerte individualismo, y Japón, el cual opera mediante una estructura comunal y sigue un estilo excepcionalmente consensual.

John: Es decir, que si examinamos los dos, es posible que veamos más claramente las facetas del individualismo y las facetas de la cultura comunal que más nos gusten. Entonces sería posible averiguar si una combinación de los dos nos daría una democracia liberal mejorada.

Robin: Exacto.

John: Bien, yo he pasado unos tres años de mi vida en Estados Unidos y siempre he sido fiel al principio de casarme con mujeres de dicho país, ¿puedo comenzar entonces?

Robin: Dispara.

John: En primer lugar, he de delimitar el campo de acción. La gente que más me gusta en este mundo son los estadounidenses que han pasado una temporada en Europa *y* los europeos que han pasado un tiempo en Estados Unidos. En mi opinión, tenemos que incorporar las cualidades de los otros y viceversa. Por lo tanto, todo lo que voy a decir de ahora en adelante se refiere a Estados Unidos sin adulterar, al país puro y duro.

Robin: Cuando te trasladaste allí por primera vez hace treinta años, ¿qué fue lo que te sorprendió?

John: La energía y la grosería. Aunque, eso sí, estaba en Nueva York. No obstante, pronto me di cuenta de que mi juicio del concepto «grosero» era algo cultural. Gran parte del problema se reducía a una cuestión de franqueza de una clase a la cual yo no estaba acostumbrado. Si un estadounidense quiere la sal, dice: «Pásame la sal, por favor». Pues bien, lo creas o no, a un inglés esto le puede sonar realmente grosero, algo tosco e incluso carente de elegancia. Nosotros estamos más acostumbrados a decir: «Perdone que le moleste, pero me pregunto si sería una audacia por mi parte pedirle, si me permite y si no le resulta muy inconveniente, si podría contemplar la posibilidad de, digamos, y para decirlo sin rodeos, pasarme la sal o no, dependiendo del caso». Estoy convencido de que esto se debe al exagerado miedo que tenemos los ingleses a provocar molestia o enojo; de ahí que tratemos de prevenir cualquier posibilidad de que eso ocurra comportándonos de una manera absurda y vaga y deshaciéndonos en disculpas. Tal vez nos encontramos tan apretujados en nuestra isla que crecemos con la sensación de que tenemos que guardar la compostura o, en caso contrario, provocaremos una pelea. Es algo parecido a lo que les pasa a los japoneses, quienes, apretados como están en sus islas, también se han visto obligados a desarrollar un tipo de formalidad y cortesía exageradas.

Robin: Con todo, a menudo disfrutamos cuando algún turista estadounidense demuestra su espontaneidad y comienza una conversación en el tren, mientras que nosotros, por el contrario, estaríamos ignorándolos premeditadamente. Esto nos alegra la vida.

John: Eso es cierto. Parece como si la energía que desarrollan surgiera del hecho de que no se contienen como nosotros: saben que tienen sitio suficiente, por lo que no tienen miedo a que alguien se enfade. En ocasiones, llegan al extremo de dar a entender que cualquier tipo de refinamiento puede parecer decadente. Como en una ocasión dijo un joven californiano: «El buen gusto es todo lo que te queda cuando se te ha acabado la energía».

Robin: Es una elección que todo país tiene que hacer, ¿no te parece? O bien inhibimos nuestros sentimientos espontáneos para no molestar a los demás, lo cual puede llevarnos a ser bastante apáticos y aburridos; o bien nos inclinamos por la vitalidad y la libertad y aceptamos el hecho de que haya una mayor distensión social.

John: Como no se sienten incómodos cuando una persona se enfada, muchos estadounidenses se muestran sumamente tajantes de la forma más saludable posible: amables y, sin embargo, eficaces.

Robin: No olvides que el estudio decía que la gente sana se siente más a gusto comportándose de una manera competitiva y agresiva. Debo decir que es algo que me agrada y admiro, aunque seguramente reaccionaría de forma diferente si alguien intentara asaltarme, cuando fuera de visita.

John: *Ésa* es la pega... La falta de inhibiciones sobre la ira puede llegar a transformarse fácilmente en violencia, desde la violencia habitual del lenguaje corriente de los ejecutivos de empresa –disponen de un número infinito de expresiones para manifestar el grado de violencia que desean– hasta la interminable violencia de la televisión y las películas, pasando por el deporte nacional, el fútbol americano, que es, así de sencillo, el juego más violento que se ha inventado jamás. Luego están las estadísticas del crimen, las cuales degeneran con tal rapidez que para cuando has terminado de citarlas ya han quedado anticuadas.

Robin: Según mi experiencia trabajando en terapia de parejas, en la que un cuarto de mis pacientes son estadounidenses, lo que has descrito supone una gran tensión para los hombres, porque tienen la sensación de que deben estar a la altura de esta imagen de macho. Lo paradójico es que esta situación les da a las mujeres un poder enorme para humillarlos: basta con que les digan que no son lo bastante poderosos y duros. Por lo que he visto, esto es lo que suele acabar las relaciones, más frecuentemente.

John: Hay otras tres cosas que me resultaron fascinantes durante esas visitas. Una fue la actitud con respecto al dinero. Me di cuenta de que la posesión de dinero suponía una condición moral. Aún recuerdo la sorpresa que me llevé, ya que yo he crecido creyendo que no había absolutamente ninguna relación entre la riqueza y la condición moral. En realidad, de haber alguna, se trataba de una relación ligeramente negativa: la gente más rica era probablemente avariciosa. Sin embargo, en Estados Unidos no parece importar cómo se ha acumulado el dinero, aunque sea de forma escandalosa; una vez que lo «consigues», te transformas en la «luz que guía a los demás por la senda correcta».

Robin: No sólo eso: en Estados Unidos, a una persona que ha acumulado mucho dinero se la escucha con respeto incluso cuando el tema no tiene nada que ver con las dotes que le han permitido ganar ese dinero. Fíjate en Ross Perot...

John: La segunda cosa que me fascinó fue el desagrado que produce el concepto de jerarquía, algo poco sorprendente por otra parte ya que fueron precisamente las jerarquías las que hicieron que muchos de ellos abandonaran Europa. A los estadounidenses, empero, les resultan ofensivas incluso las jerarquías del conocimiento. En su opinión, no es bueno que un principiante no pueda comprender cualquier idea de forma inmediata. Esto genera un tipo radical de relativismo que, no sólo lleva a los extremos de la Corrección Política, sino también a rechazar resistencia ante cualquier manifestación de la cultura de los jóvenes, lo cual explica por qué la cultura estadounidense se dirige inexorablemente en esa dirección.

Robin: Estoy de acuerdo. Su desprecio del concepto de jerarquía tiene sentido dentro del contexto de su historia. Sin embargo, ofrece un aspecto sumamente atractivo: la facilidad que posee la gente de cualquier esfera social para trabar conversación con alguien sin tener en cuenta la «clase» o la «posición social», que sí obstaculizarían el contacto en Inglaterra. Así y todo, las jerarquías son un hecho. No hay forma de desprenderse de ellas, y en Estados Unidos de alguna forma han llegado a crear manifestaciones de este concepto más extremas si cabe; por ejemplo, el concepto de «celebridad» y el *star system* de las películas. En vez de las jerarquías basadas en la excelencia, tienen jerarquías basadas en la publicidad, en el espectáculo para los demás, en la capacidad de hacer el mayor ruido posible.

John: Me di cuenta de la tercera cosa en una ocasión en la que invité a una serie de personas a un espectáculo realmente bueno, que se presentaba en un pequeño teatro fuera del circuito de Broadway. Todos rechazaron la invitación, diciendo que esa noche querían ver otro espectáculo. Yo les contesté: «Supongo que sabréis que no se trata de un espectáculo muy bueno». Ellos repusieron: «Sí, pero queremos verlo de todas formas». «¿Por qué?», les pregunté. «Porque es todo un éxito», fue su respuesta. Entonces empecé a darme cuenta de hasta qué punto los estadounidenses se sienten atraídos por el «éxito», en el sentido de éxito *popular*, es decir, lo que una persona extravertida entiende por éxito. El éxito se mide por el *impacto* que tiene en los *demás* en virtud de la fama, el *glamour* y la riqueza que hayas cosechado. No guarda ninguna relación con la opinión que una persona introvertida puede tener de este concepto, con la idea de que has hecho algo que te resulta profundamente satisfactorio para ti mismo. Todo eso resulta trivial, en resumidas cuentas. Mientras no sea algo reconocido por todos, no tendrá ningún valor.

Robin: No me queda más remedio que estar de acuerdo con lo que dices, porque he tenido ocasión de ver lo mismo que acabas de describir en el ámbito de mi profesión en Estados Unidos. En el mundo de la salud mental, no se ven más que las idas y venidas de las modas. Todo el mundo quiere subirse al carro de la moda, hasta que llega otro que a todos les parece más atractivo, entonces es el momento del «gran cambio». Es algo que va en contra de la asunción de ideas cualitativas y de su desarrollo sistemático.

John: Por consiguiente, en Estados Unidos, el mejor éxito es el más visible, de ahí la obsesión que existe en el país con el «negocio del espectáculo». Michael Shamberg, el coproductor de *Un pez llamado Wanda,* me decía que la personificación del sueño americano es poder ver en la pantalla a un grupo de personas procedentes de todos lo ámbitos sociales que lo han «conseguido».

Robin: Eso me gusta. Entra dentro de su deseo de intentar algo, de arriesgarse, de probar algo nuevo.

John: Sin embargo, lo más agradable del amor por el éxito que sienten los estadounidenses es que no son en absoluto envidiosos al respecto. Esto tal vez se deba a que siempre han creído que, si no tienen éxito en un sitio, pueden ir a otro y tenerlo, lo cual se relaciona nuevamente con su sentido del espacio...

Robin: Ello supone que funcionan, en mucho mayor grado que otras naciones, a partir de la filosofía de la abundancia, algo muy positivo y que explica sus grandes logros.

John: No puedo evitar compararlo con el Reino Unido, una pequeña isla extraordinariamente envidiosa en la que todo el mundo se dedica a ponerle a uno en su sitio siguiendo las órdenes de una pandilla de personajillos llamados periodistas.

Robin: Si quieres que la gente en el Reino Unido se porte bien contigo y te ayude, lo que tienes que hacer es fracasar, o al menos *aparentar* que fracasas...

John: Tienes toda la razón del mundo. Cáete de bruces y todos empezarán a llamarte y a ayudarte para que te sientas mejor. No deja de ser justo, por otra parte, ya que los has hecho sentirse estupendamente.

Robin: La famosa «modestia» británica es una de las maneras que tenemos de desviar nuestra fuerte tendencia a experimentar envidia ante cualquier cosa que suene a éxito.

John: En cambio, los estadounidenses estarán encantados contigo si tienes éxito: lo que *no pueden* perdonarte es el *fracaso*.

Robin: Eso es cierto. Si las cosas no te van bien, nadie quiere conocerte. No existes...

John: Supongo que ésa es la razón por la que la idea de «victoria» se ha convertido en algo tan terriblemente importante en Estados Unidos.

Robin: ¿Te acuerdas de todas las citas que utilizaste cuando diste la conferencia en la Asociación Americana de Terapia Familiar de Filadelfia?

John: Son unas citas estupendas. Pertenecen a una serie de entrenadores de diferentes deportes americanos... Una famosa es: «Ganar no lo es todo, es lo único»...; pero hay más: «La gente simpática acaba en el último lugar». «Muéstrame a un buen deportista y te mostraré a un jugador que quiero traspasar.» «Muéstrame a un buen perdedor y te mostraré a un idiota.» «Sin ganadores no habría ni una maldita civilización.» «La derrota es peor que la muerte porque tienes que vivir con ella.»

Robin: Continúa.

John: No sé si he mencionado que muchos amigos míos no entendían por qué me parecía tan divertido un libro que había comprado en Nueva York titulado *Eat to Win* (*Come para ganar*). Finalmente, les enseñé un artículo a doble página de una revista de Los Ángeles que anunciaba un seminario budista durante un fin de semana bajo el lema: «El Budismo te ofrece el lado más competitivo».

Robin: Lógicamente, *ese tipo* de público empezaría a partirse de risa. Muchos estadounidenses son capaces de ver lo absurdo del fetichismo que supone la idea de la «victoria». Aun así, sigue siendo un país espantosamente competitivo.

John: Me acuerdo de que, en una ocasión, un psicoanalista estadounidense me

contó la historia de un paciente que tenía problemas de impotencia. Resultó que consiguió averiguar que dichos problemas arrancaban de lo bajos que eran sus ingresos.

Robin: Evidentemente, el hecho de dar tanta importancia a la victoria tiene unos resultados sociales bastante desafortunados. Las personas que se encuentran en la parte de abajo de la jerarquía no son sólo considerados como «per-

dedores», sino que ellos se consideran a sí mismos como tales. Por consiguiente, acaban apartándose de este tipo de cultura.

John: Sí, mis amigos estadounidenses suelen decirme que si eres pobre y vives en una gran ciudad estadounidense, tienes la sensación de no pertenecer a la sociedad, aunque también es posible que se dé si se vive en una población pequeña o en una región con tradición agrícola. En dichos lugares, existe todavía un tejido social que no ha sido completamente destruido por la «ética de la victoria».

Robin: De manera inevitable, la gente que se siente apartada de dicha cultura a causa de la pobreza, sentirá antagonismo hacia ella, por lo que cabe la posibilidad de que trate de «vencer», guiándose por las normas de una cultura contraria, por lo general, una que sea criminal.

John: Eso sí, incluso las personas que tienen éxito se sienten bajo una tremenda presión por tener que aparentar una actitud optimista y animada. Un amigo mío de Nueva York, que trabaja en el mundo de la publicidad, me decía que sólo existe una respuesta posible a la pregunta «¿cómo estás?»: «*Nunca* he estado mejor». Una respuesta inferior les parece derrotista y la primera muestra de un declive irremediable.

Robin: La «ética de la victoria» explica la enorme popularidad de criaturas tan estériles y unidimensionales como Rambo, Superman y Terminator, cuya principal característica es que son invencibles, aunque tratar de emularlos supondría un esfuerzo excesivo.

John: Creo que todos disfrutamos, cuando somos jóvenes, de este tipo de héroes de tebeo. Sin embargo, cuando le he comentado a alguna persona que lo raro es que los adultos sigan estando interesados en este tipo de personajes, la respuesta que he recibido es que no soy capaz de valorar la importancia de la influencia que ejercen en el desarrollo de la cultura. Tal vez ésa sea la razón por la que a nadie le sorprendiera el que Bill Clinton afirmase durante su campaña electoral que, haciendo los cambios pertinentes, Estados Unidos llegaría a convertirse en «el país más importante del mundo». ¿Te imaginas a un líder europeo diciendo eso?

Robin: Hay otro aspecto importante relacionado con esta obsesión por la victoria: no puedes hacer un juicio cabal sobre una situación si sólo te concentras en el lado positivo de las cosas. Es poco realista no asumir también su otra cara, y ello es difícil si tu cultura te presiona para que «desconectes» cuando surge alguna cosa que parece negativa.

John: Creo que a los políticos estadounidenses les resulta imposible dar una mala noticia, puesto que tienen que fomentar conceptos que te hagan sentir bien. De ahí que, antiguamente, echaran la culpa de cualquier problema a los rusos; cuando esto dejó de ser válido, comenzaron a vapulear a los japoneses.

Robin: Sí, es más fácil decir que los japoneses han hecho trampas que admitir que uno no es tan poderoso o eficaz como antaño o hablar del déficit presupuestario...

John: Está claro que los ingleses son diferentes. Cualquier cosa que suene optimista, edificante o esperanzadora, les hace sentirse incómodos. Cuando, al principio de la segunda guerra mundial, Winston Churchill les dijo que no tenían: «Nada que ofrecer excepto sangre, sudor y lágrimas», creo que la mayoría de ellos se sintieron aliviados. No puedo imaginarme a los estadounidenses emocionándose ante algo así...

Robin: Bien, hasta el momento hemos hablado sobre la energía, la vehemencia y la agresividad. También hemos hablado sobre el éxito, la victoria y el optimismo. Estos atributos pueden tener un efecto positivo, aunque suelen ser llevados hasta posturas extremas, alterando de esa manera el equilibrio entre las emociones que señalan una buena salud. ¿Alguna característica más que te parezca importante?

John: Una más: una gran preferencia por la simplicidad en todas las formas concebibles. Para empezar, los estadounidenses tienen una manera de ser muy directa y abierta, que resulta sumamente agradable, y que además puede llegar a parecer ingenua, algo que encuentro muy interesante.

Robin: ¿Lo prefieres al cinismo y la astucia?

John: Sí, siempre lo he preferido. Los estadounidenses exhiben un candor realmente atrayente, lo cual, claro está, puede hacerles parecer algo crédulos o simplones. Su cultura los anima a aceptar las cosas sin planteárselas antes, a mostrarse entusiastas sobre ciertas ideas sin haberse parado a estudiarlas. Parece como si el escepticismo se considerara una cualidad negativa, algo que inhibe el necesario enfoque positivo. He visitado el país con frecuencia y me he encontrado con que la gente estaba enfervorizada a causa de una idea o una actitud novedosa. Pero luego, en la siguiente visita, me he llegado a encontrar con que ya no se hablaba nada sobre esa misma idea. En esas situaciones, si se te ocurre preguntar a la gente qué es lo que ha ocurrido, te miran como si estuvieras fuera de onda.

Robin: Por tanto, demuestran tener un alto nivel de salud, porque son capaces de superar los cambios con gran facilidad; por otro lado, dicho nivel es engañoso, porque carecen del sentimiento de identidad seguro e independiente que no se siente amenazado cuando alguien no está de acuerdo. De ahí que tengan modas de ideas, de igual forma que otra gente tiene modas de ropa.

John: El otro aspecto relacionado con su simplicidad es lo directos que son a la hora de comunicarse, algo que a veces es estupendo, porque de esa manera uno puede ir al grano y resolver cualquier problema rápidamente. Sin embargo, el ser directo puede connotar una incómoda «gravedad», como si se quisiera transmitir el mensaje secundario: «Por favor, ayúdame a mantener todo perfecta y absolutamente claro en cualquier momento, porque si no me inquieto mucho». No es una sorpresa que redactaran su Constitución antes que ningún otro país...

Robin: Les agrada tener las ideas bien claras hasta que deciden recurrir a un modelo totalmente nuevo. No les gusta la complejidad o la contradicción.

John: Por lo tanto, cualquier tipo de oblicuidad en la comunicación los hace sentirse muy incómodos. No es que no les gusten o desconfíen de cosas como la ambigüedad o la paradoja, sino que piensan que son totalmente *innecesarias;* una actitud que puede llevarlos no sólo a una mentalidad simplista sino, además, a experimentar emociones igualmente simplistas.

Robin: Así que la oblicuidad es un tabú...

John: Lo único de lo que somos capaces los ingleses. Nos encanta encontrar formas para distanciarnos: cambiar la voz, decirlo todo como si fuera una cita, hacer alusiones, dejar frases inacabadas y, sobre todo..., ser *irónicos*. Decir algo de forma directa es considerado como algo alarmante y maleducado, algo filisteo.

Robin: En contraposición, a los estadounidenses la ironía los hace sentir muy incómodos, ¿no es así?

John: Se sienten como en un mar de confusiones, Robin. Digámoslo claro: les causa pánico. No entre los que viven en la ciudad a los que conozco, por supuesto: el desajuste que produce la ironía de sus compatriotas les parece angustioso. En *Roxanne*, Darryl Hannah le dice algo sarcástico a Steve Martin. Como él no lo comprende, ella se lo explica de una forma irónica. «¡Oh, *ironía*!», responde el personaje de Steve Martin. «No, hace mucho que no tenemos nada de eso por aquí, desde..., desde 1956 diría yo.»

Robin: De forma que la comunicación es clara y directa, y si no es así, se produce una situación de inquietud.

John: En consecuencia, los estadounidenses más «normales» prefieren verlo todo en blanco y negro, lo cual conduce a una mentalidad algo literal, sobre todo en el ámbito de la religión. El cristianismo fundamentalista, que está muy extendido en Estados Unidos, se basa, creo yo, en la interpretación *literal* de lo que en un principio estaba pensado para ser entendido *metafóricamente*.

Robin: Esa forma de pensar es propia de las personas que tienen un nivel limitado de salud y se puede encontrar en todas las sociedades. Sin embargo, es muy probable que en Estados Unidos, el énfasis sobre la simplicidad empuje a la gente en esta dirección de la literalidad.

John: Por último, el deseo de simplicidad puede acarrear una actitud intolerante en relación con la diversidad de opinión. Cuando se quiere desesperadamente que algo apunte en una dirección determinada, resulta muy molesto que ciertas personas no lo hagan.

Robin: Si el hecho de sentirte diferente y de que se critique lo que haces te preocupa, empezarás a tener una actitud hostil hacia la persona que se comporte de forma diferente a la tuya, porque no hará más que suscitar la misma preocupación que llevas dentro.

John: Bien dicho.

Robin: En resumidas cuentas..., según lo que dices, las características más sobresalientes de Estados Unidos se basan en la enorme energía que surge de su falta de inhibiciones sociales, algo que puede llegar a convertirse en una actitud excesivamente agresiva; luego está la dimensión moral de la posesión de bienes; la excesiva consideración que se tiene por el éxito, sobre todo, el éxito más visible, el cual conduce a ciertas personas a asumir actitudes realmente insensatas con respecto a la importancia del concepto de «victoria» y también a negarse a ver el lado negativo de las situaciones que puedan darse, incluso cuando es necesario hacerlo; finalmente, has mencionado un tipo de simplicidad que resulta atractivo y que produce entusiasmo, pero que puede degenerar en una actitud intolerante y «literal».

John: No tengo nada que enseñarte sobre el arte de resumir.

Robin: Todas estas características, por supuesto, están presentes, en mayor o menor grado, en lo que hemos llamado sociedades individualistas. ¿Qué crees tú que originó en Estados Unidos esta versión extrema de la cultura individualista?

John: Bueno. Obviamente, los puritanos que estaban en el *Mayflower* eran unos disidentes consumados. Es decir, como consecuencia de lo que ellos consideraban unas restricciones sofocantes, decidieron abandonar el Viejo Mundo y se atrevieron a cruzar el Atlántico. La ética protestante del trabajo floreció de manera espectacular, gracias a que los pioneros podían permitirse ser tan protestantes como les diese la gana y trabajar tanto como quisieran. Si surgía un sistema nuevo con la intención de controlarlos, podían seguir trasladándose, de tal suerte que acabaron en la costa del Pacífico. La tierra estaba desocupada y era sumamente rica, por lo que no dejaba de haber una parte de verdad en la idea de que la pobreza fuera un sinónimo de fracaso personal, teniendo el suficiente empuje. Por otro lado, los ideales de la Revolución Francesa, los derechos del hombre de Thomas Paine y otros adelantos seminales en el ámbito del pensamiento político, podían calar con gran facilidad entre los colonizadores porque no tenían tanta historia de la que desprenderse.

Robin: En conclusión, la tradición estadounidense ha seguido el camino del individualismo. Pasemos entonces a examinar una tradición completamente distinta.

John: Sí, Japón. Una sociedad que ha cosechado un gran éxito pero que se basa en unos valores totalmente diferentes, ¿no es así?

Robin: Mejor que te abroches el cinturón de seguridad: las diferencias son extraordinarias..., superan todo lo que te puedas llegar a imaginar, lo cual explica lo adecuado de la elección de los dos países para hacer una comparación. Los dos ilustran perfectamente la idea de que tanto en el caso de los países como en el de las familias, no existe «ni un solo nexo» que explique el funcionamiento sano, sino más bien unas cuantas recetas diferentes que se nutren de una serie de ingredientes comunes, así como de unos aditivos únicos. Comencemos, de todas formas, por un contraste simbólico. Tú has dicho que en Estados Unidos, una persona que vive en la ciudad y que es pobre no se siente parte de la ciudad. Pues bien, en Japón incluso los barrenderos tienen la sensación de que aportan algo a la sociedad de su país. Aun así, a pesar de este gran sentimiento comunal, los japoneses han sido capaces de ir superando a la competitiva sociedad estadounidense en un sector tras otro. En la década de los setenta, se quedaron con la parte del león del mercado de las motocicletas, las cámaras fotográficas y los bienes de consumo electrónicos. A principios de los ochenta, dejaron atrás a los estadounidenses en la producción de acero y la fabricación de coches. Además, ya entonces, estaban construyendo la mitad de los barcos del mundo. A los pocos años, se habían apoderado del treinta por ciento del mercado automovilístico estadounidense, habían superado su producción de semiconductores y estaban fabricando unos microchips nueve veces más fiables que los mejores fabricados por los estadounidenses. En este momento son los banqueros más poderosos...

John: Bueno, bueno. Incluso si tenemos en cuenta que se encuentran casi en la cúspide de su ciclo de crecimiento, y que los países occidentales ya hace tiempo que lo han pasado, su caso no deja de ser algo fenomenal..., ¿qué tienen ellos que nosotros no tengamos?

Robin: Bien, tienen un gran sentido de la cohesión, de ser como una gran familia en la que todos los miembros saben que han de permanecer unidos, ayudarse los unos a los otros y dar prioridad a la «familia» nacional. Cuando hablan de sí mismos, dicen que «permanecen unidos como si fueran arroz pegajoso».

John: ¿De dónde surge ese sentimiento?

Robin: Su historia está caracterizada por un continuo aislamiento del resto del mundo, lo cual ha tenido una serie de consecuencias en su forma de ser. Para empezar, se parecen mucho a una tribu. El noventa y siete por ciento de la población se halla unida por vínculos culturales, lingüísticos, raciales y de sangre. Durante los últimos mil doscientos años, no se han mezclado con otra raza de manera significativa.

John: No existe ninguna otra nación que se les pueda comparar en cuanto a «pureza racial».

Robin: En absoluto. En este aspecto, no podían ser más diferentes a Estados Unidos. Lo mismo pasa en el ámbito cultural: después de 1603, los Shoguns cerraron Japón herméticamente, impidiendo el contacto con el mundo exterior hasta que el comodoro estadounidense Perry llegó en 1853 con sus «barcos negros» y los presionó para que abrieran sus puertas al comercio.

John: Así que su homogeneidad cultural va prácticamente más allá de nuestra comprensión.

Robin: Yo diría que sí. La sensación que tienen de ser diferentes a cualquier persona que no sea japonesa es realmente intensa.

John: Creo que se sienten muy incómodos si oyen a un extranjero hablar su idioma con fluidez.

Robin: Eso me han dicho. Pues bien, además de la sensación de aislamiento a la que he hecho referencia, los japoneses siempre han tenido la impresión de hallarse bajo algún tipo de amenaza. En primer lugar, Japón está formado por una población muy numerosa, apiñada en un pequeño grupo de islas, la mayor parte de ellas montañosas, por lo que siempre han sufrido problemas con el abastecimiento de alimentos; segundo, no se puede hablar de recursos y de materias primas, lo cual les ha hecho la vida muy difícil; tercero, han vivido terremotos, inundaciones, tifones y otros desastres naturales; finalmente, no creo que sea posible sentirse muy seguro viviendo al lado de dos gigantes como China y Rusia.

John: Y lo normal es que cualquier grupo de seres humanos que se sienta amenazado tire por la borda sus diferencias y se ponga a remar a un mismo tiempo...

Robin: Como consecuencia, todos sus valores priman el grupo sobre el individuo, lo cual da como resultado algo que a los occidentales nos parece desconcertante: los japoneses muestran un desagrado evidente ante la comunicación abierta y clara.

John: ¡En serio! ¿Por qué?

Robin: Porque puede acarrear una confrontación, una discusión u otro tipo de dificultad de cara a alcanzar un consenso.

John: Ya veo. Lo curioso de esto es que tiene sentido. Supongo que si todas as personas que hay en un grupo dicen claramente lo que opinan, las diferencias se hacen evidentes.

Robin: Por lo tanto, al igual que los miembros de una familia, los japoneses se comunican con gestos o con el «lenguaje de la tripa», como ellos lo llaman. De esa manera, consiguen percibir la postura de la otra persona ante un tema antes de que se diga nada de forma explícita.

John: Hmmm..., me recuerda la manera en que procuramos tratar a las personas susceptibles.

Robin: Ellos juzgan este comportamiento como un valor, como una muestra de sensibilidad respecto a los demás, más aún, lo consideran como una forma de «cariño» amenazada por la lógica y la razón de Occidente, actitudes que ellos tienen por «frías», «cortantes» e «intolerantes».

John: Espera un momento. ¿Me quieres decir con esto... que los japoneses no subscriben el concepto de «lógica»?

Robin: Exacto. No les gusta nada.

John: ¡Caramba con los...! Entonces..., debe de ser bastante difícil discutir algo con ellos.

Robin: Si tratas de construir una argumentación lógica, sí, sí que es difícil. Te daré un ejemplo conocido: como no querían importar esquís estadounidenses, dijeron que la nieve japonesa era diferente a la de Estados Unidos.

John: Por tanto, debe resultar complicado convencerles de que cambien o alteren alguna de sus costumbres. Tan complicado como decir «olvídate de eso».

Robin: Correcto. Está claro que han absorbido muchos modelos occidentales en cuanto a deportes, ropa, música y demás, aunque esos cambios son bastante superficiales. Los japoneses se consideran gente especial, diferente de la de los demás países, y no se sienten responsables de los principios de conducta que no encajen en su visión concreta. En realidad, evitan deliberadamente cualquier examen o valoración de su cultura. Es suya y eso es todo.

John: ¿En el sentido de que es superior y no puede ser mejorada?

Robin: Sí. Hay una enorme resistencia a los valores extranjeros de cualquier clase que puedan cuestionar el sistema existente. Hace pocos años, un estudio gubernamental mostró que dos terceras partes de la población no quería mezclarse con los extranjeros y prefería evitarlos siempre que fuera posible. De los que dijeron que realmente les gustaría conocer a personas extranjeras –tan sólo un veinticinco por ciento–, sólo un cuatro por ciento lo había intentado.

John: ¿No son realmente severos con los hijos que amplían estudios en el extranjero y luego vuelven a casa?

Robin: Efectivamente. Normalmente, en la escuela, los profesores y los otros alumnos los rechazan e intimidan, intentan que se sientan contaminados. De hecho, se han tenido que abrir una serie de escuelas especiales para «remodelarlos» según el patrón japonés. El sistema industrial considera que la educación en el extranjero es, por lo general, contraproducente y que este tipo de estudiantes son indignos de confianza y un elemento perturbador en potencia, de manera que no les dan trabajo.

John: Sin embargo, desde un punto de vista psiquiátrico, esto no es muy beneficioso.

Robin: No te olvides de que no estamos hablando de individuos y de que, como consecuencia, no vamos a encontrarnos con una sociedad tan sana como las familias a las que hemos hecho referencia. Por lo general, se encuentran en la zona media, aunque también es verdad que los japoneses como grupo muestran rasgos que en Occidente se encuentran en las familias «enredadas» en las partes más bajas de la escala de la salud. De hecho, Takeo Doi, el psiquiatra más conocido de Japón, ha descrito el estado mental de los japoneses como «la conciencia del desamparo». *No obstante*, en contraposición a nuestras familias «enredadas», los japoneses parecen tener *un fuerte sentido de su identidad individual a pesar de la conciencia de grupo*. El aspecto negativo del funcionamiento de su sociedad, al que nos hemos referido, se equilibra a través de otro tipo de cualidades que los hace parecer más sanos que nosotros en algunos sentidos.

John: Pero digamos las cosas claras, ¿no resulta algo paranoica esta sensación de amenaza que luego se compensa con un sentimiento de superioridad con respecto a los demás países, que supone que los japoneses no pueden compararse con ellos y no pueden aprender nada de sus culturas?

Robin: Más bien es algo parecido a que «no pueden aprender nada de los extranjeros que mejore la naturaleza *esencial* de la sociedad japonesa». Acuérdate de todo lo que han aprendido de la tecnología occidental. Ya ves, los japoneses, en contraposición a otros países orientales, se las han apañado para preservar intactos sus valores impidiendo que Occidente los dominara y explotara. Ya en torno a 1870 vieron el peligro, por lo que se afanaron en recuperar el terreno perdido en lo relativo al progreso material. Ahora lo que les preocupa es que sus trabajadores se contagien de la enfermedad británica, la erosión de la ética del trabajo –aunque tal vez ahora deberíamos llamarla la enfermedad estadounidense, o incluso, ahora que ha pasado el tiempo, la enfermedad alemana–, y se quejan de que la confianza y el código de honor que antaño gobernaba su ética del trabajo estén desapareciendo bajo la influencia de los valores comerciales estadounidenses. Con todo, la información que llega a Japón es seleccionada siempre que se puede, con el fin de preservar los valores sociales existentes.

John: ¿No se toman la molestia de asegurarse de si en un matrimonio el novio o la novia es de Corea o de otro país? Explícame por qué esto no es un ejemplo del tipo de paranoia más profunda...

Robin: Bueno, sí que es paranoia, al menos en el sentido amplio del término que nosotros empleamos. Sin embargo, también es una respuesta a las costumbres sociales, algo parecido al tipo de actitud que puede darse en cualquier país en tiempo de guerra, por ejemplo. Se espera que la gente sepa quién es la persona con la que va a casarse, de igual forma que nosotros esperamos que alguien se case cuando está enamorado. En mi opinión, cuando las expectativas sociales cambien, la gente actuará de forma diferente. Lo que resulta interesante es que cuando un grupo reducido de japoneses vive en el extranjero, por lo general gozan de unas relaciones sociales normales con la gente del lugar. Sin embargo, cuando se trata de un grupo numeroso, lo que hacen es reconcentrarse, adoptar una conducta excluyente, con lo que acaban aislándose de la sociedad local mucho más de lo que lo haría un grupo de estadounidenses o de europeos en el extranjero.

John: De manera que no hay nada insuperable en su configuración psicológica que les impida disfrutar de unas relaciones sociales normales con personas no japonesas.

Robin: En absoluto

John: La paranoia es cultural, no individual...

Robin: Eso es lo que estoy tratando de decir. De todas formas no deberíamos concentrarnos tanto en los aspectos negativos.

John: Resulta difícil no hacerlo, con la envidia que les tenemos... En fin, olvídalo. Bueno, ya empiezo a entender cómo su historia los ha convertido en un país autónomo y cohesionado, ¿de qué modo funciona entonces la cultura comunal que tienen?

Robin: Te advierto que lo que voy a contarte nos resulta muy extraño a nosotros, occidentales e individualistas que somos. Todo gira en torno a dos ideas centrales: primero, la primacía del grupo sobre el individuo, que es algo que ya he mencionado; y segundo, la omnipresencia de la jerarquía.

John: Bueno, empecemos por la subordinación del individuo. Dame un ejemplo.

Robin: La economía. Mientras que en Occidente lo que nos planteamos casi de manera automática es lo que va a beneficiar al consumidor, en Japón la situación es la contraria; la pregunta que se hacen es: «¿Qué va a beneficiar al *productor*?». En consecuencia, la mayoría de sus mercados están vedados a la competencia extranjera y el consumidor japonés, que gana aproximadamente lo mismo que su homólogo estadounidense, hasta hace muy poco estaba obligado a trabajar cinco veces más para comprar arroz, nueve veces más para comprar carne vacuna y tres veces más para la gasolina.

John: Por tanto, su poder económico no es sinónimo de un nivel de vida muy alto, ¿no es así?

Robin: Peor que eso. Muchos japoneses se sienten pobres y tienen razones suficientes para ello: sus casas son normalmente pequeñas; una tercera parte de ellas no están conectadas a las alcantarillas; los trenes van siempre llenos; la comunicación vial es insuficiente; Tokio tiene una quinceava parte de las zonas verdes que posee Londres por persona; la protección social es muy escasa; las artes no florecen; se trabaja tanto que la persona que logra llegar a casa y dormir ocho horas puede sentirse afortunada; sólo hay dos semanas de vacaciones, pero la gente siempre acaba aprovechando una.

John: Todo esto explica lo que leí en una ocasión acerca de una empresa de televisión japonesa que empezó a realizar un documental que comparaba la vida de una familia japonesa con la de una familia italiana con los mismos ingresos. Tuvieron que dejarlo a medio camino porque la empresa llegó a la conclusión de que los televidentes japoneses nunca se creerían hasta qué punto vivían bien los italianos.

Robin: No podían haber hecho una elección peor que Italia. No existe país donde la gente sepa disfrutar más de la vida: en ese aspecto parecen poseen una salud excelente, incluso a pesar de que muchos aspectos de su sociedad puedan resultarnos bastante caóticos.

John: ¿Por qué los japoneses aguantan la situación que has descrito? ¿Es porque tienen la seguridad de un empleo vitalicio en su empresa?

Robin: No creo, porque sólo un treinta por ciento disfruta de esa situación. La gran mayoría de los japoneses trabajan para empresas bastante pequeñas que no ofrecen gran seguridad.

John: Entonces, ¿por qué no eligen a alguien que logre transformar su éxito económico en un mejor estilo de vida?

Robin: Porque no *piensan* de esa manera. Como en cualquier otro sistema, todos los aspectos de la cultura japonesa refuerzan a los demás. Es la manera que tiene el sistema de funcionar, y funciona de ese modo porque así es como piensa todo el mundo. Por tanto, a pesar de que el impacto de las ideas extranjeras está transformando el sistema, el cambio no deja de ser muy lento, como consecuencia de la resistencia que ofrecen todos y cada uno de los aspectos que lo integran.

John: Entonces el planteamiento es el siguiente: «Esto es estupendo para Japón, así que será mejor que no cambiemos nada».

Robin: Estoy seguro de que en parte se trata de algo así. Con todo, acuérdate de que durante muchos siglos el hecho de faltar a la obediencia, por mínima que fuera la falta, podía acarrear la pena de muerte, así que pensar podía ser algo peligroso. La democracia occidental se introdujo hace menos de cincuenta años y es posible que tenga que pasar otra generación antes de que la gente corriente se acostumbre al poder y la libertad que ahora posee.

John: Muy bien. Dime ahora de dónde sacan la gente necesaria para lograr que este fenomenal sistema económico se mantenga a flote.

Robin: Prepárate para que tus prejucios liberales se echen a temblar. Empecemos por el sistema educativo japonés. Una autoridad dice que su objetivo es «la formación de generaciones de trabajadores disciplinados que sean capaces de rendir competentemente en un entorno organizativo riguroso, jerárquico y en sintonía».

John: ¿Las hormigas no se sentirán celosas? Perdón, pero es que suena estremecedor.

Robin: No, por lo visto, si lo que tomas en consideración es el bienestar de todo el país. Tras la segunda guerra mundial, siguieron una dirección muy diferente a la de muchos países occidentales: basaron su sistema educativo fundamentalmente en los méritos y diseñaron un sistema parecido al de nuestros institutos, con un nivel muy alto. Hay una gran competición entre éstos para atraerse a los alumnos que mejores perspectivas tengan de entrar en la universidad. Las ideas sobre la igualdad no tienen mucho interés, todo está orientado en pos del establecimiento de una jerarquía basada en los méritos. Existe una intensa competitividad entre los estudiantes, los cuales son objeto de una presión tremenda por parte de los padres y los profesores, para llegar a la cumbre. Los pobres estudiantes que tienen que afrontar los exámenes universitarios son la clase más angustiada del Japón: me temo que no gozan de muy buena salud, lo cual explica el hecho de que el índice de suicidios entre los adolescentes e incluso entre los niños sea un importante motivo de preocupación nacional.

John: ¿La escalera del éxito es accesible para *todo el mundo*?

Robin: En teoría, sí. En la *práctica...*, el sistema está organizado de una forma tan hermética que, el hecho de acceder a las mejores escuelas y universidades se convierte en algo vital para la consecución del éxito futuro. Las familias pobres, por otro lado, no pueden permitirse el mandar a sus hijos a las caras escuelas privadas que facilitan la entrada de los estudiantes en los cauces más rápidos del éxito.

John: Entonces los ricos tienen ventaja.

Robin: Sí, pero da igual el tipo de escuela a la que te refieras, porque todos los niños sufren la misma presión para estudiar, incluso en el jardín de infancia. El horario escolar y los cursos son mucho más largos que en otros países. De hecho, cuando acaban sus estudios, los niños japoneses han sumado un año más de colegio, si los comparamos con los europeos.

John: Entonces, los japoneses emplean mucho más tiempo en la educación.

Robin: Lo sorprendente es que no. El producto nacional bruto es el mismo que el británico y el tamaño medio de las clases es de unos cincuenta y cinco alumnos, incluso en las mejores escuelas.

John: ¡Cincuenta y cinco! Eso es imposible. ¿Cómo demonios puede funcionar?

Robin: Bien, hay que tener en cuenta que los profesores gozan de un gran prestigio social y que, lo que es más importante, existe una disciplina impresionante. Todo el sistema tiende a *suprimir cualquier tipo de comportamiento espontáneo* y, en consecuencia, los niños son obedientes y disciplinados.

John: Lo aceptan.

Robin: Tienen que aceptarlo. Además, es algo que se ajusta al sistema japonés.

John: En casa, los niños observarán que sus madres tienen una actitud muy deferente hacia los padres, ¿no es así?

Robin: Sí, se trata de un arreglo tradicional según el cual se espera que la mujer sirva al marido. También es tradicional la estricta división que existe entre los papeles que tiene que desempeñar cada uno. Por tanto, a pesar de la deferencia que demuestra de puertas afuera, en realidad la mujer se encuentra a cargo de la casa y de los niños y ejerce la mayor influencia en lo relativo al éxito escolar. Así que, como verás, los objetivos que el sistema escolar japonés se plantea no podrían ser más diferentes a lo que la palabra inglesa «educación» significa: sacar a la luz y desarrollar los poderes de la mente. La tradición educativa japonesa ha sido sinónimo de aprendizaje memorístico e imitación. A los estudiantes no se les enseña a pensar por sí mismos y, de hecho, el razonamiento espontáneo suele reprimirse. Lo que aprenden son hechos. Y eso es todo.

John: Pero se les enseña a pensar.

Robin: No se les enseña a pensar de la manera lógica que nosotros esperaríamos ni tampoco se les enseña a hacer las preguntas correctas. En realidad, se procura que *no pregunten nada en absoluto.* No se le da mucha importancia a la originalidad.

John: Esto es extraordinario.

Robin: Uno de los primeros profesores extranjeros que fue a Japón, un misionero americano llamado William Griffis, escribió que enseñarle a un niño a pensar sería hacer, precisamente, lo que se le encomienda al profesor que *impida.* Una investigación realizada por la Federación Japonesa de Asociaciones Jurídicas, demuestra que la mayoría de las escuelas estudiadas especifican la manera en que los niños tienen que andar, sentarse y ponerse de pie. Además se afirma que existen regulaciones sobre la altura y el ángulo al que se permite a los niños levantar la mano. El grado de disciplina, por tanto, es realmente extraordinario y, aun así, el Ministerio de Educación piensa que la mayoría de los problemas tienen su origen en su *escasez.*

John: ¿Qué puedo decir...? Lo único que se me ocurre es recordar que, en el fondo, se trata de un sistema de valores completamente diferente al nuestro. *Y...* que *funciona.*

Robin: En parte por la gran importancia que se le da a la educación: por lo que se refiere a la asimilación de información, los japoneses están asombrosamente bien educados. Tienen un índice de analfabetismo de menos del uno por ciento, mientras que en Estados Unidos tienen entre un siete y un nueve por ciento. Prácticamente todo el mundo sigue estudiando después de los dieciséis años, dos veces más que en el Reino Unido. Como afirma Robert Christopher, el sistema «produce una fuerza de trabajo que combina la inteligencia y la disciplina hasta extremos que nadie ha conseguido igualar en el mundo». Este dato también queda patente en otros aspectos: hay un interés apabullante en la educación de los adultos; los periódicos, que tienen una tirada enorme, son de un gran nivel, y se parecen a los periódicos de «calidad» que tenemos en Occidente; casi todo el mundo parece pasar el tiempo estudiando y aprendiendo todo lo posible, cualquiera que sea su edad. Como dice Christopher: «El sistema educativo japonés prepara a la persona para sacar el máximo partido posible del talento innato que pueda poseer».

John: Me resulta desconcertante el hecho de que un sistema que inhibe la curiosidad sea capaz de educar a su gente de una manera tan eficaz.

Robin: Tienes que entender la actitud de los japoneses ante la disciplina, algo de lo que hablaremos en seguida.

John: Pero ¿cómo pueden ser tan inteligentes si no se les enseña a *pensar*?

Robin: Bueno, en primer lugar, sólo tienen lagunas en un tipo determinado de áreas, aquellas que sirven para apuntalar ciertos tipos de inteligencia. Me refiero al pensamiento inquisitivo, original, creativo y «lateral». En segundo lugar, su industria tiene en cuenta a toda la población y se nutre de la inteligencia de todo el sistema.

John: ¿Y qué me dices de la falta de creatividad?

Robin: Los japoneses son conocidos por su falta de creatividad. Sólo han ganado cinco premios Nobel, por ejemplo, mientras que Gran Bretaña ha ganado sesenta y cinco, y Estados Unidos, ciento cincuenta y tres. Además, no cabe duda de que Japón aún no ha sido capaz de generar tecnologías de «época», el tipo de tecnología que da lugar a una industria totalmente nueva. Sin embargo, no hay que olvidar lo que hemos comentado sobre los negocios: gran parte del éxito proviene de la eficaz aplicación de mejoras tecnológicas *menores*.

John: La disciplina es más eficaz que el instinto. ¡Qué deprimente!... Entonces, ¿cómo reaccionan ante tanta disciplina? ¿Se rebelan cuando salen de la escuela?

Robin: En absoluto. La sociedad japonesa tiene un gran respeto por la ley. Ade-

más, es muy segura: en Estados Unidos hay cien veces más casos de robo a mano armada que en Japón, y en Gran Bretaña, treinta veces más.

John: Pero ¿no abunda el crimen organizado?

Robin: Tienen una mafia bien organizada, lo que ellos llaman Yakusa. Sin embargo, parece como si el gobierno lo aceptara como el precio que tiene que pagar para restringir y controlar el crimen *no* organizado, algo que refleja una práctica que se remonta a la época de los Shoguns, los cuales dieron la responsabilidad de mantener el orden en el trayecto entre Kyoto y Tokio a unas organizaciones dedicadas a la prostitución y el juego. Hoy en día, las normas tácitas del sistema permiten a los cien mil gángsters Yakusa chantajear a la gente a cambio de protección y tener negocios de prostitución, aparte de otros muchos negocios ilegales; todo está permitido siempre que no se lleven armas o se negocie con estupefacientes. Ni siquiera se preocupan de disimular su identidad: tienen despachos públicos y editan folletos de la empresa.

John: Así que los japoneses integran el crimen en su sistema: lo socializan.

Robin: Exacto. Sin embargo, he de recalcar el hecho de que la naturaleza cooperativa de la sociedad japonesa desalienta el crimen. Por ejemplo, en los aeropuertos nadie se preocupa por sus pertenencias en la recogida de equipaje. Aún me acuerdo, aferrado a mi bolsa de mano como si fuera un tesoro y vigilando lo que había adquirido en las tiendas libres de impuestos, mientras que las pertenencias de los otros pasajeros yacían dispersas por el suelo, sin que nadie se ocupara de ellas.

John: ¿Cómo es la policía?

Robin: La tradición siempre ha defendido un «autoritarismo benévolo». Nadie pone en duda el hecho de que la policía siempre ha disfrutado de un gran poder, pero también es verdad que lo ejercen con indulgencia y que su actitud es amable y útil.

John: ¿Algo parecido al viejo arquetipo del *bobby* británico?

Robin: Sí, muy parecido a eso, pero con más presencia en el vecindario gracias al *koban* o pequeña comisaría. Están muy al tanto de los acontecimientos, lo cual no impide que su actitud sea benigna. Se da más importancia a evitar el crimen que a perseguirlo. Por lo general, a la gente se la deja ir, si confiesa su delito y da suficientes muestras de arrepentimiento.

John: Así que llevan a la práctica la idea de reformar en vez de castigar, ¿no es así?

Robin: Ése es el principio sobre el que descansa todo el sistema legal. Tratan de evitar el tener que mandar a nadie a la cárcel, siempre que sea posible. La confesión, empero, es esencial, como primer paso de la reinserción social. Si una persona no confiesa su delito, se defiende el ejercicio de una presión extrema sobre ella, llegando incluso a la violencia, para forzar dicha confesión.

John: ¿Y si confiesan?

Robin: Si muestran a las claras que su actuación no ha supuesto un cuestionamiento del sistema y que se sienten avergonzados por haber quebrantado la ley, entonces la tarea de la policía ya ha acabado. La mayoría de los acusados nunca van a juicio. Si van y se demuestra su culpabilidad, sólo un cuatro por ciento de ellos acaba en la cárcel.

John: ¡Cielo santo! Entonces, ¿qué es lo que hacen con el noventa y seis por ciento restante?

Robin: Se los multa, se les da una libertad condicional o vigilada que parece dar un gran resultado en su sociedad.

John: Es realmente admirable, aunque tiene que ser mucho más fácil en una sociedad tan homogénea como la suya.

Robin: Eso es precisamente por lo que están trabajando: por preservarla. Se prefiere el consenso y la conciliación, y el litigio está mal considerado, de ahí que haya un número tan reducido de abogados y jueces. Estados Unidos tiene veinticinco veces más abogados que Japón, y Gran Bretaña, diez veces más en proporción.

John: Bueno. Ya hemos visto que el sistema japonés se inclina principalmente hacia «la subordinación del individuo al grupo». Pasemos ahora a la otra idea importante que subyace en él: la jerarquía.

Robin: Bien, la idea que tienen los japoneses de la jerarquía es bastante difícil de entender para nosotros, los occidentales.

John: ¿En qué se diferencia de la nuestra?

Robin: En Europa, bajo el sistema feudal, la idea de deber y lealtad se entendía de forma recíproca entre los líderes y los seguidores, ¿no es así?

John: Sí...

Robin: Pues bien, en Japón la idea de deber es unívoca: el seguidor tiene que obedecer al líder en todo. De hecho, la lealtad siempre se ha entendido como una ética de la *sumisión.*

John: ... ¿El líder no tiene que hacer *nada* para ganársela?

Robin: No. Los japoneses dan la impresión de tener una idea del deber e incluso de la gratitud para con sus superiores que va más allá de la consideración de lo que reciben a cambio.

John: Es extraño. Esto significa que no tiene ningún sentido trastornar el sistema porque las personas que ostenten el poder no realicen ningún bien, puesto que nadie lo esperaría de ellas, ¿no es eso?

Robin: Hay una razón de más peso para no trastornar el sistema: la jerarquía es omnipresente, tan omnipresente que a los occidentales nos resulta difícil entenderlo. Esto se debe a que no piensan que exista un camino alternativo...

John: ...Porque se pasaron mucho tiempo de su historia aislados de otras culturas, de otros modelos.

Robin: Exacto. Una forma de explicar el punto de vista de los japoneses, con respecto a la jerarquía, es explicar que se parece al poder que ejerce el padre en una familia de un solo progenitor que vive aislada y en la que, como consecuencia, los hijos no ven jamás a otro adulto. Incluso aunque el padre quisiera ser democrático y ayudar a sus hijos a que se liberasen, a los hijos les resultaría realmente difícil hacerlo, por cuanto no tendrían otro modelo como punto de comparación para criticar los valores y actitudes del padre. Como verás, la mayoría de nosotros nos independizamos al ser testigos del ejercicio de la independencia de manos de los demás, y cuando somos adolescentes, enfrentando en ocasiones a los dos padres. Nos aliamos con mamá y nos metemos con papá. Entonces tenemos la sensación de estar a la misma altura que papá, nos aliamos con él y nos metemos con mamá. Con todo, desde el principio nos damos cuenta de que son dos personas diferentes, que no están de acuerdo en muchas cosas y que no son dioses que posean la verdad absoluta. Pues bien, los japoneses no han conocido otro país u otra forma de gobierno desde hace cientos de años, por lo que difícilmente pueden criticar a sus gobernantes si no tienen un punto de comparación. Nunca han conocido nada diferente.

John: Entonces no se trata tan sólo de la presencia de una jerarquía, sino de una extraordinaria aceptación de la autoridad, ¿es eso?

Robin: Sí, y no puedo decirte de dónde surge. Me limito a explicar la razón por la que les ha resultado tan difícil substraerse a esa autoridad.

John: ¿Es por esto que en Japón no existe una verdadera oposición? Es decir, Japón lleva siendo un estado monopartidista desde la guerra, ¿verdad?

Robin: Sí, lo ha sido casi siempre. El Partido Liberal Democrático no es sino una coalición de camarillas que se van turnando en el poder. Sin embargo, el resto del mundo da por sentado que Japón funciona democráticamente, cuando la verdad es que según los valores occidentales, se trata de un sistema corrupto que emplea el soborno y el fraude electoral. Aun así, los japoneses no contradicen esta presunción nuestra; de hecho, la fomentan.

John: Y la oposicion no pone ningún reparo porque realmente no le entra en la cabeza la posibilidad de una alternativa...

Robin: Lo cual explica otro aspecto importante de la sociedad japonesa: por qué se les da tan mal entenderse con los demás países.

John: No entiendo cómo has llegado a esta conclusión.

Robin: Bien, como ya he dicho, a causa de su aislamiento, Japón no parece consciente del hecho de que es un sistema más entre otros muchos. Por consiguiente, aplica automáticamente la idea de jerarquía al mundo, en general...

John: Según la cual, Japón se encontraría en la cúspide, ¿correcto?

Robin: Por supuesto. De hecho, éste fue un elemento determinante en la guerra de Japón con Estados Unidos. El día que atacaron Pearl Harbour, los enviados japoneses entregaron un mensaje al Secretario de Estado estadounidense que decía: «Japón sigue su inalterable política de... permitir que cada país encuentre su lugar apropiado en el mundo», lo cual significaba precisamente lo que decía: todas las naciones del mundo tendrían que estar dispuestas en una escala ordenada y sumisa a que Japón gobernara en el papel de Gran Hermano.[1] El día que perdieron la guerra se propusieron, con toda la intención, derrotar a Estados Unidos económicamente: el gobierno convocó a los empresarios y a los sindicatos para diseñar un plan conjunto.

John: Sí. Con frecuencia su comportamiento da a entender que no se quieren integrar en la comunidad de naciones, ¿verdad?

Robin: Es probable que sepan que, si lo hicieran, tendrían que cambiar, algo que en este momento no están dispuestos a hacer. Otra razón que explica el hecho de que los otros países tengan problemas con Japón es que no consiguen entender el funcionamiento de su sistema y, en consecuencia, no acaban de saber con quién deben tratar.

John: ¿Qué tiene de malo tratar con el Primer Ministro?

Robin: Su poder es muy inferior al de cualquier líder occidental. Las reuniones del Consejo de Ministros son breves y consisten, en su mayor parte, en una cuestión de ceremonial que tiene como objetivo respaldar las decisiones de los burócratas más importantes.

1. Este término hace referencia a un personaje de la novela de George Orwell, *1984*. *(N. del T.)*

John: ¡Los *burócratas*!

Robin: Sí, tienen un prestigio tremendo. Además, se da por sentado que su existencia es fundamental para el funcionamiento del país.

John: Entonces, ¿por qué no se intenta averiguar con qué burócratas habría que tratar?

Robin: Porque entre ellos no existe una estructura o un proceso claro de toma de decisiones. Sólo hay un equilibrio de fuerzas que ellos se ocupan de mantener mediante una serie de maniobras que tienen como fin conseguir una posición de poder.

John: Entonces es imposible averiguar quién está a cargo de todo...

Robin: En *El enigma del poderío japonés*, un libro que ofrece una maravillosa visión de las interioridades de Japón, Karel van Wolferen dice: «El sistema es esquivo... Los japoneses que participan en él no pueden entenderlo conceptualmente y mucho menos cambiarlo».

John: Curiosamente, creo que esto tiene mucho sentido.

Robin: ¿A qué te refieres?

John: Bueno, existe una contradicción entre los dos principios que has descrito. Si mezclas la «jerarquía» con la «subordinación del individuo al grupo», ¿qué ocurre con la gente que está ascendiendo en la estructura del sistema? Cuanto más adultos son, parecen estar menos subordinados al grupo.

Robin: ¡Ah! No me había fijado en eso...

John: Esto explica una cosa que leí, en cierta ocasión, en un libro muy inteligente sobre política de empresa titulado *Vigila tu comportamiento* y escrito por John Mole. Al hacer referencia al empresario japonés, el autor dice: «Cuanto más suba en la empresa, más se preocupará por ocultar su ambición y su habilidad. De esa manera evitará ser visto como un líder enérgico».

Robin: Ya comprendo lo que dices. Han desarrollado un sistema capaz de hacer frente a la contradicción de sus valores, capaz de salir de un callejón sin salida.

John: Esto coincide, por otro lado, con otra cosa en la que he reparado. Si nos paramos a observar la historia de Japón, veremos que la persona que ostenta el poder nunca llega a ostentarlo de veras, porque siempre tiene detrás a una eminencia gris, la cual, a su vez, por lo general, tiene detrás de él a otra eminencia más gris si cabe.

Robin: Es algo realmente posible. Aparte, tal vez, de la época del comodoro Perry, en la que el país empezó a transformarse, siempre se ha tratado de la misma historia: los «líderes» no están a cargo de la situación y nadie sabe quién lo está.

John: ¿Qué tipo de gente conforma estos grupos que de alguna manera se encargan de todo?

Robin: La clase dirigente consiste en burócratas, empresarios punteros y parte del Partido Democrático Liberal, una mezcla que no se puede concebir de forma separada. Por ejemplo, los miembros más poderosos del partido son, por lo general, antiguos burócratas y muchos burócratas entran en el mundo de los negocios en calidad de ejecutivos, cuando ya tienen cierta edad. Por otro lado, casi todos estos burócratas han estudiado en el Departamento de Derecho de la Universidad de Tokio.

John: ¡Dios mío! ¡Toda una estructura de ancianos!

Robin: Efectivamente. En teoría, está abierta a todo el mundo, pero en la práctica uno tiene que empezar por el jardín de infancia adecuado. De ahí que, normalmente, pertenezcan todos a la misma familia y que se casen entre ellos.

John: Bueno, bueno, bueno..., y justo en medio de la más asombrosa de las sociedades nos encontramos con un sistema de lo más tradicional.

Robin: Y *muy bien educada,* además. Funciona realmente bien, como un sistema nervioso. La información importante se dispersa literalmente por toda la estructura en cuestión de horas y por medio de rumores. Como es lógico, el hecho de compartir los valores suaviza la fricción que se pueda dar entre las diferentes partes del sistema.

John: Creo que empiezo a entender por qué se da un grado tal de consenso con respecto a las cosas necesarias para el éxito de la nación.

Robin: Van Wolferen dice: «... Aunque no existe un liderazgo fuerte, la impresión que se crea en el exterior es la de un gigante totalmente decidido a conquistar el mundo económicamente». Bueno, ¿crees que empiezas a entender su funcionamiento?

John: No, aunque ahí está el «quid» de la cuestión, ¿no es así?

Robin: Me parece que sí.

John: Lo que me cuesta creer es... cómo se las pueden arreglar con la falta de claridad, cómo pueden desentenderse de la lógica.

Robin: Bueno, a ver qué te parece esta idea. ¿Listo?

John: Soy todo oídos.

Robin: Para los japoneses la realidad es negociable.

John: ...Perdona un momento, he de tumbarme.

Robin: No dejo de repetir la idea de que en Occidente, las personas siempre han sido conscientes de la existencia de diferentes formas de gobierno y maneras de hacer las cosas. Por tanto, han tenido la ocasión de comparar métodos diferentes. Una vez que uno empieza a comparar cosas, se tiende a *abstraer principios generales a partir de los cuales se pueden juzgar los distintos sistemas.* De ahí se deriva la idea de las pautas objetivas, y *se desarrolla la lógica como método para aplicarlas.* Como alguien dijo en una ocasión: «La enseñanza de la lógica es tan antigua como la civilización occidental misma».

John: Continúa.

Robin: Pues bien, los japoneses nunca han tenido nada con lo que comparar su forma de hacer las cosas. En cualquier caso, y debido a que valoran la cohesión por encima de cualquier otra cualidad, *los japoneses no sienten ningún interés en adquirir un punto de vista preciso sobre la realidad; lo que quieren es una fórmula sobre la que todos estén de acuerdo.* La palabra *Tateme* hace referencia a este acuerdo sobre la verdad: una fantasía, sí, pero una fantasía sobre la cual todo el mundo se ha puesto de acuerdo.

John: Algo que surte efecto..., ajustan su punto de vista a lo que es socialmente deseable. La lógica supone una amenaza en este sentido porque conduciría a diferencias de perspectiva.

Robin: Sí.

John: No me extraña nada que los occidentales se vuelvan locos negociando con ellos.

Robin: Bueno, se limitan a contentar a los extranjeros diciéndoles lo que piensan que les gustaría oír. No me sorprendería nada que dieran distintos pronósticos del tiempo, dependiendo de la persona que los pidiera: lluvia para los granjeros, sol para los que se vayan a la playa.

John: ¿Qué ocurre cuando hay una clara discrepancia entre *Tateme*, la versión acordada, y la real..., eh, por falta de una palabra mejor, la realidad?

Robin: Se acepta, incluso si es grande. Estas discrepancias no están simplemente incorporadas al sistema, sino que son *fundamentales* para su funcionamiento.

John: Ya veo que si la verdad es tan relativa, la gente no va a perder el tiempo con cuestiones de principio.

Robin: Ése es otro aspecto del sistema que garantiza que haya tan pocos desacuerdos. Todo contribuye a que la gente tenga dificultades para formar una opinión propia y separada. Por consiguiente, no existe una oposición real, no hay debate, no hay grupos de presión eficaces, no hay movimientos de consumidores, no hay sindicatos, ni siquiera hay un movimiento feminista del tipo que tenemos en Occidente.

John: Aun así, tiene que haber *algún* tipo de disensión...

Robin: Lo hay, y el sistema lo considera con mucha seriedad y se toma la gran molestia de incorporarlo o deshacerlo.

John: Así se entiende cómo la sociedad puede estar tan cohesionada. ¡Es imposible rebelarse!

Robin: El gran experto en Japón, Edward Seidensticker, dice: «La clave para entender la sociedad japonesa es ...que los japoneses no han aprendido a decir no».

John: Pero, si accidentalmente te las apañaras para decir «no», todos te dirían que en realidad no estarías en desacuerdo con ellos. Ahora entiendo la expresión «arroz pegajoso». Sólo pensar en ello me hace sentir constreñido..., es como si no me pudiera separar de los demás, como si no tuviera espacio, o libertad... Supongo que así es exactamente como se siente un occidental cuando se encuentra en una sociedad comunal.

Robin: Sí, en Occidente damos un gran valor a la libertad, en el sentido de que nuestro ideal es no tener restricciones, sean externas o internas. La actitud japonesa es justo la contraria. Para ellos la vida es un deber.

John: ¿Te refieres a que no podrían imaginarse una vida separada de las obligaciones?

Robin: Exacto, los japoneses se pasan la vida cumpliendo obligaciones, tanto las triviales –no escatiman esfuerzos a la hora de devolver todos y cada uno de los favores que se les ha hecho– como las importantes, y no descansan hasta que han resuelto todas sus responsabilidades.

John: Tomemos un ejemplo extremo: el amor. En Occidente entendemos que la esencia del amor se resume en la expresión «sin condiciones»; en última instancia queremos ser amados por nosotros mismos, y no por lo que hacemos. ¿Cómo verían esto los japoneses?

Robin: Les resultaría inimaginable, por cuanto para ellos el amor *es* una red de obligaciones. Ésa es la razón por la que la parte de la Declaración de la Independencia de Estados Unidos que habla del «derecho... a buscar la felicidad» les resulta incomprensible.

John: ¿Significa esto que no conciben la obligación como una molestia?

Robin: Sé que a nosotros nos resulta muy difícil compartir esta idea, porque en Occidente entendemos la disciplina como una serie de normas que la sociedad impone a los niños, originalmente de manos de los padres. Pensamos, entonces, que la disciplina frustra las tendencias naturales de los niños, y damos por supuesto que esto lleva a la ira, algo que tiene por tanto que ser controlado mediante nuevas sanciones sociales.

John: ¿Mientras que los japoneses...?

Robin: ...Ven las cosas de una forma más positiva. Creen que la naturaleza humana, o al menos la *japonesa*, es fundamentalmente bondadosa y bienintencionada, por lo que dan por sentado que si a la gente se la deja a su aire,

hará lo que tiene que hacer de una manera responsable y decente socialmente, a menos que algo vaya mal en el sistema.

John: Entonces, no piensan que la virtud sea una forma de combatir los impulsos negativos.

Robin: En absoluto. Su visión de la psicología humana es oriental: dan a la mente, las emociones y el cuerpo la misma importancia, la misma capacidad para ser responsables, y piensan que cada una de las partes tiene una forma propia de inteligencia.

John: El intelecto, por tanto, no tiene que actuar como un dictador para garantizar el buen comportamiento.

Robin: Efectivamente. En consecuencia, lo importante para los japoneses es coordinar estas tres partes del ser y evitar que una de ellas imponga un control rígido sobre las demás y las haga marchar a la fuerza.

John: Eso significa que la autodisciplina es para ellos algo que realza el ser, no algo que lo restringe.

Robin: Exacto. La disciplina es para ellos algo que aumenta su capacidad para vivir al máximo de sus posibilidades.

John: *Difícil...*

Robin: Tampoco en este caso tenemos que olvidarnos de la relación del individuo con el grupo. La armonía es para ellos lo más importante, de ahí que digan y crean fervientemente que: «El clavo que sobresale ha de ser clavado del todo».

John: En conclusión, no hay sitio en la sociedad japonesa para un individuo autónomo con opiniones propias.

Robin: No, realmente no lo hay.

John: ¿Entienden entonces lo que nosotros queremos decir con la palabra «conciencia»?

Robin: No, los japoneses no creen en la existencia de una voz interior que les diga por dónde tienen que ir, ya que eso comportaría la existencia de unos principios morales diferentes a los del grupo al que pertenecen. Por lo tanto, no es ninguna sorpresa que el tema más importante de las películas japonesas sea el sacrificio del deseo personal de alguien por el bien de una causa más alta.

John: De hecho, un final feliz para ellos sería el fin de la civilización que conocen, aunque, claro, siendo japonés es *más fácil* cumplir con tu obligación.

Robin: Más fácil que para nosotros, puesto que su cultura anima esa idea y, sobre todo, porque se encuentra mucho más próxima que la nuestra a lo que yo entiendo por una tradición espiritual real y viva.

John: ¿Una cultura de qué tipo?

Robin: Una cultura que se halla profundamente arraigada en las ideas de Buda y Confucio, las cuales aún influyen en la sociedad japonesa y en un gran número de gente que afirma no tener ningún tipo de conciencia religiosa.

John: ¿Quieres decir con esto que los valores religiosos son algo que han «mamado», por decirlo de alguna manera? ¿Algo que han absorbido de forma inconsciente?

Robin: Sí. Se nutren de fuentes espirituales. Recogen el beneficio de la comprensión y la práctica religiosas de las generaciones anteriores, sin darse cuenta del enorme valor de la herencia que han recibido...

John: ... Al igual que en Occidente ciertos valores protestantes seguían formando parte de la cultura mucho después de que la creencia en sí hubiera perdido fuerza.

Robin: Efectivamente. Los valores protestantes que recalcan la honestidad, el trabajo duro, el esfuerzo y la constancia desempeñaron un papel muy importante en la consecución del éxito industrial estadounidense y británico. Aun así, la homogeneidad y la cohesión de la cultura japonesa habrían permitido a la tradición espiritual ejercer una influencia más profunda.

John: Sí, en una ocasión leí el relato de un sacerdote jesuita sobre la tortura que se le infligió en la Torre de Londres durante el reinado de Isabel I. Al final, me di cuenta de que la fe religiosa llega a unos extremos que otro tipo de creencias no pueden alcanzar.

Robin: No se trata, simplemente, de una cuestión de creencias. La tradición espiritual a la que me refiero da por sentado para los japoneses que el ser virtuoso no es algo que se logre por el mero hecho de desearlo o porque se decida aceptar una serie de creencias, de la misma manera que uno no puede aprender a conducir o a tocar el piano simplemente porque uno así lo desee o porque se tenga la determinación de hacerlo.

John: En contraposición a ese concepto tan extendido en Estados Unidos, que supone que alguien puede adquirir unas habilidades bastante complejas a poco que muestre un mínimo de entusiasmo.

Robin: Pues bien, los japoneses entienden que ese tipo de cosas requieren un trabajo duro y continuado.

John: ¿Es ésta la razón por la que muchas empresas mandan a sus ejecutivos a pasar una temporada a un monasterio? Eso se consideraría aquí algo verdaderamente asombroso.

Robin: Es cierto. Sin embargo, los japoneses saben muy bien que mediante el trabajo y el estudio uno puede llegar a conocerse a sí mismo y a aprender a integrar la mente, el cuerpo y los sentimientos en el conjunto de su ser para poder así realizar eficazmente la tarea elegida. Esto es lo que ellos entienden por «sinceridad», un sentido de la palabra muy distinto al que nosotros le damos.

John: El éxito que obtienen entonces cooperando y trabajando en equipo es el resultado de una vida dedicada a prepararse para ese propósito, bajo la dirección de toda una cultura.

Robin: De ahí que puedan dar quince y raya a un par de aficionados como nosotros, que pensamos que todo puede conseguirse leyendo libros sobre administración de empresas, diciéndole a la gente lo que tiene que hacer y presumiendo que lo harán.

John: Ssshhh...

Robin: Bueno, al menos estamos explicando por qué los libros y el conocimientro intelectual solos no bastan. Con todo, hay una noticia que debería animarnos a los occidentales. Las cosas *están* cambiando en Japón. La gente ha empezado a gastar más dinero, las importaciones comienzan a aumentar y la industria japonesa está empezando a preocuparse porque los ejecutivos más jóvenes quieren pasar más tiempo en casa en compañía de sus hijos, una temida enfermedad que llaman «amor de hogar». Además, las dos terceras partes de la gente joven dice que el propósito de su vida es «divertirse». De hecho, los surcoreanos ya han empezado a llamar a los japoneses «perezosos».

John: Nos hemos referido a los japoneses casi exclusivamente como si fueran una sociedad. ¿Cómo son en cuanto individuos? ¿Todas las inhibiciones con respecto al individualismo suponen una disminución de la calidad de vida, desde un punto de vista occidental?

Robin: Creo que sí. El nivel de control requerido no es sino un jarro de agua fría sobre el deseo de divertirse.

John: ¿Te parecen por esa razón menos felices que nosotros?

Robin: No, ésa no es mi impresión. Están sencillamente orgullosos de su sistema, el cual no cabe duda de que funciona mucho mejor que el nuestro en varios aspectos. Además, la idea de que desempeñan un papel útil, en una sociedad que tiene tanto éxito, les supone una serie de satisfacciones que a nosotros se nos niegan. Parecen verdaderamente contentos y convencidos de su papel, y además disfrutan de ello, aunque lo expresen de una manera contenida y moderada, como si les costara mucho trabajo hacerlo.

John: ¿Te parecen personas amistosas?

Robin: Muy amistosas y amables, y sonríen muchísimo. De hecho, me caen estupendamente, aunque no son lo que yo llamaría divertidos, algo que tiene que ver con el hecho de que no se sueltan, de que no hacen locuras, no se desmelenan, a menos, eso sí, que se emborrachen. Ésa es una de las maneras aprobadas por la sociedad para desahogarse, siempre que respeten la norma: «Ni una palabra de esto a nadie cuando estemos sobrios».

John: Tal vez tengan miedo de que si se «sueltan», sobresaldrán y tendrán que ser «clavados» nuevamente.

Robin: Eso es parte del problema. Otra parte es que les preocupa muchísimo el «qué dirán». Toda su cultura está construida sobre esa preocupación, por lo que pasan todo su tiempo preservando cuidadosamente su dignidad.

John: ¿«Salvando las apariencias»?

Robin: Sí. Una vez que se pasa una edad determinada, si un niño suscita la desaprobación social, incluso los padres se unen a los desconocidos para criticarlo, de ahí que exista un gran miedo al fracaso. Ésta es la razón, además, por la que en una competición *individual* disminuyen tanto su rendimiento.

John: Aun así, les encantan los juegos de equipo.

Robin: Sí, aunque los estadounidenses que han jugado en un equipo de béisbol en Japón, suelen decir que los japoneses siempre se ponen muy nerviosos cuando sus compañeros de equipo tienen que dar su opinión sobre su juego y reaccionan muy mal ante el fracaso del equipo. Sin embargo, no se trata del miedo a perder. Lo pasan muy mal y se deprimen sencillamente porque se les vea cometiendo un error.

John: ¿A pesar de todo el apoyo que reciben del resto del equipo?

Robin: En esas circunstancias, no reciben ningún tipo de apoyo, por lo que tienen que enfrentarse al miedo fingiendo que pueden hacerlo todo a las mil maravillas. Por ejemplo, suelen fingir que hablan inglés perfectamente, cuando en realidad no tienen ni idea, algo que resulta evidente con sólo mirar un libro de instrucciones de cualquier producto japonés.

John: El humorista Bill Bryson tiene una goma de borrar japonesa que dice: «Amable señora goma de borrar de gran calidad. ¡La señora amable acaba de llegar! Nunca te abandonará, y hará lo posible para que acabes en una buena situación». Dice además que las latas de Coca Cola tienen un eslogan: «Me siento Coca y Especial», y ha visto ciertas bolsas de viaje que muestran un yate en el mar azul con el siguiente mensaje: «Suiza, la ciudad al lado del mar».

Robin: Por tanto el deseo de «salvar las apariencias» surge de un intenso miedo a parecer tonto, tal vez porque la sensación de ridículo desempeña un papel muy importante en la educación de los niños...

John: ... Y todo el miedo a cometer un error y a parecer tonto significa que les es muy difícil ser espontáneos y abiertos.

Robin: Sí, se toman los juegos muy en serio: su actitud ante un entrenamiento de golf se parece a la que tienen cuando están diseñando un Toyota.

John: No deja de ser fascinante la idea de que este tremendo espíritu cooperativo tenga detrás de sí tanta inseguridad.

Robin: De ahí viene probablemente el jarro de agua fría sobre la diversión y la alegría al que nos referíamos. Al poco tiempo de mi regreso de Japón, fui a cenar con una psicóloga escocesa que había vivido varios años en Tokio. Acudimos a un restaurante italiano muy animado, cuyos camareros estaban muy eufóricos, bromeaban todo el rato y canturreaban trozos de canciones. Había, además, varias familias italianas muy numerosas pasándoselo en grande. Nos pusimos a hablar sobre Japón en medio de todo el bullicio, y pronto me di cuenta de que yo mismo me sentía animado y de que había empezado a hablar en voz alta, a mover mucho los brazos y a sentirme alegre. Me sentía de repente liberado tras la constricción que había supuesto mi experiencia en Japón. Era maravilloso no sentirse vigilado, y tener el espacio físico y anímico necesarios para mostrarse totalmente expansivo. Me entraban ganas de respirar profundamente. Más tarde, mi compañera me dijo que había tenido la misma sensación.

John: El contraste es enorme con Estados Unidos, ¿no te parece? Lo único que tienen en común los dos países, aparte del éxito económico, es su relativo aislamiento: les ha permitido desarrollarse de dos formas muy diferentes, razón por la cual se encuentran respectivamente en los dos extremos del espectro individualista / comunal. Con la excepción de esa similitud, son polos opuestos: Japón es una jerarquía; Estados Unidos se opone conscientemente a la jerarquía. Estados Unidos es una cultura de inmigrantes; Japón no puede entender ni por asomo la idea de que alguien emigre. Japón es un país ordenado, inhibido y contenido; Estados Unidos es algo desordenado, extravertido y poco convencional. Estados Unidos es creativo y lleva las cosas hasta los extremos;

Japón es ortodoxo y evita los excesos. Japón es un lugar seguro pero poco divertido; Estados Unidos es justamente lo contrario. Estados Unidos adora la juventud; Japón respeta a sus mayores. Las mujeres japonesas muestran una gran deferencia hacia los demás; las mujeres estadounidenses son las más vehementes del mundo. Estados Unidos cree en la verdad y en que la sociedad se encuentra más segura cuando el mayor número de gente posible trata de encontrar la verdad; Japón ve todo esto como una amenaza para su armonía. Los japoneses son tremendamente educados y formales; los estadounidenses no se preocupan mucho de las sensibilidades más frágiles y son conocidos por su falta de formalidad. A los estadounidenses les encanta competir, mientras que los japoneses como individuos tienen miedo de las competiciones. Los japoneses se esfuerzan por alcanzar un consenso; los estadounidenses convierten en un héroe a la persona que sigue su conciencia a pesar de los mandatos del mundo.

Robin: Al hacer un resumen tan conciso, las diferencias parecen mucho más extraordinarias. Sus culturas no podrían ser más distintas.

John: Es posible que eso se deba a que el extremo individualismo que hay en el fondo de la sociedad estadounidense se ve ensombrecido, en muchas ocasiones, por el hecho de que muchos estadounidenses se convierten en personas sumamente convencionales, con el fin de enfrentarse a la angustia que tal aislamiento produce. Por eso, los domingos por la mañana, uno puede ver miles de individualistas robustos y algo entrados en carnes, con vaqueros, gorras de béisbol y camisas de franela, llevando a su familia, la cual va ataviada de forma idéntica, en una camioneta que se podría intercambiar sin ningún problema con la de al lado. Como dijo Mark Twain: «En nuestro país poseemos tres cosas increíblemente valiosas: la libertad de expresión; la libertad de conciencia, y la prudencia de no ejercer ninguna de las dos».

Robin: Encontramos la misma contradicción entre los japoneses, pero al revés. Muchos de ellos afirman que su sociedad, al ser tan segura y estar tan bien ordenada, les permite sentir una gran libertad y mostrarse como individuos dentro del marco que les ofrece.

John: De la misma manera que la remilgada, respetable y estirada Inglaterra victoriana de antaño era conocida por sus excéntricos.

Robin: La naturaleza se asegura de que haya un equilibrio en un sentido o en otro. Tienes razón, de todas formas, el comportamiento y los sentimientos actuales suelen ensombrecer la realidad fundamental: una sociedad es sumamente individualista y, la otra, comunal.

John: Aunque hay que tener en cuenta que, claro está, nos hemos olvidado del factor «tamaño», ¿verdad?

Robin: Cierto. No es difícil ver cómo evolucionaron las características estadounidenses con el gran espacio que tenían sus habitantes para sentirse expansivos. Por otro lado, las características japonesas –y las británicas– derivan claramente del hecho de que la gente se encuentre apiñada en una isla.

John: Poco podemos hacer al respecto. Por mucho que soñemos con una sociedad ideal, siempre nos faltará cierto vigor tectónico...

Robin: Cierto.

John: Aunque no cabe duda de que hay partes de las *dos* culturas que resultan muy atracticas, ¿no te parece? A mí me gustan cosas tanto de una como de la otra, pero no sé si se puede encontrar un equilibrio entre las dos que dé como resultado lo *mejor* de ambas.

Robin: Con todo, ha de ser *posible*. Recuerda, los «más sanos» combinan la capacidad para funcionar de manera autónoma con un fuerte espíritu comunal. Además, todos tenemos que buscar cierto tipo de equilibrio porque, por lo visto, cuanto más extrema se vuelve cualquiera de estas dos tendencias, más fácil es que la parte menos deseable de ellas salga a la superficie. Es decir, el comportamiento individualista extremo debe ser el de los Ik; el método comunal extremo ha de ser el fracaso que supuso, durante la Edad Media, intentar mejorar lo que decía Aristóteles.

John: Los dos sospechamos, si no me equivoco, que Estados Unidos sería más fuerte si tuviera un comportamiento más cooperativo y menos compulsivamente competitivo; y que Japón se beneficiaría de una mayor creatividad individual y de una mayor apertura a los valores «extranjeros».

Robin: Estoy de acuerdo. Hablemos entonces del tipo de mezcla que funcionaría mejor. Obviamente, la solución será diferente para cada país: un compromiso aceptable para cada cultura en concreto: más comunal para los suizos, más individualista para los italianos. Sin embargo, a nosotros los británicos, ¿qué nos gusta de las culturas comunales?

John: Yo me inclinaría por lo positivo de las relaciones que una persona experimenta en este tipo de sociedades. Esta sensación, positiva como es, trae consigo una mayor implicación, en primer lugar porque la persona ofrece su ayuda y sus servicios a los demás miembros de la comunidad y, en segundo lugar, porque él o ella puede disfrutar de la devolución del favor. Esta sensación es agradable, esta actitud de toma y daca, de cooperación mutua. Además, tengo la impresión de que nos sentiríamos mejor con respecto a nuestra sociedad si no hubiera tantos parias en su seno, tantas personas excluidas de cualquier tipo de participación en la toma de decisiones, de cómo ha de funcionar; aunque también he de decir que esta situación comportaría una serie de exigencias para nosotros que tal vez no nos resultarían tan divertidas.

Robin: Sí, pero recuerda que en una sociedad comunal la asunción de tales exigencias puede que no sea tan difícil. Las relaciones no nos resultarían tan competitivas y peligrosas y, como consecuencia, no nos distanciaríamos tanto de los demás. Y, como los otros se implicarían en mayor grado, tendríamos con más frecuencia la gran satisfacción de colaborar con otras personas en la consecución de un objetivo. Por tanto, satisfacer dichas exigencias podría ser algo muy agradable y gratificante, o al menos ésa ha sido mi experiencia cuando he estado metido, con otras personas, en una aventura que mereciera la pena, por mucho que, en un principio, me resistiera a renunciar a mi libertad para seguir sus indicaciones.

John: No es justo, ¿verdad? La paranoia funciona.

Robin: ¿Qué quieres decir?

John: Bueno, tomemos a Japón como ejemplo, por favor. Tienen una actitud bastante paranoica con respecto al resto del mundo; su racismo salta a la vista; no conocen el significado de la palabra «inmigración» y, en consecuencia, acaban con una sociedad que tiene unos valores en común tremendamente fuertes y un nivel de conflictividad mínimo. Es parecido a lo que pasa en Suiza o en islas pequeñas como Jersey: una gran dureza con los inmigrantes y un gran respeto por el orden social; unos lugares maravillosos para visitar pero horrorosos para vivir. Mientras, nuestro querido Estados Unidos se convierte en un crisol, gracias a su fantástica actitud con respecto a la inmigración pero tiene que pagar un precio escandaloso por la fragmentación de su sociedad.

Robin: Pero te olvidas de que lo que estamos examinando es la cuestión del *equilibrio*. Estoy de acuerdo, Estados Unidos tiene unos problemas terribles, pero también disfruta de una gran energía y una gran creatividad. Tiene una enorme capacidad para resolver problemas, mientras que ¿cuáles son las *desventajas* de una sociedad comunal?

John: Esto me resulta difícil. Sé que una persona se sentiría de forma diferente si se hubiese educado en una sociedad comunal pero, aun así, supongo que me sentiría oprimido ante la obligación de conformarme, ante la actividad al estilo de la «hormiga» y el hecho de que la mayoría de los individuos no vivan realmente bien por ninguna razón aparente aparte del deseo de convertir a Japón en el hormiguero más grande. ¿Cómo era esa alarmante expresión sobre un clavo?

Robin: «El clavo que sobresale tiene que ser clavado nuevamente.»

John: Horroroso, si bien supongo que habrá bastantes militares occidentales que no estarán de acuerdo conmigo. Con todo, parece una respuesta muy negativa para la individualidad de cualquiera, como si se tratara de un tipo sumamente virulento de envidia.

Robin: Que, de alguna manera, no acaba de convencer. Yo, en cambio, no tuve esa impresión cuando estuve con ellos, aunque está claro que sería la estructura social perfecta para *evitar* la envidia, dado que todo el mundo tiene un puesto asignado en el esquema de las cosas, y las diferencias de posición o bien se niegan o se minimizan, si no es que son tradicionales y no se pueden negociar. En ninguno de los casos hay suficientes posibilidades para que la envidia se convierta en una opción significativa.

John: Así que en las sociedades comunales la vida suele consistir en un interminable proceso que tiene como fin cumplir todas las obligaciones sociales. La consideración por los demás es algo que admiro, como es lógico; sin embargo, el formalismo de su expresión lo hace parecer, según mi punto de vista, vacío e insignificante, como si el evitar la ofensa fuese el único propósito de su existencia.

Robin: Cuando ese tipo de conformidad social es extrema, puede darse una pérdida de energía, de euforia y placer, incluso a pesar de que la sociedad en su conjunto logre obtener unos resultados estupendos.

John: Sí, lo que me molesta es la sensación de que no se respete la contribución *diferente* de un individuo, algo que se refleja en la falta de creatividad que hay entre los japoneses. Los amigos que tengo que se dedican al diseño me han dicho que no tienen solución. Además, recuerdo lo que decía Helena Norberg-

Hodge sobre los ladakhis: su sociedad carece de un sentido estético y al parecer no obtienen el mismo placer de la belleza que nosotros, algo que me hace pensar en lo que decía Burckhardt al respecto: un hombre descubre la belleza de la naturaleza cuando se descubre a sí mismo como una entidad separada.

Robin: Hace poco le pregunté a una artista que había pasado varios años en Japón sobre el sentido estético de los japoneses. Yo siempre había pensado que estaba muy desarrollado. Lo que me dijo, sin embargo, fue que aunque se celebra la belleza de la naturaleza, como por ejemplo la contemplación anual del florecimiento de los cerezos, para la mayoría de ellos no se trata más que de un ritual, «lo que tienen que hacer». También me contó una historia sobre el descubrimiento de un bosquecillo de cerezos; cuando su huésped japonés consultó su guía, no pudo encontrar ninguna referencia al respecto, por lo que perdió todo interés en el bosquecillo.

John: Un momento. ¿No crees que estamos siendo un poco mezquinos, incluso envidiosos, criticando este sistema tan exitoso sólo porque esta gente no es tan indulgente como nosotros?

Robin: No. Me da la impresión de que lo que hemos estado discutiendo es un síntoma de una enfermedad mucho más grave. Después de todo, el sistema político japonés es profundamente corrupto, y todas las facetas de su cultura que hemos descrito no hacen más que indicar que para ellos es prácticamente imposible hacer algo al respecto.

John: Eso es verdad. En el otoño de 1992 tuvo lugar el cuarto escándalo político relevante de los últimos dos años. Se descubrió que casi todos los políticos de primera línea estaban implicados no sólo en un caso de soborno a gran escala, sino también en el *intercambio de favores con Yakusa*, el sindicato del crimen organizado. Hubo un alboroto tremendo durante un tiempo..., y luego, ¿qué ocurrió? Una dimisión... *y nada más, porque no hay alternativa.* En un momento en el que se revela la existencia de un caso de corrupción realmente estremecedor, la oposición se encuentra más desvalida que nunca, casi como si quisieran asegurarse de que no son una alternativa creíble, porque si lo fueran, las cosas podrían cambiar de veras.

Robin: Algo que el sistema puede prevenir gracias a que se encuentra perfectamente diseñado para ello.

John: Aquí me topo yo con un pequeño obstáculo: no puedo describir lo que no me gusta de las sociedades comunales a no ser que hable de lo que me gustaba de las individualistas. Por tanto, me veo obligado a hablar sobre sus carencias: carencias de iniciativa, de curiosidad, de creatividad, etcétera.

Robin: Muy bien, pasemos entonces a hablar de lo que nos gusta de las culturas individualistas.

John: Bueno, consiste en algo así como independencia personal, ¿no crees?, incluye la habilidad para resolver las cosas por tu cuenta, aparte de una cierta dureza, una sana desconsideración por cualquier presión que pueda ejercer la sociedad para que uno se conforme, algo que necesitamos si queremos actuar de acuerdo a los principios que hemos elegido. Luego está el placer de crear algo nuevo y de no seguir las ya trilladas tendencias intelectuales.

Robin: Todo lo cual da a cada persona una gran libertad para crecer y desarrollarse de acuerdo con su potencial personal...

John: En una sociedad de este tipo, además, uno puede disfrutar de la riqueza y la variedad que halla en su entorno. Es algo estimulante, cautivador y supone un reto constante: siempre se puede aprender algo más de lo que se aprendería en una cultura normalizada.

Robin: Es lo mismo que pasa en una familia o en un matrimonio sano: cada persona es relativamente autónoma e independiente, lo cual constituye una fuente de riqueza y diversidad para el conjunto. Por otro lado, está la alegría que surge de la aceptación del reto de reconciliar dichas diferencias...

John: ...Y la diversión que se deriva de participar en un juego y tratar de ganar, a pesar de que uno sepa que, en realidad, no importa que pierda. Y el enorme bienestar que produce la belleza, tanto natural, artística como personal. Por añadidura, hay que contar, por supuesto, con el sentido del humor, que parece depender de la habilidad que uno tenga para distanciarse de la sociedad y ver desde una posición más objetiva lo absurdas que son muchas cosas.

Robin: Ésa es la forma de mejorar... Creo que lo que has dicho representa bastante bien las ventajas de una sociedad más individualista. Pasemos entonces a las desventajas.

John: Bueno, hace unos años me vino a las manos un libro absolutamente maravilloso sobre este tema. Se titulaba *El miedo a la libertad* y era de Erich

Fromm. Todo lo que he leído desde entonces se me ha antojado como meras notas a pie de página, en comparación.

Robin: Me acuerdo que disfruté mucho de su lectura cuando estudié psiquiatría. ¿Podrías resumir lo que decía?

John: Lo intentaré. Fromm indica, como es lógico, todos lo *buenos* aspectos que comportó el primer paso de Occidente hacia una forma de vida más individualista. Luego, sin embargo, se concentra en el análisis de las consecuencias negativas. En lo fundamental, muestra que históricamente, conforme la gente se fue sintiendo más y más aislada y dubitativa, empezó a experimentar un nivel más alto de ansiedad e inseguridad. Esto dio paso a un número de rasgos característicos que acompañaron el desarrollo del capitalismo: un miedo a «perder el tiempo» y el consiguiente afán por llenarlo frenéticamente con actividades; la consideración de la eficacia como un valor moral; el impulso a aumentar constantemente el capital sin pararse a disfrutar de lo que se puede comprar con ello, y una omnipresente actitud competitiva. Todos estos rasgos, dice, contribuyeron al desarrollo de la famosa ética del trabajo protestante. Todos ellos, además, provienen fundamentalmente de la ansiedad, por lo que son, en esencia, de tipo neurótico, a pesar de todas las ganancias que reportan a la sociedad.

Robin: Has mencionado algo de gran relevancia que creo que deberíamos analizar con mayor profundidad más adelante, cuando examinemos los valores y el papel que desempeñan en la forma que tiene la sociedad de funcionar. Me limitaré a decir que lo que Fromm está mencionando es un cambio psicológico fundamental que ocurrió cuando nuestra sociedad se hizo más individualista: en buena medida perdimos una forma muy profunda de percibir nuestro propio ser que, cuando lo experimentamos, nos producía una sensación de relación o de comunión con los demás y con el mundo en general. Tras perderla, nuestra conciencia se traslada al exterior para concentrarse en las partes más superficiales de nuestro ser. Cuando esto ocurre, *nuestro sentido de la identidad deja de proceder de lo que somos*, de nuestra conciencia de nuestro ser, nuestra vida interior, del hecho de que existimos. Procede, en cambio, de algo *externo* a nosotros. Comenzamos a sentir que *existimos sólo en tanto que nos reflejamos en los demás*: cuando nuestra presencia se hace notar; cuando se nos admira; cuando logramos algo. Es decir, comenzamos a vivir de acuerdo a cómo nos vemos reflejados en los demás y, en consecuencia, nos volvemos excesivamente dependientes de las opiniones de los que nos rodean.

John: Sí, Fromm dice que en una sociedad altamente competitiva, todo el mundo siente una «ansiedad persistente»; en consecuencia, como es algo que nos resulta desagradable, tratamos siempre de deshacernos de las diferentes cosa que provocan dicha sensación. Por tanto, nos encontramos sintiendo permanentemente una gran hostilidad hacia casi todas las personas que nos rodean, algo que reprimimos y, claro está, racionalizamos para convertirlo con frecuencia en un sentimiento de *censura moral*.

Robin: Es verdad que una amenaza para la imagen que reflejamos suscita el miedo y la actitud defensiva y hostil que has descrito, sentimientos todos que tratamos de *ocultar*. De hecho, ya nos hemos referido a esto en el primer capítulo como el comportamiento típico de la gente normal: todos ocultamos a los demás este tipo de sentimientos, bajo la apariencia de la buena educación. A veces también nos los ocultamos a nosotros mismos. Por consiguiente, aprendemos a fingir una preocupación por los demás que no es genuina, aprendemos a ser «agradables» en su presencia, para luego mostrarnos mucho más críticos a su espalda.

John: Entonces, esta hostilidad surge directamente de nuestros sentimientos de inseguridad, ¿no es cierto?

Robin: Sí, al pasar de una conciencia interna a una externa, perdemos una seguridad fundamental. A propósito, las observaciones de Fromm guardan una relación íntima con la descripción que Colin Turnbull da de la ausencia de un espíritu verdaderamente cooperativo en el mundo occidental, lo cual, según dice: «Establece la división más que la unidad, la segmentación antes que la integración, la competición por encima de la cooperación. El énfasis pasa a radicar en un número de individuos separados y discretos, y no en una corporación única».

John: No me cuesta mucho trabajo reconocer lo que dice. En la escuela privada a la que iba en la década de los cincuenta, siempre se hablaba de «espíritu de equipo», aunque nunca se nos llegó a enseñar *cómo* se trabaja en equipo, ni tampoco cómo comunicarnos, a no ser que fuera de una forma orientada única y exclusivamente al trabajo. Discutir nuestros sentimientos hubiera sido una perversión, con lo que nuestra colaboración tuvo que basarse en la percepción extrasensorial.

Robin: Un caso típico de las sociedades individualistas. No existe una preocupación por ayudar a los niños y a la gente joven a entender, poco a poco, durante todo su desarrollo, cómo se tiene que adaptar uno de manera constructiva y agradable a los grupos sociales o cómo se hace la transición de una etapa de la vida a la siguiente. Se los tira al agua de buenas a primeras, sin enseñarles antes a nadar.

John: Sí. Hasta que no fui testigo del esfuerzo que supuso para los hijos de nuestra generación dejar la escuela y adentrarse en el mundo, no me di cuenta de lo estrepitosamente que habíamos fracasado.

Robin: Se trata de una de las carencias más extraordinarias que sufre nuestra estructura social y ni siquiera nos hemos dado cuenta de lo que supone...

John: Entonces, en resumidas cuentas, la parte negativa del individualismo es que en el fondo la gente se siente asediada y, en consecuencia, hostil. Y competitiva. Por decirlo de otra forma, la persona media no experimente mucha confianza, algo que, si tenemos en cuenta que casi todos los demás se sienten de igual manera, no es precisamente lo más apropiado.

Robin: Todos nos encontramos, a cierto nivel, en alerta constante para asegurarnos de que nadie va a aprovecharse de nosotros. Pasamos la mayoría del tiempo utilizando a los demás como instrumentos para conseguir lo que queremos, en vez de tratarlos como personas hechas y derechas. Bajo estas circunstancias, resulta mucho más difícil, como es lógico, mantener una verdadera amistad o disfrutar de tu vida íntima. Y como los seres humanos necesitamos el contacto y el apoyo afectivo, si queremos sentirnos bien con nosotros mismos, el comportamiento que acabo de describir no hace sino aumentar la inseguridad que ha causado en un primer momento.

John: Si lo examinamos desde el punto de vista de la sociedad..., no hay un sentimiento de cooperación lo suficientemente fuerte como para enfrentarnos con eficacia a los problemas de la sociedad.

Robin: Es verdad.

John: Bueno, ya hemos hablado bastante de los *inconvenientes* de una sociedad excesivamente individualista...

Robin: Supongo que porque es el tipo que nos afecta a *nosotros*.

John: Cierto, cierto. De todas formas..., aunque pueda ser más sencillo sentirse feliz en una sociedad comunal, en la que te hallas integrado y apoyado por la sociedad que te rodea..., y aunque sea por tanto comparativamente más difícil ser feliz en una cultura individualista..., no puedo evitar considerar un logro mayor alcanzar la verdadera felicidad en una sociedad como la nuestra. Acaso sospeche que cuanto mayor sea el desafío al que se enfrente una sociedad, más madura será a la postre.

Robin: Sí, hemos «comido del árbol de la ciencia» y nos han expulsado del Paraíso. El lado positivo de esto, empero, es que ya no somos niños, por lo que podemos empezar a crecer. Eso es cierto, incluso aunque para alcanzar un desarrollo *pleno,* tengamos que encontrar nuestro camino de regreso a esa forma de vida más abierta y confiada que perdimos en el curso de nuestra infancia.

John: Bueno, nuestra andadura nos ha llevado a visitar diversas culturas para hacernos una idea del equilibrio que nos gustaría tener, en una democracia liberal ideal, entre las actitudes individualistas y las comunales. No me cabe ninguna duda de que nos hemos inclinado demasiado en la dirección individualista y que hemos perdido muchos aspectos valiosos de la forma de vida comunal.

Robin: Estoy de acuerdo. ¡Hemos alcanzado nuestro objetivo!

John: Efectivamente. Está claro que no podemos decir *hasta dónde* deberíamos llegar, ya que sería demasiado complejo. Pero por lo menos, sabemos que somos demasiado individualistas: es aquí donde radica el problema. La tendencia generalizada en el mundo va en dirección de *un mayor individualismo,* si cabe. Por todas partes las agrupaciones tradicionales se están viniendo abajo, y las culturas comunales tradicionales están siendo rechazadas. El nivel de tensión y de desasosiego aumenta, lo cual fomenta actitudes poco solidarias. Por tanto, doctor, ¿cómo podemos cambiar la tendencia actual hacia un individualismo exacerbado para alcanzar un equilibrio más sano?

Robin: Me gustaría tratar este tema pormenorizadamente en nuestro último capítulo, que trata sobre el cambio. Ahora me limitaré a decir lo siguiente: al hablar de un individuo, una familia, una organización o una comunidad..., no podemos cambiarnos *a nosotros mismos* de una manera fundamental.

John: ¿En serio? ¿Por qué diablos no podemos?

Robin: Digamos, por el momento, que cualquier intento de hacerlo es como tratar de levantarte a ti mismo tirando de los cordones de tus botas. O por utilizar una metáfora diferente: cambiarte a ti mismo o que una sociedad trate de cambiarse a sí misma es lo mismo que barajar la misma baraja de ideas y actitudes que dio lugar al principio a todos los problemas. Como verás, en última instancia, lo que hemos de cambiar son los *valores, porque sólo si se cambian los valores de la gente, puede cambiar su comportamiento de una forma orgánica y duradera.*

John: ¿*Cómo* tiene lugar este cambio radical de valores al que te refieres?

Robin: Sólo si se entra en contacto con sistemas diferentes, de tal forma que se pueda adquirir información nueva y se pueda combinar con la antigua.

John: Bueno, no cabe duda de que lo que necesitamos son valores nuevos que fomenten un sentimiento y una conducta de cooperación, ¿no es así?

Robin: Eso significa que lo que tenemos que encontrar son valores de dos tipos: en primer lugar, valores integradores y cooperativos, como has sugerido. En segundo lugar, valores que nos lleven a los occidentales a tener una sensación de seguridad personal más profunda, lo cual facilitaría a su vez la aceptación de actitudes más colaboradoras.

John: ¡Se me acaba de ocurrir una idea! ¿Por qué no hablamos ahora sobre los valores?

Robin: A veces eres de lo más agudo, ¿sabías?

John: Es gracias a mi formación de cómico.

Apostilla: El dinero hace que el mundo dé vueltas

John: He estado haciendo conjeturas sobre la posibilidad de que los países atraviesen ciclos que guarden relación con los ciclos psicológicos.

Robin: ¿A qué te refieres?

John: Me refiero a que si las cosas van bien, lo que hacen es darse pompa y adoptar una actitud arrogante y, como todos sabemos, el orgullo precede a la caída. Tras la caída, adoptan la actitud contraria, se vuelven más humildes y realistas y empiezan nuevamente a trabajar en serio y a mejorar. Sería como las personas, si no fuera porque en el caso de los países uno no sabe si hay un principio y un final en el proceso, puesto que se repite continuamente, da vueltas y más vueltas como una noria.

Robin: Descríbelo.

John: Bueno, tomemos como punto de partida la parte más baja del ciclo. El ejemplo más evidente es un desastre, como el que tienen que afrontar cuando pierden una guerra. En primer lugar, hay una terrible depresión en el sentido más amplio de la palabra. Luego llega la aceptación de la situación. En tercer lugar, uno se da cuenta de que ha de volver a empezar de cero, ya que no hay otra alternativa si se quiere sobrevivir. Empieza el trabajo duro: uno pone todo su esfuerzo en el empeño para salir de la situación. Todo está en el crisol y uno se muestra abierto a las nuevas ideas que puedan surgir. Se dan planteamientos nuevos por todas partes, nuevas maneras de organizarlo todo, de hacer las cosas, de inventarlas.

Robin: Tal vez ésa sea la razón por la que la mayoría de los inventos que han impulsado el éxito industrial hayan ocurrido en la etapa más baja de estos ciclos, durante una época de crisis económica. Sucede lo mismo en época de guerra, cuando el mismo tipo de desesperación tiene unos efectos espectaculares en la tecnología –el motor a reacción, los cohetes, los sistemas de dirección y la energía nuclear durante la última guerra mundial, por ejemplo– a los cuales se les puede dar luego un uso pacífico.

John: Una nación que acaba de sufrir un desastre no suele hacerse muchas ilusiones. De hecho, su visión de las cosas es bastante sana y realista. Tiene una actitud de humildad, agradecimiento y estima por lo que todavía les queda, y además la sensación de que poseen una obligación para con la sociedad, la obligación de unirse por el bien común. La situación es entonces muy favorable para el éxito económico: existe una atmósfera creativa en la que la gente desea abandonar sus viejos hábitos para probar algo nuevo. Además, hay una actitud predominante de determinación, así como una voluntad para sacrificarse si es que eso va a conducir a una serie de mejoras en el futuro. Los costes laborales serán, en consecuencia, razonables, y la productividad muy alta.

Robin: Ésa fue exactamente la situación de Alemania y Japón tras la segunda guerra mundial.

John: Por lo tanto, en esta etapa del ciclo el éxito es prácticamente inevitable. La economía se recupera con lentitud; la vida es dura, pero la gente empieza a comprobar que sus esfuerzos llevan al éxito. La confianza también crece.

Robin: Entonces, nada puede evitar una tendencia alcista.

John: Nada, así que continúa, y en el plazo de una década o dos el país ya se encuentra a medio camino de la cúspide. La economía está en auge, es una época triunfal, se oyen las palabras «milagro económico». Tengo la sensación de que ésta es la mejor época.

Robin: Creo que tienes razón. Cuando se está a medio camino, la gente empieza a gozar de los frutos de su trabajo, pero como aún recuerda los malos tiempos, se siente agradecida por lo que tiene, algo que puede hacer porque puede compararlo con la época de penuria de la que salieron. Todavía mantiene la actitud realista: sabe que la buena racha de la que está gozando depende de una serie de esfuerzos combinados, de la innovación continuada, el trabajo duro, el mantenerse en cabeza en la competición. En definitiva, la situación es todavía sana.

John: De hecho, es entonces cuando empieza a criticar a los países que tienen una actitud de «peces gordos»: son vagos, se sienten satisfechos de sí mismos y no pueden seguir innovando...

Robin: ... Mientras que el país al que nos referimos aún no se comporta de esa manera, por lo que el éxito continúa.

John: Y sigue así. A mediados del siglo XIX, Gran Bretaña parecía imparable. Ralph Waldo Emerson escribió un ensayo titulado *Rasgos británicos* en un estilo parecido al que nosotros hemos empleado al hablar sobre los japoneses: «¿Qué sabe esta gente que nosotros desconocemos?». Poco después llegaría el turno de Alemania y, más tarde, el de Estados Unidos.

Robin: A estas alturas del ciclo es difícil que alguien se imagine que el éxito pueda interrumpirse en algún momento.

John: Me temo que es ahí donde se encuentran los surcoreanos en este momento.

Robin: ¿Y entonces?

John: Y *entonces*... todo empieza a ir mal. Todo el mundo comienza a enriquecerse. Parece menos necesario el sacrificio, el esfuerzo, el trabajo duro, la frugalidad y la cooperación por el bien común. La mayoría de la población no ha vivido los tiempos difíciles del pasado; sólo las generaciones mayores, las que sufrieron las penurias de la crisis, pueden comparar la riqueza de la que están gozando ahora con el doloroso fracaso económico previo y recordar el *esfuerzo* que supuso conseguirla.

Robin: Pero casi nadie de estas generaciones tiene ya ningún tipo de influencia política o económica.

John: Por eso, en la cúspide del ciclo, la mayoría de la población piensa que la riqueza siempre ha estado ahí, o al menos, que siempre *estará*. Creen, además, que tienen el derecho, que les pertenece un lugar natural en el mundo que les otorga el privilegio de disfrutar de un nivel más alto de vida que los demás. De veras, Robin, el país se ha vuelto «engreído». Están convencidos de que ellos «*saben cómo hacerlo*» y los demás no, que su éxito se debe a que son intrínsicamente más especiales que el resto de los países o razas... *y* a que continuarán recogiendo los frutos de su labor pasada sin tener que esforzarse más que los demás.

Robin: Si el talante predominante en el fondo del ciclo era deprimente, ahora es el contrario...

John: ¿Manía?

Robin: Sí, lo cual supone que uno se siente expansivo, demasiado confiado, arrogante y desdeñoso respecto a los demás. El yo se ha subido a la cabeza, uno se concentra en el interés propio y en el éxito y la satisfacción a corto plazo, se siente incapaz de tolerar la frustración, se ve a sí mismo como el centro de todo, no puede considerar las necesidades de los demás o adaptarse y formar parte de un grupo, trata de conseguir lo que quiere de formas que abocarán a la destrucción de la economía y la sociedad, e incluso de sí mismo. En definitiva, la persona ha perdido contacto con la realidad.

John: Y, por tanto, también ha perdido contacto con la forma en que el mundo está cambiando y desconoce el tipo de reacciones que ello exige. Llegamos entonces a un período en el que la economía comienza a tener fisuras, sin que nadie se dé cuenta, debido a que se creen que lo saben todo y no les entra en la cabeza el hecho de que sus ideas estén empezando a perder vigencia o la posibilidad de cometer errores.

Robin: Gran parte del problema viene del éxito pasado. La fuerte posición económica actual esconde el hecho de que su declive ya ha comenzado y permite a la gente la posibilidad de pasarse años e incluso décadas evitando tener que enfrentarse a él. Incluso cuando hay indicios claros de que la economía está de capa caída, a la gente que lo indica se la menosprecia y desoye, mientras que los políticos que siguen presentando una imagen falsa y de color rosa tienen más posibilidades de ser escuchados y de ser reelegidos.

John: Como los Tories, que hicieron la campaña electoral de 1992 bajo el eslogan: «La recuperación está a la vuelta de la esquina. No permitas que los laboristas y los demócratas liberales lo echen a perder» y *acabaron ganándolas.*

Robin: No creo que ningún partido se enfrentara a las elecciones afirmando que nos encontrábamos sumidos en una grave crisis que empeoraría, fuera cual fuese la política que se adoptara. Como resultado, el conjunto del país no ha sido capaz todavía de afrontar la verdad y de empezar a realizar el ajuste psicológico necesario. Lo cual no deja de ser algo natural en realidad; a la gente no le gusta reconocer que las cosas van mal: es *alarmante.*

John: Volvamos entonces a nuestro ciclo: cuando nuestro engreído país entra en una fase de declive, comienza a asumir una actitud condescendiente con respecto a los países que funcionan mejor económicamente o a culparlos por haber hecho «trampa» de alguna manera: se queja de que hacen «juego sucio», cuando en realidad sólo están fabricando mejores productos, o protestan por las barreras comerciales japonesas cuando ya hace tiempo que han sido desmanteladas.

Robin: Y, mientras, sigue aferrándose a unas expectativas poco realistas sobre su alto nivel de vida. Sin embargo, las consecuencias de un comportamiento tan insensato los obligará a enfrentarse a unas experiencias sumamente dolorosas. El vacío que se ha formado entre sus expectativas y los acontecimientos reales se hace cada vez más *patente*. Conforme esto se agrava, la sensación de intranquilidad y depresión se agudiza. Durante mucho tiempo ha estado oculta por el comportamiento maníaco, pero poco a poco la gente se va dando cuenta de que hace falta dar un cambio y mostrarse más *humilde*.

John: Es decir, como en el caso de una persona «media», la nación necesita una grave crisis para cambiar. Así que, cuando se aproxima al fondo del ciclo, el país se da de bruces con la realidad y cae en la cuenta de que tiene que comenzar de nuevo.

Robin: Efectivamente. Todas las naciones son, por lo general, de «tipo medio».

John: ... Bueno, me pregunto si Gran Bretaña alcanzó este punto a finales de 1992. Tuve la sensación de que habíamos dado un gran cambio cuando salimos del Mecanismo de Control de Divisas, como si las últimas ilusiones que pudiéramos albergar sobre la posibilidad de continuar de la misma manera hubieran desaparecido.

Robin: Nos vamos acercando a esa situación, aunque creo que aún no hemos llegado porque la gente sigue «confiando en lo mejor» cuando en realidad debería prepararse para lo peor; aunque, claro está, esto es lo que tu teoría predice. Con todo, me sigue pareciendo extraordinario el hecho de que haya tan poca gente en los puestos de poder que reconozca la situación en la que nos encontramos, ya que hay en realidad una conocida fluctuación económica a largo plazo que se ajusta al patrón que tú has descrito. Se llama el ciclo «Kondrátiev»[1] y tarda unos cincuenta o sesenta años en completarse. La última vez

1. Kondrátiev (Nikolái Dimítrievich). Economista ruso (1892-1931). Analizando series de indicadores económicos, señaló la existencia de largas oscilaciones, conocidas como *ciclo largo o ciclo Kondrátiev*.

que tocó fondo fue en la crisis de 1930, de manera que lo que está ocurriendo ahora llega en el momento justo y nosotros, o al menos nuestros líderes, deberíamos estar preparados para ello. Davidson y Rees-Mogg, en el libro que han publicado hace poco, *The Great Reckoning (El gran escándalo)*, han descrito muy claramente lo que podemos esperar.

John: Bueno, confiemos en que lo que he dicho sobre los ciclos sea correcto, porque si lo es, es posible que nos encontremos en el estado psicológico adecuado para empezar a recuperarnos.

Robin: Sería lo ideal. La razón por la que no acertamos a ver este ciclo económico es que es tan similar al ciclo vital humano que, cuando la siguiente depresión se acerca, las personas que se pueden acordar de la anterior con claridad ya son ancianos, o al menos ya no ocupan posiciones poderosas e influyentes, y son una minoría.

John: Bueno, tal vez en esta ocasión seamos capaces de conservar más tiempo las virtudes básicas que aprendemos una y otra vez cuando la crisis toca fondo, cuando sabemos apreciar lo que tenemos, nos volvemos menos egoístas y codiciosos, pensamos más en los otros y comenzamos a asumir nuestras responsabilidades.

Robin: Confiemos en ello, aunque para que eso sea posible tenemos que encontrar la manera de transmitir este conocimiento a la gente joven, que no puede recordar y no quiere oír nada al respecto.

John: Porque creen que lo saben todo. Este ciclo me recuerda al que los individuos suelen atravesar: cuando uno deja la década de los veinte y cumple los treinta años, suele pensar que lo tiene todo solucionado; en torno a los treinta y cinco años ocurren una serie de desastres que te convierten en una persona mucho más agradable. Luego hay una tendencia a anquilosarse cuando se alcanza lo que llamamos la mediana edad, porque una vez más, uno piensa que lo sabe todo. Se dejan de asumir ideas nuevas y se empieza a mirar atrás en vez de adelante. Ahí es donde empieza el declive. Más tarde, si uno tiene suerte, sufre otra crisis personal que le conmueve hasta la médula y deja todas las certezas al aire. Entonces puede empezar a replantearse las cosas...

Robin: Y, como resultado, despegar de nuevo.

John: Por tanto, el momento más peligroso es cuando nos encontramos en la cumbre, cuando nos encontramos mejor, porque ése es el momento en el que creemos «saberlo todo».

Robin: La pregunta entonces es: cuando nos encontramos en la cumbre del ciclo y sufrimos tendencias maníacas, ¿podemos hallar alguna manera de acordarnos de que el peligro está al acecho, alguna manera de volver a la tierra y advertir el tipo de acción que hemos de emprender? Siendo conocedores del estado maníaco en el que nos encontramos, la respuesta sería que no. Si nos hallamos en esa situación, no queremos oír nada nuevo; por lo tanto, tenemos que buscar la manera de *evitar caer en el estado maníaco* –la actitud arrogante– a pesar del éxito. Ésa puede ser una de las funciones de los sistemas de valores, algo que discutiremos en el próximo capítulo.

John: El ciclo parece tan obvio, tiene tal sentido común en cuanto reflejo de cómo es la gente, que empiezo a sentirme bastante perplejo cuando observo las situaciones en las que *no* funciona, como ocurre entre el Primer y el Tercer Mundo.

Robin: Bueno, la relación se ha congelado porque en este momento el Tercer Mundo depende económicamente de nosotros y, por lo tanto, está sujeto a nuestro ciclo, de la misma forma que la luna está sujeta a la órbita terrestre. Una consecuencia de esto es que los países menos desarrollados del mundo se están empobreciendo. Por ejemplo, en el año 1990, los ingresos medios por persona de cuarenta países eran inferiores a los del año 1980. Los ingresos medios de los países latinoamericanos habían caído en un nueve por ciento, y los de los africanos en un *veinticinco* por ciento. La esperanza de vida descendió en nueve países africanos. Durante todo este período, los países más poderosos prestaron unas cantidades enormes de dinero al Tercer Mundo, con unos intereses demasiado altos como para que se lo pudieran permitir. En última instancia, el flujo de dinero de Norte a Sur cambió de dirección, y se puso contra corriente, por decirlo de alguna forma, de Sur a Norte, de pobres a ricos. En este momento, el Tercer Mundo debe un total de un trillón de dolares. El sistema bancario está en crisis debido a que las naciones deudoras no pueden devolver el dinero, lo cual es una locura como puede serlo esperar que un enfermo terminal que se encuentra en el hospital tenga que donar sangre al médico. La deuda del Tercer Mundo les impide establecer las condiciones para que su gente tenga una vida decente y, por tanto, da fuerza a las creencias menos sanas y constructivas, creencias que suponen un peligro para el Primer Mundo. En definitiva, *todo el mundo* está amenazado...

John: ... De tal suerte que todo el mundo se comporta de manera contrapro-

ducente con respecto a los intereses a largo plazo de los demás. En serio, ¿por qué la gente se dedica a perder el juicio cuando trata de solucionar este problema?

Robin: Nosotros también perdimos el juicio la primera vez que hablamos sobre ello. Si te acuerdas, con el fin de entender mejor el problema, probamos a interpretar unos papeles: tú defendiste la posición de los países subdesarrollados, mientras que yo me puse del lado de los países desarrollados. Consecuencia: lo que les pasa a las dos partes, en realidad, empezó a pasarnos a nosotros. Tengo aquí la cinta de la conversación, así que podemos ponerla para refrescarnos la memoria:

(Comienza la cinta)

> **Voz de John:** Si tú eres el país rico y yo el pobre, entonces siempre que te siga pagando los intereses, podré fingir que estamos haciendo un negocio a partes iguales. Si soy un país en vías de desarrollo del Tercer Mundo, lo que más deseo sentir es que los países más ricos me tratan como un igual, de lo contrario, estoy reconociendo una relación inferior, colonialista y de padre a hijo. De forma que, como quiero que me respetes, que me trates como un igual, tengo que negar mi debilidad y seguir pagando los intereses. Es algo que no puedo permitirme, pero el precio que supondría no pagar los intereses me obligaría a admitir mi posición inferior.

Voz de Robin: Bueno, en mi condición de uno de los miembros más ilustrados de un país del Primer Mundo, he de admitir que mis compatriotas y los otros países «desarrollados» os han explotado de la forma más inicua. Es más, seguís siendo explotados; no hemos dejado de aprovecharnos de vosotros. Os robamos durante la época colonial y ahora os queremos prestar el dinero que obtuvimos procesando toda la materia prima y la labor que nos disteis y que conseguimos negociando con vosotros. Ahora os permitimos emplear ese dinero, pero bajo unos tipos de interés usureros. Por lo tanto, he de admitir que os estamos robando por segunda vez.

Voz de John: No se puede decir que sea mejor que la esclavitud...

Voz de Robin: En realidad, la situación se parecería mucho a cuando os esclavizamos, si no fuera porque ahora nos resulta más beneficiosa. Ahora nos sentimos más cómodos con respecto a la desigualdad económica porque podemos negar el hecho de que estamos abusando de vosotros. Nos podemos jactar de que os estamos tratando como si fuerais seres humanos, de igual a igual, porque la extorsión queda disimulada como una relación comercial. En este momento, no lleváis grilletes ni se os azota para que trabajéis más, si bien tenemos el mismo poder sobre vosotros. La única diferencia es que ahora somos más listos. Antiguamente, aunque teníamos poder sobre vuestros cuerpos, aún os quedaba la libertad de vuestras mentes. Erais conscientes de que lo hacíais todo por coacción y podíais decir: «Soy un hombre libre que está esclavizado». Teníais la libertad para ver la injusticia, para despreciarnos y odiarnos, para esperar al acecho a que llegase el día en el que podríais escapar o expulsarnos.

Sin embargo, ahora hemos conseguido de alguna manera persuadiros de que compartáis nuestra forma de pensar y de que creáis que para ser iguales a nosotros, tenéis que haceros esclavos de nuestros valores; de esa manera estaréis esclavizados por partida doble: esclavizados en primer lugar como antaño al estar bajo nuestro poder tanto económica como materialmente; y esclavizados más si cabe al aceptar nuestra racionalización de la extorsión, llegando incluso a creeros que, al permitirnos fastidiaros, os convertís en miembros de un club superior, os acercáis al plano superior en el que os imagináis que habitamos. Os habéis integrado en una dinámica hipócrita gracias a la cual os podemos explotar sin necesidad de admitirlo, ni siquiera a nosotros mismos. De esa manera, podemos incluso creer que está justificado robaros, que os estamos ayudando a conocer las circunstancias económicas de la vida. Además, nunca dejaréis de darnos vuestro dinero porque queréis conservar vuestra imagen de iguales.

Voz de John: Bien, cuando vosotros erais el poder imperial y nosotros éramos las colonias, pensábamos en vosotros como unos padres y en nosotros como los hijos. Por tanto, aceptamos vuestro sistema *(Pausa.)*

Voz de Robin: Entonces, dime John, ¿qué sensación se tiene cuando se está en el otro lado de la mesa interpretando el papel del Tercer Mundo?

Voz de John: Es muy extraño... Me siento perdido... Me ha ocurrido algo psicológicamente... He llegado al punto de no poder pensar... Tengo la curiosa sensación de que es tu problema... Me siento totalmente indefenso. Y lo raro es que no recuerdo haber tenido esta sensación en todo el tiempo que llevamos escribiendo juntos.

(Fin de la cinta)

John: Aún me acuerdo de esa sensación. Era extraordinaria. Tenía la sensación de que no se podía hacer nada, y que te correspondía a ti única y exclusivamente hallar la solución, cuando en realidad yo era el verdadero pelagatos...

Robin: A mí me ocurría lo contrario. Tú ya habías desconectado y yo no podía dejar de hablar, por lo que tenía que seguir sermoneándote, sin darte la oportunidad de responder. La situación siguió así todo el rato, con los dos totalmente fuera de lugar, durante más de una hora.

John: ¿Qué ocurría? ¿Por qué nos quedamos atrapados en esos personajes?

Robin: Creo que la explicación está en lo que has dicho antes. Los poderes imperiales justificaron sus conquistas y su derecho a gobernar sus posesiones coloniales convenciéndose de que eran muy superiores en lo tocante a conocimientos, valores y virtudes, de que eran más «civilizados», y, por lo tanto, tenían la obligación de organizar y educar a la población de las colonias. Es decir, se vieron en el papel del padre y los indígenas, en el del hijo. Ellos eran responsables de asumir la situación, de decir a los «nativos» lo que tenían que hacer, educarlos con las ideas occidentales, enseñarles a trabajar duro y decidir cuánto dinero suelto se les debía permitir tener. Al enfrentarse a una tecnología y unas armas superiores, las poblaciones colonizadas se tuvieron que tragar estas ideas, por lo que incluso cuando consiguieron la libertad siguieron tratando las ideas occidentales como si fueran superiores y procuraron imitarnos en absolutamente todo, en vez de regresar a lo que tenían de bueno –y en ocasiones mejor– en sus culturas tradicionales.

John: Es decir, se trata de la misma división que se da entre la parte del «padre» y la parte del «hijo» en la personalidad, ¿no es así?

Robin: Sí. Como colonizadores, proyectamos todas *nuestras* características infantiles sobre *ellos*, y los llamamos «perezosos», «irresponsables», «irreflexivos», «ignorantes», «de poca confianza» y «únicamente interesados en divertirse»..., mientras que nosotros asumíamos en los países desarrollados el papel correspondiente a la persona «madura que lo sabe todo», capaz de sermonear y amonestar a sus subordinados, soportando con nobleza lo que se llegó a llamar «la carga del hombre blanco». En poco tiempo, *ellos* vinieron a adquirir esta mentalidad.

John: Me acabo de dar cuenta de algo sumamente obvio. Este desdoblamiento de la personalidad tiene que ser también lo que ocurre entre los ricos y los pobres dentro de un mismo país. Los ricos se suelen creer con derecho sobre sus posesiones porque consideran que tienen una actitud más madura, y piensan que los pobres son responsables de su pobreza porque son infantiles, irresponsables y no tienen ganas de trabajar. Los pobres suelen aceptar este papel en parte, a la espera, como niños, de que alguien solucione sus problemas y les proporcione lo que necesitan.

Robin: Sí. Si no consiguen ver lo que está ocurriendo, los dos acaban encerrados en sus respectivos papeles. Así que, como verás, una vez que ha tenido lugar este desdoblamiento de personalidades, tanto entre los ricos y los pobres de diferentes países, como entre los ricos y los pobres de un mismo país..., el problema que se está intentando resolver se refleja en la psicología de la gente.

John: Algo evidente en el caso de Gran Bretaña, ¿verdad?, donde existe un poderoso *sistema de clases* que refleja dicho desdoblamiento y en el que hay una clase media que finge ser muy madura, mientras la gente trabajadora llega a la conclusión de que se halla totalmente indefensa y no puede mejorar su suerte.

Robin: Y ello se ve potenciado y perpetuado por los dos sistemas educativos existentes: público y privado.

John: Entonces, ¿crees que el desdoblamiento psicológico padre-hijo está impidiendo el progreso en cuestiones relativas a la pobreza, tanto desde un punto de vista nacional como desde el internacional?

Robin: Sí. La idea no es del gusto de ninguna de las partes, porque implica –y creo que de forma correcta– que la responsabilidad del problema recae tanto en el rico como en el pobre, por lo que *ambos* tienen que cambiar para hallar una solución, lo cual supone que cada parte debe dejar la paranoia de culpar al otro. Desgraciadamente, echar la culpa a los demás es mucho más fácil que aceptar la responsabilidad, a pesar de sus enormes costes...

John: Pero, vamos a ver, ¿no existe también un problema económico básico? En cualquier sistema de libre mercado, a no ser que hagamos algo de forma activa para impedirlo, el rico siempre se enriquece más y el pobre se empobrece. Cuanto más se enriquece la clase pudiente, más poder gana y más facilidad tiene para acaparar una parte cada vez mayor de lo que hay. Acumula cada vez más posesiones, y cuanto más acumula, menos capacidad tiene para utilizarlo, porque no puede comprar más horas del día y sólo puede comer hasta cierto punto. Aun así, no parece que pueda detenerse. Por tanto, ¿no habría que introducir un tipo de principio redistributivo? Hay que olvidar cualquier justificación moral para ello. De lo que estoy hablando es de dos razones que son verdadera *realpolitik*. En primer lugar, si los pobres se están empobreciendo, al final estarán tan desprovistos de todo y tan desesperados que tendrán que recurrir a la fuerza. Esto no puede ser «sofocado» en la actual democracia tal y como podía hacerse durante el siglo pasado. En segundo lugar, si no llegas a iniciar una revuelta, al menos creas una subclase tan apartada del resto de la nación que no puede volver a integrarse de forma adecuada, lo cual se traduce en un coste social mucho, mucho más grande que lo que la redistribución habría costado en un principio..., y además los ricos tienen que gastarse la mayor parte de sus ahorros en equipos de seguridad. Lo que acabo de decir es perfectamente aplicable a la división Norte-Sur. ¿Qué se puede hacer? O, al menos, ¿por dónde podemos empezar?

Robin: Estoy de acuerdo con el hecho de que cierto tipo de redistribución es esencial. Todas las sociedades en las que se vive bien ya han adoptado medidas para que esto sea así, en cierto modo. En aquellos lugares en los que el gobierno ha tratado de invertir esta situación, como ha ocurrido hace poco en Gran Bretaña y en Estados Unidos, la creciente polarización y enajenación de las que has hablado no hacen sino crecer. Sin embargo, a no ser que el aspecto *psicológico* sea entendido, cuando menos por parte de los gobiernos y sus consejeros, la redistribución puede tener, sin quererlo, consecuencias negativas y no se podrá mantener. En estos momentos, en Estados Unidos, por ejemplo, incluso los demócratas están preocupados porque los actuales convenios asistenciales, destinados a combatir la pobreza, han creado una cultura de la dependencia que perpetúa la pobreza y el distanciamiento del grueso de la sociedad; esto, a su vez, ha suscitado un gran resentimiento y una actitud de resistencia en aquellas personas que tienen que pagar las cuentas. Como consecuencia, un enfoque más constructivo y duradero sobre la redistribución exige que se preste mayor atención a la comprensión y el cambio del aspecto psicológico de estas relaciones. Ya no se trata de una cuestión relacionada con el aumento o la disminución de las pagas.

John: Es decir, la redistribución es necesaria, pero es igual de negativo hacerlo mediante el uso de limosnas que mediante la fuerza, situaciones que no harían sino agravar la dependencia padre-hijo. A quien necesitamos, obviamente, es a nuestra vieja amiga: la igualdad de oportunidades, ¿no es así?

Robin: Efectivamente, y no se trata de una consigna. Sólo en una sociedad genuinamente igualitaria, en la que todo el mundo tenga el mismo acceso a la educación y a las demás ventajas, pueden llegar a surgir desigualdades *positivas,* tales como el progreso que supone disponer de creadores de riqueza que a su vez generen puestos de trabajo para los demás.

4
El precio de todo y el valor de nada

John: Todo lo que hemos estado discutiendo nos ha llevado al tema de los *valores,* las ideas que dan lugar a nuestros sentimientos sobre el contenido de la vida, sobre las cosas más importantes, sobre lo que es bueno para nosotros y lo que nos hace daño. Presumiblemente, lo que haremos ahora será relacionar los diferentes sistemas de valores con los diferentes niveles de salud mental, ¿no es así?

Robin: Sí, pero déjame comenzar haciéndote una pregunta. Si recapitulamos acerca de todo lo que hemos dicho hasta el momento, ¿cuáles dirías que son los indicadores más importantes de la verdadera salud mental?

John: Así, de buenas a primeras, yo diría que son dos. La medida de salud más convincente parece ser la intensidad con la que uno se enfrenta a la realidad, es decir, la manera en que la percibes y aceptas. Luego, de forma paralela, está el alcance de tu comportamiento en cuanto a «inclusividad», es decir, si tratas de incluir en vez de excluir a otras personas, las ideas nuevas y tus propias percepciones y sentimientos. Sospecho, sin embargo, que éste es tan sólo un aspecto del enfrentamiento con la realidad, que no deja de ser, después de todo, globalizador.

Robin: Bien, examinemos la idea de «realidad» pormenorizadamente. Los logros del hombre se deben a su extraordinaria capacidad para la *abstracción.* Sin ella, ni nuestra ciencia, ni nuestro arte, ni nuestra literatura, ni nuestra filosofía, podrían existir. Nuestros mayores logros surgen de este don de la abstracción o, lo que es lo mismo, del don de simplificarnos las cosas seleccionando aquellos aspectos de la realidad en los que queremos concentrarnos, mientras pasamos por alto los demás aspectos como si no existieran.

John: Nuestros valores también son abstracciones, por descontado.

Robin: Sí. Se originan en nuestra experiencia de la realidad, aunque podemos seleccionar los valores que queremos seguir. De todas formas, hay un obstáculo: todas las cualidades negativas que tenemos vienen igualmente del mismo don.

John: ¿A qué te refieres con «negativas»?

Robin: Me refiero a la locura, al crimen, a la maldad, todo lo que no sea sano y que sale a la superficie cuando asumimos ideas equivocadas; es decir, cuando nuestras abstracciones han ido por el mal camino, cuando las simplificaciones que hemos hecho han pasado por alto una serie de aspectos importantes.

John: Lo que quieres decir es que nuestra capacidad para la abstracción es un arma de dos filos.

Robin: Exactamente.

John: ¿De qué depende que la utilicemos positiva o negativamente?

Robin: La manera más fácil de contestar a tu pregunta es acudir al método científico. Recapitula, por favor.

John: De acuerdo. Un científico observa una serie de datos que tiene a su disposición y «abstrae» una teoría que se adecua a ellos. Luego lleva a cabo nuevos experimentos para comprobar la teoría. Si ésta se mantiene, la considera como «veraz», aunque sólo en el sentido de que es «la mejor hasta la fecha» para explicar y predecir lo que pasa. Por tanto, cuando observa un nuevo hecho que la teoría no puede explicar, el científico tiene que volver a comenzar otra vez para tratar de llegar a una nueva teoría que explique todos los datos anteriores y también la que ha puesto en entredicho la anterior.

Robin: Es decir, la ciencia funciona cuando comparamos constantemente la teoría con la realidad y ésta corrige a la primera.

John: De acuerdo, ¿entonces?

Robin: Entonces la característica esencial del enfoque científico es que los datos vienen en primer lugar y las teorías en segundo. Las teorías se ajustan a los datos, y no al revés. Ocurre lo mismo con los mapas. Si uno observa primero un mapa y luego el territorio que se supone que representa, y en el territorio hay un río y en el mapa no..., ¿de qué te fiarías?

John: Arrasaría el territorio. ¡Perdón! Me ha entrado pánico...

Robin: Lo que haces es pasar por alto el mapa, si es que no quieres caerte al río y ahogarte. El principio, por consiguiente, dice: nunca confundas el territorio con el mapa. El mapa no es más que una abstracción, una aproximación que nos muestra sólo lo que tiene un interés particular para quien está utilizando el mapa. Incluso eso está representado de forma muy tosca, ya que se han eliminado la mayoría de los detalles.

John: Sobre todo los sistemas unívocos.

Robin: Sobre todo ellos. Sin embargo, un mapa no puede incluirlo *todo,* porque si lo hiciera se convertiría en el territorio mismo.

John: Como Michael Frayn dijo en una ocasión, una verdadera historia de la Guerra de los Cien Años sería la Guerra de los Cien Años.

Robin: La cual tardaría cien años en acabarse. Por tanto, hemos de simplificar las cosas, tenemos que hacer abstracciones.

John: Difícil encontrarle defectos a esto...

Robin: El problema surge cuando pasamos de los mapas corrientes a los famosos «mapas mentales». Nosotros hemos de tener estos mapas mentales, porque de no tenerlos no podríamos funcionar en el mundo. No sabríamos qué hacer: ellos son nuestros guías para conocer el funcionamiento del mundo, para conocer nuestro funcionamiento y para saber cómo nos relacionamos nosotros con el mundo. Como es lógico, también son abstracciones. No son ni completos ni perfectos en muchas ocasiones. No son la realidad.

John: Tengo la sensación de que vas a decir algo interesante.

Robin: Ahí va. La respuesta a tu pregunta: el hecho de que utilicemos nuestra capacidad para abstraernos de forma positiva o negativa... depende de si damos prioridad a la realidad o al mapa.

John: ¡Ah!

Robin: Todo radica en eso.

John: ¿Sabes? Eso está muy bien. De hecho, me da escalofríos. Es repugnantemente obvio, por descontado..., y aun así nunca había oído a nadie expresarlo de esa manera.

Robin: A todo esto, no estoy diciendo que la relación entre la realidad y nuestras abstracciones no sea biunívoca. Actúan de forma recíproca: nuestra percepción de la realidad depende de las ideas que tenemos de ella. Sin embargo, podemos mejorar mediante un sistema de corrección gradual. Si uno muestra una disposición constantemente «abierta» a la realidad, si uno no deja nunca de comprobar su mapa mental, su percepción de la «realidad» se irá aclarando

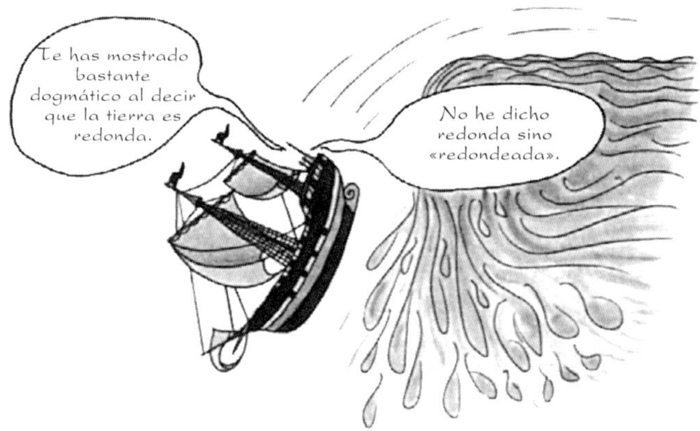

lentamente. Todo depende de que uno dé prioridad fundamentalmente a la realidad, a su experiencia.

John: Entonces, si estar en contacto con la realidad es una medida de buena salud mental, la consecuencia lógica es que las personas que se encuentren a un nivel más bajo *preferirán* el mapa al mundo real o, lo que es lo mismo, dejarán que su sistema de creencias siga su camino y no se preocuparán de compararlo con la realidad. En efecto, lo que harán será rechazar todos los aspectos de la realidad que interfieran.

Robin: Sí, este tipo de personas no tiene el menor contacto con la realidad. Se han retirado a un mundo de fantasía, el tipo de locura que uno puede ver en los sanatorios; o en la Alemania nazi, donde una sola idea disparatada tuvo como consecuencia el asesinato de seis millones de personas.

John: Cierto. Sin embargo, en el nivel más alto..., ¿podríamos decir que la gente más sana se toma la vida de una forma científica?

Robin: Suena algo extraño, ¿no te parece? Sin embargo, es verdad. Las personas más sanas siempre muestran interés en ajustar sus mapas a la realidad, en poner sus ideas a prueba. Esto es científico y explica que estén más en contacto con la realidad.

John: Como has dicho antes, tienen el tamaño adecuado en sus propios mapas, por lo que no subestiman su propia importancia ni tampoco la sobreestiman.

Robin: Exacto. Desde ese punto de vista, no son «egoístas», puesto que un enfoque verdaderamente científico te hace caer en la cuenta de que perteneces a un conjunto, de que eres parte de algo más grande. Esta idea es la más importante de todas porque disminuye nuestro egoísmo.

John: Muy bien. Ya basta de esta gente. ¿Y nosotros qué? ¿Dónde nos encontramos las personas de tipo medio? ¿En algún sitio a medio camino entre la física y la fantasía?

Robin: Efectivamente. Nos encontramos en alguna parte del espectro de los «grados de contacto con la realidad», unos estamos más en contacto y otros menos. En muchos aspectos es posible que seamos muy prácticos y eficaces, pero debajo de todo ello hay un afán fundamentalmente egocéntrico de dominar y coaccionar a los demás, con el fin de hacer que el mundo se adapte a nuestros deseos.

John: Somos más *interesados* que las personas realmente sanas.

Robin: Más egoístas, sí.

John: De todas formas, seguramente tendremos que ser egoístas hasta cierto punto, ¿no es así? Hemos de valorarnos a nosotros mismos, hemos de desarrollar nuestra dignidad y autoestima, si queremos ser seres humanos que funcionen razonablemente bien y convertirnos, por tanto, en miembros útiles de la sociedad.

Robin: Sin lugar a dudas. El yo o «ego» es necesario, así que, supongo que el «egoísmo» podría connotar una mayor conciencia de uno mismo y la validez de dicha conciencia. Sin embargo, *normalmente*, el «egoísmo» equivale a no dar la misma importancia al punto de vista más amplio, a aquel que uno adopta cuando pasa de concentrarse en sí mismo a concentrarse en un contexto más amplio, en el que la persona forma parte de una comunidad.

John: Cuando se adopta este punto de vista más amplio, el «ego» sigue estando ahí, pero asume la posición que le corresponde, una posición más limitada entre los demás egos.

Robin: Una vez que has visto la realidad de una forma equilibrada, resulta mucho más difícil volver al otro tipo de egoísmo, ya que no tiene ningún sentido. ¡Salta a la vista que es algo ridículo!

John: ¿Significa todo esto que el problema para la gente de tipo medio es que nuestro egoísmo dificulta nuestra percepción de la realidad?

Robin: De eso se trata, precisamente. Ya sea a causa de la ignorancia, o porque restringimos deliberadamente nuestra conciencia de los demás o porque hacemos la vista gorda a la información que contradice nuestro mapa del mundo. Eso es lo que nos hace egoístas, en mayor o menor grado. Es decir, en comparación con las personas más sanas...

John: Aunque, claro, eso nos parece *normal* a nosotros, porque la mayoría de la gente es como nosotros.

Robin: Exacto. De ahí que sea tan «normal» ver el comportamiento egoísta y dañino, comportamiento que va desde la avaricia, la búsqueda de poder y la arrebatiña hasta las prácticas comerciales poco escrupulosas y la destrucción del medio ambiente, pasando por la verdadera criminalidad y la violencia.

John: En resumidas cuentas: cuanto más prioritaria sea la realidad para nosotros, más precisos serán nuestros mapas mentales y mejor salud tendremos.

Robin: Correcto.

John: Entonces, ¿qué papel desempeñan los valores? ¿Están incluidos también en nuestros mapas mentales?

Robin: Desde luego. Veamos cómo construimos los sistemas de valores que nos guían o, lo que es lo mismo, cómo dibujamos nuestros mapas mentales. ¿A partir de qué crees tú que los construimos?

John: Bueno, principalmente a partir de nuestra experiencia. Ésa es nuestra guía más importante, aunque no cabe duda de que nunca acumulamos la experiencia suficiente, por lo que para subsanar las deficiencias tenemos que recurrir al consejo, el cual se basa en la experiencia de otra gente. Aunque, claro, no es lo mismo, ¿no es así? Siempre damos más importancia a nuestra propia experiencia.

Robin: Sí, es la conexión más directa que tenemos con la realidad, por lo que nos da más seguridad que cualquier cosa que se nos pueda decir. También puede ejercer la influencia más importante, puesto que siempre está matizada por los sentimientos. No es algo que hemos entendido sólo con nuestra cabeza, sino que lo hemos entendido con todo nuestro ser, por lo que resulta mucho más convincente.

John: Eso convierte nuestra experiencia en la mejor guía para dibujar los mapas mentales, ¿no es esto?

Robin: Bueno, hasta que no hayamos acumulado la experiencia suficiente, habrá otras personas que estarán en mejor posición y tendrán más conocimientos que nosotros, aunque nunca tendremos una seguridad plena al respecto, de manera que, en última instancia, la única forma segura de hacerlo es comprobándolo todo nosotros mismos.

John: Hablemos entonces de la fidelidad. Sé que esto es algo en lo que tú crees fervientemente, aunque también sé que piensas que es una buena idea que la gente joven tenga relaciones sexuales prematrimoniales, ¿correcto?

Robin: No es algo por lo que abogue, por descontado, ya que se trata de la decisión y responsabilidad personal de cada uno. De todas formas, sí, mi experiencia en el tratamiento de parejas viene a decir que hay más probabilidades de que la gente se comprometa por completo y desarrolle unas relaciones sexuales cada vez más placenteras si ha tenido ocasión con anterioridad de tener otras experiencias sexuales, a menos que eso vaya en contra de sus creencias religiosas, desde luego.

John: ¿Cómo se explica eso?

Robin: Bien, si una persona es fiel a su pareja sólo porque alguien –aunque sea un líder religioso– le ha dicho que lo sea, siempre va a haber una lucha contra la tentación...

John: Porque siempre habrá una parte de esa persona que estará haciendo conjeturas sobre cómo resultaría. Se preguntará si no sería hasta cierto punto algo maravilloso, aunque malvado, claro está.

Robin: Sí, ese tipo de fantasías son casi inevitables.

John: Entonces gastará mucha energía tratando de reprimirlas.

Robin: Efectivamente. En consecuencia, la fidelidad no será verdaderamente «de corazón» y se producirá un desdoblamiento. A mí siempre me ha parecido que este tipo de persona tendrá miedo a excitarse de veras, incluso con la pareja a la que se supone que es fiel, debido a que temerá que, de quitar el freno, no pueda controlarse a sí misma cuando encuentre a otra persona que le parezca atractiva. Por tanto, por mor de la seguridad, andará frenándose continuamente, algo que desde luego limitará su capacidad para mantener una relación satisfactoria con su pareja.

John: Lo que significa que siempre habrá una parte en la persona que quedará insatisfecha y que alimentará sus fantasías.

Robin: Mientras que..., si la experiencia le ha enseñado a uno que tratar de mantener dos relaciones al mismo tiempo degenera rápidamente en una farsa francesa...

John: ... Y que tras una temporada, que no ha sido precisamente divertida, se pierde la espontaneidad a causa de todas las mentiras que uno tiene que guardarse...

Robin: ... Y que no se trata tan sólo de un trabajo complicado y bastante laborioso, sino que además, en última instancia, trae muchas consecuencias desagradables –si no predecibles–, y *también* echa a perder la posibilidad de tener una relación realmente buena con *una de las personas* implicadas..., pues bien..., si uno ha aprendido todo esto, no perderá mucho tiempo fantaseando con devaneos amorosos, porque *sabrá* la razón por la que no funcionan...

John: En definitiva, uno es fiel a su pareja porque realmente *quiere* serlo.

Robin: No pierde mucho el tiempo imaginando aventuras amorosas porque uno está curado para siempre de la idea de que son «divertidas». Eso le facilita a uno el hecho de comprometerse de manera más completa con su pareja, por cuanto ya no es el resultado de una lucha contra la tentación, sino que se basa en una verdadera comprensión. Ahora es cuando uno puede relajarse

sexualmente con su pareja, sin tener que preocuparse por la posibilidad de que pueda abrirse la caja de Pandora.

John: Es decir, las parejas que son fieles porque «obedecen órdenes» se comprometen sólo con la parte «moral» de su personalidad, y no con la parte más «briosa», la parte más «animal», y ello les hace difícil responder a los valores a los que se ligaron cuando hicieron sus promesas de matrimonio.

Robin: Mientras que la *experiencia* conlleva un nivel más alto de integración. Puedes entregar más de ti mismo a la relación, porque hay una mayor parte de ti que se ha convencido de que es una buena idea.

John: Estoy de acuerdo en que este tipo de experiencia comporta un nivel más alto de comprensión. Sin embargo, tú puedes tener una experiencia muy intensa en el efecto que produce sobre tu sistema de valores pero que *limita* tu comprensión. Si un oficial de inmigración belga te insulta, eso puede tener un efecto sobre la opinión que tengas de sus compatriotas o, algo mucho más serio, el abuso sexual infantil puede desanimar a uno sexualmente para el resto de su vida.

Robin: Cierto, cierto. De todas formas, estás dando ejemplos en los que una persona ha tenido una mala experiencia y evita tener otras que puedan equilibrar la primera y corregirla. Lo que yo digo es más sencillo: una persona que ha tenido relaciones sexuales tiene más probabilidades de saber que la novedad empieza a aburrir muy pronto, y que las aventuras son superficiales e insatisfactorias en comparación con el sexo que se comparte en una relación a largo plazo y comprometida.

John: De acuerdo. Muy bien. Eso tiene sentido... Hace unos años se me ocurrió un corolario como resultado de todo esto. Ahí va: si tratas de averiguar la razón por la que existe una norma moral concreta..., no creo que puedas entender *realmente* por qué surgió en primer lugar, hasta que hayas *tenido* una experiencia verdadera relacionada con ella. Nunca podrás prever todas las consecuencias negativas que la norma moral pretende evitar, si sólo la has vivido como una consigna.

Robin: De esto se deriva un buen principio: hasta que no hayas acumulado toda la experiencia necesaria, *presta atención* a los mandatos.

John: ¡Ah! Es decir, pásalos por alto sólo cuando los hayas considerado seriamente.

Robin: Sí. No presumas de que no hay buenas razones detrás de las normas morales, si bien, de igual forma, es importante saber que, conforme uno crece, aceptar un mandato sin cuestionarlo puede dar lugar a serios problemas. En última instancia, no es más que un consejo práctico que ha de ser examinado para tener un conocimiento más profundo de las cosas.

John: Como si fuera un andamiaje, una estructura provisional, sobre la cual puedes construir algo más sólido y útil. Muy bien. Entonces nuestra experiencia es la fuerza más poderosa a la hora de formar nuestro comportamiento, mientras que los mandatos y los consejos no son en realidad tan persuasivos.

Robin: De todas formas, nunca logramos acumular la suficiente experiencia personal como para construir un mapa mental. Siempre tendrá unos enormes espacios en blanco. ¿Qué más podemos utilizar entonces?

John: Bueno, aparte de los consejos y de observar lo que le ocurre al resto de la gente si se comporta de una manera determinada, también se pueden utilizar los libros, las obras de teatro, las novelas, los periódicos, la televisión, las conferencias, los seminarios, los cursos..., y ésa es sólo la *manera* en que la información llega a nosotros. El contenido por sí solo es... infinito. No se me ocurre ninguna palabra que lo abarque todo.

Robin: El problema es que no hay ninguna. O al menos no la había. Por eso me gusta la idea de la psicóloga griega Charis Katakis: ha recurrido a una palabra que todos conocemos: «mito» y le ha conferido un significado más amplio. Más o menos, el significado que le ha dado es el de las ideas e historias que permiten a los seres humanos cooperar y trabajar juntos como una sociedad.

John: ¿Cómo? ¿*Cualquier* cosa que tenga un valor a la hora de ayudar a la gente a vivir más armoniosamente?

Robin: Sí, puede incluir cualquier tipo de abstracción que satisfaga esa función, desde los Diez Mandamientos a las canciones infantiles. Es un concepto maravillosamente amplio.

John: Amplio es una buena palabra. ¿Incluye también los mitos corrientes, como el de Prometeo robando el fuego?

Robin: Desde luego. Cuando Katakis habla de los mitos, abarca lo siguiente: todas las ideas que constituyen un sistema ético, sea o no religioso; cualquier información acerca de cómo nos hemos de organizar, como leyes y disposi-

ciones, el mundo mismo de la política, la psicología social, los estudios de administración e incluso los libros sobre etiqueta; también todas las ideas de menor escala que nos unen con vínculos menos importantes, con los proverbios, el folclore y los cuentos de hadas. Un mito de Katakis engloba cualquier cosa que guíe nuestro comportamiento social, indicándonos cómo hemos de vivir juntos, cómo hemos de conciliar nuestras necesidades con las de la sociedad, etcétera. Como es lógico, probablemente estoy simplificando su idea e interpretándola de una forma más general de lo que ella hace para ajustarla a nuestros propósitos.

John: Por tanto, para construir nuestros mapas mentales, primero utilizamos nuestra experiencia, que luego complementamos con la información que Katakis llama mitos. De esa manera, tenemos un mapa razonablemente completo que nos dirá cuál es la mejor forma de llevarnos bien con los demás.

Robin: Y también cómo vivir una vida feliz y satisfactoria.

John: Un momento, eso son *dos* cosas. Una referente a la sociedad y otra al individuo.

Robin: Sí, pero están íntimamente relacionadas. Estamos de acuerdo en que una sociedad sana es aquella que hace posible el desarrollo de individuos sanos. La otra cara de la moneda es: cuanto más se desarrolle la gente individualmente, más cosas tendrá para devolver a la sociedad. Así que, al examinar los mitos de Katakis, lo que esperamos es que exhiban dos facetas: la primera es proveer una estructura básica para la sociedad que permita a las personas vivir juntas en un clima lo más armonioso y colaborador posible; la segunda tiene que ver con el crecimiento y la madurez del individuo y ayuda a cada persona a entender y organizar su vida al encontrar una mayor armonía en sí misma.

John: Muy bien. Sin embargo, los mitos de Katakis..., es decir, van desde el conocimiento científico hasta los cuentos de hadas. ¿Se puede llamar «mito» al conocimiento científico?

Robin: Se ajusta a la definición perfectamente: abstracciones que ayudan a la gente a cooperar en una tarea común. Además, aunque el conocimiento científico se expresa de la manera menos ambigua posible para que el mayor número de gente pueda estar de acuerdo sobre su significado, la filosofía de la ciencia ha demostrado claramente que, en buena medida, este «acuerdo» es posible gracias tan sólo a unos hábitos perceptivos compartidos que hacen que ciertas presunciones parezcan «obvias» y «de sentido común»; sin embargo no hacen más que describir unos hábitos culturales que en ocasiones se encuentran profundamente arraigados y están asociados a sentimientos muy intensos.

John: Sí, me había olvidado de eso. Las presunciones de esta índole son defendidas con el mismo tipo de pasión con el que la gente defiende su propio idioma.

Robin: Y, lógicamente, ésa es la razón por la que cualquier innovación científica radical encuentra una oposición tan irracional y emotiva, como la que opone un creyente ortodoxo al rechazar una disidencia religiosa.

John: Estoy de acuerdo. Con todo, todavía existe una diferencia enorme entre el tipo de información que obtenemos de una teoría científica y la que obtenemos de una parábola.

Robin: Sí, pero no te olvides de que vivimos nuestras vidas a diferentes niveles. Pasamos la mayor parte de nuestra vida a un nivel relativamente mundano, en el que llamamos al pan pan y al vino vino y sólo necesitamos los aspectos más objetivos y científicos de los mitos de Katakis. Algunos de éstos, empero, tienen que ver con el crecimiento individual, y conforme más nos acercamos a las ideas psicológicas y, de hecho, a las ideas espirituales, más necesidad hay de transmitirlas de una forma simbólica, utilizando material que es más mítico, en el sentido corriente de la palabra, porque sólo eso puede expresar la com-

pleja, paradójica y ambivalente naturaleza de la realidad que nos interesa a ese nivel.

John: Muy bien. Ya veo que necesitamos todo el espectro. Sin embargo, queda pendiente una pregunta muy importante. Al haber tal cantidad de mitos, ¿cómo podemos saber cuáles son buenos y útiles? ¿Qué criterio hay que utilizar para juzgar su *valor*?

Robin: Comprobando la eficacia del mito a la hora de ayudarnos a integrar el comportamiento humano.

John: Tanto a la hora de ayudar a los individuos a integrarse más, como a la hora de ayudar a los grupos a ser más colaboradores.

Robin: Sí, la eficacia tiene que ser válida en ambos casos. Dicha eficacia tiene dos aspectos. El primero es: ¿qué *abarca* el mito? ¿Se limita a ayudar a ciertas personas a integrarse y a cooperar mejor, mientras excluye a otras personas? Según lo que dice Katakis, cuanto más abarque el mito, mejor será. Lo cual coincide con la cualidad que has descrito como un signo de salud en el individuo.

John: ¿Y el segundo?

Robin: El segundo es: ¿es el mito *persuasivo*? ¿En qué medida afecta al comportamiento de la gente? Obviamente, cuanto más lo haga, más valor tendrá.

John: Por tanto, lo que Katakis dice es que es mejor tener una manera de organizar a la gente que abarque a todo el mundo que una que sólo incluya a un pequeño grupo de personas que busca el poder, ¿no es así?

Robin: Sí. Por ejemplo, Katakis consideraría *Mi lucha,* de Adolf Hitler, como un mito, aunque no tendría mucho valor según su manera de evaluar los mitos. Es un mito porque contiene una serie de principios organizativos, lo cual es algo mejor, como ya hemos comentado en el tercer capítulo, que el caos absoluto, es decir, la ausencia total de mitos. Su valor, sin embargo, es casi nulo, porque incluye tan sólo a los defensores del partido nazi y excluye y hace un daño tremendo a los miembros de la sociedad, por no hablar del daño que produce a otras sociedades. Los nazis eran las únicas personas integradas.

John: El mismo valor sería aplicable a cualquier sistema basado en cierto tipo de supremacía, sea racial, tribal o clasista e, incluso, discriminación machista y feminista. Por consiguiente, cuando más abarque el mito, mejor será...

Robin: Basta pensar en la parábola de Jesucristo sobre el buen samaritano, en la que se elige, con toda intención, un miembro de un grupo sobre el que las personas que lo escuchan tienen prejuicios, con el fin de recalcar lo amplia que era su definición del grupo hacia el cual los buenos sentimientos eran apropiados. Katakis daría el máximo valor a este mito.

John: Muy bien, veamos ahora el otro aspecto: la eficacia de un determinado mito a la hora de ejercer una influencia en el comportamiento de la gente.

Robin: Evidentemente, todos estos mitos varían mucho en cuanto a capacidad de persuasión. Algunos pueden afectar realmente nuestro comportamiento, mientras que la mayoría los pasamos por alto o los olvidamos porque no nos producen ningún impacto.

John: ¿Dónde radica la diferencia?

Robin: Acuérdate de que la mayor influencia que recibimos procede de nuestra experiencia porque está coloreada por nuestros *sentimientos.* Aunque los mitos nunca podrán resultar tan persuasivos como nuestra experiencia, cuanto más comprometan a nuestros sentimientos, más capacidad tendrán para afectarnos. Ésa es la razón por la que muchos de estos mitos, sobre todo los religiosos, conectan con nuestros sentimientos más profundos sobre la familia. Al expresar tanta información en términos relacionados con padres, madres, hermanos y hermanas, consiguen suscitar unas emociones muy intensas que nacieron cuando todavía éramos muy pequeños y dependientes.

John: Así que, cuando hablamos de «Nuestro Padre», automáticamente se liberan una serie de emociones relacionadas con las expectativas que tenemos con respecto a la idea de padre.

Robin: Sí, que nos quiera, y que también quiera a nuestros hermanos y hermanas. Si creemos que Dios se preocupa de la gente que a nosotros normalmente no nos cae demasiado bien, esa creencia puede ayudarnos a ser más amables con esas personas.

John: Ya veo. De todas formas, seguramente sólo una pequeña proporción de mitos libera estos sentimientos familiares, ¿no es así?

Robin: Si te paras a pensarlo, muchos sí que lo hacen. Basta pensar en la poderosa fuerza emotiva que se libera con la idea de «Madre Patria» o en que los socialistas se llaman los unos a los otros «compañero» y «compañera».

John: Es verdad. Y hay grupos que se autodenominan «familias».

Robin: Siempre suscitando sentimientos familiares..., los mitos que comprometen nuestros sentimientos de manera más eficaz nos llegan en la forma de *historias*.

John: ¡Ah! Al igual que, cuando queremos aprender algo, una novela, una poesía o una película tienen un impacto más fuerte que un libro de filosofía o de psicología, porque son menos «adustos» y conectan antes con nuestros sentimientos.

Robin: Exacto. Después de todo, aprender de las historias es todo lo que las palabras nos pueden acercar a la realidad. Entramos en el mismo juego de los personajes, participamos en los acontecimientos y nos preocupamos por el desenlace. Podemos, incluso, sentirnos identificados con uno de los personajes, creyendo que podría tratarse de nosotros mismos que intentamos alcanzar algo y no sabemos cómo, y tenemos que esforzarnos, tenemos que fracasar para entonces, acaso, llegar a nuestro objetivo. Al fin y al cabo, las historias nos proporcionan parte de los sentimientos que habríamos tenido de haber vivido la experiencia que se describe, y pueden ser una fuente de inspiración para enfrentarnos a desafíos similares.

John: Las películas educativas de Video Arts, con más de veinte años de experiencia en ese campo, se han basado en esta idea. Siempre hemos mantenido que una película es un triste vehículo para comunicar una información de tipo corriente pero, al mismo tiempo, es una manera muy buena de cambiar el comportamiento de la gente, *si* se utiliza la comedia o el drama para que la gente participe, porque de esa manera puedes ejercer una influencia sobre la parte más instintiva del individuo, que es de donde parte el comportamiento. De hecho, nuestro director, Peter Robinson, siempre solía citar un viejo refrán chino: «Dime algo, que lo olvidaré. Muéstramelo, que tal vez lo entienda. Hazme participar en ello, y lo comprenderé».

Robin: ¡Precioso! En realidad, hay una especie de paradoja en la cuestión de cómo se transmite un «mensaje», ¿no crees? Cuando el mensaje es muy claro, el interlocutor no tiene la sensación de estar «experimentándolo», por lo que tiene un impacto menor. Sin embargo, cuando el mensaje se halla dentro del contexto de una historia de una manera menos explícita, la impresión puede llegar a ser mucho más grande.

John: Tal vez se deba al hecho de que, cuando tienes una historia, el comportamiento está vinculado a las consecuencias, y así el interlocutor puede decidir por su cuenta si dicho comportamiento es deseable, ¿no es así?

Robin: Exacto. La decisión depende del interlocutor, una vez que se han digerido todas las consecuencias. De hecho, Jesucristo acaba muchas de sus parábolas diciendo algo así como: «¿Cuál era la mejor?».

John: Por tanto, una historia que nos permita pensar nos afectará con mayor intensidad que un mandato.

Robin: No cabe duda, una historia que dé ocasión a que se haga la luz, a que tengamos la oportunidad personal de decidir, producirá un efecto mucho más poderoso que si fuera algo forzado. Lo hemos elegido de una forma mucho más profunda y duradera. Es nuestra.

John: Se parece más a una experiencia.

Robin: Exacto. Nos conmueve de igual forma.

John: Por otro lado, una persona que nos diga lo que hemos de hacer, o que se dedique a hacer afirmaciones tajantes sobre lo que vale o no vale, puede ponernos en guardia y provocar nuestra oposición.

Robin: En cambio, a todas las personas les gustan las historias, y la información que comunican puede pasar por encima de nuestras sospechas y mecanismos de defensa.

John: Menos es más, como se suele decir. Una técnica que los políticos no utilizan demasiado.

Robin: Afortunadamente, si no tendrían más poder sobre nosotros.

John: ¿Sabes? Todo lo que estás diciendo me recuerda mis experiencias terapéuticas. Los psiquiatras no te dicen lo que has de hacer. Puede que te hagan una serie de preguntas que te ayuden a descubrir algo con respecto a tus sentimientos sobre una cosa determinada, o, posiblemente, sobre las consecuencias que se pueden derivar de un tipo de acción. Lo que nunca hacen es expresar una preferencia sobre algo. Siempre dejan que elijas.

Robin: Eso es, qué duda cabe, lo que les deberían haber enseñado a hacer, porque entonces las decisiones partirán del paciente, y no del terapeuta.

John: Incluso cuando descubren algo, repentinamente, sobre un aspecto de tu comportamiento –si atan un cabo que tú no has conseguido ver todavía–, no te lo dicen. Esperan hasta que lo ates tú, lo cual, obviamente, tiene mayor impacto.

Robin: Además, si se revela alguna información muy pronto, antes de que la persona esté preparada, ésta puede oponer resistencia y tener dificultades, más tarde, para descubrir la verdad por su cuenta.

John: Sí..., de forma que, aunque hemos estado discutiendo el modo que tienen los mitos de producir un efecto intenso, también hemos podido hablar sobre los principios más generales a la hora de transmitir información a la gente en caso de que vayan a asumirla de veras.

Robin: Sí, sobre todo si esa información se va a encontrar con una postura profundamente arraigada y con una resistencia emocional. Como es lógico, cuanta más información se proponga uno dirigir al intelecto, se requerirán menos sentimientos para transmitirla.

John: Muy bien. Entonces, como conclusión, hemos hablado sobre lo que hace que un mito sea persuasivo –en el sentido que le da Katakis–. Ése es el segundo aspecto que determina el valor de un determinado mito; el primero es su capacidad de inclusión.

Robin: Exacto.

John: Pues bien, Robin, se me acaba de ocurrir una minucia. ¿Por qué funciona todo tan *mal*?

Robin: ¿Cómo dices?

John: Déjame desarrollar mi argumento. Creo que la mayoría de las personas trata de basar su comportamiento en los valores que defiende. Con esto no quiero decir que sea algo consciente la mayor parte del tiempo, sino que, con todo, las personas no quieren hacer lo que ellas mismas consideran «malo». Prefieren poder justificar su comportamiento y tener la sensación de que lo que están haciendo está bien.

Robin: Estoy de acuerdo.

John: Bueno, es evidente que nosotros obtenemos nuestros valores de lo que Katakis llama mitos. Sé que hay unos cuantos que son bastante desagradables, porque abogan por la exclusión de la gente de otras razas, culturas, clases o lo que sea y por tratarla de forma significativamente peor que a la gente que los mitos abarcan. De todas formas, lo que quiero decir es que la mayoría de los mitos que conocemos son muy globales o, por decirlo de otra forma, los pensadores, creadores y líderes espirituales más importantes del mundo no son por lo general intolerantes. De hecho, podría afirmarse que la mayoría de los valores de Occidente se derivan de la cristiandad, y no hay nada que abarque más que las palabras de Jesucristo. Aun así, a pesar de estos mitos, Robin, el mundo no es un lugar precisamente armonioso ni cooperativo; a mí me parece que se caracteriza por continuas disputas, incluso aunque éstas no aparejen una violencia real.

Robin: ¡Ah!, claro, esto nos lleva a una idea bastante importante, acaso la más importante de las que vamos a discutir en este capítulo. Se trata de lo siguiente: las personas interpretan cada mito a partir de su nivel concreto de salud mental.

John: Vamos a ver si nos aclaramos. Lo que quieres decir es que el mismo mito es entendido por personas diferentes de maneras distintas.

Robin: Ésa es, en mi opinión, la manera de funcionar que se tiene.

John: ¿Y eso no se debe a que una persona abusa de una idea sana de forma consciente y cínica para justificar un comportamiento poco sano?

Robin: No, se debe a que cree realmente que el mito justifica su comportamiento. Como verás, incluso si pudiera comprender que las otras interpretaciones también son posibles, la única que a esta persona le parecería bien sería aquella que concordase con todos los valores y actitudes restantes.

John: Acabo de recordar que, en el primer capítulo, has mencionado que cada nivel de salud mental se considera a sí mismo como el mejor posible.

Robin: Efectivamente. Estamos hablando de la misma idea pero expresada de forma diferente.

John: A ver si lo entiendo: ¿una persona menos sana se puede apoderar de una idea sana para convertirla en una idea también menos sana?

Robin: Exacto, y a la inversa también. Una persona sana que haya sido educada en, digamos, una sociedad de corte estalinista, tendrá un comportamiento más sano que la norma.

John: Me imagino que todo esto es en realidad una obviedad..., pero nunca había oído una explicación de este tipo. Hace años me di cuenta de que ninguna idea es realmente incorruptible: todos sabemos lo que se ha llegado a hacer en el nombre de la cristiandad...

Robin: Basta echar una ojeada a la política. Uno de los libros más influyentes de toda la historia es *La república*, de Platón, el cual examina la naturaleza de la justicia y afirma que es el Estado quien tiene la obligación de suministrarla. Con todo, Karl Popper ha demostrado que Platón *puede* ser considerado el primer autor de la tradición que ha llevado al fascismo. Como alguien dijo en una ocasión: «Una idea no tiene que responder por la gente que la mantiene».

John: Resulta entonces evidente por qué unos valores que parecen obvios y absolutos, tales como la libertad y la democracia, han sido discutidos con frecuencia y descritos de maneras muy diferentes. Cada opinión refleja un nivel de salud diferente.

Robin: Ahora empezamos a ver por qué hay tal disparidad de opiniones en el mundo.

John: Esto es algo que me intriga y que me gustaría examinar. ¿Por qué no tomamos unos cuantos mitos y tratamos de averiguar cómo los interpretaría cada nivel de salud mental?

Robin: En vez de examinar un determinado mito, ¿por qué no estudiamos un valor básico que sirva de referencia para un grupo de mitos?

John: De acuerdo. Comencemos por un valor situado en el centro del propósito cooperativo de los mitos de Katakis: la lealtad a un grupo.

Robin: Muy bien. Cada persona combina sus actitudes y sentimientos familiares con su interpretación de los mitos de la lealtad. Por tanto, si una persona proviene de una familia que no es nada sana, estará convencida de que todo el grupo debería compartir su parecer y que cualquiera que cuestionara este parecer sería un «elemento perturbador», que no estaría mostrando ninguna «lealtad»; se mostrará además hostil hacia los grupos ajenos, y no tendrá en cuenta sus derechos en cuanto «intrusos»; además, sentirá una dependencia intensa y exigente con respecto a todos los demás miembros de su grupo.

John: Entonces, en tu opinión, no tendrá otro remedio que interpretar cualquier idea relacionada con la lealtad de una manera que respalde las actitudes básicas que has mencionado.

Robin: Sí.

John: Es decir, la lealtad, para la gente menos sana, no es más que una paranoia disfrazada con un nombre distinto.

Robin: Sí, en resumidas cuentas viene a ser eso, desde el punto de vista de un nivel de salud superior. Recuerda que la Mafia denomina *omertá* a su voto de silencio con respecto a todos los crímenes: honor, algo que representa un nivel de salud superior a la deslealtad, según la cual todos los miembros de una sociedad estarían traicionando a los demás. No es algo muy *globalizador*; más bien se trata de algo negativo para todo aquel que no se encuentra dentro del restringido círculo en el que las personas, al menos, se muestran lealtad las unas a las otras.

John: Ahora me siento perplejo. Los miembros de las familias más sanas entienden que la «lealtad» sirve para dar una mayor libertad a los miembros del grupo, gracias a lo cual éstos pueden seguir siendo autónomos y diferentes. Por otro lado, tienen una actitud fundamentalmente positiva y confiada con respecto a las personas ajenas al grupo. ¿Significa esto que para ellos el concepto de «lealtad» no es tan importante?

Robin: Bueno, depende de lo que entiendas por «lealtad». Está claro que sienten un mayor compromiso afectivo para con las personas que se encuentran dentro del grupo, por lo que están preparadas para emplear más tiempo y energía con ellos. Aun así, no tienen la sensación de que exista una diferencia clara entre el tipo de gente que integra el grupo y la que se encuentra fuera. Su lealtad es más *globalizadora* y, por consiguiente, la diferencia entre su lealtad por las personas de la familia y la que sientan por las que no pertenecen a ella será cuantitativa, no cualitativa. Además, habrá cabida para un tipo de crítica más tolerante en el seno del grupo y para una actitud más positiva sobre las ideas relacionadas con la forma en que ha de cambiarse el funcionamiento del grupo.

John: Nunca he podido ver lo «desleales» que pueden llegar a ser con los paranoicos.

Robin: Claro...

John: Estoy pensando que, por otro lado, existe un tipo especial de lealtad llamado «patriotismo».

Robin: Bueno, eso se interpreta exactamente de la misma manera, si exceptuamos el hecho de que, en un grupo tan grande como el de una nación, el aspecto de un comportamiento poco sano puede resaltar mucho más. El «patriotismo» enfermizo no sólo comporta el antagonismo hacia los extranjeros, sino que requiere casi el mismo grado de hostilidad hacia los compatriotas que no respaldan esas mismas posturas xenófobas. En caso contrario, se permitiría la existencia de un espectro muy amplio de opiniones, lo cual daría la impresión de algo poco sano.

John: Esto me hace pensar en una consigna que apareció hace pocos años: «América: ámala o déjala». En cierta forma, no deja de ser una inteligente muestra de manipulación verbal: uno no se da cuenta inmediatamente de que los que han confeccionado la consigna han definido «América» sólo para sí mismos. Los conservadores siempre exhiben la bandera del Reino Unido en sus mítines con el mismo fin.

Robin: Así que, cuando las personas más paranoicas hablan de «patriotismo», emplean el término para describir el proceso mediante el cual rechazan las partes de sí mismos que consideran inaceptables y que proyectan sobre toda la gente que es «extranjera» o sobre los compatriotas «poco patrióticos».

John: ...Es extraño, pero aquí hay un problema, y es que la lealtad sana da la sensación de ser menos apasionada, aunque supongo que uno acaba cayendo en la cuenta de que la gente sana y leal está *haciendo* el bien, mientras que los apasionados «leales» se están *sintiendo* bien.

Robin: Cuando dices que son «menos apasionados», creo que en realidad te debes de estar refiriendo a las apariencias externas. Una persona cuyas emociones están muy polarizadas y resultan muy partidistas, puede dar la impresión de poseer unos sentimientos muy intensos. Sin embargo, dichos sentimientos son vastos, vehementes, y la persona que los genera puede que sea incapaz de mostrar algo más sutil y variado. La gente sana siente «más», no «menos», pero en el sentido de que es más sensible a un abanico más amplio de sentimientos más ricos. Es como si no tuvieran que subir el volumen emocional hasta extremos ensordecedores, con el fin de oír cualquier cosa.

John: Bueno, pasemos a otro valor que casi todo el mundo aceptaría como algo bueno: la honradez.

Robin: ¡Existen muchas variantes de *ella*!

John: Es verdad. Tomemos entonces, por ejemplo, «decir la verdad» y «mantener las promesas». ¿En qué sentido pueden interpretarse de formas diferentes?

Robin: Bueno, antes de decir la verdad, has de saber qué es la verdad. Las personas sanas están entonces en una posición ventajosa, porque tienen una visión más realista de lo que pasa a su alrededor y de sí mismas. Por añadidura, «creen» realmente en la honradez, puesto que piensan que la franqueza funciona, que no es peligrosa, sino, al contrario, que puede ser verdaderamente beneficiosa. En consecuencia, las personas sanas no interpretan el mito de que «la honradez es la mejor política» como un mandato, sino sencillamente como un simple hecho que resulta obvio a partir de su experiencia. Esa interpretación funciona de tal forma que las anima a decir la verdad de una manera mucho más franca, con respecto a un abanico más amplio de temas.

John: Tiene sentido. ¿Y las personas menos sanas?

Robin: A ellas les resulta más difícil decir la verdad de un modo objetivo, porque, para empezar, tienen la costumbre de proyectar todos sus defectos sobre otras personas y de culpar a todo el mundo, excepto a sí mismas, por cualquier cosa que haya ido mal. Así que, en contraposición a las personas sanas, ni siquiera saben lo que es la verdad. Además, como piensan que el resto del mundo tiene en el fondo una postura hostil, se sienten justificadas moralmente para manipular la verdad, con el fin de defender sus intereses de las fuerzas contrarias. Llegan, incluso, a negar un error ante las personas más próximas cuando saben que en realidad se han equivocado, porque creen que han de presentar una fachada impoluta para ser aceptados. Finalmente, hacer una crítica sincera y útil a esas mismas personas les resultaría igualmente difícil ya que les parecería «poco amable» y «desleal».

John: Por tanto, en un buen número de ocasiones, a la gente menos sana no le «conviene» o no le parece seguro decir la verdad.

Robin: Efectivamente. A pesar de que, por principio, están de acuerdo con muchos de los mitos que animan a decir la verdad, si los presionas a ello empezarán a poner muchas condiciones que, a la larga, harán que dicho principio pierda su sentido.

John: ¿En qué lugar nos deja todo esto a las personas de tipo medio? ¿Hasta qué punto nos «convendrá» decir la verdad?

Robin: Bueno, dependerá de todo lo que tengamos «detrás de la pantalla», pero no cabe duda de que será algo que defenderemos. En caso contrario, seremos con toda probabilidad bastante directos con las personas en las que confiemos, estaremos sujetos a nuestra actitud de tipo medio, manipuladora y egoísta al tratar con el mundo. Eso nos llevará a cierta «economicidad con la verdad», aunque evitaremos cuidadosamente decir mentiras directamente, pues eso nos haría sentirnos muy a disgusto.

John: Casi todos nosotros mantendríamos habitualmente una actitud parecida a la de un ministro del gobierno en cuanto a lo que llamaríamos su «nivel de veracidad».

Robin: Y el nivel sería algo más bajo en el momento de delimitar nuestra demanda de seguridad, porque, para nuestra tranquilidad, eso es algo *normal*...

John: Muy bien. ¿Qué podemos decir sobre el mantenimiento de las promesas, o sobre la «inviolabilidad del contrato», como lo llaman los abogados?

Robin: Este tipo de actitudes muestra por qué decimos que la gente en la que confiamos es «íntegra».

John: ¿Qué quieres decir?

Robin: La gente sana es más «íntegra» porque está psicológicamente más «integrada»: ha incluido más partes de sí misma; no las ha rechazado ni las ha dividido.

John: Ésa es la razón por la que a la gente menos sana se le da peor mantener las promesas, ¿no es así?

Robin: Tomemos un ejemplo. ¿Por qué motivo no desea alguien mantener una promesa?

John: Porque... no tiene la sensación de haberla efectuado seriamente..., o porque las circunstancias han cambiado..., o porque no forma parte de un trato, sino un acuerdo del que ahora se arrepiente porque le parece muy inconveniente...

Robin: Exacto. El problema suele surgir porque una parte de nosotros hace la promesa y otra diferente tiene que cumplirla.

John: «Exposición».

Robin: Imaginemos que queremos algo, algo que puede ir desde pedir dinero prestado hasta el deseo momentáneo de sentirnos unos verdaderos santos. Hacemos una promesa: devolver el dinero pronto, o hacer una buena acción.

A los pocos días, sin embargo, cuando tenemos que cumplir la promesa, nos encontramos de un humor diferente. Ya no sentimos ese afán por el dinero porque ya es nuestro. Por otro lado, no hay ninguna necesidad de sentirnos bien con nosotros mismos, porque ya nos hemos dado un «subidón» al hacer la promesa. Sin embargo, ahí está el indeseado compromiso, sólo que tenemos la sensación de que no hemos sido nosotros los que lo han hecho. En realidad, no hemos sido nosotros de ninguna de las maneras, ha sido algo mucho más vago que todo esto, muchísimo más, si lo meditas bien.

John: Un cambio de humor altera por completo nuestros sentimientos sobre la promesa.

Robin: Sí, mientras que una persona más integrada es más consciente de la tarea a la que se está comprometiendo cuando hace la promesa. Se podría decir que la parte de la persona que hace la promesa está más integrada en el resto de su psique e incluye a las partes que van a tener más dificultades a la hora de cumplir la promesa. Si se tiene en cuenta desde el principio la resistencia futura y el deseo de arrepentirse, cuando llega el momento de cumplir la promesa, todas las partes se sienten mucho más comprometidas.

John: Exacto. He tenido la ocasión de presenciar el proceso yo mismo, y también pude observarlo hace unos años cuando me empezó a sobrar algo de dinero y presté buena parte de él a unas cuantas personas. ¡Fue asombroso lo poco que me devolvieron! Además no era difícil seguir la evolución de los sentimientos. Al principio, observé con frecuencia una cierta desesperación que surgía de la necesidad del dinero; luego, a los pocos días del préstamo, noté que sentían una enorme gratitud, la cual no tardó en enfriarse, si bien todavía persistía una sensación muy positiva. Entonces se produjo un cambio: estas personas tenían la sensación de que el dinero era ahora suyo y empezaron a distanciarse de mí, en parte a causa de lo embarazoso de la posición en la que habían estado en un principio, y más aún a causa de la inconveniencia anticipada de tener que devolver el dinero. Finalmente, llegó el momento en el que el dinero era ya definitivamente suyo, y yo me había convertido en un irritante recuerdo de una vaga obligación que lo único que conseguía era echar a perder sus vidas. Siendo tan británico, me sentía demasiado violento como para llegar, en alguna ocasión, a sacar a colación el tema. Me estuvo bien empleado: recuperé menos del *diez por ciento* de lo que había prestado. Ver el mismo proceso en otra gente fue, sin embargo, muy ilustrativo.

Robin: Bueno, esto es un buen ejemplo de la otra parte de la ecuación. Aunque *tú* fuiste muy generoso, no supiste anticiparte y tener en cuenta el hecho de que *ellos* quizás no preverían su resistencia futura y, por tanto, se comportarían como lo hicieron. Además, si tú tienes la sensación de que ellos no van a cumplir su parte del acuerdo, pero no se lo dices franca y honestamente, entonces es muy posible que haya un malentendido y que no se pueda resolver. Los habrías ayudado por segunda vez y, probablemente, habrías mantenido la relación con ellos si les hubieras dicho que apoquinaran.

John: ¿Significa esto que una persona menos sana e integrada interpretará el sencillo mito de que «siempre hay que intentar mantener las promesas» de una manera sumamente estrecha y le pondrá muchísimas condiciones, como en el caso del mito de que hay que «decir la verdad»? ¿O la «interpretación» sólo se muestra en la ejecución misma o, más bien, en su ausencia?

Robin: A no ser que la persona que pide el dinero prestado tenga la intención de incumplir la promesa –es decir, como si fuera un timador–, se trata más bien de una cuestión de falta de conciencia de sí misma y, por tanto, de su incapacidad de ser honesta consigo misma: existe la «intención» de devolver el dinero, pero poco a poco «el guión se va cambiando», de tal suerte que esa persona se acaba convenciendo de que el acuerdo inicial no estipulaba la devolución o, al menos, todavía no o solamente cuando fuera exigido –algo que no se ha hecho hasta el momento– o solamente si tú no has ganado el suficiente dinero desde que se llevó a cabo el préstamo. En el caso de una persona sana, en cambio, los valores y las acciones que se profesan estarán más integrados, por lo que su comportamiento se hallará más cerca de la realidad de cualquier acuerdo que puedan establecer.

John: Muy bien. Hasta el momento hemos hablado de unos valores como la «lealtad» y la «honradez» que, si bien son heroicos, también son comparativamente vagos. ¿Qué decir entonces de todos los principios organizativos que Katakis podría incluir en la categoría de «mito»? ¿Qué decir de las normas de tráfico? ¿Es posible que una prohibición de giro a la izquierda se interprete de formas distintas?

Robin: Como es lógico, cuantas más instrucciones prácticas y detalladas incluya el mito para llevar a cabo una actividad, menos diferencias habrá en las respuestas de la gente. Sin embargo, en el caso de las normas de tráfico, es muy probable que las personas menos sanas las interpreten siguiendo la ley al pie de la letra: creerán que un límite de velocidad de cincuenta kilómetros por hora les dará permiso para llegar a esa velocidad, incluso en un atasco en el que los treinta y cinco kilómetros por hora serían más aconsejables. Normalmente,

arrancarán cuando el semáforo se ponga verde, incluso en una situación de posible peligro, porque tienen el «derecho» a hacerlo.

John: ¿Un conductor sano respondería con mayor flexibilidad ante la ley?

Robin: Sí, comprendería que el planteamiento que hay detrás del reglamento es reducir el peligro de accidentes o mantener el tráfico fluido.

John: ¿Se sentiría un conductor sano más tranquilo al incumplir una norma si ello fuera más seguro y no molestara a los otros conductores?

Robin: Probablemente. De igual forma, un agente de tráfico se comportará de manera discrecional y será inflexible con los conductores que él piense que no tienen en cuenta la seguridad de los demás, mientras que hará la vista gorda con los que cometan infracciones triviales. Por otro lado, un agente de tráfico puede considerar que una infracción menor es en realidad un desastre para el orden moral, convirtiéndose en un «pequeño Hitler» que emplea la ley para aumentar su autoridad personal y para sentirse mejor él mismo.

John: O tal vez porque quiere irse a casa pero aún no ha tenido ocasión de cazar el número suficiente de víctimas para satisfacer el mínimo que le ha impuesto un cargo superior con un nivel de salud deficiente.

Robin: Sí. El nivel de salud de cualquier persona que se encuentre en un estamento determinado de una jerarquía influye en el comportamiento de los que se hallan más abajo en la pirámide social.

John: Así que el comportamiento sano consiste en considerar la intención que subsiste detrás de las regulaciones; el comportamiento enfermizo supone una interpretación literal e inflexible de la ley. Esto podría ser un principio general de salud mental.

Robin: Es un buen resumen.

John: ¿Cómo podríamos aplicar todo esto al mundo de los deportes, en el que el valor principal es el de la «deportividad», el de tratar de derrotar al contrario «respetando las reglas»? Estos conceptos pueden dar lugar a varias interpretaciones...

Robin: Bueno, yo diría que la actitud sana ante el juego, aparte de la búsqueda del placer que se deriva de la actividad física y la práctica de unas habilidades, es la contienda con un oponente digno de igual a igual. La actitud enfermiza y paranoica conlleva la consideración del oponente como un enemigo que ha de ser derrotado y, si es posible, humillado, barrido.

John: En resumidas cuentas, cuanto más se concentre uno en ganar, menos sana será su actitud.

Robin: Sí, en el fondo sería así. Ganar caiga quien caiga es un valor muy poco globalizador.

John: Así que cuanto menos sanos sean los jugadores, interpretarán las reglas de una manera más cínica e incluso permitirán las trampas.

Robin: Para una persona que se encuentra en este nivel, ser derrotado le hace sentirse como barrido, exterminado. No se da cuenta de que puede obtener un placer mayor si juega con otro espíritu, por no mencionar la disminución de la ansiedad y del miedo que ello aporte.

John: Estamos hablando nuevamente de la integridad.

Robin: Sí. Una persona sana sabe que el resultado del juego es sólo una parte de la actividad, por lo que, además de ganar, le preocupa comportarse de una forma que refleje sus valores personales y fomentar la amistad con sus oponentes, todo lo cual le hace disfrutar al máximo del juego.

John: Esto también guarda relación con la actitud «afiliativa», ¿no es así? Algunas de las experiencias más conmovedoras de mi vida han estado relacionadas con momentos de gran deportividad. Ya sabes lo electrizante que puede ser un gran partido en el que un jugador hace algo, repentinamente, que demuestra que «jugar limpio» es más importante que ganar. Este respeto por las reglas hace honor al hecho de que los jugadores están compartiendo una cultura común y recuerda a todo el mundo que lo que divide a los jugadores es menos importante que lo que los une. Cuando un jugador demuestra esto, el cambio en el sentir de la multitud es algo maravilloso. El estadio, de repente, se ve inundado por un ambiente totalmente diferente. La estrecha y partidista ansiedad que había antes desaparece y la multitud da su apoyo con un rugido mucho más cálido y generoso. Aunque aún se desea ganar, se sabe que «no hay ningún problema» en relación con el oponente y que, en última instancia, lo que importa es el juego.

Robin: Una vez que la paranoia desaparece, todo se hace más divertido. Desgraciadamente, durante los últimos años se ha extendido en todos los deportes una actitud cada vez más obsesiva por el hecho de ganar. Supongo que los tenistas de finales de los setenta y principios de los ochenta se encontraban en la vanguardia de este «movimiento».

John: Siempre me ha sorprendido el que resulte emocionante ver jugar a una serie de jugadores clave, fundamentalmente porque logran polarizar a la multitud: o te maravillan o los odias, algo positivo desde un punto de vista comercial, pero negativo para toda la gente joven que busca modelos que seguir, porque este tipo de polarización paranoica de la multitud no hace sino reflejar, en mi opinión, una división similar en las mentes de los jugadores.

Robin: No cabe duda de que esto acaba convirtiéndose en un círculo vicioso. Si los jugadores están lo bastante divididos psicológicamente como para polarizar a la multitud de esa manera, la multitud a su vez fomentará dicha división y quedará decepcionada si los jugadores no se portan mal y no se toman la justicia por su mano. Como consecuencia, se hace cada vez más difícil substraerse a las pautas paranoicas y, como tú dices, la gente joven acaba por verlo como algo «normal» y por copiarlo. Creo que los juegos y los deportes resultaban mucho más sanos cuando el hecho de ganar tenía su verdadero valor. Las viejas ideas inglesas del «juego limpio» y del «buen perdedor» eran verdaderamente admirables y provenían de una filosofía de vida mucho más madura e integrada.

John: Acabo de comprender que llevamos ya un rato comentando este tema y aún no hemos mencionado el gran incremento de dinero que supone ganar hoy en día. Tal vez, debería preguntarte sobre el «dinero» antes que sobre cualquier otro valor. Aunque supone una gran ayuda para la cooperación social, a diferencia de los valores y los mitos que hemos visto hasta este momento, el dinero me parece a mí algo fundamentalmente neutro desde un punto de vista moral. Lo que quiero decir con esto es, sencillamente, que facilita el intercambio de bienes sin definirse por ello como algo bueno o malo. Aun así, existen millones de mitos al respecto, y el comportamiento de la gente y una cantidad enorme de sus valores vienen determinados por él. ¿Cuál es la interpretación de los diferentes niveles de salud mental respecto al viejo y amoral dinero?

Robin: Éste es un tema realmente complejo. Examinémoslo, de todas formas, a la luz de los tres indicadores de salud que ya hemos comentado. En primer lugar, la gente excepcionalmente sana ve el mundo con gran claridad y de forma realista, por lo que hay más probabilidades de que sepan con exactitud lo que el dinero representa: un medio para obtener aquellas cosas que uno necesita para seguir la vida que uno cree que va a satisfacerle más. Las personas sanas, por otro lado, saben claramente lo que les resulta más satisfactorio, por lo que su idea es bastante aproximada respecto al dinero que necesitan. Además, como consecuencia, muy posiblemente no dedicarán mucho tiempo a ganar más dinero que ése.

John: Así que la gente que pasa mucho tiempo tratando de ganar más dinero del que necesita no se está comportando de una manera sana.

Robin: Efectivamente.

John: Entonces, si lo hacen, debe ser a causa del valor simbólico que el dinero tiene para ellos.

Robin: Exacto.

John: Esta idea presenta varios aspectos: para cierta gente, el dinero es, principalmente, un símbolo de poder o prestigio: de su posición en la jerarquía; para otra, sobre todo del tipo puritano, su posesión le «sube un punto en la nota» moral; y para otra, que ha padecido verdadera pobreza con anterioridad, simboliza la seguridad frente a la posibilidad de volver al estado de privación.

Robin: No sólo privación económica. Para mucha gente que ha carecido de amor y seguridad afectiva durante su infancia, el dinero se convierte en un substituto, en una fuente de seguridad y gratificación sobre la cual puede tener un dominio absoluto. Ésa es una de las razones por las que mucha gente nunca está satisfecha, nunca creen cubrir del todo sus necesidades.

John: ¿Existe algún concepto psiquiátrico concreto sobre la acumulación compulsiva de dinero que te parezca especialmente interesante?

Robin: Nunca he conocido a una persona de esa clase que sea feliz...

John: Entonces, ¿es de justicia decir que, cuanto más compulsiva es la búsqueda del dinero por una persona y cuanto más basada esté en un valor simbólico que desconoce, menor será el nivel de salud mental que pondrá de manifiesto?

Robin: Sí, estoy de acuerdo.

John: Bueno, hemos hablado sobre el dinero desde el punto de vista de la percepción realista. ¿Cuál es el segundo punto de vista relevante sobre el afán de lucro?

Robin: Nuestra vieja amiga, «la integridad», lo cual significa que la gente sana aplica los mismos valores a la parte monetario-productiva de sus vidas que a la parte personal. No las tratan como compartimentos estancos.

John: Entonces, la cínica actitud de «los negocios son los negocios» no es válida en este caso.

Robin: No, aunque el ambiente de trabajo resulte en ocasiones algo violento, la gente más sana siempre trata de aferrarse a sus valores frente a ello.

John: Sin embargo, no deja de haber personas sumamente desagradables en el mundo de los negocios, ¿no es cierto? He llegado a conocer a un par de ellas...

Robin: Hay muchas. De todas formas, no olvides que las personas sanas son realistas. Toman toda suerte de precauciones si saben que van a tratar con alguien sin escrúpulos, como acostumbran a hacer también en las demás facetas de sus vidas.

John: Es agradable pensar que algunas de las mejores actitudes medievales aún colean. ¿Cuál es la tercera medida de salud que ilumina nuestra actitud hacia el dinero?

Robin: La más obvia: la actitud «afiliativa». La gente más sana es generosa con cualquier cantidad de dinero que tenga a su disposición y lo reparte de la misma forma en que reparte cariño, amistad y buena voluntad.

John: Es interesante, ¿no te parece?, que se desprecie tanto a la persona que es incapaz de invitar a una ronda. Supongo que la gente intuye que ésa es la actitud subyacente de una persona con respecto a sus amigos.

Robin: Un comportamiento de ese tipo refleja normalmente una tendencia general, ¿no es así? Si es persistente, habrá muchas probabilidades de que muestre otras facetas del comportamiento de la persona. Lo normal es que uno tenga dudas, a la hora de emprender una aventura económica con alguien que se aprovecha de la situación cuando recibe una cantidad demasiado elevada de vuelta en una tienda.

John: Hay otro aspecto relativo al concepto del dinero como valor que me gustaría discutir: el materialismo, algo que no me acaba de entrar en la cabeza, a pesar de mis propias tendencias materialistas. Deja que te cuente una historia. David Puttnam me dijo, en una ocasión, que las tres primeras personas con las que almorzó tras tomar posesión de la Columbia, coincidieron en decirle que valía un millón de dólares. Se paró a pensar en ello y llegó a la conclusión de que no estaban simplemente intentando impresionarlo con su poder, sino que trataban de crear una sensación de «valor» y la única manera que conocían de hacerlo era mediante el dinero. Un corolario de esto es, claro está, que llegaran a pensar que, a cierto nivel, acabarían en un puesto muy bajo de la jerarquía si su valor se juzgase con otros criterios. ¿Qué crees que puede causar el que la gente trate de basar su autoestima en las posesiones materiales?

Robin: Bueno, como tú dices, deben sentirse desprovistas de otras cualidades si tienen que hacer semejante alarde de sus cuentas bancarias. De todas formas, tú y Puttnam estáis hablando en este caso de Estados Unidos, de Los Ángeles en concreto y, específicamente, de la industria cinematográfica. La gente que se concentra en estos lugares, como sabemos, acepta el dinero generalmente como una medida de prestigio social, debido a las razones que has mencionado en el tercer capítulo.

John: ¿Se siente la gente *impulsada* a adquirir riquezas porque se ve realmente incapaz de comprender la importancia de otros valores?

Robin: No necesariamente. Algunas personas acumulan riqueza con el fin de tener la libertad y los medios para hacer otras cosas, sea por su propio bien o por el de los demás. Si sólo les preocupa ganar dinero, cabe suponer que estarán muy necesitadas en otros aspectos y que no dominan bien la situación.

John: Entonces, y aquí acudo a Oscar Wilde, un materialista es alguien que conoce el precio de todo y el valor de nada.

Robin: Y no es consciente de todo lo que desconoce.

John: ¿Podríamos decir entonces que el materialismo es una especie de prosaísmo de miras estrechas, que caracteriza un enfoque enfermizo de la interpretación de los valores?

Robin: Sí, se podría decir. Una visión limitada que te deja ver los árboles pero te impide ver el bosque.

John: Bien, voy a intentar hacer un resumen aproximativo de lo que hemos visto hasta el momento. Hemos examinado la idea de que cada persona interpreta el mundo a partir de su nivel de salud mental. A mi parecer, cuanto menos sanos estemos, más prosaicas serán nuestras interpretaciones de la ley, por decirlo de alguna manera; y cuanto más sanos estemos, más influencia ejercerán sobre nosotros los diferentes aspectos de la idea que hay detrás de la formulación específica del mito que interpretamos.

Robin: Ése es un buen resumen.

John: Hay algo que me llama la atención. La gente siempre habla de los *cambios* de valores, ¿no es así? Ya sabes, «la gente solía creer en X y ahora ya no». O, «la gente no solía preocuparse por tal cosa, y ahora en cambio se siente molesta por ello». Sin embargo, no es el valor en sí lo que cambia, ¿verdad? Nadie ha dicho nunca que la lealtad sea «mala», o que la opresión sea «buena». Es más bien la interpretación del valor lo que cambia con el paso del tiempo...

Robin: Cabría destacar dos aspectos sobre lo que has dicho. En primer lugar, los valores que la gente dice, en tono de queja, que estamos perdiendo, en el fondo no han *cambiado*; siempre han sido iguales a lo largo de la historia. No me cabe ninguna duda de que las quejas sobre su pérdida siempre han estado presentes en el transcurso de la historia. En segundo lugar, se dan *idas y venidas* en el grado de respeto que tenemos por ellos –en cuán estrecha o literal, cuán sutil o amplia es nuestra comprensión de ellos en un momento determinado–, que corresponden a las idas y venidas que la sociedad sufre entre las actitudes que recalcan un enfoque más estrecho, egoísta y a corto plazo de la vida, y los valores más globales y «tradicionales» que integran al conjunto de la sociedad y tienen en consideración el bienestar de todas las clases y el de las generaciones futuras.

John: Sólo me queda una cosa por preguntarte en torno a los valores, una cosa importantísima, aunque quizás no lo sea tanto...

Robin: ¿A qué te refieres?

John: La palabra que empieza por erre.

Robin: ¿La religión?

John: Sí.

Robin: ¿Por qué eres tan evasivo al respecto?

John: Pues porque si nos ponemos a discutir seriamente el tema de la religión a estas alturas, la mayoría de nuestros lectores cogerán el libro y lo tirarán a la papelera, ¿no crees? A lo que me refiero es que, hoy en día, la religión no es aceptada como tema de conversación serio. Incluso cuando despierta un ligero interés se experimenta cierta suspicacia, a menos que se tenga la intención de medrar en la jerarquía del Partido Conservador.

Robin: Creo que esto ha cambiado muchísimo desde los años sesenta. En los años cincuenta me encontraba de prácticas en psiquiatría y me acuerdo que estaba en el comedor del hospital charlando de forma pormenorizada y franca con un grupo de personas sobre perversiones sexuales, lo cual habría producido por aquel entonces una reacción escandalizada en un público mixto. Entonces me di cuenta de que, si alguien se pusiera a hablar sobre experiencias espirituales de una manera igual de franca, mis colegas habrían reaccionado de igual forma. De todas formas, no cabe duda de que, desde esa época, la gente ha empezado ha aceptar este tipo de cosas y se ha vuelto mucho más abierta. Nadie le da vueltas al hecho de que alguien se ponga a hablar sobre la meditación, o se vaya de ejercicios espirituales. Creo que te estás mostrando un poco pasado de moda.

John: Tal vez. Pero a aquellas personas que piensen que las cuestiones religiosas son inaceptables y que, por tanto, pueden molestarse si oyen alguna super-

chería supersticiosa, o cierta palabrería metafísica, o habladurías etéreas, les sugiero que pasen a la página 453 y que se tomen una taza de café hasta que los alcancemos y volvamos a la vida real. Adiós. Hasta pronto...
Que se vayan con viento fresco. Pues bien, Robin, quería preguntarte algo sobre los valores religiosos, porque opino que la mayoría de la gente estaría de acuerdo en que nuestros valores seculares derivan directamente de ellos o, al menos, están influidos profundamente por ellos, aunque, en realidad, esto no es más que una excusa de la que me sirvo para averiguar si la idea de las «diferentes interpretaciones a los diferentes niveles de salud mental» también es válida para la religión.

Robin: ¿Por qué quieres averiguar eso en concreto?

John: Bueno, últimamente ha empezado a interesarme el tema de la religión y, como es natural, me siento un poco incómodo. Quiero decir, la mayoría de la gente puede perdonarme que haya hecho terapia, pero si empiezo ahora a admitir que siento un especial interés por la religión, van a pensar que realmente me falta un tornillo.

Robin: Sé que estás exagerando con el fin de producir un efecto cómico pero...

John: No, en absoluto. O, por lo menos, no demasiado. Ya sabes a lo que me refiero, Robin. Si mencionas una «fuerza» en el cosmos, y las personas que te están escuchando comprenden que no estás hablando de la fuerza de la gravedad, sus sonrisas se paralizan y el movimiento de sus ojos se acelera.

Robin: ¿Realmente crees que la gente experimenta tanto disgusto al hablar de religión?

John: No es que lo crea, es que lo sé. Casi todo el mundo en Gran Bretaña tiene la sensación de que las versiones religiosas que se ofertan no son de gran interés de cara a iluminar a los demás. Si esto es dañino para la Iglesia, yo diría dos cosas. En primer lugar, la verdad de lo que estoy diciendo se refleja en el bajo número de personas que asisten a misa, en un momento en el que hay muchísima gente buscando algo que dé sentido a sus vidas; en segundo lugar, no estoy *hablando* de *individuos* en la Iglesia –normalmente me parecen personas abiertas y dispuestas a luchar porque todo sea mejor, algo que admiro–, sino de las mismas instituciones y de la línea de partido que nos quieren imponer, esa mezcla de tópicos y farsa con la que nos amenazan.

Robin: Parece que te molesta de veras.

John: Supongo que sí me molesta, ya que ahora que soy consciente de que hay conceptos verdaderamente interesantes a nuestro alrededor, pues sí, me enfado al ver que muchas de las cosas que oímos de las fuentes religiosas ortodoxas no suscitan el menor interés en la gente. Ésa es la razón por la que a mí y a muchos de mis amigos este asunto acabó hartándonos en la escuela: lo que nos resultaba inteligible no era inteligente. La palabra de las Escrituras tenía una resonancia extraña, sí, pero nadie podía hablar sobre ello de forma que te hiciera sentirte partícipe de ello, o que pudiera ser aplicable a tu vida.

Robin: ¿Te confirmaste?

John: Sí, de igual forma que me alisté al Cuerpo de Cadetes del Ejército. Cuando me estaba preparando para la confirmación, me enteré de conceptos tales como que Cristo es el hijo de Dios, el perdón de los pecados, la vida eterna...; luego, tras un período de examen de conciencia –unos dos días–, vi que lo que se esperaba de mí era que los aceptara, pese a que no tenían el menor sentido para mí. En el transcurso de todo esto, nosotros, pobres adolescentes, éramos objeto de un sermón dominical tan estúpido que la única respuesta válida era la lectura, dormir o invadir el púlpito. Por tanto, cuando abandoné la escuela, no se me volvió a ocurrir volver a una Iglesia, con la excepción, claro está, de las bodas. De hecho, la idea de la religión que he tenido durante muchos años ha correspondido a la imagen mental de la boda de un amigo a finales de los sesenta. Me encontraba de pie en el banco al lado de Martin Feldman, rodeado de un grupo de mujeres voluminosas y confiadas, que llevaban unos extraños sombreros de flores y que empezaban cada himno antes que los demás para demostrar que eran entendidas. Luego, aguantaban la última nota durante mucho más tiempo que el resto de la congregación para confirmar también su superioridad. Al tiempo que trinaban sobre las peripecias de los descendientes de Abraham, yo no podía contener las lágrimas que me provocaba la risa y hubiera podido caer al suelo de bruces en cualquier momento. «¡Cristianos, levantaos y castigadlos!», no dejaban de gorjear con fiereza, «¡Castigadlos por la virtud del ayuno de Cuaresma!». Lo que me dejó en este estado no fue simplemente lo surrealista de la situación, sino, mucho más que eso, la idea de que toda esa buena gente pudiera llegar a creerse que lo que estaban haciendo era algo del gusto de Dios. Cualquier Dios, pensé, capaz de aprobar seriamente lo que estaba ocurriendo en esa iglesia, habría perdido su infinito juicio.

Robin: Y pensabas que eso era la única opción que se te presentaba.

John: En mi ignorancia, sí. Esto es lo irónico del asunto. Sólo cuando empecé a recabar información con el resto de Monty Python para escribir *La vida de Brian,* comprendí paulatinamente aspectos que eran realmente fascinantes. A partir de ese momento, empecé a conocer gente y a leer cosas muy emocionantes, que me han llevado en una dirección interesante. Por tanto, espero que lo que me digas persuada a algunos de mis amigos más intelectuales de que hay formas de acercarse a la religión que resultan más gratificantes que las que he mencionado con anterioridad.

Robin: Bien, para empezar, las ideas religiosas están ciertamente sujetas a la misma interpretación, a partir de los diferentes niveles de salud mental, que los otros valores o «mitos» que hemos tratado. De hecho, todas las religiones importantes del mundo al parecer están construidas de una manera brillante que las hace coincidir: parecen haber sido concebidas para ser útiles a la gente que se encuentre en cualquier nivel de salud, según su capacidad para comprenderlas.

John: Por consiguiente, una persona interpreta una idea religiosa de la mejor manera posible para que se adapte a su psicología, ¿correcto?

Robin: Sí. De ahí que dicha idea pueda servirle de apoyo a la hora de funcionar al nivel más alto del que sea capaz, dadas las limitaciones.

John: Muy bien. Examinemos entonces los diferentes niveles de salud mental y veamos a qué actitudes religiosas básicas corresponden.

Robin: Bien, tomemos en primer lugar a la gente que funciona en el nivel menos sano. Entienden la religión como un conjunto de normas, recompensas y castigos, amenazas y promesas, todas ellas reforzadas por un Dios poderoso y aterrador.

John: ¿La mentalidad extrema, en blanco y negro, que encontramos en los niños?

Robin: Exactamente. La mentalidad de este tipo de gente se ha quedado atascada en este nivel, y a pesar de que en un niño muy pequeño es algo normal, en un adulto es algo muy poco sano.

John: De hecho, es bastante paranoico.

Robin: Oh, sí. Extremista, violento y punitivo.

John: ¿Cuál es su concepto de Dios?

Robin: Lo consideran un ser terrible, dominante, un dictador malhumorado que quiere que todo el mundo pase su vida admirándolo y diciéndole lo maravilloso que es.

John: Una especie de Saddam Hussein etéreo.

Robin: En cierta forma, no sería muy distinto a eso. En consecuencia, las personas que piensan de esta manera tienen la sensación de que han de hacer muchísimas cosas para mantenerlo satisfecho y para que no se ponga de mal humor y las destruya con un rayo, o las escalde, o las inunde en sangre.

John: Es algo parecido a cuando se invita a la congregación en la iglesia de *El sentido de la vida* a alabar a Dios; todos cantan «Ooooh, eres tan grande», y «Eres tan duro y fuerte que podrías derrotar a cualquiera, incluso al diablo», y «Aquí abajo estamos todos muy impresionados» antes de cantar el Himno 42, «Oh, Señor, por favor no nos quemes». Me acuerdo que, incluso cuando tenía nueve años, ya pensaba que Dios no podía ser tan estúpido como para no ver lo descarado de tanta coba.

Robin: Está claro que el objetivo de las alabanzas no es que Dios las necesite

o que sean buenas para él –algo ridículo, estoy de acuerdo–, sino que necesitamos hacerlo, es algo bueno para nosotros. Si hemos de tener una buena relación con el universo, hemos de saber que dependemos de él y que somos seres pequeños e indefensos en comparación. Entonces nuestro respeto por él será sano, y hará que nos preocupemos por el mundo y por todo lo que habita en él, en vez de explotarlo y destruir el entorno de la manera en que lo estamos haciendo en este momento. Es decir, necesitamos un sentimiento de temor, de asombro, de amor por la creación..., para así alabarla, como un amante alaba a su amado.

John: Te lo concedo. Sin embargo, en este nivel inferior, la alabanza es vista como adulación, como si el hecho de hacer que Dios se sienta importante lo pusiera de buen humor, ¿no es así?

Robin: Es algo así. Incluso cuando se ve de forma positiva, sigue siendo como una especie de director en la entrega de premios de una escuela cósmica, un director que entrega aureolas y entradas para el cielo a aquellos que han hecho su trabajo y no se los ha pillado fumando en el aparcamiento.

John: Muy bien. Pasemos entonces al nivel medio, a nuestro grupo. ¿Cómo nos enfrentamos a este asunto de la religión?

Robin: Bueno, por descontado, no mostramos este tipo de actitudes extremas;

nuestra postura es mucho más equilibrada y ve a Dios fundamentalmente como un ser benigno y compasivo. Aun así, seguimos considerando la religión como un conjunto de normas. Para la gente como nosotros, la religión se parece más a un recipiente que nos permite vivir la vida con el mínimo de confusión y desasosiego.

John: Es decir, se parece algo al matrimonio de tipo medio: es un acuerdo que nos apuntala con seguridad en nuestro sitio y que confirma nuestras opiniones, en vez de suscitar una crítica.

Robin: Exacto. Nuestro grupo piensa que la creencia en el dogma es lo más importante.

John: Y que Dios es todavía una figura autoritaria convencional.

Robin: Sí, alguien que dicta las normas y juzga a la gente dependiendo de si las han cumplido o no.

John: En otras palabras, igual que lo haría un ser humano si fuera promocionado al puesto de Dios.

Robin: Sí. Igual que un padre distante y severo pero cariñoso. Luego, conforme subimos en la zona media –que, no lo olvidemos, es un espectro bastante amplio–, Dios se va convirtiendo cada vez más en la esencia del amor, en un amigo y un guía que siempre está disponible cuando lo necesitamos, pero que quiere que nuestro compromiso sea un gesto de libertad total, un compromiso que proceda del conjunto de nuestro ser, y no sólo de la parte que teme a la autoridad o que busca la aprobación.

John: Entonces, Dios es considerado, al mismo tiempo, como *la esencia de todo lo que tiene valor para nosotros* y como una especie de persona.

Robin: Sí, como alguien que se preocupa de nosotros como si de un padre se tratara pero con quien podemos mantener una relación.

John: Y ahora, el momento que todos hemos estado esperando: háblame de la gente que se encuentra en el tercer nivel, la gente que se halla en el extremo superior del espectro de la salud.

Robin: Como nosotros dos somos, en el fondo, de tipo medio, tratar de responder a esa pregunta es algo así como tratar de imaginar la vista desde la cima de una montaña, cuando sólo nos encontramos a medio camino..., sin embargo, ya que en ocasiones he podido atisbar cómo puede ser una persona realmente sana, e incluso he llegado a sentirme más sano al entender las ideas de las que hemos hablado, creo que puedo hacerme una idea... *Adivino* que las personas realmente sanas no entienden los mitos religiosos como órdenes o normas, sino como información, como un determinado libro de instrucciones que les sirve de ayuda en su desarrollo y comprensión espiritual.

John: Es decir..., si lo entendemos de esta manera, las enseñanzas religiosas dan pistas muy valiosas sobre dónde se encuentran las personas espiritualmente y sobre lo que tienen que hacer para progresar, ¿no es así?

Robin: Sí, tienen el objetivo básico de ayudarlas a que sientan una relación más íntima con su entorno.

John: Una relación más íntima con los demás, o con lo que pueda haber «ahí fuera».

Robin: Con ambos. Una relación más íntima con el universo del que formamos parte.

John: Entonces, para las personas más sanas, los mitos son fuentes de información en vez de órdenes. Son casi como sugerencias que uno recibe y que uno es libre de emplear como quiera, ¿correcto?

Robin: Digamos que son sugerencias con las que uno puede experimentar para ver si es posible aprender algo al probar ideas nuevas.

John: Es como en la universidad, donde se te confía la libertad de explorar y tomar decisiones propias, en vez de tener que obedecer las normas de la escuela.

Robin: Sí, sería algo así. Una relación más adulta en la que la religión te trata como a un joven adulto en vez de como a un niño.

John: Entonces el valor se sitúa en el descubrimiento y la comprensión, no en la obediencia indiscutible.

Robin: Sí.

John: ¿Qué concepto se tiene de Dios en este nivel?

Robin: Yo lo diría de la siguiente forma: sospecho que no se percibe a Dios como a un hombre, sino como un sentimiento, como una conciencia directa de que el universo tiene sentido y está ordenado. En el primer capítulo hemos dicho que, habitualmente, las personas más sanas sienten realmente que están en contacto con el universo; sospecho que en aquellos momentos en los que la experiencia es más intensa, la sensación que se tiene es que se forma parte de un orden. Las personas que han experimentado esta sensación de contacto se sienten totalmente realizadas. No necesitan nada más.

John: Esto empieza a tener sentido, al menos en algunas cosas. Además, me está facilitando la explicación de lo que se supone que es el trasfondo de *La*

vida de Brian, de Monty Python. Recordarás que la película fue atacada por algunos grupos religiosos con la excusa de que nos reíamos de la religión y, de hecho, del mismo Jesucristo.

Robin: Las protestas más virulentas se dieron en Estados Unidos.

John: Sí. En Nueva York fuimos condenados por los judíos ortodoxos, los judíos liberales, los católicos, los luteranos y los calvinistas. Como dijo Eric Sidle, al menos habíamos logrado algo bueno: les habíamos proporcionado la primera cosa en la que estaban de acuerdo en dos mil años. Sin embargo, lo serio del asunto era que sólo nos estábamos riendo de cómo cierta gente *sigue* una religión, y no de la religión misma, pese a lo cual nuestros críticos fueron incapaces de separar la idea del valor supremo de las enseñanzas de Cristo de la idea de que cierta gente podría malinterpretar dichas enseñanzas.

Robin: Si esos críticos pertenecían al nivel inferior de salud mental, les resultaría imposible admitir la posibilidad de otras interpretaciones.

John: Ahora puedo explicar nuestra posición al respecto: existen diferentes maneras de seguir a Cristo, que corresponden a los diferentes niveles de salud mental. Por consiguiente, es totalmente legítimo reírse de las maneras menos sanas, las cuales además entran en *conflicto* con sus enseñanzas. La Inquisición no fue precisamente un buen ejemplo de «bienaventurados sean los dóciles».

Robin: Tal vez, pero si tus críticos hubieran visto la película desde tu punto de vista, se habrían visto forzados a reconocer que no estaban tan sanos. Como ya he indicado, la manera menos sana de enfrentarse a una verdad tan dolorosa es defendiéndose y reaccionando violentamente. Por tanto, al atacarte, estaban actuando tal y como se esperaba de ellos y dándote la razón. Probaste lo que decías; o, más bien, ellos lo probaron por ti. No puedes esperar que también lo admitan.

John: De acuerdo. De todas formas, ¿podríamos haberlo hecho de otra forma, presentando, por ejemplo, la idea de un modo más aceptable?

Robin: Tampoco la hubieran aceptado las personas que la atacaron. No la hiciste para ellos, sino para gente más sana. El hecho de que fuera atacada fue útil para un fin: demostró que tu crítica de la multitud que se comporta como un rebaño de ovejas en la película, reflejaba el comportamiento de esa gente en la realidad. No sé de qué te quejas. Para conseguir que la gente se comporte como si estuvieran de acuerdo contigo tendrías que ser Hitler.

John: ¡Ah! Ya veo lo que quieres decir. Estoy poniendo de manifiesto mi bajo nivel de salud mental al esperar que estén de *acuerdo* conmigo. *Touché*. Volvamos a la verdadera religión, lo cual no significa para la mayoría de la gente una sencilla enseñanza o un simple dogma, sino lo que hacen en realidad para practicar su religión: reunirse en un lugar santo, orar, cantar, celebrar ritos, etcétera... ¿Cuál es la respuesta ante las prácticas religiosas de los diferentes niveles de salud?

Robin: Bueno, en un nivel, los rituales se consideran algo que no se distingue de otros tipos de conducta grupal y de la necesidad de reforzar la identidad del grupo llevando una divisa, vistiéndose de forma similar, obedeciendo las normas del grupo, cantando canciones al unísono, etcétera. Tanto este aspecto como la regularidad y la familiaridad de la práctica producen un efecto de «red de seguridad». Por lo que atañe a los aspectos más religiosos, sin embargo, bueno, comenzaré nuevamente por el nivel inferior. Como acabamos de decir, para las personas menos sanas, la religión se basa en el tipo de mentalidad que tienen los niños más pequeños. Los niños pequeños tienen dificultades a la hora de distinguir la fantasía de la realidad, los deseos de los hechos. Por lo tanto, en este nivel, la religión es similar a la magia: es una manera de que los deseos se hagan realidad, sin reconocer por ello las leyes científicas ni las relaciones de causa y efecto.

John: Es decir, en este nivel creemos que basta con que repitamos una oración ritual, o que llevemos a cabo una rutina prescrita para que el mundo haga lo que nosotros queremos.

Robin: Sí. Cuando se piensa de esta manera, el hecho de que tus deseos se hagan o no realidad parece depender tan sólo de lo fervientemente que creas en el procedimiento.

John: Pero, claro, los deseos suelen ser muy personales, ¿no es así? No se suele tener muy en cuenta el efecto que puedan tener en otras personas, si Dios los concede.

Robin: Es cierto. Cuando la religión se utiliza de este modo, los deseos son siempre muy arbitrarios: Él hará que llueva mañana por el bien de nuestro jardín, incluso si echa a perder el día en la playa de los demás; o Dios garantizará que ganaremos la Copa del Mundo, o la guerra.

John: Mi padre me dijo en una ocasión que durante la segunda guerra mundial se organizó un Día Mundial de la Oración que coincidió con un gran desastre militar. Así que no volvieron a repetirlo.

Robin: Lo cual demuestra la existencia de un contacto admirable, aunque no por ello menos atrasado, con la realidad. Otra costumbre habitual es rezar para que abandonemos todas las cosas malas que hemos hecho durante el día, para hacer borrón y cuenta nueva y así mañana poder empezar nuevamente a hacer cosas malas.

John: Visto de esta manera, recuerda un poco a las religiones animistas más primitivas, ¿no te parece?

Robin: Sí, pero cada *corpus* de conocimientos religiosos es utilizado de esta manera por gente que se encuentra en este nivel de salud. Es posible que las religiones más primitivas se prestaran con mayor facilidad a este tipo de mentalidad y, de hecho, cabe la posibilidad de que sólo se empleen de esta manera. De todas formas, todas las religiones importantes del mundo se utilizan de igual modo, ya que es la única manera que tiene cierta gente de entenderlas; si quieres, podemos decir que es la manera que dicha gente *necesita* para entenderlas.

John: Entonces, este enfoque mágico de la religión supone que, aparte de la repetición de los conjuros, uno no tiene que realizar ningún esfuerzo más para alcanzar el resultado deseado.

Robin: A excepción de que uno también tiene que *creer* en ello fervientemente, razón por la cual semejante «magia» a veces funciona en situaciones en las que la «sugestión» tiene un efecto muy poderoso, como, por ejemplo, en el caso de las enfermedades psicosomáticas.

John: Ya veo. ¿En qué sentido difiere esta mentalidad mágica del valor que la gente de tipo medio da a la práctica religiosa?

Robin: Bueno, aunque llegamos a dar alguna muestra de esta mentalidad mágica, las personas de tipo medio son mucho más conscientes de que sus deseos se hacen realidad gracias a los esfuerzos propios.

John: Como el viejo grito de guerra puritano: «Confía en el señor y mantén la pólvora seca», ¿verdad?

Robin: Exacto. En cuestiones corrientes, este tipo de personas creen en el trabajo duro y en la programación. Sin embargo, en los momentos de crisis...

John: ¡Ah, sí! En los momentos en los que tus esfuerzos no producen ningún efecto, como cuando se esperan los resultados de una biopsia. Entonces, nosotros, quiero decir, yo, también me vuelvo muy infantil y quiero hacer tratos con Dios y ejercer mi influencia sobre el mundo físico a través de la magia.

Robin: Si es algo que nos ayuda a hacer frente a un momento difícil cuando el

nivel de nuestra de salud flaquea, ¿por qué habríamos de rechazarlo? Puede que sea lo adecuado para lo que necesitamos en esa situación.

John: Gracias por decir eso.

Robin: De vez en cuando tenemos que ser amables con nosotros mismos.

John: Ahora bien..., ¿qué pasa entonces con los «elegidos», los «estrafalarios de la salud mental», los «ganadores de la medalla de oro psíquica»? ¿Qué actitud adoptan ante la práctica religiosa los que se hallan en la cúspide?

Robin: Yo diría que lo que buscan es un mayor entendimiento. Después de todo, el nivel de salud superior –el cual comporta una actitud verdaderamente científica– siempre tiene como fin la *comprensión*. Acuérdate de lo que esa palabra significa en el fondo: «comprender», en el sentido de tener, contener, incluir en si alguna cosa. Formar parte de algo superior, infinitamente más importante que lo que tú eres.

John: ¿En contraposición a...?

Robin: Bueno, el resto del tiempo somos fundamentalmente egoístas: tratamos de dominar para así salirnos con la nuestra y poder llevar a cabo nuestros deseos, para imponernos.

John: ¿Un comportamiento de tipo medio básicamente?

Robin: Sí, llamémoslo «aprehender», por decirlo de alguna manera. Un comportamiento que se guía sólo por el interés a corto plazo; uno se preocupa exclusivamente del provecho inmediato, puesto que no se da validez a los intereses de los demás. Por añadidura, uno pasa por alto la mayoría de las consecuencias que se derivan de sus actos, como si se pudieran controlar. Entonces, por ejemplo, se siente codicia por el dinero, por el crecimiento económico, y no se ven todas las complicaciones que se van a dar al, digamos, construir una base nuclear o desarbolar una selva tropical. Los resultados siempre acaban teniendo un efecto parecido a cuando te sale el tiro por la culata, con el consiguiente daño para la persona de la que estamos hablando o para sus hijos.

John: Entonces, el mayor valor de la religión para las personas más sanas es que aumenta su capacidad para la comprensión. ¿Cómo ocurre esto?

Robin: La clave es la siguiente: estudian las enseñanzas de la religión tratándolas como información psicológica, no como órdenes.

John: Bueno, necesito un ejemplo. ¿Qué me dices sobre el valor religioso más básico, la «bondad»?

Robin: De acuerdo, comencemos por la actitud «normal». ¿Cómo trataría nuestro grupo, el tipo medio, la idea de «bondad»?

John: La actitud «media» de la gente religiosa es la de valorar mucho la opinión que dice que Dios juzga a las personas dependiendo de cómo respeten sus normas. Por tanto, inevitablemente, no dejan nunca de vigilarse a sí mismos y a los demás, juzgando todos y cada uno de los pensamientos y de los sentimientos que surjan en contra de dichas normas para ver si son «malos».

Robin: Por lo tanto, no dan lugar a la espontaneidad, a la alegría y a la diversión. Si la gente entiende la religión desde un punto de vista como el que hemos descrito, desde el punto de vista de las «normas», su objetivo fundamental pasa a ser inevitablemente: deshazte de lo «malo», potencia lo «bueno». De ahí que traten constantemente de rechazar los sentimientos negativos que *todos* tenemos: la ira, la envidia, los celos, etcétera. De hecho, muchas de estas personas realmente creen que se han deshecho de estos sentimientos *por completo*, cuando está claro que lo único que han hecho ha sido *fingir* que los sentimientos han desaparecido, se han limitado a ocultarlos de la vista de los demás y de la suya propia. Como comentábamos en nuestro primer libro, lo que han hecho ha sido poner los sentimientos «detrás de la pantalla», y ya sabes qué pasa a continuación...

John: Sí, los sentimientos rechazados son proyectados sobre otras personas, las cuales los mostrarán. La gente que los haya rechazado tendrá entonces la ocasión de atacar esos sentimientos «malos» al condenar a las personas que parecen estar soportándolos en lugar de ellos.

Robin: En esto consiste la interpretación de tipo medio básica: un intento de sentirse «bien».

John: No me cabe la menor duda de que este tipo de mentalidad es la que opera en mí casi siempre. Es decir, la tendencia a juzgarme tanto a mí mismo como a los demás. Trato de oponerme a ello, pero al parecer lo tengo profundamente asumido. ¿Crees, con todo, que esta conducta, sea de un tipo u otro, puede encontrarse en cualquier persona de tipo medio del espectro?

Robin: Sí, aunque pierde intensidad conforme asciendes en el espectro. La idea general sería la siguiente: en el nivel inferior, encontramos gente que no quiere simplemente juzgar a los demás, sino que quiere además perseguirla y castigarla, porque le representa incluso un motivo de satisfacción. Conforme vamos ascendiendo en el espectro y la salud mejora, los sentimientos de la gente hacia aquellas personas que son diferentes van del odio a la desaprobación moral y el deseo de «salvarlas», pasando antes por la sospecha y el resentimiento. Finalmente, en el extremo superior del tipo medio, la gente se muestra amable y compasiva, y trata de ser consciente de sus propios defectos y de evitarlos para luego poder perdonarlos sinceramente en los demás.

John: ¿Así es como evitan juzgar a los demás?

Robin: Bueno, hacen lo que pueden para no juzgarlos, al menos. Después de todo, si se echa una ojeada a las Sagradas Escrituras, se ve que ya hay bastantes advertencias. Basta pensar en: «No juzgues a los demás, y no serás juzgado». No se puede dar una indicación más clara sobre la idea de que lo que condenes en los demás también esté posiblemente presente en tu persona.

John: Además, hay que tener en cuenta lo que dijo Jesucristo: «No señales la paja en el ojo de tu prójimo cuando no puedes ver la viga en el tuyo».

Robin: Como se ve, la idea del rechazo y de la proyección existía mucho antes que la psicología moderna. De hecho, ya estaba presente en el Nuevo Testamento, en todas las historias sobre los fariseos al representar a personas que rechazan sus aspectos desagradables para así sentirse «mejor» que los demás. Con todo, se dice muy claramente que los que «entrarán en el Reino de los Cielos» serán los que estén dispuestos a admitir sus defectos y a verse a sí mismos tal y como son. Tomemos como ejemplo la parábola de Cristo sobre el publicano que estaba colaborando con las tropas invasoras y timando a su propia gente y el honrado fariseo con el que va al templo a rezar. El fariseo se felicita en público porque ha demostrado que su conducta es digna, mientras el publicano se golpea el pecho y dice: «Señor, ten misericordia de mí, un pecador». Cristo declara que el publicano «malo» es en realidad bueno y que el fariseo «bueno» es malo.

John: En verdad, ésta es una lección para el comportamiento de una familia sana, ¿no es así? Nos anima a reconocer nuestros defectos y a aceptar nuestros sentimientos ambivalentes: a sacar nuestros asuntos de detrás de la pantalla y a dejar de proyectarlos sobre los demás. Todo funciona con el fin de evitar la tendencia a dividir las cosas entre «bueno» y «malo».

Robin: ¡Así es como te afecta la comprensión!

John: Sí, todo encaja con lo que he podido observar. Antes solía pensar que las personas buenas se pasaban muchísimo tiempo asegurándose de que se estaban «portando bien». Sin embargo, ahora que he conocido a varias, está claro que su conducta no es ésa. En realidad, es justo lo contrario: son las personas más relajadas y tolerantes que conozco...

Robin: Es cierto. No sienten la necesidad de pasarse el día juzgando y vigilando. Basta con observar los tipos de sociedad más satisfechas, felices y joviales: están mucho menos preocupadas por las rígidas demarcaciones morales que las sociedades más severas. Compara a los ladakhis con la Ginebra de Calvino.

John: Veamos entonces cómo se comporta la gente con los demás. Tomemos el valor que la mayoría de nosotros consideraríamos como el supremo en este apartado: «Ama a tu prójimo como a ti mismo». ¿Qué tipo de interpretación darían los más sanos a esta idea?

Robin: En primer lugar, ¿cuál es la interpretación menos sana?

John: Que es una orden, supongo. «Ama a tu prójimo como a ti mismo, o ya verás». No es exactamente una interpretación con muchas posibilidades de resolver de un día para otro la guerra de los Balcanes.

Robin: No, pero al menos puede ser entendida como una orden que te haría tener en cuenta a los demás, tanto como te tienes a ti mismo, lo cual fomentaría la armonía en la sociedad.

John: Realmente, ¿crees que lo haría? En primer lugar, amar a tu prójimo como a ti mismo es muy difícil, casi imposible, diría yo. Tanto daría un mandamiento que dijera: «Has de volar» o «Retrocederás en el tiempo».

Robin: Es verdad. Pero el mero hecho de intentarlo y descubrir lo difícil que es puede sorprendernos y conmocionarnos, de tal manera que es posible que acabemos queriendo realizar un esfuerzo si cabe más grande, queriendo luchar por el tipo de cambio personal y de conocimiento de uno mismo que lo haría posible.

John: Sí, pero entonces tendríamos que ascender un peldaño en la escalera de la salud mental para pensar de esa manera, ¿no es así? Mientras, si trato de amar a mi prójimo tanto como a mí mismo y fracaso estrepitosamente, puede que empiece a sentirme mal y empiece a culpar al prójimo por no ser más receptivo y por hacerme sentir mal. Así que, si se interpreta como una orden, puede que el remedio sea peor que la enfermedad, ¿no crees?

Robin: Desde luego que puede ser interpretado de forma errónea, como ocurre en el chiste del explorador que llega tarde a una reunión. Se excusa diciendo que se le había dicho que los exploradores deben ayudar a la gente, así que había estado ayudando a una anciana a cruzar la carretera. El jefe de los exploradores le responde entonces: «Pero has llegado *muy* tarde», ante lo cual el explorador replica: «Ya lo sé, pero la anciana no quería cruzar».

John: Dime entonces cuál será la interpretación de las personas más sanas, ¿cómo interpretarán el mandamiento..., como *información*?

Robin: Verán en él una ley de la psicología humana.

John: ¿Qué ley?

Robin: Más o menos ésta: en la medida en la que afrontes y aceptes tu propia psicología, inclusive todos tus defectos y errores..., en *esa* medida podrás aceptar y amar a los demás. De manera inversa: en la medida en la que ames a los demás, serás capaz de amarte a ti mismo.

John: Sí, eso suena bien, a pesar de que el original era más contundente. Las familias más sanas se comportan con tanta generosidad hacia los demás no porque estén realizando un esfuerzo ímprobo por ser moralmente buenos, sino a causa de su espontáneo desinterés, el cual surge de la aceptación de los diferentes aspectos de su ser. Muy bien.

Robin: Entonces, si entiendes el mandamiento «Ama a tu prójimo» desde un punto de vista psicológico, obtienes cierta información sobre *cómo* has de hacerlo, algo que de lo contrario no conseguirías. Se te dice que amarte a ti mismo supone aceptar los aspectos «malos» de tu persona, y que si puedes aceptar eso en ti mismo, lo puedes aceptar en los demás y entonces tienes verdaderas posibilidades de amarlos.

John: Está claro que si se entiende simplemente como una orden, al menos te proporciona una excusa. «No, no amo a mi prójimo, pero afortunadamente yo me caigo igual de mal. He cumplido la ley moral». Esto es irreprochable..., lo siento, estoy divagando.

Robin: Si perteneces al tipo medio y, por tanto, no aceptas tus defectos, lo más probable es que los rechaces y los proyectes sobre las personas que se supone que quieres, lo cual hace que te sientas *diferente* a ellas. Esta circunstancia *imposibilita* que puedas quererlos de veras. Aunque cabe que sientas *algo* por ellos –tolerancia o piedad–, no sería *amor* realmente. Si, en cambio, interpretas el mandamiento como información psicológica, puedes tratar de ponerlo en práctica. Cuando descubras su veracidad, podrás cambiar de una manera positiva, lo cual te permitirá amar a tu prójimo cada vez más.

John: ¿Incluyen algún consejo más estas palabras?

Robin: En realidad, hay uno. Está claro que lo esencial es intentar amar a tu prójimo tanto como a ti mismo, pero no es necesario que lo ames más.

John: Muy interesante. Resulta extraño, ¿no crees?, pero parece como si pensáramos que se requiere *más* de lo que es equitativo...

Robin: Es importante, ya que una vez que has entendido la idea y has empezado a afrontar tus propias limitaciones, puedes comenzar realmente a dar la misma validez a los demás. Tienes la innegable sensación de que todos son tan importantes como tú y entonces puedes «amar a los demás como a ti mismo», que es todo lo que se sugiere.

John: Sí..., y sin esta información y los cambios que acarrearía, «Ama a tu pró-

jimo» sólo sería una aspiración que tendría más que ver con las buenas maneras y con el autocontrol que con otra cosa.

Robin: Algo que, desde luego, sería mejor que las malas maneras y la falta de control. De todas formas, no importa lo decente que sea la persona o cuán intensamente lo intente, será incapaz de amar de la manera que se supone que tiene que hacerlo y, además, no sabrá qué es lo que se está interponiendo en su camino.

John: Esto me resulta extrañamente convincente. Tomemos, en cambio, «No matarás». ¿Se puede interpretar este mandamiento como información psicológica?

Robin: Bueno, en primer lugar, en el nivel literal y objetivo, esto significa lo que dice, desde luego. Aunque incluso en este nivel, la gente lo entiende de formas muy diferentes. Un jainista estricto utiliza un cepillo para limpiar la silla en la que va a sentarse para evitar aplastar a un insecto y cubre su boca para evitar engullir a uno con su respiración. En el otro extremo, ciertas religiones aprueban matar a los no creyentes en las cruzadas o las «guerras santas». A medio camino entre estos dos extremos, la mayoría de nosotros estaría de acuerdo en que el mandamiento se refiere al asesinato, lo cual no incluye matar en defensa del país de uno, o en defensa de la familia, o de uno mismo contra

cualquier ataque. Desde el punto de vista psicológico, el significado en realidad es mucho más sencillo y claro: se refiere a la verdad psicológica que dice que si odiamos y hacemos daño a los demás en nuestros pensamientos y sentimientos, esto acabará inevitablemete emponzoñando nuestro estado emocional en su conjunto.

John: ¿En su conjunto? ¿No sólo nuestros sentimientos?

Robin: No, el conjunto.

John: ¿Quieres decir que no se puede animar un pensamiento negativo y desagradable sin provocar la aparición de sentimientos parecidos?

Robin: Efectivamente. Si observas tu mundo interior con cuidado, verás que si permites que anide un simple e intenso sentimiento de odio o violenta autocompasión –por no mencionar el darle pábulo– se contamina el ambiente interno íntimo para el resto del día.

John: Entiendo lo que quieres decir. Si tienes la sensación de que alguien se está portando de forma poco razonable contigo, o incluso si quedas sencillamente en malas condiciones tras un accidente, puedes dejar que el asunto –por muy pequeño que sea– te remuerda la conciencia de una manera tal que acabe por dominarte. Durante los próximos minutos, u horas, toda tu visión del mundo queda determinada por dichos remordimientos...

Robin: Si un conductor consigue que te enfades, lo que haces es vengarte con todos los demás...

John: Aun así, uno no puede *impedir* que los sentimientos agresivos o autocompasivos afloren en su mente, ¿no es cierto?

Robin: Sí, pero uno puede decidir si le quiere restar importancia al asunto o si quiere abrigar dichos sentimientos y darles pábulo, para que crezcan y se hagan verdaderamente profundos.

John: Al hablar de «dar pábulo» a este tipo de sentimientos me parece que nos referimos a un concurso de calabacines. Mira el mío. ¡Es enorme!

Robin: Efectivamente. Así es como podemos «matar» en nuestras mentes. Si damos rienda suelta, de forma habitual, a sentimientos destructivos como los mencionados, acabaremos dominados por ellos... Es más, ejerceremos una nociva influencia sobre las personas de nuestro entorno, incluso aunque no manifestemos estas actitudes negativas de forma consciente.

John: Es decir, aunque escondamos dichos sentimientos y tratemos de ocultarlos, acabaremos, *de todas formas,* expresándolos de manera inconsciente.

Robin: Y otras personas los detectarán, se sentirán afectadas por ellos y probablemente serán incapaces de reaccionar, alentando, por consiguiente, un círculo vicioso de sentimientos negativos.

John: Sí, ya veo. Sin embargo, si entendemos el mandamiento como información psicológica, cabe la posibilidad de que detengamos el círculo vicioso, antes incluso de que comience.

Robin: Exacto, y el momento ideal para hacerlo es precisamente cuando va a comenzar. En consecuencia, el menor pensamiento destructivo ha de ser expulsado de inmediato, o de lo contrario su poder crecerá.

John: Volvamos al tema central: las personas que se encuentran en el nivel superior de la salud mental aceptan los mitos como información psicológica porque las conduce lentamente a algo que valoran mucho: la comprensión más profunda de su propia maquinaria psíquica, la cual les permite una práctica cada vez mayor del valor contenido en el mito. En cambio, en el nivel medio, solemos interpretar los mitos como si fueran normas que recalcan la idea de lo Bueno y lo Malo, algo que puede llevarnos a tratar de deshacernos de los sentimientos «malos», rechazándolos y proyectándolos sobre los demás.

Robin: Un buen resumen.

John: Esto no deja el fundamentalismo en muy buen lugar, ¿no te parece?

Robin: ¿A qué te refieres?

John: Bueno, todo lo que has dicho describe un nivel de salud bastante bajo, ¿no es así? Para empezar, los fundamentalistas proclaman una lectura literal de los textos sagrados y, como hemos visto cuando hemos discutido los valores seculares, atenerse a la ley de forma literal es una característica de las personas menos sanas. Por añadidura, los sabios suelen evitar dicha literalidad, por lo que resulta singularmente inadecuado asumir que esta literalidad es la dirección que siguen los grandes maestros espirituales cuando hablan. Aunque, claro, hablemos de la cristiandad, el islam, el judaísmo o el hinduismo; los valores del funcionamiento tienen como finalidad liberarse de los sentimientos negativos y destructivos, proyectándolos sobre personas con creencias diferentes, con lo cual gozan de la dorada aureola de la autojustificación resultante.

Robin: Es posible. De todas formas, hay que contrastarlo no sólo con las manifestaciones de la religión en los niveles superiores, sino también con los valores del nivel inferior. De la misma forma en que un sistema político totalitario provee al menos cierto orden y equilibrio en una sociedad que ha degenerado en el caos absoluto, un sistema de valores fundamentalista puede llegar a ser una mejora tremenda en una sociedad que antes era totalmente corrupta, y en la que todos los valores de la decencia, honradez y respeto humano se han perdido. De hecho, creo que el fundamentalismo suele surgir precisamente en los momentos de declive moral extremo o de privación, en los que sólo un tipo rígido y excepcional de corrección puede restaurar cierto orden.

John: Puedo aceptar eso, por cuanto se refiere a Oriente Medio, dado el nivel de pobreza y desesperación que existe. Pero, ¿es ése el caso en el *Bible Belt*[1] estadounidense?

Robin: Las actitudes fundamentalistas están siempre presentes en alguna proporción en cualquier sociedad, puesto que siempre hay una parte que funciona en ese nivel de salud. Puede que esto resulte más sorprendente si cabe en Estados Unidos, ya que en otras partes del país se dan actitudes extremas en el otro sentido, en dirección a una completa permisividad y egoísmo donde «se

1. Zona del sur de Estados Unidos donde se congregan grupos religiosos de costumbres radicales. *(N. del T.)*

tiene de todo». En una ocasión que visité Tejas, un lugareño me dijo que la asistencia a la Iglesia era alta porque: «No vamos a permitir aquí abajo que nos "californien"». Lo pasé muy bien allí. California me pareció un lugar muy estimulante, aunque también aterrador, ya que la gente parecía totalmente fuera de sí: no había una sensación de equilibrio y los valores semejaban superficiales. La gente corriente de Tejas, en cambio, me pareció que estaba muy influida por los valores tradicionales: amables, cariñosos, directos y francos.

John: Muy bien, estoy de acuerdo en que eso es mejor que *nada*. Sin embargo, no es la *mejor* interpretación de las enseñanzas de Jesucristo, ¿no te parece? Ya conoces el símil: «Tan escaso como un fundamentalista que ame a su enemigo».

Robin: No creo que puedas referirte a un nivel de interpretación como si fuera el «mejor». No tiene ningún sentido, desde un punto de vista psicológico.

John: *¿No lo tiene*? Vamos a ver..., la Inquisición pasó por alto la idea de que hay que amar al prójimo como a uno mismo, ¿no crees? ¿No fue quemar a los herejes «peor» que ser tolerante con los demás? ¿O vas a decirme que se trata verdaderamente de una interpretación alternativa y válida de las enseñanzas de Jesucristo?

Robin: Vuelves a cometer el mismo error. El hecho de que la gente vea algo «mejor» o «peor» depende de su nivel de salud mental. Y dado un nivel concreto, estoy seguro de que muchos inquisidores estaban convencidos de que la tortura de ciertas personas era por el bien de sus almas. El director de mi escuela, una persona maravillosa en muchos aspectos, probablemente creía que era necesario azotar a los muchachos por sus faltas, de la misma manera que lo hacían los otros directores. No creo que disfrutara con ello.

John: No estoy muy convencido de que a sus víctimas les pareciera igual de persuasivo. Seguro que las consecuencias fueron «peores» desde su punto de vista...

Robin: No digo que lo justifique de ninguna de las maneras. Se trata de una completa malinterpretación del mensaje cristiano y de la psicología humana. Aun así, me parece que estás olvidando que todas las diferentes maneras de entender los sistemas de valores son «naturales», son una consecuencia inevitable de los niveles de salud que tiene la gente involucrada.

John: ¿*Realmente* crees que no puedes hablar de un nivel de interpretación de los mitos que sea el «mejor»? ¿No es «mejor» ser «más sano»?

Robin: No. Eso equivaldría a decir que lo mejor sería que todo el mundo ganara los Juegos Olímpicos. Tu opinión sólo tendría sentido si todo el mundo fuera igual; así no es como funciona el mundo. El problema es que cada persona interpreta la religión o el mito prevalente de una manera que le resulta apropiada, de la mejor manera que pueden.

John: Y además también dices que da igual el nivel en el que lo asuman, ya que les seguirá siendo útil.

Robin: No creo que eso sea así.

John: Acabas de conseguir que piense que la Inquisición podría haber sido mucho peor si no hubiera sido cristiana.

Robin: Bueno, considera esa idea con especial cuidado. En condiciones sociales realmente caóticas, los señores del lugar pueden atar a la gente a un árbol para descuartizarlos, simplemente porque resulta divertido. Hoy en día, existen informes que aseguran que los potentados del narcotráfico sudamericano envían regularmente a sus secuaces para capturar chicas jóvenes que luego serán violadas como parte de la diversión de la velada. Lo importante de lo que estoy diciendo es lo siguiente: en los niveles superiores de salud mental, las personas son lo bastante maduras como para aguantar la sensación de incertidumbre, para pensar por sí mismas y para asumir una mayor responsabilidad en sus vidas. Ven, por tanto, las ideas religiosas de una forma correspondiente. Si hay personas que no se sienten a gusto con esa cantidad de incertidumbre, lo que hacen es interpretar la información como si fuera una orden, porque funcionan mejor de esa manera y se sienten más felices cuando hay alguien que les dice lo que tienen que hacer. Es lo mismo que pasa con los niños: necesitan pautas, límites firmes que, en su opinión, contengan con seguridad sus sentimientos. Semejante gente se sentirá más a gusto si entiende que los mitos les ayudan a mantener el control de sus emociones. Como es lógico, si más tarde consiguen ascender a un nivel superior de salud mental, su comprensión de los mitos cambiará de manera acorde.

John: Acabo de comprender, como es natural, lo que he estado haciendo.

Robin: Me preguntaba cuándo caerías en la cuenta.

John: El repugnante psiquiatra de marras. Aguardabas a que lo descubriera por mi cuenta, ¿verdad?

Robin: He creído que sería un buen ejemplo de lo que estaba diciendo.

John: Ahí estaba yo, *¡juzgando a los fundamentalistas!* Cometiendo con ellos el mismo error del que los acusaba...

Robin: Efectivamente. En resumidas cuentas, no tiene ningún sentido juzgar y condenar a los miembros de la sociedad que emplean ideas religiosas para juzgar y condenar a los demás. De hecho, si lo haces, evidentemente estás uniéndote a ellos y malinterpretando las ideas religiosas de la misma manera. Criticar, atacar o, incluso, reírse de ellos puede hacernos sentir mejor de forma provisional, pero lo único que se consigue es reafirmarlos más si cabe en su postura paranoica y maniquea. A la larga, sólo pueden cambiar, y sólo podemos ayudarlos –a ellos y a nosotros mismos– a cambiar, a través de la comprensión, lo cual supone que tenemos que comprendernos a nosotros mismos y ver que, en algún punto, somos iguales que ellos.

John: Ése ha sido mi segundo error: pretender que toda la intolerancia surgía de ellos y no ver que, en realidad, estaba en mí. Olvidarme por completo del mandamiento: «Amarás a tu prójimo como a ti mismo». Dios mío, así no voy a poder subir al cielo... Será mejor que haga un resumen. Toda esta gente tan sana, los «sanotes de oro», asumen las enseñanzas religiosas como información psicológica, como un libro de instrucciones, como tú dices. De esta manera, consiguen entenderse mejor a sí mismos y, como resultado, pueden empezar a comportarse mejor con los demás.

Robin: Lo cual mejorará el nivel de salud de estas personas.

John: Aunque éste no es el único propósito que hay detrás de este tipo de interpretación, ¿verdad? Presumiblemente, también hay un propósito que guarda más relación con lo «espiritual», un propósito superior, un *valor superior todavía* para las personas que creen en semejante fuerza.

Robin: Una pregunta lógica. Bueno, temo que voy a tener que dar un saltito ahora, así que espero que estés en condiciones de acompañarme.

John: No te preocupes, me arrastraré obstinadamente detrás de ti.

Robin: Es posible que te caigas al río, si haces eso.

John: ¿Por qué?

Robin: Ya verás.

John: No empieces con los misterios, ¿de acuerdo? Aunque, claro, supongo que es la prebenda del oráculo.

Robin: He de hablar sobre lo que hemos dicho de la gente más sana: el hecho de que tengan la sensación de estar en contacto con el cosmos.

John: Decías que parece que están «conectados».

Robin: Sí. Aunque, claro está, no podemos evitar sentirnos parte del universo, formamos parte de él, lo queramos o no.

John: Estoy de acuerdo. No es, de hecho, un problema de elección, ni siquiera para un conservador.

Robin: Efectivamente. Sin embargo, hay una posibilidad de elección en el hecho de que podamos o no *reconocerlo* y, por tanto, en que podamos o no sentir que formamos parte de ello y tengamos esa sensación de contacto, de pertenencia.

John: La mayoría de nosotros no tiene esa sensación casi nunca, ¿no es así? Yo no la tengo, algo que admito en mi calidad de portavoz de la gente de tipo medio.

Robin: No, la mayoría de nosotros no tenemos esa sensación de contacto que la gente más sana experimenta con gran intensidad: un profundo sentimiento espiritual de estar implicado en el conjunto del plan cósmico, en contacto con él de una manera armónica y agradable.

John: Con anterioridad, has llamado a esto «una percepción del universo como si fuera un sistema de apoyo gigante». Por otro lado, afirmas que este sentimiento es algo que las personas más sanas acostumbran a experimentar habitualmente.

Robin: Sí, un sentimiento que además afecta a su forma de *pensar*.

John: ¿Insinúas, entonces, que este tipo de sentimiento es una especie de «experiencia espiritual»?

Robin: Creo que es su manifestación más básica, sí.

John: ¿Has tenido en alguna ocasión esta clase de experiencia espiritual?

Robin: Sí. Una conciencia de este tipo se desarrolla con el paso de los años, y ha habido ocasiones concretas en las que dicha forma de comprensión ha dado la impresión de intensificarse.

John: ¿Podrías describir en qué consiste?

Robin: El problema es que resulta extraordinariamente difícil describírselo a alguien que no ha experimentado algo parecido con anterioridad.

John: ¿Lo inefable es de verdad inefable? Bueno, intenta soltar lo que sea.

Robin: Probaré, y prepárate para un chasco. Se trata de una profunda sensación sobre cómo está todo conectado, que uno no puede expresar con palabras, puesto que no se ve nada nuevo; uno percibe que hay un mayor significado en todo lo que ha visto hasta ese momento. Aunque, claro, eso no supone nada para alguien que está viendo los mismos hechos, pero que no puede ver el patrón, el significado del conjunto.

John: No te entiendo.

Robin: Acuérdate de la historia sobre los ciegos que están explorando con el tacto las diferentes partes de un elefante: no pueden verlo del todo; cada uno de ellos piensa que tiene delante un animal diferente y especula sobre el aspecto del que tiene entre manos. Si, de repente, uno de ellos recupera la vista, podrá ver el elefante y comprenderá que su limitada percepción le ha impedido reconocerlo con anterioridad.

John: Claro. Y si entonces cuenta a los demás su descubrimiento, éstos no le creerán, sino que le dirán: «No vemos ningún elefante. Te lo estás imaginando. No estás siendo científico y estás olvidando los hechos».

Robin: Sí, ahí radica la dificultad a la hora de hablar de este tema. Utilicemos otra analogía: es algo parecido a llevar orejeras, como un caballo, que nos impidieran ver la imagen en su integridad. Imagínate que, durante todo el rato, sólo pudiéramos mirar a través de unos pequeños tubos, de tal forma que tú y yo, digamos, pudiésemos ver ciertas partes de la habitación en la que estamos pero nunca su totalidad o su distribución y forma, o las relaciones entre las cosas que hay en su interior. Una experiencia espiritual equivaldría a quitarte las orejeras. Recibes una impresión del mundo totalmente diferente, pero si tratas de explicárselo a alguien que todavía lleva puestas dichas orejeras, no puedes mencionar ninguno de los detalles de los que esa persona no sea todavía consciente y que, por tanto, desconozca. Acabas hablando inevitablemente sobre la claridad y viveza de las impresiones que estás recibiendo, pero has de pasar por alto lo que es nuevo, la imagen al completo. De hecho, cuando tuve esta experiencia por primera vez, le pedí a alguien que escribiera la conmovedora profundidad con la que, según mi impresión, había entrado en contacto. Al día siguiente me enteré de lo que había dicho: «Todo es exactamente como es, sólo que más así», lo cual no deja de ser una buena descripción de un estado superior de conciencia, aunque sea bastante inútil para alguien que no lo haya experimentado.

John: ¿Significa esto que no «viste» nada insólito, del tipo de un ángel o un elefante rosa? ¿Tan sólo fue la viveza de la *percepción* de lo que viste lo que resultó extraordinario?

Robin: También lo fue la sensación de *contacto*. Ver la imagen al completo daba un sentido absoluto a todas las partes de las que se componía, partes que, de ser vistas separadamente, no tendrían significado. Lo que quiero decir con «partes» es la manera fragmentada en que vemos el mundo en un estado normal de conciencia; por «imagen al completo» entiendo la forma de ver todo en concordancia cuando se está en un estado de conciencia diferente, un estado que la gente llama «experiencia espiritual».

John: Una vez que la experiencia pasó, ¿qué fuiste capaz de retener?

Robin: Estaba claro que ya no podía continuar teniendo una experiencia del mundo tan integrada y vívida, si bien me acuerdo de que lo logré al tener experiencias similares. Nunca he abandonado la certeza de que el mundo es realmente así y que está planeado para que sea como es. Sé que «está bien» incluso en las ocasiones en las que ni yo mismo me sentía bien.

John: Mucha gente muestra un gran escepticismo sobre estas cosas y cree que estas experiencias son o bien fruto de la imaginación o bien verdaderas alucinaciones. La «sensación de contacto» que describes es una ilusión en su opinión. ¿Qué les dirías a estas personas?

Robin: Nada, en realidad. Si empiezas a sentir este tipo más profundo de conciencia tú sabes que es real, como yo lo sé, en mi caso. Tiene la fuerza de la experiencia, que, como hemos dicho antes, es la fuerza más persuasiva que existe.

John: Freud la llamaba «oceánica» y pensaba que era el recuerdo emocional de la experiencia del niño, antes de empezar a separarse psicológicamente de la madre.

Robin: Sí. Parecía un poco triste porque él no había tenido ocasión de vivirla. *Antes* de tenerla, yo solía discutir con personas que sí la habían tenido para probarme a mí mismo que no me estaba perdiendo nada. Por tanto, hay que limitarse a comunicar la experiencia personal y dejarlo así, permitir que la gente la asuma a su debido tiempo y confiar en que tengan suerte.

John: Muy bien. ¿Podrías explicarme una cosa ahora? ¿Cuál es exactamente el *valor* de una experiencia de este tipo?

Robin: No cabe duda de que te hace un gran bien, puesto que se gana en confianza y se ve el sentido de muchas cosas.

John: ¡Ah! Dime algo más sobre el «sentido».

Robin: Bueno, ver el «sentido» es sencillamente comprender cómo las cosas entran en contacto las unas con las otras, la forma que tienen de relacionarse; es ver dónde estás, dónde encajas, cómo encaja todo. La abrumadora sensación de contacto que se tiene connota una comprensión más profunda del mundo en el que vivimos: sientes su orden, su estructura como un todo, su sentido.

John: ¿A pesar de que no se pueda expresar con palabras lo que ese «sentido» es?

Robin: Bueno, todas las grandes enseñanzas espirituales lo «expresan». Eso es precisamente lo que tratan de comunicar. Sin embargo, como ya he dicho, sólo puedes estar seguro de la veracidad de las ideas a esa escala cuando las has *visto* por tu propia cuenta, cuando te encuentras en un estado de conciencia más despierto.

John: Por la manera en que estás hablando sobre este tipo de experiencia, resulta difícil ver en qué difiere del conocimiento científico.

Robin: En realidad no difiere en nada, si exceptuamos el hecho de que los científicos observan las «partes» –física, química, biología, etcétera– y no ven la imagen al completo, todo el elefante. Por lo demás, sí tiene que ver con el descubrimiento y la comprobación de cosas mediante la experiencia.

John: Al parecer, das por sentado el hecho de que el universo tiene un orden, un sentido y una estructura. ¿Crees que esto es el resultado de tus experiencias?

Robin: Ahora sí que lo creo. He visto que *es así*. Pero, hasta el momento en que pude verlo por mí mismo, no tenía ningún significado para mí. Ahora sé que todo concuerda. En cierta forma, la estructura correcta de la sociedad –cómo tiene que funcionar si es que ha de promover el mayor bienestar posible para todos– está implícita en esta sensación de orden del universo. Si pudiéramos percibir este orden de un modo más directo, y entrásemos en contacto con dicha estructura mediante una experiencia directa, veríamos qué es lo que sería necesario hacer, como miembros de la sociedad, para que ésta funcionara de la mejor manera posible. Como es lógico, tendríamos la motivación suficiente para seguir ese magnífico patrón sin necesidad de normas, gratificaciones y castigos.

John: Un momento. Ahora entiendo lo que que querías decir antes con lo de «dar un salto». ¿Me estás diciendo, en realidad, que la estructura del mundo, el sentido de la vida, la forma para que podamos funcionar más armoniosamente... está delante de nuestras narices..., pero... que no podemos verlo porque llevamos orejeras, excepto cuando vivimos estas «experiencias»?

Robin: Sí, eso es exactamente lo que quiero expresar. O, por decirlo de otra manera, en lenguaje informático...

John: Y perdiendo la mitad de nuestros lectores, yo inclusive...

Robin: ¿Te importa que te recuerde que llevas años hablando de las «averiguaciones acerca de la informática» y que el gran día sigue retrasándose misteriosamente?

John: He decidido que los ordenadores van *contra natura*. Con todo, los investigaré en mi próxima encarnación. Haz el favor de continuar, si no te importa, y expresa tu idea en tu encantador lenguaje informático. Mi hija me lo puede explicar más tarde, cuando vuelva del Club de Exploradoras.

Robin: Bien, si empleamos este tipo de analogía, creo que, de hecho, poseemos el «soporte físico» con el que podemos percibir la estructura profunda y el orden del universo. Sin embargo, también opino que esta parte en concreto de nuestro equipamiento mental está casi siempre «desconectado»; sólo está «conectado» en los momentos de emoción intensa y conmoción, como en el caso de un nacimiento, de la muerte, o de algún otro acontecimiento importante.

John: Creo que sé a qué te refieres. En ocasiones como ésas siento que mi concepto sobre lo que es importante varía y me vuelvo mucho más consciente de lo que en realidad me importa. Luego, poco después, retorno a mis valores diarios y me resulta sorprendentemente difícil captar de nuevo este tipo diferente de percepción sobre las prioridades reales de mi vida.

Robin: Eso es precisamente lo que intento explicar.

John: Pero, espera un momento. Acabas de utilizar ahora mismo la frase «conectar». Esto supone que la experiencia es todo o nada. Tú, en cambio, no te refieres a eso, ¿verdad? La experiencia puede ser más o menos intensa. Esta gente tan sana y molesta suele tener, al parecer, una versión más débil la mayor parte de las ocasiones, mientras que nosotros, los del tipo medio, no hacemos más que probarlo de vez en cuando. Aun así, todos logramos atisbar de manera ocasional una ligera indicación de algo que es realmente enorme, ¿no es eso?

Robin: Qué duda cabe... Estoy seguro de que lo que he podido experimentar no es sino una vaga sombra de lo que es posible, no obstante lo cual, sigue teniendo el poder de transformar tu vida.

John: Suéltalo todo, compañero.

Robin: Mi primera experiencia fue el resultado de un estudio de investigación que se realizó durante mis estudios de psiquiatría.

John: ¿Qué tipo de investigación?

Robin: Sobre el LSD.

John: ¿Me estás diciendo, Robin, que tu primera experiencia fue provocada por las *drogas*?

Robin: Sí. Pero, en aquel entonces, llevaba unas orejeras tan grandes que dudo que me hubieran permitido tener una «experiencia espiritual» sin la ayuda de un poco de «dinamita química» para hacerlas desaparecer. Así que las drogas me quitaron las orejeras temporalmente y me animaron a tomarme este lado de la vida con mayor seriedad, a investigarlo.

John: Creo que algunos de nuestros lectores pueden haber perdido un poco de su confianza en tus palabras anteriores, a causa de tus experiencias con las drogas, Robin.

Robin: *Yo* no estaba experimentando nada; era el hospital el que lo hacía. Esta nueva droga estaba a la sazón siendo empleada en Estados Unidos como una forma experimental de terapia, y uno de los doctores jefe quería probarla con gente corriente antes de hacerlo con los pacientes. Me ofrecí como voluntario para este propósito junto con otros estudiantes a modo de «conejillo de indias», y para informar más tarde sobre los efectos.

John: ¿No te hizo querer volver a tomar la droga?

Robin: No. Para mí fue como ver una maravillosa y lejana panorámica desde la cumbre de una montaña. Sabía que, por muchas veces que subiera nuevamente a la montaña para volver a mirar, no conseguiría *aproximarme* a lo que había visto la primera vez. Para llegar hasta ello, tenía que bajar y andar todo el camino por tierra, que es lo que llevo intentando desde entonces. Por tanto, me siento muy agradecido por esa vislumbre que la droga me proporcionó sobre lo que era posible.

John: Entonces, ¿tus experiencias posteriores no fueron provocadas por las drogas?

Robin: No.

John: ¿Variaron mucho?

Robin: La primera experiencia fue diferente a cualquiera de las posteriores porque, en primer lugar, estaba el efecto de la droga –por ejemplo, los colores brillantes y relucientes y la impresión de que todo se tambaleaba– y, en segundo lugar, la visión del mundo sin orejeras a la que la droga me dio acceso. Desde entonces, he tenido el segundo tipo de experiencia repetidas veces, pero como no he vuelto a tomar esa droga, no he tenido la primera.

John: Háblame de otra experiencia.

Robin: Es una lástima que mi primera percepción profunda del mundo viniera provocada por una droga, porque pienso que te lleva a esperar la llegada de visitas extrañas. Es como si me preguntaras si he visto últimamente algún platillo volante que merezca la pena. La verdad es mucho más sencilla y «corriente». De hecho, una vez que atisbas que tu visión del mundo está limitada por las orejeras, y que es posible verlo con mayor claridad, tu interés se va en esa dirección y comienzas a darte cuenta de cosas que antes habías pasado por alto. Es lo mismo que si vas a clases de pintura y empiezas a prestar atención a las formas, los colores y sus relaciones; habían estado ahí siempre y podías haberlas visto, pero no lo habías hecho porque no prestabas atención. Algo parecido pasa con el interés «espiritual», una vez que te das cuenta de que te has estado perdiendo algo importante, empieza a crecer en ti un interés constante y comienzas a mirar en tu interior con mayor asiduidad. Paso a paso, vas cayendo en la cuenta de lo precisas que son las grandes enseñanzas religiosas que ahora estás observando. Por ejemplo, ves *por cuenta propia* el hecho de que si odias a los demás, te estás envenenando a ti mismo; y que cuando ves tus propios defectos, puedes sentir compasión por los de los otros. Conforme vas comprobando todas estas verdades, el mundo comienza a cobrar un sentido diferente ante tus ojos.

John: Todo suena bastante normalito.

Robin: Lo es y no lo es. Acuérdate de mi «revelación» sobre el «secreto del universo»: «Todo es exactamente como es...», es decir, los detalles del mundo no cambian en absoluto. Sin embargo, la parte del «sólo que más así» lo transforma todo. Desde un punto de vista más inmediatamente físico, se manifiesta a través de una conciencia más intensa de todo lo que nos rodea: la belleza de los árboles, las flores, el cielo, las otras personas y también uno mismo, una sensación vívida e inmediata de estar vivo. Tienes una experiencia de *ti mismo* al mismo tiempo que tienes una experiencia de tu entorno. Unido a esto, tienes la impresión de que todo está en contacto con el resto, que todo forma un conjunto, lo cual, cuando se experimenta, es tremendamente placentero.

John: ¿Tienes esta sensación todo el tiempo o intermitentemente?

Robin: Las dos cosas... Trataré de explicarlo. Con el paso de los años, este tipo de conciencia profunda y sensación de contacto aumenta, de forma que en cierta medida se toca con mayor frecuencia, y hacerlo resulta algo más «normal» y «corriente». De todas formas fluctúa. Hay ocasiones en las que parece estar más cerca, en las que semeja más fácil entrar en contacto, en las que es más rica e intensa. Al mismo tiempo, puede parecer más lejana, alcanzarla puede suponer un mayor esfuerzo, a pesar de que te sientas más cerca de lo que estabas en el pasado. Ahora bien, si se medita con regularidad y tu interés lleva tus pensamientos en esa dirección, los momentos en los que la conciencia es más fuerte se hacen más intensos.

John: ¿Qué ayuda se necesita para dar lugar a este cambio?

Robin: Puedes leer un libro sobre ello, aunque eso es algo que se olvida con facilidad y resulta difícil mantener la búsqueda, de la misma forma que puede ser difícil ajustarte a una dieta o hacer un ejercicio adecuado. Además es fácil equivocarse: en seguida se malinterpreta algo y se acaba realizando el esfuerzo contrario al que es necesario. Por tanto, se necesita un guía, un consejero espiritual de algún tipo que haría las funciones de entrenador, alguien que ya ha alcanzado lo que tú buscas y puede decirte cuál es el siguiente paso que tienes que dar y cuándo te estás equivocando. Para obtener este tipo de ayuda, uno suele meterse en un grupo; trabajar con otras personas no sólo hace que resulte más fácil recordar cuál es tu objetivo y trabajar con ese fin, sino que al parecer genera más energía de la que necesitas. No me cabe duda de que mis experiencias más intensas de lo que supone ser más consciente, más «ahí», han tenido lugar cuando estaba meditando y trabajando con otras personas durante cierto tiempo, sobre todo cuando los demás me han ayudado a hacer un esfuerzo poco habitual durante un período prolongado. Por ejemplo, llevar a cabo una actividad física como la construcción, no sólo todo el día sino además toda la noche. En esas ocasiones, desciende sobre ti una tranquilidad y un sosiego maravillosos, que te permiten sentir durante un tiempo una profunda conciencia de estar vivo en un universo vivo. Como es lógico, existen muchas rutas que llevan a la misma montaña, y habrá gente que dirá que la oración, u otras actividades, le sirve de más ayuda.

John: ¿Comporta esto un cambio en tu comprensión, como ocurre con la psicoterapia?

Robin: Bueno, sí. La percepción directa de la naturaleza del cosmos que hemos descrito está casi siempre acompañada de una percepción más clara de uno mismo, de la naturaleza propia.

John: Ah, ya veo. No se puede ver el mundo de manera más profunda sin verte a ti mismo con una mayor objetividad.

Robin: Efectivamente. En el transcurso de mi experiencia con el LSD, un colega que no estaba participando en el experimento entró en la habitación, y fue como si pudiera ver a través de su persona en un sentido psicológico. Podía ver todos sus defectos y limitaciones –algo que todavía recuerdo– pero *de una manera en absoluto crítica*. De hecho, sentí un gran afecto por él, por lo que él era exactamente. Al mismo tiempo, tuve la sensación de perder todas mis defensas y la necesidad de engañarme, por lo que pude ver todos mis defectos con claridad y aceptarme a mí mismo a pesar de ellos. Ésta parece ser una experiencia común: el gran psicólogo William James da cuenta de muchas parecidas en su libro *Las variedades de la experiencia religiosa*.

John: Pero si, repentinamente, logras ver cosas de ti mismo que normalmente se encuentran «detrás de la pantalla», ¿no puede resultar esto doloroso?

Robin: Puede serlo. Hay ocasiones en las que tu entendimiento atraviesa una suerte de «cambio de marchas». Te sientes atascado durante un lapso de tiempo y entonces, de repente, todo tipo de observaciones se «reúnen», algo que puede producir una sensación parecida a como si tuvieras una visión «fresca» de las cosas. Si reflexionas, sin embargo, te das cuenta de que la nueva imagen llevaba tiempo formándose y que sólo le hacía falta una pieza para completarse, para resolver el rompecabezas. La pieza clave es, normalmente, un hecho relativo al carácter de uno mismo que contradice la imagen que uno tiene de sí mismo, lo cual puede resultar doloroso. A veces, este tipo de «revelación» sólo se alcanza en una situación de gran emoción o agobio, o con la ayuda de alguien que entiende del asunto mucho más que uno mismo.

John: ¿Lograrías describir una de esas situaciones?

Robin: Para mí, una de ellas tuvo lugar en un «retiro» en el que la persona encargada hizo que me diera cuenta de qué manera yo no tenía en consideración los efectos que mis actos podían acarrear sobre los demás. Y esto lo hizo advirtiéndolo claramente, pero sin darme la sensación de estar juzgándome o condenándome. Lo que tuve, más bien, fue una sensación de gran apoyo. Resultó muy doloroso, como un curso intensivo de autoconocimiento desagradable y, al mismo tiempo, maravilloso; experimenté la sensación de que los demás me querían y se preocupaban por mí de una manera que nunca había conocido antes.

John: Creo que me hago una idea *aproximada* de lo que describes. Hay una cosa que aun así me deja perplejo. ¿En qué medida fue la experiencia *«espiritual»*?

Robin: Fue la conciencia exaltada y, sobre todo, la sensación de *contacto*. Vi con una claridad insoslayable cómo todo lo que hacemos afecta a los demás, lo poco consciente que era de los efectos y todo el daño que dicha inconsciencia produce en los otros. La minuciosidad del detalle de la revelación y la cadena de causa y efecto que se extendía en todas las direcciones a partir de las inconscientes acciones personales, así como la compasiva aunque implacable manera en la que se me hizo verlo todo, fue una demostración clarísima de lo que había leído sobre las grandes tradiciones religiosas. Se me hizo experimentar todo lo que ellas dicen.

John: Así que comprendiste claramente que todo tiene un efecto sobre los demás. Esto guarda relación con las ideas budistas sobre cómo el universo entero está conectado en una relación de causa y efecto llamada «karma».

Robin: Exacto. Tuvo un efecto tan profundo sobre mí que no he podido olvidarlo. Me dio, por lo visto, una fuerza superior para enfrentarme a lo que se me estaba mostrando.

John: Así que, en resumidas cuentas, esta percepción tan clara y directa sobre el funcionamiento del cosmos tiene el siguiente valor. En primer lugar, es abrumadoramente persuasiva: quienquiera que la experimente «sabe» que es verdad. En segundo lugar, da sentido a las cosas y, por tanto, comporta una sensación de seguridad. En tercer lugar, para una persona que tiene inclinaciones religiosas, proporciona un contacto directo con la fuerza espiritual que hay en el cosmos, lo cual debe, claro está, ser el valor supremo para dicha persona. En cuarto lugar, da una intensa sensación de «contacto» a través de una red infinita de tipo causal: esto ayuda a desarrollar una apreciación más profunda de cómo hemos de comportarnos con los demás. Quinto, este tipo de percepción está disponible a un precio muy razonable en la sección de Aventuras Espirituales de Harrods... Perdón, no debería haber dicho eso. En serio..., por lo general, ¿qué efecto tiene una experiencia de este tipo en la gente?

Robin: No produce necesariamente un cambio importante e inmediato, aunque las «revelaciones» que proporciona son inolvidables. En consecuencia, la experiencia parece dar pie a que la vida de la gente cambie en la buena dirección. ¡No es nada fácil, por descontado! Aplicar el nuevo conocimiento y vivir de acuerdo con él puede suponer en ocasiones un tremendo esfuerzo.

John: ¿Crees que es esto lo que se expresa cuando se habla de una «conversión», en el sentido religioso convencional de la palabra?

Robin: Es posible. La decisión de pasar a una nueva filosofía de vida, es decir, el despertar un deseo abrumador de hacerlo, es normalmente una repentina revelación de su verdad. Con frecuencia, nos resistimos durante mucho tiempo a esta idea, pero la nueva información que hemos estado recibiendo ha ido haciendo mella y aflojando el vínculo que teníamos con nuestra antigua visión del mundo. Un día nos damos cuenta de que no podemos mantener nuestras antiguas ideas ante la presencia de una evidencia cada vez mayor. A estas alturas, se produce un desmoronamiento repentino de nuestras viejas ideas, el cual revela las nuevas que han estado formándose entretanto... Y, sí, eso es lo que las personas religiosas llaman a menudo una conversión, un despertar, un renacimiento.

John: Cuando leí el libro de James, me sorprendió la lucha que precede al momento de la revelación. La gente describía una sensación de agobio creciente, que llegaba a ser intolerable y que no podían siquiera controlar mediante su forma habitual de funcionar de toda la vida. Entonces, repentinamente, tenían una sencilla experiencia de «abandono», el momento en el que recibían su extraordinaria experiencia...

Robin: Lo cual ilustra muy adecuadamente el hecho de que lo que obstaculiza el camino hacia una mayor comprensión de las cosas no es una falta de conocimientos, sino la incapacidad –o, mejor, la resistencia– a ver lo que tienes delante de los ojos.

John: Pero lo que se «abandona» o se «deja ir» es el yo, ¿no es así? Nuestro yo corriente y moliente, lo que limita nuestra percepción de la realidad al ocultar las partes de nuestro ser que no queremos reconocer. No podemos ocultar esas partes sin ocultar de paso una proporción enorme del resto de la información que nos llega del universo Es nuestro yo lo que mantiene el «soporte físico» desconectado.

Robin: Efectivamente. Hay menos probabilidades de vivir estas experiencias si rechazamos gran parte de nuestros defectos, dejando las emociones vinculadas a ellos detrás de la pantalla. Si llevamos orejeras para evitar vernos a nosotros mismos sinceramente, esas mismas orejeras nos impiden observar la profunda realidad del mundo en el que vivimos. Por tanto, nos mostramos más abiertos a la gran conciencia del mundo –a condición de que nos hallamos preparados en otros aspectos– en los momentos en los que nos hallamos indefensos.

John: Muy bien. De todas formas, como estas experiencias significan que uno se ve a sí mismo con mayor claridad, cuanto menos sano estés –cuanto más haya oculto detrás de la pantalla– más dolorosa resultará la revelación.

Robin: Eso es verdad; por tanto, si una persona está muy poco sana, una revelación de este tipo puede dejarla «alucinada» hasta tal punto que puede volverse loca y perder por completo el contacto con la realidad, simplemente porque no está preparada para soportar tal «cantidad de verdad» sobre sí misma. Si no se viene abajo, la información que esta persona recibe puede distorsionarse y convertirse en algo diferente en su mente, a veces de una manera dañina o peligrosa, como cuando alguien empieza a pensar que es una especie de mensajero de Dios y que tiene la tarea de cargarse a quien no esté de acuerdo con él.

John: ¿Cómo afectaría este tipo de experiencia espiritual a nuestro grupo medio?

Robin: Bueno, en realidad estoy convencido de que la mayoría de las personas que tienen una experiencia de «contacto» pertenece al grupo medio, por la simple razón de que somos muchos más. Sin embargo, puede resultar doloroso dependiendo de todo lo que tengamos arrinconado detrás de la pantalla.

John: La única experiencia de este tipo que he tenido fue muy limitada pero, curiosamente, consistió más en una absoluta conmoción que en una causa de dolor, no fue tanto una revelación de algo malo como de una trivialidad. Sin embargo, tuvo una viveza tal que la convirtió en un impacto terrible, con la consecuencia de que ha acabado siendo más inolvidable que cualquier experiencia normal.

Robin: Creo que lo que cuenta es la conmoción, una conmoción que expulse las actitudes habituales.

John: Pasemos finalmente a nuestros amigos, los currutacos de la moral, la gente que se encuentra en el nivel más alto de la salud mental. Es presumible que, a estas personas este tipo de experiencias les resulten menos dolorosas y las tengan con más frecuencia, ¿no es así?

Robin: Creo que sí. De todas formas, como he dicho, estas experiencias tan profundas pueden ocurrirle a cualquiera. La norma general es: una salud mental poco corriente va aparejada a una capacidad para experimentar al menos cierto grado de esta profunda sensación de contacto. Así que, si todo lo demás sigue igual, es muy probable que vean más y que lo vean con más frecuencia. Como son más conscientes de sus defectos y de sus limitaciones, el efecto no es tan doloroso.

John: Me pregunto si muchos de nuestros lectores no se habrán quedado boquiabiertos al leer nuestra seria conversación sobre el misticismo.

Robin: Bueno, pero hay que tener en cuenta que miles de personas de todo el mundo y de todas las épocas han escrito sobre los «estados alterados» y han tenido la experiencia.

John: Incluso autores tan respetables en el programa de estudios de la educación secundaria como Tennyson, Wordsworth, Coleridge –perdón, Coleridge era un drogata–, y Chesterton y Yeats. Y Blake, cómo no.

Robin: Todas las descripciones son, además, muy similares; eso es lo sorprendente.

John: Aun así, en mi educación cristiana no se menciona nada al respecto. Lo importante es la teología, el mapa, se podría decir, en vez del territorio.

Robin: Bueno, la preocupación por las creencias teológicas es normalmente un substituto de la experiencia espiritual y puede, incluso, obstaculizarla.

John: Me fue de gran ayuda descubrir, hace unos cuantos años, la descripción de los dos modos de enfocar la religión de Aldous Huxley. En primer lugar habla de: «La religión de la primera experiencia, una religión, según dice el Génesis, que consiste en "oír la voz de Dios paseando por el jardín al fresco del día", la religión del conocimiento directo de lo divino».

Robin: ¡Maravilloso!

John: Da escalofríos, ¿verdad? Luego Huxley lo contrasta con el enfoque habitual occidental, que él llama: «La religión de los símbolos, la religión de la imposición del orden y el sentido sobre el mundo a través de los sistemas verbales y no verbales y de su manipulación; la religión del conocimiento sobre lo divino, en vez de su conocimiento directo».

Robin: Continúa.

John: Las palabras de Huxley me dieron la confianza para seguir una línea de pensamiento que se contradecía con mi cultura. La he puesto al día de la siguiente manera: tengo un gato llamado *Bernie*. Tenemos una relación muy afectuosa pero yo soy mucho más inteligente que él. De hecho, podría decir que mi gato en realidad no me entiende. La idea que tiene sobre mis objetivos en la vida sería francamente poco fiable, peor con toda probabilidad que la que tendría un columnista de la prensa amarilla de Londres. Por tanto, no me gustaría que nadie se fiara de lo que *Bernie* pudiera contar sobre «cómo soy en realidad».

Robin: ¿No estará planeando escribir tu biografía?

John: Todavía no. Bueno, a lo que iba. Si utilizo la palabra Dios con el significado de «lo que realmente está ocurriendo»..., apuesto a que la diferencia de inteligencia entre Dios y yo es bastante mayor que la que hay entre *Bernie* y yo. Así que, honestamente, no le veo el sentido al intento de describir cómo es Él en realidad, o qué se trae entre manos, porque, con franqueza, pertenece a una clase totalmente diferente a la mía, Robin. Me resultaría imposible comprenderlo, o comprenderla. Quiero decir, estoy convencido de que *Bernie* sospecha que ando *de veras* persiguiendo a los ratones... Pero puedo concebir la posibilidad de llegar, acaso, a tener una experiencia, un tipo muy leve de contacto, una especie de senda divina que fuera importante para mí. Y puede que incluso merezca la pena hablar sobre *ello*. Sin embargo, la *Trinidad...*, ¿tú qué piensas, *Bernie*?

Robin: No parece que te esté escuchando.

John: Volvamos a la profunda experiencia de contacto que estabas comentando. Por lo visto, no desempeña un papel muy importante en las religiones occidentales. Las religiones orientales, en cambio, parecen darle casi prioridad.

Robin: Es cierto que las experiencias de las que hablamos no les resultarían nada extrañas a muchas personas de muchas partes del mundo, ni siquiera a los cristianos de la Iglesia ortodoxa rusa o griega. Lo que pasa, sencillamente, es que en Occidente esta comprensión de la religión que con frecuencia se denomina «mística» o, en ocasiones, «esotérica» –es decir, que tiene que ver con el sentido «interior»–, ha sido, hasta cierto punto, dejada de lado. Pero sí que existe en textos que van desde el Evangelio de san Juan hasta Meister Eckhart y el

autor de *La nube de lo desconocido*, pasando por la Madre Julian de Norwich y san Juan de la Cruz, y Thomas Merton y Bede Griffiths en nuestros días.

John: Si es tan beneficioso como dices, ¿por qué no hay más gente metida en ellas?

Robin: Porque se encuentran con un enorme obstáculo desde el mismo principio. La comprensión mística, esotérica, de las enseñanzas religiosas juzga que nuestro estado normal de desvelo es fruto de nuestra imaginación, una especie de sueño del despertar en el que vemos a los demás de acuerdo con nuestras expectativas y nuestros prejuicios y no como son en realidad. El problema es que no tenemos la sensación de que nuestra vida sea un sueño; creemos que somos totalmente conscientes de la situación y no nos damos cuenta de que hemos estado viviendo fundamentalmente en nuestra imaginación, hasta el momento en el que hemos reaccionado o nos han avisado para que adoptemos una actitud más alerta y atenta, algo parecido al tipo de experiencias que comentamos. En *ese* momento nos despertamos de veras y vemos las cosas con objetividad, para volver muy pronto a otro sueño en el que *imaginamos* que seguimos estando alerta. Por tanto, resulta extraordinariamente difícil substraerse a este autoengaño, a menos que alguien que esté más despierto que nosotros nos avise y nos saque de este tipo de sueño del despertar, mediante una conmoción emocional o encomendándonos una serie de tareas que nos hagan comprenderlo porque nos resulta imposible llevarlas a cabo.

John: ¿Crees que es esto a lo que se refiere Platón en su mito, cuando habla de las personas que están en la caverna y tienen sus cuellos encadenados de tal forma que no pueden volver la cabeza, por lo que aunque creen que están viendo el mundo real, en realidad lo que están viendo son las sombras que el fuego que hay a sus espaldas proyecta sobre los muros de la caverna?

Robin: Creo que sí, si bien ésta es una idea que las diferentes tradiciones expresan de diversas formas. Por ejemplo, Jesucristo habla con mucha claridad sobre el hecho de que, normalmente, vivimos en un estado que denomina una suerte de muerte en la que sólo estamos medio vivos. Él dice que ha venido para despertarnos y hacernos vivir «la vida por completo». Los hindúes, por su parte, hablan del «maya», y los budistas de «la experiencia sensorial», que es un obstáculo para alcanzar una percepción clara.

John: Una parte de este «sueño del despertar» del que estás hablando consiste en las falsas ideas que tenemos sobre nosotros mismos, en nuestro rechazo a ver lo que *realmente* somos, ¿no es así?

Robin: Sí, ése es el fundamento sobre el que se forma el sueño. Cuanto menos sanos estemos, mayor será la frecuencia con la que puliremos la imagen que tenemos de nosotros mismos, advirtiendo las partes que nos gustan y evitando las que no. Para conservar nuestro «buen aspecto» pasamos mucho tiempo «repasando el guión» después de cualquier encuentro en el que no hemos estado a la altura de las fantasías que tenemos sobre nosotros mismos. Es evidente que todo este autoengaño interfiere en nuestra capacidad para ver el mundo exterior correctamente o para conocer con exactitud nuestro lugar en él. No podremos comenzar hasta que algo nos conmocione.

John: No discutiré contigo sobre esto. Durante muchos años he tenido la sensación de que el propósito fundamental de la religión es ayudarnos a prescindir de muchas partes de nuestro yo: «Bienaventurados los pobres de espíritu». Y esto se debe simplemente a que no me creo que podamos experimentar algo importante mientras finjamos ser una persona que no es la nuestra. Como dicen los cristianos, necesitamos ser «como niños pequeños».

Robin: En el sentido de que los niños todavía no han sido capaces de unirse a este autoengaño que todos llegamos a conocer, cuando somos adultos. Es lo mismo que ocurre en el relato *El vestido nuevo*, en el que el muchacho es el único que puede ver y decir la verdad con franqueza.

John: ¿Este tipo de estados infantiles son más proclives a vivir estas «experiencias» y viceversa?

Robin: Es un proceso circular, creo. Aunque estos sentimientos pueden empezar a ocurrirle a la gente en cualquier nivel de salud, en mi opinión la gran sensación de contacto que provocan lleva a estas personas a hacerse más sanas mentalmente con el paso del tiempo, más integradas en sí mismas; las lleva, en definitiva, a prescindir, hasta cierto punto, de las orejeras. Lo mismo pasa en el caso contrario: cuanto más sanas son las personas y cuanto más abierta es su actitud con respecto a la verdad, más posibilidades tendrán de vivir la experiencia de entrar en contacto con todo, al menos de una manera muy básica.

John: Muy bien, Robin, hemos fisgoneado en el asunto del misticismo. ¿Estás dispuesto ahora a revelar por qué hace un rato te has vuelto tan misterioso, sibilino y oracular? ¿Te acuerdas..., cuando hemos llegado al tema de cuál era el enfoque de las personas más sanas sobre la práctica y las enseñanzas religiosas?

Robin: No era mi intención evitar la pregunta. El problema es que no se dan muchos detalles en la *investigación* sobre las familias excepcionalmente sanas en torno a la naturaleza de los «sistemas de valores trascendentales» con los que operan, al menos no se va más allá del hecho de que para ellos el «sentido de su vida» se halla en algo superior a ellos y a sus familias. Mi impresión es que los propios investigadores tienen una actitud muy diferente al respecto y no se han preocupado de examinarlo con minuciosidad. Después de todo, en ningún momento llegan a decir que ellos mismos sean excepcionalmente sanos, por lo que es muy probable que sus propios valores afecten su juicio sobre esta cuestión. Además, en el momento en el que gran parte de esta investigación se llevó a cabo, un enfoque demasiado centrado en el aspecto «religioso» habría llevado a muchos de sus colegas a rechazar el conjunto de las conclusiones.

John: ¿Ha habido algún investigador que se haya declarado firmemente a favor de emitir una determinada opinión al respecto?

Robin: Seguro que te acuerdas de Bob Beavers, uno de los principales investigadores de Timberlawn, que más tarde se convertiría en presidente de la American Association for Marriage and Family Therapy (Asociación americana para la terapia familiar y matrimonial). Beavers siente un gran interés en este tema y hace poco dijo lo siguiente: «Como resultado de todos los años que he dedicado al estudio de las pautas familiares, me ha impresionado una determinada habilidad propia de las familias óptimas, a la cual no me había referido en público hasta este momento. Esta habilidad consiste en ser capaz de conocer muy bien las restricciones que uno tiene y de operar en consecuencia, para luego... poder abolirlas y liberarse de las limitaciones del cuerpo y las limitaciones de la edad y la muerte... Una persona debe ser capaz de prescindir de su yo y de su ser para entrar a formar parte de una identidad más grande y liberarse de la identidad lineal biológica... Los miembros de una familia óptima pueden optar de una manera flexible entre la identificación con un mundo más grande en ocasiones y la aceptación clara de su ser como un individuo concreto».

John: Muy bien. Vamos a ver si lo he comprendido. Lo que estás diciendo es que las personas más sanas tienen más posibilidades de sentirse atraídas por una comprensión digamos «esotérica» de las grandes religiones. Una tradición esotérica permite a una persona ser más consciente de su verdadero ser y obtener un conocimiento sobre sí misma que aumenta las posibilidades, a su vez, de que tenga el tipo de experiencias de las que hemos hablado, las cuales se denominan con frecuencia «místicas» pero que, por lo que tú dices, son en realidad percepciones más claras del mundo.

Robin: Sí, *creo* que probablemente se trata de eso. De todas formas, como ya he dicho, me estoy basando no sólo en los descubrimientos de la investigación, que son todavía escasos, sino también en una combinación de lo que hay disponible, así como de mi propia experiencia profesional sobre lo que ocurre cuando la gente gana en salud, y de mis propias experiencias personales en torno a la relación entre la salud y la comprensión espiritual. El vínculo que encuentras entre la salud mental y la comprensión espiritual me resulta demasiado estrecho como para sentirme tranquilo. No me cabe ninguna duda, como ya he dicho, de que la buena salud mental y la verdadera sensación de contacto espiritual de la que hemos hablado guardan relación. La una sirve de acicate a la otra y viceversa. Las personas más sanas parecen tener una sensación extraordinaria de contacto y pertenencia, y el hecho de hallar un sentido y de entrar en contacto con lo que nos rodea es un factor vital para nuestra salud. Sin embargo, creo que se requiere *algo más* antes de que una persona *decida dedicar su vida* fundamentalmente a la búsqueda de una comprensión espiritual más profunda. Es probable que se requiera algún tipo de vocación, una disposición para sacrificar muchas cosas en el transcurso de la búsqueda. Por otro lado, cuanto más tiene uno –incluso si hablamos de salud y felicidad–, más se puede perder. Es posible, por descontado, que ésta sea la forma suprema de salud, aunque no creo que podamos contestar a esta cuestión a partir de tu conocimiento o el mío. Ya he dicho antes que para la gente de tipo medio como nosotros, tratar siquiera de comprender el tipo de salud óptimo es como intentar imaginarse, a medio camino, la vista desde la cima de una montaña. Por tanto creo que, en nuestro caso, hablar sobre el desarrollo espiritual equivale a tratar de imaginarse la vista que ofrece la cima del Everest cuando se está en el campamento base.

John: Muy bien. Y sobre aquello de lo que uno no pueda hablar, habrá de guardar silencio... Olvidémosnos de la «espiritualidad» por ahora y volvamos a dar la bienvenida a todos aquellos lectores que piensan que la religión es un montón de tonterías.
Es un placer teneros de vuelta, vosotros, los paganos irreverentes e infieles. La siguiente pregunta que plantearemos al archiconocido matasanos doctor Skynner será completamente secular: ¿cómo resumiría usted las *ventajas puramente psicológicas* de la práctica religiosa en el nivel más sano?

Robin: En mi opinión, el propósito esencial de todas las grandes tradiciones espirituales es ayudarnos a ser más enteros, tanto en nuestro interior como en el seno de la sociedad en la que vivimos.

John: Es decir, el objetivo es la integración.

Robin: Sí. Es algo que encontramos incluso en el lenguaje. En inglés, las palabras que significan «conjunto» o «entero», «sano» y «santo» *(«whole», «healthy» y «holy»)* tienen todas la misma etimología. Todas expresan la misma idea.

John: Bueno, todo este capítulo ha tratado sobre cómo llegamos a tener la sensación de «valor», y nos hemos enterado de que cuanto más *englobe* un mito, mayor será su valor. Así que, tanto si hablamos sobre tonterías religiosas como si lo hacemos acerca de su significado secular, siempre volvemos al tema de la integración. Hemos llegado a la misma conclusión al finalizar cada capítulo. Al final del primer capítulo, has mencionado lo importante que es para nosotros ser capaces de integrar las partes paterna, adulta e infantil –el superyó, el yo y el ello– para tenerlas a nuestra disposición. Al terminar el segundo capítulo, has indicado que las organizaciones más sanas delegan todo el poder y toda la capacidad decisoria que sea posible a la cadena de mando, gracias a lo cual se anima a cada empleado a desarrollar su autonomía, tratándolo como un ser humano completo y aumentando sus posibilidades para llegar a una integración personal verdadera, además de integrar todas las partes de la organización al insistir casi de manera obsesiva en la comunicación. Luego, al final del tercer capítulo, has descrito exactamente el mismo principio en relación con una sociedad excepcionalmente sana. Por tanto, no es ninguna sorpresa que volvamos a este tema al concluir el capítulo sobre los valores. Por favor, explícame por qué la integración parece ser el valor más importante, la mayor expresión de salud mental.

Robin: Porque es lo contrario a *des*integración, la expresión de la *mala* salud mental. En *La familia y cómo sobrevivirla,* dijimos que la salud mental, al igual que la salud física, es una cuestión de equilibrio entre las diversas partes al operar en una conjunción armónica. La enfermedad y el desorden comportan un trastorno en el equilibrio que provoca que ciertas partes aumenten demasiado su influencia y otras la reduzcan. Por ejemplo, si nuestras emociones se desequilibran en una dirección, es posible que nos emocionemos demasiado y ganemos un exceso de confianza: manía; si lo hacemos en la otra dirección, nos abatiremos y perderemos vigor: depresión. La salud es un equilibrio entre extremos de este tipo. Si una parte de nosotros se divide, rechaza o se pierde... nuestra salud desaparece.

John: Nos sentimos desequilibrados, desintegrados.

Robin: Acuérdate de que uno de los nombres del diablo es «Diábolos», que significa «el que siembra la discordia», el «divisor», el «fragmentador». La integración trae luz y comprensión. La desintegración, oscuridad y sinsentido.

John: ¿Significa esto que el grado de fragmentación da, digamos, la medida de nuestra maldad?

Robin: No, es algo más complicado. No es la fragmentación misma la que produce el mal; lo que crea son problemas, pero no el mal. Es la *negación y evitación* del hecho de la fragmentación –que es lo mismo que una fragmentación deliberada, resuelta y añadida– lo que crea el mal. Si puedes *ver* que hay fragmentación en tu seno, ya estás ligado al problema, eres consciente de él y, en consecuencia, te encuentras en el camino hacia la integración.

John: Ésa es la razón por la que la gente más sana es más consciente de su fragmentación que la gente menos sana.

Robin: Efectivamente. O, por decirlo de otra manera, una vez que ves el mal en tu seno *como lo que es*, mal, se hace difícil aguantarlo. El reconocimiento de este hecho es el primer paso hacia su curación, porque es entonces cuando queda vinculado a otros sentimientos opuestos que quieren cambiarlo.

John: Por tanto, el mal equivale a evitar el ver que estás fragmentado, dividido, enfermo, ¿no es así?

Robin: Sí, y debido a eso, si queremos seguir siendo «malos», hemos de destruir cualquier cosa buena, *lo que sea*, puesto que, de no ser así, su existencia nos recordaría, en contraposición, nuestro propio mal, lo cual supondría un paso hacia la integración y la salud. En resumen, el verdadero Mal trata de eliminar cualquier expresión del Bien, porque éste siempre acaba englobando, equilibrando e integrando la cualidad que por separado crea el Mal. Basta pensar en los campos de concentración en los que los guardas nazis no sólo abusaban de sus prisioneros, sino que además trataban de obligarlos a realizar actos «malos», a rebajarse a su propio nivel.

John: Entonces, lo que tenemos que hacer para mejorar nuestra salud es intentar cobrar conciencia de nosotros mismos.

Robin: Lo cual también es válido para el grupo al que pertenezcamos: todos debemos desarrollar una mayor conciencia del grupo.

John: De ahí que Katakis diga que la «globalización» es el valor más importante del mito.

Robin: Exacto.

John: ¿Qué ha de hacer entonces cualquiera de nosotros para aumentar su grado de integración?

Robin: Estarte quieto.

John: ¿Estoy intranquilo...?

Robin: No, eso es lo que tienes que hacer. Estarte quieto.

John: Oh..., ¿eso es *todo*?

Robin: Bueno, podrías meditar, contemplar «mitos» religiosos, rezar..., pero, aun así, el mejor comienzo es estarse quieto. Ya hablaremos de esto en el quinto capítulo, cuando discutamos más pormenorizadamente lo que puede hacer la gente para cambiar su nivel de salud mental. Por el momento digamos que «estarse quieto» nos ayuda a estar más «enteros», más completos. Recuerda que he dicho en repetidas ocasiones que la mayoría de nuestros problemas psicológicos tienen su origen en el *rechazo*, en evitar enfrentarnos a la verdad sobre nuestra persona...

John: Creo recordar algo de eso, sí...

Robin: Recuerda también que el rechazo de la verdad es un proceso muy *activo*. Por ejemplo, permanecemos ocupados y llenamos nuestras cabezas de otras cosas, con el fin de mantener a raya cualquier sentimiento o recuerdo doloroso. Pues bien, si nos sentamos tranquilamente, nos relajamos, dejamos que nuestros sentimientos se calmen y despejamos nuestra mente de pensamientos, dicho rechazo no puede continuar. Durante un momento hay un espacio, una apertura que nos permite cobrar conciencia de las partes que hemos estado rechazando. Gracias a la tranquilidad que tenemos, podemos enfrentarnos a lo que hemos estado evitando previamente sin sentir ningún transtorno. De esa manera, podemos integrarnos, completarnos.

John: Esto tiene que ver con la otra medida de salud, ¿no es así?, con el hecho de enfrentarse a la realidad.

Robin: ¿Qué quieres decir?

John: Bueno, el territorio es más importante que el mapa, ¿verdad?, y, por lo que dices, lo mejor que podemos hacer para integrarnos es «estudiar el territorio», enfrentarnos a nuestra propia experiencia, sin distracciones.

Robin: Sí..., y dejar que la información nos cure.

Apostilla: ¿El fin?

John: ¿Te das cuenta de que nos hemos arreglado para hablar sobre religión sin mencionar la muerte? Para mucha gente la religión tiene que ver fundamentalmente con la «otra vida» y sin ella carece de mucho sentido...

Robin: Sí, pero no vamos mal encaminados al no convertirlo en el tema principal. Las conferencias que William James dio en 1901 y 1902 –que se convertirían en su libro *Las variedades de la experiencia religiosa*– son con diferencia lo mejor que se ha escrito hasta el momento sobre el asunto. Al final de ellas, pide disculpas por haber excluido el tema por completo.

John: Sin embargo, para los cristianos y los judíos, la idea de la resurrección es, sin lugar a dudas, básica. Y los budistas y los hindúes creen en la reencarnación...

Robin: Sí, cada vez hay más interés en este tema. Y esto es así porque, recientemente, han aumentado los casos de gente que se consideraba muerta, según criterios normales, y han logrado sobrevivir, lo cual me ha hecho pensar de nuevo en la posibilidad de algún tipo de continuación después de la muerte. Sin embargo, primero hemos de hablar sobre la muerte y sobre el papel que desempeña en nuestras vidas, antes de abordar el tema en sí.

John: ¿Te refieres al conocimiento que tenemos durante toda nuestra vida de que con absoluta seguridad vamos a estirar la pata?

Robin: Sí, la forma que tenemos de enfocar el hecho de que el tiempo del que disponemos aquí es limitado.

John: Pues bien, dime.

Robin: Bueno, cuando empecé a trabajar con grupos de pacientes durante mis prácticas, me di cuenta de que, al cabo de un año o dos, la principal diferencia entre aquellos pacientes que mejoraban y los que no, estribaba en los cambios que se producían en el primer grupo respecto a unos sentimientos y actitudes que podríamos llamar «espirituales».

John: En el sentido amplio de la palabra.

Robin: Sí, no tiene nada que ver con una creencia religiosa de tipo convencional y ortodoxo. De hecho, el crecimiento de la actitud «espiritual» a la que he hecho alusión suponía con frecuencia una ruptura con el vínculo religioso al que se habían aferrado hasta ese momento.

John: Una ruptura con la forma que tiene la gente menos sana de utilizar la religión.

Robin: Efectivamente. Las personas que mejoraron no cabe duda de que olvidaron la idea de que creer en algo determinado o realizar una serie de prácticas rituales puede mejorar la vida de una manera mágica. En lugar de eso, lo que pasó fue que este tipo de actitud infantil fue substituida por el sentimiento verdadero de que formaban parte de un plan superior.

John: ¿La sensación de «contacto» que hemos machacado *ad nauseam* en el último capítulo?

Robin: Sí. Pero a lo que iba. Me di cuenta de que, conforme la gente desarrollaba esta sensación, empezaban a ocurrir una serie de cosas. Las personas comenzaron a sentirse más contentas, más felices, más capaces de comprometerse con los demás, con su trabajo y con sus propias vidas en general. Empezaron a disfrutar más, a tener unas relaciones más profundas y satisfactorias y a vivir más la vida. Conforme esto pasaba, los síntomas que habían mostrado en un principio, los cuales tenían que ver normalmente con la infelicidad, la incapacidad para tener relaciones o la carencia de sentido y contacto con la vida, desaparecieron de la misma forma que las olas borran las huellas que hay en la arena.

John: ¿Qué relación había entre todo esto y su actitud ante la muerte?

Robin: Parecieron perder todo el miedo con el que habían venido. Como sabes, la gente sana, la que se siente completamente viva, comprometida e involucrada en lo que hace, no teme a la muerte, se encuentra demasiado ocupada sacándole el máximo partido a la vida, demasiado satisfecha como para perder el tiempo pensando en ella. Sólo se para a hacerlo cuando se tiene que ocupar de un asunto práctico, como, por ejemplo, hacer un testamento, firmar una póliza de seguros para la familia u organizar el poco tiempo del que dispone de la manera más agradable.

John: Pero ¿no es una prueba de salud el vivir sabiendo que vamos a morir y pararse a pensar en ello de vez en cuando?

Robin: Qué duda cabe. El maestro budista Padmasambhava dijo en una ocasión: «Aquellos que creen que tienen tiempo sobrado se preparan sólo cuando llega el momento de la muerte. Entonces se sienten destrozados por los remordimientos. ¿No es demasiado tarde para hacer eso?».

John: Entonces, los pacientes que desarrollaron la sensación de contacto fueron capaces de concentrarse en el hecho de que estaban vivos, en vez de en que les faltaba poco para morir. Lo que hicieron fue ver el vaso medio lleno y no medio vacío.

Robin: Sí. Es más, si somos felices y tenemos una verdadera relación con los demás, no nos sentimos medio llenos, sino realmente *llenos* de buenas experiencias, tengamos siete o setenta años de edad. Si nos preocupamos por la posibilidad de perder lo que tenemos, evitamos o limitamos nuestro compromiso y nuestra satisfacción con el fin de reducir el dolor que sentiremos, si es que esa pérdida llega a tener lugar. Es entonces cuando tenemos sentimientos de vacío y pérdida y nos da la sensación de que el vaso no está ni siquiera *medio* vacío.

John: Es como tirar la cena a la basura para ahorrarte el trauma de tener que comértela toda y descubrir entonces que ya se ha acabado.

Robin: Exacto. Una locura, pero es lo que todos hacemos.

John: Y, por lo que dices, las personas que estaban en tus grupos y que no fueron capaces de desarrollar esa sensación de «contacto» no mejoraron como los demás.

Robin: No lo hicieron en la misma medida. Me acuerdo de un individuo que parecía personificar de una forma exagerada a la gente que no mejoraba. Tenía un miedo terrible a los espacios abiertos y a la muerte. Se pasaba la mayor parte del tiempo que estaba con el resto de los miembros del grupo tratando de convencerlos de que la religión es un montón de tonterías, aunque al decirlo dejaba entrever un sentimiento de desesperación. En cualquier caso, su hostilidad hacia la religión y la necesidad que sentía de atacarla, como si temiera que lo pudiera capturar y devorar si se aproximaba demasiado, ocupaba casi toda su atención; de hecho, esto parecía importarle más que los síntomas que lo estaban incapacitando.

John: ¿Qué explicación darías a eso?

Robin: Todo se reducía al miedo que sentía a perder el control. Un aspecto de este miedo era su temor a comprometerse con otras personas, porque creía que podía llegar a depender demasiado de ellas y que entonces podrían dominarlo. Al mismo tiempo, estaba aterrorizado ante cualquier sensación de contacto con el universo, puesto que ello suponía igualmente una forma de dependencia, una forma de control sobre su persona...

John: ¿Al aislarse de todo, tenía la »sensación» de que podía controlarlo todo?

Robin: Efectivamente. Por tanto, comportándose de esta manera, era capaz de conservar la ilusión de ser completamente independiente de todo, el individualista por excelencia, el señor de la creación, el «dueño de todo lo que contempla». Era capaz de extender esta idea *ad absurdum*: tenía miedo al compromiso con la vida porque eso suponía que podían quitársela y entonces tendría que aceptar la verdad de la muerte.

John: ¿El no estar vivo significaba para él tener dominio sobre la muerte?

Robin: Exacto. Para una persona ajena a la situación, no tiene el menor sentido. Sin embargo, para una persona atrapada en este tipo de mentalidad, todo resulta muy lógico: para esta persona, tiene un gran sentido tratar de no vivir la vida lo más posible, por cuanto así se evita el dolor que supondría su pérdida.

John: Es como si se tratara constantemente de frenar el coche para reducir el daño en caso de colisión.

Robin: Ése es el tipo de mentalidad en el que se basa toda esta de gente.

John: Como es lógico, la actitud implícita al decir «parad el mundo que yo me bajo» impide a una persona sacarle el mayor partido posible a la vida.

Robin: Correcto. Los que tienen miedo a la muerte, también tienen miedo a vivir la vida del todo. De esa manera, deciden estar «medio muertos». El terror que sienten a perder la vida equivale, paradójicamente, al miedo de morir antes de haber decidido que van a empezar a vivir. Algo que temen hacer, por supuesto, a causa de su miedo a perderlo en última instancia.

John: Muriel Volestrangler no lo hubiera explicado mejor... Por tanto, se trata de un callejón sin salida.

Robin: Es una mentalidad tan desquiciada que he de repetírmelo varias veces para convencerme. Sin embargo, una vez que se consigue *ver* de qué se trata, entonces es posible dejarlo para empezar a vivir.

John: Pero, ¿cómo «es posible dejarlo»?

Robin: Es lo mismo que caminar.

John: *Andar...*

Robin: Dime cómo caminas. ¿Qué movimientos has de realizar para hacerlo?

John: Primero adelantas un pie, luego el otro, y te lanzas.

Robin: No, eso no es lo que haces. Eso equivaldría a marcar el paso, a desfilar. No adelantarías nada.

John: ¡Qué vergüenza! Creía que ya tenía esto dominado...

Robin: Te *caerías.*

John: ¡Oh, *sí*! *¡Cómo no!* ¡Eso ya lo sabía yo!

Robin: Si observas lo que haces cuando caminas, verás que lo primero que haces es inclinarte hacia delante. De hecho, te dejas *caer.* En eso consiste en realidad el movimiento hacia delante. Luego te salvas moviendo un pie hacia delante ante el nuevo cambio de centro de gravedad. Esto lo haces una y otra vez, sin por ello dejar de caerte un poco en un movimiento adelante hasta que decides descansar y enderezarte para detener el proceso de caídas. Prueba a hacerlo. Es más fácil experimentar la parte de la caída si se camina hacia atrás, algo menos habitual y que nos permite advertir los movimientos individuales con mayor sencillez.

John: *Desde luego* que te caes. Todo el mundo lo sabe. ¿Qué tiene esto que ver con la muerte, de todas formas?

Robin: Pues bien, vivir al máximo de nuestras posibilidades conlleva el mismo tipo de movimiento que hacemos al caminar pero en un sentido psicológico.

John: ¿Te refieres a no tener miedo a caerte de bruces en el futuro? Dejarte ir en vez de tratar de controlar las cosas reprimiéndote.

Robin: Exactamente. Ir con la corriente. Aceptar lo que venga, sentirse completamente vivo y consciente en cada momento. No tratar de aferrarse al pasado. Es entonces cuando el miedo desaparece, cuando se abraza la vida con una actitud que dice «vamos a por ello», cuando se asimilan todas las partes de la experiencia y toda la alegría que hay. Aunque, claro, hacer todo esto es *aceptar que te estás cayendo de bruces en la muerte.*

John: Algo que hacemos de todas formas: negarte a hacerlo no frena la caída.

Robin: No, y aun así la persona que tiene una actitud miedosa y vacilante y que defiende que hay que retirar el pie del acelerador para ponerlo en el freno, lo que está *tratando* de hacer es detener el tiempo de una manera ilusoria. Lo que yo quiero expresar al utilizar la imagen del caminar es la actitud que conduce a una vida emocionante, feliz y productiva, ya que vivir debería ser la muerte constante del pasado. Como es lógico, guardamos el pasado en forma de recuerdo, en nuestro interior –incluso las personas queridas siguen viviendo dentro de nosotros cuando sufrimos su muerte– sólo si dejamos de aferrarnos a él y nos desprendemos totalmente de lo que ya se ha acabado en este mundo.

John: Pero la mayoría de nosotros nos oponemos a los cambios aferrándonos a lo que sea, a la gente, a nuestro grupo social, a una época y un sitio determinados, a las costumbres, y también a nuestras actitudes, a nuestras opiniones, incluso a las ideas que tenemos sobre nosotros mismos...

Robin: ... A lo que sea. Es como aferrarse a un oso de peluche.

John: Muy bien. Nos has explicado en líneas generales cómo el hecho de que somos mortales nos afecta a lo largo de toda nuestra vida. Entonces, al seguir así... *conforme nos hacemos mayores*, somos *cada vez* más conscientes de que la muerte se acerca, de que el poco tiempo que tenemos es *todavía más corto...*

Robin: Sí. Normalmente no pensamos mucho en la muerte cuando tenemos veinte años. Sin embargo, cuando rondamos los cuarenta nos damos cuenta de pronto de que ya ha pasado la mitad del tiempo. Si hasta ese momento hemos sido capaces de arreglárnoslas en el mundo del trabajo y hemos tenido un éxito razonable, la sensación que tenemos entonces es que no ha ido del todo mal, pero es posible que nos empiece a resultar algo vacío. Todo lo que nos ha importado más hasta ese momento –el éxito, los logros, las posesiones materiales, la opinión de los demás– empieza a perder valor.

John: Mike Nicols me dijo en una ocasión que su hermano, que es doctor, afirma que nunca ha visto a nadie en el lecho de muerte que haya confesado: «¡Ojalá hubiera pasado más tiempo en el despacho!».

Robin: ¡Eso es maravilloso! En torno a esa edad empezamos a sospechar que debe de haber algo más, pero no conseguimos averiguar de qué se trata.

John: ¿Es éste el fundamento de la «crisis de la mediana edad»? Como la primera parte no se te ha antojado tan larga, tienes la sensación de haber perdido un montón de tiempo y de no estar muy satisfecho con lo que estás haciendo en este momento; en consecuencia, la vida te parece corta. *Además*, te das cuenta de que no sabes qué *hacer* al respecto...

Robin: Ésa es la razón por la que nos deprimimos. Es una reacción sana, una señal de que estamos repasando nuestro mapa del mundo, de que estamos cambiando nuestros valores. Y, si todo va bien a estas alturas, nuestra desilusión de los valores convencionales y estereotipados con los que hemos estado funcionando hace que nos volvamos hacia nuestro mundo interior y hacia las satisfacciones más intensas y duraderas de la vida: exploramos con mayor profundidad las relaciones con la gente; prestamos mayor atención a la naturaleza, la belleza, el arte; mostramos más interés por las enseñanzas espirituales y por lo que nos dicen sobre el sentido y el propósito de nuestra vida. Como es lógico, no perdemos aquello que es real en nuestra educación y en nuestra experiencia: nuestros conocimientos, nuestras habilidades, nuestras aptitudes sociales y nuestra capacidad para realizar un trabajo útil y ganarnos la vida son todavía *válidos*. Sin embargo, cada vez nos concentramos más en nuestra vida interior, donde nos interesamos en estudiar aquellas cosas que hasta ese momento habíamos dejado de lado. Empezamos a hacer las cosas que valoramos personalmente en vez de hacer las que creemos que *deberíamos* hacer.

John: Eso es exactamente lo me ha estado ocurriendo a mí. Los proyectos en los que me habría embarcado sin pensarlo dos veces hace unos años se me antojan ahora muy poco atractivos, me parecen un sinsentido, como si ya lo «hubiera hecho» y el meterme en ello no fuera a reportarme nada. Sin embargo, el placer que obtengo de las cosas sencillas, las que no tienen relación con el «éxito», es tan grande que la vida me resulta infinitamente más rica.

Robin: Eso es lo que ocurre, a *condición* de que no nos resistamos al hecho de pasar de las ambiciones previas a la vida interior. La vida se hace más rica y más agradable con el paso del tiempo. Así que, desde el punto de vista de cómo se *siente* una persona, el resultado es como si se envejeciera hasta los cuarenta y luego se tuviera la impresión de que se está rejuveneciendo.

John: Yo, desde luego, me siento más joven *psicológicamente.* ¿Tiene esto algo que ver con la idea de la «segunda infancia»?

Robin: Por supuesto. Está claro que hay muchas personas que consideran este cambio como algo negativo, ya que el individuo se vuelve menos convencional, trabajador y responsable. Otras, en cambio, lo ven como una etapa de la vida mucho más interesante, mucho más feliz, relajada, divertida y grata.

John: ... Y más *juguetona.*

Robin: Eso es *cierto.* La clave de la «segunda infancia» está en que, después de los cuarenta, empezamos a redescubrir algo que teníamos cuando éramos niños pero que perdimos cuando cumplimos los veinte años: el juego. Como sabes, cuando nacemos, empezamos siendo nosotros mismos por completo, los problemas y las actitudes de los demás aún no nos han afectado. Somos, de verdad, espontáneos y naturales. Estamos totalmente vivos. Durante los primeros años, nuestra vida es *juego.*

John: Nos divertimos y descubrimos las cosas porque sí, porque *nos* interesan. Todo sale de manera natural.

Robin: Sí. Somos auténticos con nosotros mismos porque no conocemos ninguna otra manera de hacer las cosas. Sin embargo, desde el mismo principio, aprendemos qué es lo que nuestra familia aprueba y desaprueba, y de qué cosas niega su existencia. Cuando cumplimos los cuatro años de edad, comenzamos a copiar, imitar y asumir los rudimentos del papel adulto. Uno de los encantos de esta edad es la mezcla de ambos aspectos, la manera que tienen los niños de *jugar* a ser *adultos,* llevando los zapatos de tacón de mamá y el sombrero de papá.

John: Y recibiendo elogios por ser más «maduros» conforme van aprendiendo a adaptarse.

Robin: Por tanto, este período es el principio del fin de esa primera época en la que somos realmente nosotros mismos y vivimos de acuerdo con nuestra propia naturaleza. A partir de ese momento, la presión de las actitudes familiares, la escuela, la integración en la sociedad en general y, más tarde, el mundo del trabajo y el éxito de cara a los demás, van enterrando poco a poco esa parte natural. Perdemos contacto con ella en cuanto nos transformamos en objeto de control de todas las otras influencias.

John: Además, empezamos a vivir dependiendo de la comparación entre nosotros y los demás; cada persona deja de ser única, es valorada por los demás y aprende a su vez a valorar a los demás según unos criterios comunes. Todas las personas acaban llevando tejanos, o bombines, y preocupándose de si están «prosperando» o se están «rezagando».

Robin: Sí. El entierro de la parte espontánea y original, el aislamiento de nuestro ser natural, alcanza el punto culminante entre los veinte y los treinta años. Basta fijarse en algunos anuncios de cerveza para comprender lo que digo.

John: Este mundo del trabajo, del éxito, de «probarnos a nosotros mismos»... ¿crees que es dañino de alguna manera?

Robin: En absoluto. Puede que en ocasiones resulte algo aburrido estar con gente de esa edad, o recordar cómo era uno cuando era uno mismo, dado que nuestros intereses han cambiado. Sin embargo, es una parte normal y necesaria del proceso de crecimiento. Hay que atravesarlo. Hay que aprender a tratar con el mundo, a ganarnos la vida y a desempeñar un papel importante en los asuntos prácticos. Con todo, sí que nos desprendemos de algo tremendamente valioso, cuando perdemos contacto con la parte natural, espontánea e infantil que es capaz de *jugar*.

John: Entonces, ¿lo que estás diciendo es que volvemos a entrar en contacto con esa parte desde el momento en el que empezamos a darnos cuenta, poco a poco, de que cada vez nos queda menos tiempo en este planeta?

Robin: Volvemos a entrar en contacto y a apreciarla mucho más por el hecho de haberla perdido temporalmente.

John: Muy bien. De todas formas, empiezo a observar que estamos hablando tan alegremente del «juego»... y no sé si estoy muy seguro del sentido que otorga a esa palabra.

Robin: Bueno, hay un libro maravilloso titulado *Homo Ludens* y escrito por Johan Huizinga que, por lo visto, estudia todas las facetas del término. Yo me voy a referir sólo a unas cuantas. En primer lugar, tiene que ser voluntario: el impulso tiene que salir de dentro; uno tiene que *elegir* que va a jugar. Segundo, aunque en cierto sentido no es «serio», *es* serio desde el momento en el que resulta totalmente absorbente y le prestamos una verdadera atención. Tercero, nos entregamos a ello sin nuestras reservas y prejuicios habituales. No tenemos intereses, estamos libres de la ambición o la preocupación por el «éxito», porque no hay un beneficio o una ventaja práctica que sacar. Cuarto, tiene que ver con el descubrimiento, con la creación de orden y comprensión. Quinto, sentimos, además, incertidumbre y tensión cuando estamos metidos en ello. El hecho de ser espontáneo nos pone en una situación de riesgo, sobre todo del riesgo de descubrirnos a nosotros mismos más en profundidad. Finalmente, al igual que Platón, Huizinga cree que el juego expresa y nos pone en contacto con el nivel profundo donde se encuentra la comprensión religiosa.

John: Todo lo que dices parece verdad, pero empieza a complicarse algo. ¿Podrías simplificarlo un poco?

Robin: Cuando jugamos, entramos en contacto más profundo con la parte más natural, verdadera y única de nuestro ser, y la experimentamos hasta las últimas consecuencias. La mayor relajación y la diversión que protagonizan la segunda parte de nuestra vida y el mayor interés en las relaciones, la naturaleza y las cuestiones espirituales que todo esto lleva aparejado forman parte de lo mismo.

John: ¿Y sigue así hasta el final?

Robin: Sí, por lo que yo he podido ver, al menos en las personas mayores que yo he conocido que son felices y sanas. Sólo puedo hablar por mí mismo y, según mi experiencia, la vida se me ha ido haciendo más agradable con el paso del tiempo. Me he ido sintiendo cada vez más libre y relajado, y me han ido entrando ganas renovadas de jugar conforme me he hecho mayor, en comparación con el recuerdo que tengo de mí mismo antes de llegar a los cincuenta. Creo, entonces, que la tendencia hacia una mayor diversión y alegría debe continuar y acelerarse hasta el momento de la muerte, porque el conocimiento de la limitación de tiempo «concentra la mente maravillosamente», como Samuel Johnson dijo ante la perspectiva de ser ahorcado, y le hace a uno ser cada vez más consciente de que no hay nada más que importe. La última parte de nuestra vida puede ser la más completa y feliz de todas, y puede incluso ser una compensación por las desgracias pasadas. Después de todo, cuando finalmente entiendes la verdad de algo, el lapso de tiempo durante el cual no has conseguido reconocerlo da igual.

John: ¿Es eso realmente verdad?

Robin: Por descontado. Por ejemplo, si a causa de un malentendido llegas a la conclusión de que alguien te ha engañado, y luego descubres repentinamente que no es así y que todo ha sido un error, el momento de la verdad elimina toda la infelicidad pasada que te ha hecho temer lo peor. Ahora tienes un amigo que *siempre* ha sido digno de confianza, no un amigo que antes *era* digno de confianza y de repente no lo es. No sólo ha cambiado el presente, sino que además el recuerdo del pasado ha sido corregido, por lo que tienes dos razones por las que sentirte feliz. Supongo que uno se puede martirizar por haber cometido el error en un principio, pero eso es otra historia.

John: Entonces, doctor, el lento acercamiento de la guadaña es en realidad un motivo de alegría, puesto que nos da la ocasión de volver a evaluar nuestras vidas y de dejar de lado aquellas actitudes que nos estén frenando, de tal suer-

te que podemos seguir adelante y pasar a una etapa mucho más grata, completa y divertida.

Robin: La conciencia puede tener un efecto positivo de ese tipo, sí.

John: *Sin embargo...*, conforme hemos ido escribiendo este libro, nos hemos dado cuenta una y otra vez de que el tema de la muerte se encontraba en el centro de lo que estábamos discutiendo y que luego nos olvidábamos de él durante meses, hasta que observábamos otra vez que lo habíamos dejado de lado.

Robin: Eso se debe a que es un tema que provoca mucha intranquilidad y nos afecta a nosotros tanto como a cualquier otra persona.

John: Ya veo. Mmm..., bien..., *ahora* sí que hemos llegado en realidad al tema de..., digamos, el hecho de *morir*. No podemos postergarlo más...

Robin: Bueno, *todavía* nos falta un poco antes de alcanzar ese punto.

John: ¡Pufff!

Robin: Ya sé que pensarás que estoy cambiando de tema, pero tenemos que hablar de la etapa inmediatamente previa a la muerte, esa parte de la vida en la que sabemos que sólo tenemos un tiempo limitado de vida.

John: ¿Y qué se sabe sobre eso?

Robin: Retomando los principios básicos de lo que hemos dicho en torno al cambio, el conocimiento de que vamos a morir definitivamente en un plazo de tiempo limitado supone enfrentarse a un cambio enorme, a una pérdida dramática de esperanzas y expectativas. De súbito, el mapa de nuestro mundo no sirve absolutamente para nada, y a menos que nos hayamos enfrentado a la realidad de la muerte desde antes y nos hayamos preparado para su llegada, tendremos que comenzar prácticamente de cero, lo cual acarreará una gran tensión nerviosa y, tras la primera conmoción paralizadora, sufriremos una gran tristeza, propia de una pérdida muy importante.

John: La cual, si la evitásemos, llevaría a un enfriamiento de las emociones; es decir, a la depresión, ¿no es así?

Robin: Correcto. Como ya discutimos minuciosamente en *La familia y cómo sobrevivirla*, la depresión equivale a un negarse a cambiar, a aferrarse a las expectativas previas, al mapa antiguo. Enfriar los sentimientos dolorosos significa sencillamente que no nos ocupamos de ellos, aunque, claro está, siguen subyacentes y pueden manifestarse en algún tipo de enfermedad física o afectiva. Por tanto, sea a causa de la inminente muerte de un ser querido o de nuestro propio fin, lo que ocurra a estas alturas depende de cómo nos enfrentemos a la pérdida. Aunque este proceso ha sido estudiado por un buen número de personas, Elizabeth Kübler-Ross, que dedicó su vida a ayudar a la clase médica a comprender la muerte, advirtió una serie de reacciones diversas que con frecuencia parecían sucederse unas a otras, si bien también podían coincidir.

John: ¿Cuál es la primera?

Robin: En primer lugar, como ya hemos dicho, está la conmoción, la paralización de los sentimientos. La gente suele negarse a sí misma que la sentencia de muerte ya ha sido dictada. Luego, cuando esto desaparece, viene la ira...

John: «¿Por qué tiene que ocurrirme esto a mí?»

Robin: Sí. Cuanto menos pegada a la tierra esté la persona, más posibilidades habrá de que se ponga a despotricar contra el destino, o a culpar a los médicos, o a cualquier persona que tenga a mano, o incluso a sí misma al sentirse infinitamente culpable, lo cual no deja de ser una versión distinta de lo mismo...

John: ¿Se trata del sentimiento de que debería ser capaz de controlar el mundo y de detener cualquier cosa que no le guste?

Robin: Creo que se trata de eso en realidad, lo cual conduce a la siguiente fase, la que Kübler-Ross denomina «negociación», una esperanza todavía de poder controlar la situación, aunque esta vez se base en cierto tipo de trato y no en la airada exigencia de salirse uno con la suya.

John: No lo entiendo. ¿Con quién se negocia? ¿Con el destino?

Robin: O con Dios, con lo que sea. Cuando una persona reacciona de esta manera, recurre a la «parte básica» de su personalidad que llamamos «niño», la cual, comprensiblemente, quiere que cierto «padre» lo solucione todo. Sin embargo, poco a poco, conforme uno se va enfrentando a la realidad y va corrigiendo el mapa, surge la tristeza y la congoja, sentimientos que pueden ser bloqueados y llevar a la depresión. Si, en cambio, uno afronta el dolor, se corregirá el mapa de tal forma que acabará acomodándose a los enormes cambios a los que hay que ajustarse. Entonces se llega a la etapa final: la aceptación, que da lugar a que vuelvan los sentimientos positivos como el amor, la gratitud y la alegría de vivir.

John: ¿*De veras* que esta etapa llega a acontecer?

Robin: Sin lugar a dudas, a condición de que la persona finalmente prescinda de la exigencia de controlar unos acontecimientos como éstos, que son los más difíciles de dominar. Si visitas un hospicio, te convencerás de lo positivo que puede llegar a ser.

John: ...Y, por fin: por la boca muere el pez. Pasamos a mejor vida. Comentemos.

Robin: Bien, como no hará falta que te diga, la respuesta es: ¡nadie lo sabe realmente! Y si alguien lo sabe –aquellas personas que afirman haber vivido vidas previas y haberse reencarnado, por ejemplo–, hay gente que acepta la evidencia y hay gente que la discute. Como es natural, forma parte de la creencia de toda civilización el hecho de que haya lugar para cierto tipo de supervivencia, aunque esto sólo es parte del mito concreto con el que operan. Los mitos son diferentes, por lo que no pueden ser todos verdad o la verdad completa. Por tanto, sigue siendo una pregunta abierta.

John: ¡Qué maravilla de palabrería! ¿*Tú* qué piensas?

Robin: Bien, yo siempre había dado por sentado que todo llega a su fin en el momento de la muerte, así que no me preocupaba. Nunca me han dado ninguna razón que justifique mi preservación, y me ha contentado el hecho de disfrutar de la vida ahora, sobre todo de las relaciones, y de desarrollar mi talento y crecer a partir de las experiencias. Sin embargo, durante los últimos años, he empezado a preocuparme un poco por la posibilidad de que pueda haber «otra vida».

John: ¿*Preocuparte?* ¿Por qué habrías de preocuparte?

Robin: Supongo que porque implica una corrección enorme de mi mapa, un cambio de la misma proporción que el que supondría *dejar* de creer en la «otra vida» para alguien que siempre había dado como cierta esta idea.

John: ¿Qué te ha hecho cambiar de opinión?

Robin: Bueno, en primer lugar, como el resto del universo es un lugar tan asombrosamente eficaz, creo que sería muy raro que la parte más natural y espiritual de la persona, de la que ciertamente soy consciente, no fuera reciclada para un uso futuro. Aparte, he empezado a darme cuenta de que hay una gran cantidad de evidencias, de un tipo muy extraño, sobre la reencarnación, que resulta muy difícil de rechazar o de explicar de otra manera. Con esto no quiero dar a entender que existan hechos concluyentes, sino simplemente la gran magnitud de la investigación y lo convincente de los detalles de gran parte de ella. Todo esto me ha llevado, al menos, a adoptar una actitud más abierta ante semejante posibilidad.

John: Algunos de los casos investigados por el profesor Ian Stevenson, de la Universidad de Virginia, resultan extraordinariamente persuasivos.

Robin: Con todo, para mí la evidencia más convincente de que algo continúa después de la muerte son los numerosos datos que tenemos recopilados por varios autores sobre lo que se denomina «experiencia próxima a la muerte»...

John: Cuando la gente, que ha sido considerada clínicamente muerta y cuyos signos vitales se han deteriorado demasiado como para recuperarse, ha vuelto a la vida y ha podido recordar lo que ha ocurrido cuando la muerte estaba tan próxima.

Robin: Sí. La primera relación de esta experiencia la comunicó un profesor de geología, Albert Heim, al Club Alpino Suizo. Como el entusiasta escalador que era, había sufrido unos accidentes prácticamente fatales y se había quedado sorprendido ante sus reacciones. Se dio cuenta de que muchos otros montañeros habían vivido experiencias similares en el momento de enfrentarse a la muerte, por lo que empezó a interesarse y a investigar con mayor atención.

John: ¿Qué averiguó?

Robin: Lo primero que descubrió fue que, ante la perspectiva de una muerte inminente, no se sentía ningún dolor, desasosiego, ni desesperación ni congoja. En vez de eso, todos los montañeros habían aceptado la situación de peligro con calma, habían mantenido la percepción clara y el tiempo se había alargado como si un segundo fuera un minuto, y un minuto se convirtiera en una hora. Tenían todo el tiempo del mundo para reaccionar, por lo que cualquier reacción se daba con la rapidez de un rayo.

John: Todo esto se parece a lo que ocurriría con un propósito evolutivo normal. La paralización que se siente tras una severa conmoción y la gran eficacia de la reacción tendrían valor de cara a la supervivencia.

Robin: Estoy de acuerdo. Sin embargo, los otros datos con los que se encontró Heim no son tan fáciles de explicar. Por ejemplo, con frecuencia se daba un rápido repaso de la vida de la persona en cuestión.

John: ¿Como la tradicional idea de las «miradas retrospectivas», una especie de «montaje de los momentos más importantes de mi vida»?

Robin: Sí. Además, describió el hecho de escuchar música y ver escenas de una belleza trascendental. Algunos montañeros vieron una figura que salía a su encuentro.

John: Sí, la explicación darwiniana de todo esto sería que el inconsciente provee un entretenimiento alternativo a la persona para distraerla de la perspectiva presente.

Robin: ¿Lo contrario de la explicación que acabamos de dar? En cualquier caso, he mencionado a Heim sólo para empezar. Hay muchos más investigadores que han estudiado este tipo de experiencia en cientos y cientos de casos. Todas las personas con las que han hablado han contado experiencias parecidas.

John: ¿Como por ejemplo...?

Robin: Normalmente, dicen que los momentos en que los médicos pensaban que estaban a punto de morir –o realmente muertos según los criterios clínicos habituales– son por lo general muy positivos. Tienen una sensación de paz y bienestar, una experiencia que expresa belleza, alegría y amor. Coincidiendo con los indicios médicos de «muerte cerebral», aproximadamente la mitad de las personas dice que abandonan el cuerpo y lo ven desde arriba, como si fueran los espectadores de su propia muerte.

John: ¿Sin sentir ningún dolor o desasosiego?

Robin: Desde luego, no sienten ningún dolor. La sensación es la de que el sufrimiento físico se ha acabado. Con frecuencia, se sienten sorprendidos y se preguntan qué es lo que va a ocurrir a continuación.

John: ¿Y qué ocurre?

Robin: Uno tiene la sensación de que se está moviendo a gran velocidad a través de un espacio negro, con frecuencia descrito como el pasillo de un túnel oscuro. Sin embargo, cada vez se tiene mayor conciencia de la existencia de una luz al final del camino, una luz que se va haciendo cada vez más brillante conforme uno se va acercando. Entonces se tiene la sensación de entrar en el mundo de donde procede la luz. La experiencia que estas personas tuvieron en ese momento parece ser indescriptible. La mayoría de ellas hablan de un gran brillo y de una belleza sin par. También se tiene la sensación de que hay un cierto tipo de presencia, cierto tipo de «ser luminoso» que irradia amor y compasión, y que envuelve a la persona cálidamente. Algunas personas han llegado a decir que este ser tiene sentido del humor.

John: ¡Eso me *gusta*! Un hombre para el precalentamiento en las Puertas del Cielo. Aunque no lo tengo del todo claro, ¿esta «presencia» es una persona de algún tipo?

Robin: Depende de la experiencia de cada persona. Para los miembros de alguna de las religiones importantes, la experiencia de la presencia-guía podría ser la de Dios, Buda o Jesucristo. Para otras personas, no parece tener una forma identificable.

John: Por tanto, se trata de una entidad que cierta gente experimenta a la luz de sus ideas religiosas. ¿Qué *impresión* les ha producido a todos esta experiencia?

Robin: La experiencia entera resulta tan positiva que quieren quedarse, no quieren volver a su vida en la tierra.

John: ¿Por qué habrían de *esperar* la vuelta?

Robin: No la esperan. Llegado el momento, se sienten felices de estar en el nuevo mundo en el que han entrado. Sin embargo, algo ocurre en ese momento: se les dice que su hora de morir no ha llegado todavía y que tienen que volver a la tierra a completar el tiempo que les queda.

John: ¿Por qué se les dice eso?

Robin: Sí. Las razones que se aducen pueden ser que hay otras personas que las necesitan –los hijos, por ejemplo– o que hay cosas que han de completar en su vida y durante su desarrollo, algo que tienen que terminar de aprender.

John: ¿Estas razones son lo suficientemente convincentes como para no admitir discusión?

Robin: Sí, como es lógico aceptaron el hecho de que fuera necesario regresar y agotar el plazo señalado. Lo importante, sin embargo, es que la motivación para volver a la vida es normalmente desinteresada y tiene el sentido de servir un propósito superior.

John: ¿Cuál es el efecto a largo plazo de las «experiencias próximas a la muerte» en la vida de la persona que vuelve?

Robin: El efecto, por lo visto, es muy positivo. Estas personas han expresado un sentimiento renovado, como si comenzaran de nuevo a vivir. Parecen haberse vuelto mucho más abiertas, cariñosas y compasivas y los asuntos materiales pierden importancia.

John: ¿Algo más?

Robin: Normalmente, sienten la responsabilidad de desarrollar los dones y talentos que no habían utilizado antes, sobre todo con el fin de servir a los demás. Tienen el deseo, además, de alcanzar una comprensión más profunda de la vida, de buscar el propósito y el sentido de todo. Su postura ante la religión suele cambiar: aumenta la sensación de contacto directo con cierto tipo de fuerza superior. Esto, aun así, va aparejado a una actitud más relajada en lo tocante a la práctica religiosa formal, que deja entrever que se trata de algo menos importante que la experiencia interior directa de la que han tenido una muestra.

John: Por tanto, una alta proporción de estas experiencias suscita un mayor interés por las cuestiones espirituales.

Robin: Sin duda. Un psicólogo llamado David Rosen ha estudiado hace poco un grupo de personas que trataron infructuosamente de suicidarse lanzándose desde el puente Golden Gate de San Francisco.

John: ¿No se dieron contra el suelo?

Robin: Me imagino que su objetivo sería el mar; de todas formas, aterrizaron con una *relativa* seguridad.

John: ¿Y vivieron para contarlo?

Robin: Todas las personas declararon que durante el salto y después de él «tuvieron una sensación de renacimiento espiritual y de unidad con los demás, el universo y Dios».

John: ¿La «sensación de contacto» de la que tanto hemos hablado?

Robin: Sí. Como resultado de lo ocurrido, muchos experimentaron una conversión bastante espectacular.

John: Tal vez a la Iglesia de Inglaterra le convendría incorporar alguna variedad de «puenting» en los maitines. Entonces..., ¿qué tipo de cambio produce la experiencia de un ensayo de este tipo en la actitud de una persona ante la muerte?

Robin: Tiene uno de los efectos más sorprendentes. Las personas que viven una experiencia de este tipo parecen perder su miedo a la muerte y quedan más convencidas de que existe una vida después del fallecimiento.

John: Todo resulta de lo más positivo. Estarás satisfecho. De todas formas, ¿no hay alguna persona que tenga una experiencia negativa?

Robin: Hay algunas, pero suelen ser una minoría. Aun así, queda por responder la pregunta de si ciertas personas tienen una experiencia negativa y luego la olvidan. No obstante, incluso cuando es una experiencia de este cariz, siguen teniendo la sensación de que hay *algún tipo de continuidad.* Lo que ocurre es que en lugar de la sensación de calma y la actividad de aceptación que hemos descrito, tienen pánico, sensación de maldad, de entrar en un entorno infernal.

John: ¿Hay algo que sugiera en qué se diferencian las personas que tienen una experiencia negativa de las que la experimentan positiva?

Robin: Es algo que no queda claro en los informes. Mi impresión es que serían personas que habrían abrigado emociones intensamente negativas. Hay una investigación muy interesante realizada por Grof y Halifax que respalda esa posibilidad: está relacionada con las experiencias que tuvieron unos enfermos de cáncer a los que se les administró una droga alucinógena, LSD en concreto. Muchos pacientes pasaron una experiencia muy positiva y parecida, en muchos aspectos, al tipo descrito por las personas de las que hemos hablado hace un momento. Una sensación de asombro y respeto, de profundo sentido y finalidad, de patente conciencia de la naturaleza, y con frecuencia un sentimiento religioso del tipo «oceánico» que ya he mencionado con anterioridad. Además, podía darse en ocasiones un repaso de la vida, o en algunos casos, de vidas pasadas. Al igual que las personas que hemos dicho que tuvieron la experiencia de estar próximas a la muerte, el desasosiego ante la muerte desapareció porque no se consideraba como el fin de todo, sino como una especie de transición de la conciencia. Con todo, una parte de estos pacientes tuvo una impresión sumamente negativa, infernal, unida a un gran sufrimiento y dolor. Se trataba, por lo visto, de las personas que habían tenido una vida muy desgraciada, que habían sido rechazadas y maltratadas cuando eran niños y que más tarde habían abrigado una gran animadversión y amargura, u otro tipo de sentimientos negativos, como respuesta.

John: ¿Así que sospechas que el tipo de experiencia próxima a la muerte que una persona tiene podría estar determinada por el tono emocional subyacente en su naturaleza psicológica?

Robin: Sí, podría matizarla.

John: Inevitablemente, hay un eco de ideas religiosas tales como el cielo y el infierno.

Robin: Es cierto. Sin embargo, estas ideas son interpretadas de diferentes maneras, dependiendo del nivel de salud de la gente. En un nivel bajo en el que la mentalidad es muy primitiva y limitada y el tono emocional es por lo general negativo, hay muchas posibilidades de que las enseñanzas religiosas sobre el «cielo» y el «infierno» se tomen literalmente, como si fueran lugares geográficos ajenos a nuestro entorno, a los que somos asignados en el momento de la muerte de acuerdo con la conducta que uno ha seguido durante su vida. Las personas más sanas, en cambio, es muy probable que los entiendan como estados mentales interiores. Es decir, si lo que queremos es dar acicate a nuestras emociones negativas, éstas empezarán a aumentar su poder hasta llegar a encerrarnos en un mundo infernal creado por nosotros mismos, en el que estaremos a merced de nuestros sentimientos más violentos y destructivos. Sin embargo, si renunciamos a las satisfacciones inmediatas que dichas emociones proporcionan, y nos esforzamos por relacionarnos con los demás de una manera más «afiliativa», las emociones positivas empezarán a crecer y las negativas a perder poder, con lo que nuestra experiencia de la vida se asemejará a la de las descripciones del «cielo». En ciertos sistemas religiosos, como el budista, este tipo de interpretación del «cielo» y el «infierno» es muy explícito, todo lo cual tiene un sentido perfecto en los términos de lo que yo entiendo por enfermedad mental. De hecho, incluso las experiencias negativas de esta minoría de enfermos de cáncer y de supervivientes de los que hablamos, entrañan con frecuencia un efecto positivo. Parte de ellos regresaron de su «viaje» alucinógeno con la idea de que las circunstancias terribles de la vida, las cuales solemos considerar mediante nuestra limitada comprensión como algo muy injusto, forman parte de un gran plan en el que dichos acontecimientos se equilibran y en el que todo, en última instancia, se halla en orden.

John: La misma sensación de que, *de alguna manera,* todo está «en orden» y «en sentido» que caracteriza las experiencias «místicas»...

Robin: Efectivamente.

John: Debo decir que me *gusta* este asunto de las experiencias próximas a la muerte. Hace que todo resulte mucho más incierto e interesante. Con todo, tengo la misma sensación respecto al monstruo del lago Ness...

Robin: Lo bueno es que... no tenemos que convencer a nadie al respecto.

5
Cambiemos todos, por favor

John: Hasta el momento, hemos hablado de lo que caracteriza un comportamiento extraordinariamente sano en los individuos, las familias, las organizaciones, las sociedades y los sistemas de valor. Ahora me gustaría hacerte otro tipo de pregunta. ¿Si aceptamos todo esto, qué podemos hacer para intentar mejorar nuestro nivel de salud mental?

Robin: ¿Como individuos, te refieres?

John: Sí, aunque también me refiero a cómo podemos contribuir a la mejora de nuestras familias y de cualquier organización a la que pertenezcamos, así como de la sociedad en la que vivimos. Todo el conjunto.

Robin: Bueno, en primer lugar, tenemos que dejar una cosa clara. Los cambios en el nivel de la salud mental de la gente ocurren constantemente en las dos direcciones. Conforme las circunstancias cambian, nuestro nivel de salud mental sube y baja. Por ejemplo, una tensión nerviosa excesiva suele deteriorar nuestra salud. Pero si la situación mejora, digamos, tras unas vacaciones de tres semanas durante las cuales nos hemos llevado bien con la familia, volveremos a operar en un nivel sano.

John: Al igual que el ánimo de un equipo de fútbol baja si lleva una temporada perdiendo. Si vuelven a ganar una serie de partidos, recuperan la confianza y la actitud del equipo se vuelve más positiva, colaboradora y sana.

Robin: De forma similar, las personas que trabajan en una empresa se comportan de un modo menos sano si temen que ésta va a quebrar y que sus trabajos corren peligro. Lo mismo pasa en el caso de una sociedad en la que la gente se siente amenazada porque el índice de desempleo es muy alto o porque se han desbaratado la ley y el orden. Por tanto..., nada de lo que se ha dicho en los anteriores capítulos debe ser interpretado como que el nivel de salud mental de una persona permanece constante.

John: Comprendido. Dime entonces qué medidas hemos de tomar para mejorar nuestra salud.

Robin: Comencemos por unos cuantos principios básicos sobre el tema del cambio. Nosotros, los seres humanos, cambiamos constantemente desde un punto de vista biológico; nuestro entorno inmediato también cambia desde el momento en el que tenemos que enfrentarnos de forma regular a tareas vitales relativas a nuestro desarrollo: el destete, dejar la escuela, el matrimonio, la educación de los hijos, la responsabilidad del trabajo, el problema de la jubilación, etcétera. Aparte, el mundo entero también cambia a nuestro alrededor y, como resultado, nosotros tenemos que seguir cambiando en el sentido de que tenemos que repasar nuestros conocimientos, actitudes y sentimientos, lo que hemos acordado en llamar «los mapas del mundo que llevamos en el interior de nuestras cabezas».

John: ¿Cómo hemos de hacer esto?

Robin: Ésta es mi propuesta fundamental. ¿Listo?

John: Listo.

Robin: Si vivimos la realidad y nos comunicamos con claridad y nobleza, la vida nos cambiará de forma automática.

John: ...¿Sin que tengamos que hacer *nada* más?

Robin: Exacto, porque la información que necesitamos para saber cómo hemos de vivir nuestras vidas la tenemos a nuestra disposición todo el tiempo. Si nos mostramos abiertos y dejamos que nos afecte, nuestro interior cambiará y se ajustará a los cambios externos, y el proceso de adaptación será continuo.

John: Es decir, al permanecer en contacto con la realidad, la cual está siempre cambiando, mantenemos nuestro nivel de salud mental en vez de rezagarnos y quedar desfasados.

Robin: Más que «mantenerlo», lo mejoramos.

John: ¿Cómo que lo «mejoramos»?

Robin: ¿Te acuerdas de lo que decía en las conversaciones que mantuvimos con motivo de *La familia y cómo sobrevivirla*? Lo normal es que los problemas se resuelvan, a no ser que empecemos a fingir que no existen.

John: Bueno, espera un momento. Lo que decías era que en cada etapa del desarrollo hay una serie de lecciones que el niño ha de aprender: primero, a amar y confiar; luego, a adaptarse; luego, a compartir cosas con los demás, etcétera. Además, decías que normalmente los padres ayudan a los hijos a aprender dichas lecciones. Si no lo hacen, el niño puede asimilarlas más tarde buscando una «experiencia afectiva substitutoria» con otra persona. Por ejemplo, si el padre muere, el niño tiene un abuelo que le ayude, o un tío o un profesor, en quienes encuentra una figura paterna.

Robin: El niño busca automáticamente estas experiencias sustitutorias, con la condición de que no niegue el hecho de que las necesita.

John: Correcto.

Robin: En segundo lugar, ¿te acuerdas de que una de las averiguaciones del estudio de Harvard decía que cuando los licenciados examinados llegaban a la edad de cincuenta años era muy difícil advertir los efectos nocivos causados por una infancia problemática?

John: ¿Quieres decir con esto que los estudiantes de Harvard habían solucionado gran parte de sus problemas de infancia buscando experiencias sustitutorias?

Robin: Hasta extremos sorprendentes. Por lo visto, para cuando llegaron a los cincuenta años de edad, ya habían tenido suficientes oportunidades para conseguir cualquier cosa que pudieran haberse perdido antes, por lo que habían logrado «recuperar terreno».

John: El hecho de que buscaran estas experiencias se debía a que eran capaces de aceptar que las necesitaban.

Robin: Sí. Acuérdate, una buena proporción de ellos tenía una salud muy buena, de ahí que probablemente gozaran de mayor capacidad para aceptar sus limitaciones. Ése es el quid de la cuestión. Estas personas son un excelente ejemplo de cómo la vida nos cambia para mejor, desde el punto de vista de la salud, *si* nos mostramos abiertos a todas sus experiencias. Estar sano es algo normal.

John: Pero sólo es normal si estás lo suficientemente sano como para aceptar que tienes problemas.

Robin: Digámoslo de esta manera: cuanto más sanos estamos, más fácil nos resulta admitir que hay algo que no va bien. En cambio, cuanto menos lo estamos, nos es más difícil plantar cara a nuestros defectos, a menos que la vida nos presione tanto que no nos quede alternativa.

John: En resumidas cuentas: nuestra salud mejora cuando asimilamos las lecciones que no aprendemos de pequeños.

Robin: Vuelvo a repetir lo de antes: creo que hay algo *más* que eso. Conforme crecemos, nos incorporamos una y otra vez a sistemas cada vez más grandes. A medida que vamos haciendo esto, aumentan las oportunidades de que nos llegue información nueva, formas nuevas de ver las cosas, distintas a las actitudes a las que estábamos limitados en nuestras familias. Por consiguiente, siempre que estemos preparados para el cambio que supone un sistema mayor y que podamos enfrentarnos al aumento de tensión que acarrea, gracias a la experiencia que nos ha proporcionado el sistema anterior, cada movimiento hacia un mundo más amplio puede traer consigo una perspectiva más amplia, una visión del mundo más global y, por lo tanto, una salud mejor.

John: Cuanto más amplia sea la perspectiva, mejor será la salud. Parece lo correcto, ¿no crees?

Robin: Por descontado, ello no supone que mejorar la salud sea algo fácil. Ninguno de los estudiantes que integraban el grupo sano en el estudio de Harvard llegó a los cincuenta sin haber sufrido antes alguna crisis o alguna temporada difícil. Con todo, y ésta es la idea central que no me cansaré de repetir..., *si logramos mantenernos en contacto con la realidad, la verdad nos sanará.*

John: Una idea curiosamente optimista... Muy bien, considerémoslo ahora desde el extremo menos sano del espectro. Si mi salud no mejora es que he debido perder contacto con la realidad.

Robin: Correcto.

John: ¿Por qué he hecho eso?

Robin: Te has quedado atascado en unas actitudes y unas pautas de conducta rígidas. Eso es lo que impide que la información proviniente del mundo –la verdad– llegue a nosotros.

John: ¿Cómo he podido encerrarme de esta manera?

Robin: Bien, comencemos por un par de ejemplos cotidianos. Para empezar, piensa en un cambio del que los dos somos conscientes, el envejecimiento.

John: ¿Vas a decirme ahora que ése es un aspecto en el que puede que mi salud esté mejorando?

Robin: Sí. De todas las lecciones que he aprendido, ésta es la más evidente de todas. Desde luego que para mí, la vida ha ido mejorando sin interrupción desde que tenía dieciocho meses, la edad más temprana que puedo recordar, hasta hoy en día, cuando, como tú sabes, tengo setenta años. He de decir que es algo que no esperaba y que ha sido una sorpresa que, con el paso de cada década, lo haya ido advirtiendo. Con todo, así ha sido. Por descontado, estamos abocados a ir perdiendo cosas conforme va pasando el tiempo, aunque también es verdad que se ganan otras que deberían compensarnos con creces. Por ejemplo, aunque pierdes el placer de beberte ocho jarras de cerveza negra y vomitar en el coche cada noche, aprendes a disfrutar del vino bueno y de la buena compañía. Es posible que no te apetezca hacer el amor con demasiada frecuencia, pero también es verdad que gozas mucho más al hacerlo gracias a la emoción que ganas conforme te vas haciendo mayor. De hecho, la vida en su conjunto debería ir enriqueciéndose y haciéndose más agradable, y debido a que vas acumulando sabiduría y control tanto sobre ella como sobre ti mismo. Vas quitando importancia a lo que los demás piensan sobre ti. Por tanto, al seguir cada vez más tus valores, ganas en espontaneidad y libertad a la hora de expresar tus sentimientos y de trabar relaciones. Como es lógico, todo depende de si te mantienes abierto –lo ideal sería que te hicieses *más* abierto– y continúas aprendiendo y creciendo. O, para decirlo mejor, depende de si permites que el pasado siga su camino y te dejas «caer hacia el futuro», como decíamos cuando hablábamos sobre la muerte.

John: Estoy de acuerdo contigo en lo concerniente a que la vida mejora. Lo único que pasa es que, en ocasiones, la manera que tiene tu cuerpo de chirriar suele distraer tu atención de las alegrías de la senilidad.

Robin: Razón por la cual todos sufrimos la «crisis de los cuarenta».

John: Cada semana.

Robin: Este tipo de crisis es sencillamente lo que le ocurre a alguien cuando se aferra a una mentalidad propia de una edad anterior y la vida tiene que zaran-

dearle un poquito para que se deshaga de ella. Es entonces cuando puede ponerse a disfrutar de otro tipo de placeres.

John: Como, por ejemplo, ver a los amigos con regularidad en los funerales. Muy bien. Entonces eso ha sido un ejemplo de cómo podemos pasar por alto la información que nos llega del mundo, cuando nos aferramos a una mentalidad anticuada.

Robin: Te daré otro ejemplo del otro extremo de la vida: ¿qué hace un bebé para manifestar que le gustaría que se produjese un cambio?

John: Emite una serie de quejidos en aumento.

Robin: Ésa es la manera que tiene de emitir señales, sí.

John: ¿Señales?

Robin: Para dar a conocer sus necesidades antes de ser capaz de emplear palabras.

John: Ah, sí. Los ruidos que hace son señales para decir: «Quiero que se cambie algo». Puede ser la comida, la temperatura, el pañal, tranquilidad: la madre tiene que averiguarlo.

Robin: Algo que puede llevar tiempo.

John: Como todos hemos podido comprobar en un avión. ¿Y bien?

Robin: El asunto es que esta forma de pedir al mundo lo que es normal y adecuado antes de poder hablar es, efectivamente, «infantil». A un bebé no le queda otra alternativa.

John: Me parece muy bien que defiendas a los bebés de esta manera, Robin.

Robin: ¡Chitón! Entonces aprenden a hablar...

John: ...Y pueden expresar sus necesidades de tal forma que la madre tenga más facilidad para entenderlos.

Robin: Sí, mediante palabras manifestamos lo que queremos. Si no podemos obtenerlo inmediatamente, podemos negociar el mejor trato posible sin necesidad de emitir más señales de socorro.

John: Se suplanta la necesidad de un ruido de queja.

Robin: Así que, sencillamente, deberían desaparecer. Sin embargo, con frecuencia esto no pasa, ¿verdad?

John: ¿Qué quieres decir?

Robin: Aunque la mayoría de las personas pueden expresar sus necesidades fácilmente, algunas se quedan plantadas y siguen empleando señales infantiles.

John: ¿Te refieres a los adultos que protestan mucho y que emiten mensajes quejicosos y lastimeros para hacer que los demás se sientan culpables y respondan a sus deseos?

Robin: O que siguen gruñendo mucho tiempo después de haber fracasado en sus intentos de ver realizados dichos deseos, que siguen emitiendo señales de socorro a pesar de que no tiene ningún sentido hacerlo. Lo que ocurre es que la manipulación emocional infantil se ha apoderado de la persona de una manera ciega, automática y muy poco inteligente.

John: Así que, cuando nos quejamos, nos estamos aferrando a la manera que teníamos de expresar nuestras necesidades cuando éramos bebés.

Robin: Efectivamente.

John: Muy bien. Ya has dado dos ejemplos de cómo nos podemos aferrar a un comportamiento anticuado e impropio. La pregunta lógica entonces es: *¿por qué* nos aferramos a ese comportamiento? ¿Qué nos detiene a la hora de abrirnos al mundo y de cambiar?

Robin: Ampliemos la pregunta un poco. Quiero expresar que todo problema emocional surge al aferrarnos a un comportamiento que, en un momento dado de nuestra vida, era apropiado y que ha dejado de serlo. Ahora bien, te acordarás de que hemos hablado en repetidas ocasiones sobre cómo una persona puede ocultar algunas de sus emociones «detrás de la pantalla». ¿Recuerdas cómo era el proceso?

John: Bueno, la mayoría de las familias experimentan cierta dificultad o malestar con una u otra emoción. Así que, a medida que el niño crece en el seno de la familia, va aprendiendo a no manifestar dicha emoción porque, si lo hace, la familia lo desaprobará. Por consiguiente, el niño aprende a ocultar la emoción en presencia de la familia y, por desgracia, acaba normalmente ocultándosela a sí mismo. Es decir, el niño deja de advertir la emoción cuando ésta se suscita, ya que la ha puesto «detrás de la pantalla». Una vez que ha hecho esto, deja de ser consciente tanto de ella como del problema que tiene por su causa.

Robin: Correcto. Ahora bien, ocultar la emoción a la familia es, en primera instancia, un comportamiento totalmente apropiado, puesto que ningún niño desea la desaprobación de sus padres. El problema surge cuando se sigue evitando la emoción conforme uno se hace mayor. Por ejemplo, un niño cuya familia se ve desbordada por la ira y, como consecuencia, oculta la emoción detrás de la pantalla, no podrá acudir a ella cuando tenga que enfrentarse por sí solo a un abusón en la escuela.

John: Robin, no cabe duda de que has ampliado la pregunta del porqué nos aferramos a ese comportamiento. ¿Hay alguna posibilidad de que la contestes?

Robin: Hay dos razones por las que podemos aferrarnos a ese comportamiento. Las denominamos «rechazo» y «galleta de perro».

John: «Rechazo», por favor.

Robin: Bien, como ya he dicho en muchas ocasiones, una emoción sólo se convierte en un verdadero problema cuando se pone detrás de una pantalla, por cuanto, si corremos el riesgo de experimentarla, o la gente de nuestro entorno la muestra o simplemente se pone a hablar de ella, nos sentimos muy incómodos. Esto no hace más que influir más si cabe en nuestro comportamiento. Elegiremos primero los amigos y finalmente la esposa que nos permitan mantener la emoción oculta, personas que no nos supongan un desafío en ese aspecto, algo que será posible gracias a que ellas mismas habrán rechazado la misma emoción.

John: ¿Quieres decir que acabamos pareciéndonos a aquellas personas vinculadas por la necesidad de ocultar cierto secreto que saben que otra gente desaprobaría, como si fueran alcohólicos o drogodependientes?

Robin: Sí, con la excepción de que ni siquiera nosotros podemos reconocer la existencia del secreto, puesto que también nos lo hemos ocultado a nosotros mismos. Si la emoción que se ha rechazado sale a la luz, tendrá otro nombre. La debilidad se convertirá en virtud.

John: Me estoy perdiendo.

Robin: Deja que te dé un ejemplo. Mi familia solía contarme la historia de que mis bisabuelos tiraban por la ventana la comida de los domingos si no estaba bien hecha o lo suficientemente caliente. Yo escuchaba el relato con una mezcla de respeto y admiración, como si mis bisabuelos fueran unos hombres fuertes y maravillosos que dominaban a los demás y conseguían lo que se proponían. Recuerdo que entonces pensaba que sería más hombre si lograba comportarme de esa manera y que todavía no había llegado a ese nivel. Tendría que pasar el tiempo para que me diese cuenta de que mis antepasados se comportaban como unos niños grandes.

John: ¿Quieres decir entonces que tu familia rechazaba el hecho de que este comportamiento fuera infantil reinterpretándolo como algo muy «masculino»? ¿Qué habría pasado si alguien hubiera empezado a cuestionar la verdadera hombría de tus antepasados?

Robin: Se habría empezado a emitir señales cada vez más fuertes de desaprobación, hasta que el tema quedase abandonado. Ésa es la manera que hay de controlar la expresión de una emoción prohibida, ¿te acuerdas?, mediante las señales no verbales que los miembros de la familia se envían unos a otros. Si la ira es un tabú, todos manifiestan sentimientos de disgusto y desagrado intenso siempre que uno de los miembros exprese su enfado, a no ser que esto se haga de una manera moderada y pidiendo excusas. Si el sexo es una emoción rechazada, prohibida, a cualquier persona que sea lo bastante indiscreta como para empezar a hablar de ello se le llamará la atención sin necesidad de cruzar ni una palabra. La madre enrojecerá y cambiará de tema; el padre pondrá una expresión tensa, cambiará de postura y empezará a hacer ruido con el periódico fingiendo que está leyendo. Si todo esto no surte efecto, la tía Ágata dejará caer la bandeja del té. Los niños aprenden a reconocer estas señales tan pronto que el menor indicio, desde el mismo comienzo del problema, basta para

conducirlos a una conversación menos problemática. Todo ocurre con tal rapidez y de forma tan imperceptible que ninguno de los miembros de la familia que está mandando señales ni el miembro que es objeto de éstas son conscientes de lo que está pasando.

John: Todo ocurre, como se suele decir, «bajo el umbral de la conciencia».

Robin: Efectivamente. Nadie es consciente de las señales, aunque estén produciendo un efecto. Nosotros, los terapeutas, tampoco fuimos capaces de verlas en una ocasión hasta que, cuando tratamos las familias, otros terapeutas empezaron a observarnos a través de una pantalla espejo. Los observadores nos vigilaron con tal cuidado que fueron capaces de detectar los pequeños cambios de expresión y postura para decirnos, más tarde, a los terapeutas que estábamos dentro de la habitación, lo que estaba pasando. Lo que en última instancia sirvió de más ayuda fue la posibilidad de grabarlo todo en vídeo, algo que nos permitió observar determinados aspectos concretos del comportamiento de la familia una y otra vez en cámara lenta hasta que el sistema de señales empezó a hacerse más claro.

John: Entonces los miembros de la familia se impiden los unos a los otros expresar la emoción prohibida, sin ser conscientes en lo más mínimo de ello. No sólo evitan la emoción compartida, sino que evitan ver cómo lo están haciendo.

Robin: Se encuentran realmente atrapados, han encerrado la emoción y se han deshecho de la llave.

John: Y han elegido a unas esposas y a unos amigos que se han deshecho de la misma llave.

Robin: En consecuencia, no pueden rescatarse unos a otros. Por añadidura, una vez que este sistema de control automático se pone a funcionar, si una persona da un pequeño paso para librarse de una pauta negativa habitual, todos los demás aumentan automáticamente el número de señales no verbales para mantener a dicha persona a raya hasta que, claro, él o ella vuelve a ocultar o rechazar la emoción. Es entonces cuando las señales se detienen y el «ambiente» incómodo desaparece y vuelve a la normalidad. De esta manera, el sistema de señales mantiene a todo el mundo encerrado para evitar, de forma compartida, la emoción negativa que se rechaza, al igual que un termostato o un sistema de calefacción central mantiene la casa a una temperatura estable.

John: Ésa es la manera de la que se sirve el «rechazo» para mantenernos aferrados a un tipo de comportamiento que ha dejado de ser apropiado. ¿En qué consiste la segunda razón, «galleta de perro»?

Robin: Se refiere a la manera que tenemos de enseñarle a un perro a pedir. Cada vez que lo hace, le damos una galleta; así que sigue haciéndolo para seguir obteniendo su galleta. De igual forma, podemos aferrarnos a un comportamiento infantil inapropiado debido a que, en el pasado, nos ha deparado una recompensa e incluso en el presente sigue reportándonos algún tipo de gratificación, de ahí que persistamos.

John: Si nuestro comportamiento infantil no nos supusiera ninguna recompensa, ¿nos obligaría a cambiar?

Robin: No nos *obligaría* a cambiar, pero si dejásemos de recibir la recompensa correspondiente a una reacción concreta, la reacción desaparecería con el paso del tiempo.

John: Al igual que el perro dejaría de pedir si no le volviésemos a dar una galleta.

Robin: Sí. Si desde pequeños aprendemos a basar nuestro trato con los demás en la manipulación emocional, conforme vayamos creciendo no tendremos ningún incentivo para cambiar nuestro comportamiento mientras siga funcionando.

John: Un momento. ¿A qué te refieres con que «siga funcionando»?

Robin: A que mientras la gente nos permita presionarla para que nos dé la respuesta que buscamos, nuestra manipulación tendrá una recompensa y nosotros seguiremos plantados en el mismo tipo de comportamiento.

John: ¿De qué manera se queda uno plantado en este comportamiento en un principio?

Robin: Obviamente, lo aprendemos de la familia. En primer lugar, están las razones por las que el niño sigue comportándose de esa manera; luego están las de los padres para seguir dándole al perro su galleta.

John: Comienza por las razones del niño.

Robin: Bien, estamos de acuerdo en que el bebé sólo es capaz de emitir señales de socorro. Supongamos, no obstante, que tras haber aprendido a hablar, descubre que el hecho de lanzar señales de socorro *todavía* funciona.

John: Lo que quieres decir es que si el niño descubre que puede «engatusar» a sus padres, puede engañarlos para salirse con la suya –mediante una pataleta, o llorando o mostrando unos ojos llenos de lágrimas–, ¿por qué demonios va a abandonar una forma tan eficaz de regatear?

Robin: Eso es. El niño no sabe la razón por la que no debería hacerlo.

John: ¿Y cuál es?

Robin: Que tiene que aprender a ser un adulto desgraciado.

John: ¿Cómo?

Robin: Bueno, el niño no decide súbitamente fingir que se siente infeliz con el fin de manipular a sus padres. Se trata de una reacción natural. Ahora bien, si una vez que ha aprendido a emplear palabras para dar a conocer sus necesidades, los padres siguen bajo el control absoluto de las señales de socorro infantiles, en vez de ayudarlo a comprender poco a poco el hecho de que por una vez no se va a salir con la suya, el niño no será capaz de encontrar una manera más madura de afrontar la frustración.

John: Es decir, al recompensar al niño con una «galleta emotiva» cada vez que pide ayuda, los padres están en realidad enseñando al niño a seguir empleando un tipo de emoción negativa.

Robin: Efectivamente, *sin darse cuenta* de lo que están haciendo, claro está. El niño continúa creyendo que tiene que ser infeliz para conseguir lo que quiere, lo cual acaba convirtiéndose en un hábito muy arraigado, en una parte básica del carácter de la persona.

John: ¿Quieres decir que se convierte en una persona que se deprime habitualmente?

Robin: Sí.

John: Pero, ¿qué es lo que la persona consigue ahora con ser infeliz? ¿En qué consiste la galleta?

Robin: Bueno, conforme crezca, seguirá reaccionando de forma depresiva. Y habrá mucha gente –primero la familia y luego los amigos, los médicos, los compañeros de trabajo y demás– que le dará las suficientes «galletas emocionales» –benevolencia, preocupación, atención, sentimientos de culpabilidad por no ayudarlo lo necesario– como para mantener el hábito.

John: Ya veo.

Robin: Hay otra cosa, por añadidura. A un nivel *más profundo,* la persona deprimida tiene la sensación de que el hecho de abandonar dichas emociones –por ejemplo, la autocompasión por haber sido maltratada, o la ira hacia los padres por no haberla querido lo suficiente– sería como desestimar un derecho a aquello que los padres no acertaron a darle, o, al menos, aquello que la persona deprimida *cree* que no acertaron a darle.

John: Interesante. Lo que quieres decir es que sería como si rompiera un pagaré y admitiera que los padres ya no le deben nada.

Robin: Exacto. Como si cancelara la deuda emocional. Entonces, para dejar de ser infeliz, en realidad habría que decir a los padres: «Estoy bien, ya os podéis olvidar de mí; sois libres para iros y pasároslo bien».

John: ... Así que son infelices con el fin de que sus padres –o quien sea– sigan asumiendo la responsabilidad.

Robin: Algo así. Como es natural, las ventajas que supone desestimar ese derecho –al abandonar los problemas emocionales que lo justifican– son infinitamente más grandes que las pérdidas imaginarias que la persona sufriría. Siempre que el niño –o la persona infantil– tenga que continuar sintiéndose infeliz e incapaz, para forzar a que los demás cuiden de él, perderá todos los beneficios que la libertad y la independencia reportan y tendrá que seguir sintiéndose desdichado.

John: Entonces se acaba perpetuando cualquier equivocación que los padres pudieran haber cometido al educar al niño...

Robin: Si los padres son realmente unos desesperados, el niño tendrá que pasar el resto de su vida tratando desesperadamente de sacarles algo que no pudieron darle en un principio, y que serán incapaces de darle en el futuro. Incluso si *lograran* cambiar y fueran *capaces* de darle algo, la persona en cuestión probablemente no lo reconocería o no sabría cómo sacarle provecho...

John: ...Puesto que estaría encerrado en el papel de alguien que tiene que pagar las consecuencias de unos padres desesperados.

Robin: Exacto. Por lo tanto, aunque la situación mejore, seguirán siendo unos desesperados.

John: ¿Y si no hubieran sido unos desesperados desde el principio?

Robin: Ocurriría lo mismo. Una persona de este tipo nunca admitiría lo que se le pudiera ofrecer, puesto que hacerlo acarrearía un cambio total en su forma de enfrentarse a la vida. Al continuar siendo una persona incapaz e inútil, puede seguir diciendo a los demás que está atrapado y que no es su culpa sino la de los demás.

John: Por tanto, no puede cambiar.

Robin: No, a menos que una persona que no esté controlada por el tabú familiar –acaso un miembro de la familia que haya logrado escapar, o una persona totalmente ajena a la familia– acabe con la parálisis y provoque un cambio.

John: Negándose a dar galletas...

Robin: Eso es. Al *negarse* a rescatar automáticamente a la persona, a prestarle demasiada atención o a sentirse culpable por no haber hecho bastante por ella.

John: Ya. Entiendo. Ésta es la idea de la «galleta del perro» desde el punto de vista del *niño*. Sin embargo, has dicho que los *padres* tienen también algo que ver en todo esto: ¿por qué dan la galleta al niño?

Robin: Normalmente porque durante su infancia también tuvieron dificultades con la emoción que el niño utiliza para manipularlos.

John: Ya. Tal vez tienen la sensación, digamos, de que deberían haber recibido más ayuda de sus padres, de ahí que se muestren especialmente benévolos o vulnerables, al darse la misma emoción en sus hijos.

Robin: Ése es el caso, por lo general, si bien la reacción de los padres suele ser una especie de *mezcla*. La posibilidad de que sus padres no les dieran el tipo adecuado de afecto suele tener una serie de efectos. En primer lugar, la desdicha de sus infancias los hará sentirse especialmente intranquilos y susceptibles en lo tocante a su labor como padres. Estarán demasiado preocupados por su forma de actuar como para disfrutar de sus hijos y mostrarse cariñosos y relajados. Además, serán muy vulnerables ante una posible crítica o la sugerencia de un fracaso, sobre todo si éstas provienen de los hijos. En segundo lugar, es muy probable que les resulte difícil proporcionar a sus hijos aquello que ellos no tuvieron ocasión de vivir en su infancia. Harán lo que tengan que hacer, pero siempre «al pie de la letra», sin sentimientos por medio. También es posible que aunque *piensen* que se lo están proporcionando, lo hagan realmente de una manera condicionada y que, por tanto, exijan a los hijos que *los* quieran y *les* den una compensación por el hecho de haber pasado una infancia desgraciada. En tercer lugar, cabe la posibilidad de que echen a perder lo que puedan proporcionar a sus hijos por culpa de la envidia que sienten porque éstos disponen de lo que a ellos les faltó, a pesar de que se trata de algo que ellos mismos les han dado. Así que, en definitiva, aunque con frecuencia traten desesperadamente de hacer con sus hijos una labor mejor que la que sus padres hicieron con ellos, es muy probable que no funcione de la manera que ellos esperaban.

John: Por tanto, el niño se aprovecha del aspecto infantil del comportamiento que el padre debería enseñarle a dejar atrás. Sin embargo, la sensibilidad de éste hacia dicho aspecto es utilizada como instrumento de «manipulación» por el niño, cuyo comportamiento obtiene la compensación que lo mantiene atrapado en la misma pauta de acción, todo lo cual ocurre de una manera más o menos automática.

Robin: Sí, ése es un buen resumen. Como es lógico, los padres se dan cuenta de que el niño no es feliz, pero ignoran la manera en que están contribuyendo a ello.

John: Dado que lo que los padres hacen para resolver el problema no consigue sino prolongarlo, ¿no es eso?

Robin: Eso es lo primero que advertimos los terapeutas cuando una familia viene a vernos. Entonces sabemos que la clave para el tratamiento de la familia *no* es preguntarles *cómo empezó el problema,* sino *qué impide que la situación mejore de forma natural.* Por tanto, nos concentramos en lo que la familia está haciendo en ese momento, en el presente, *que impide que se encuentre una solución para el problema.*

John: Y cuando lo averiguáis, los podéis ayudar a que dejen de «ayudar» a la persona problemática de esa manera. ¡Qué curioso...!

Robin: Lo cual significa convencerlos de que han de guardarse las «galletas de perro».

John: En resumidas cuentas. Me has descrito las dos razones por las que nos quedamos atrapados en una pauta de comportamiento infantil. Una de ellas es el proceso de «rechazo», según el cual nuestra familia nos enseña a ocultar ciertas emociones tabú detrás de la pantalla. La otra es el proceso de la «galleta de perro», según el cual el comportamiento pasado sigue teniendo vigencia porque se continúa recibiendo una recompensa por él, ¿de acuerdo?

Robin: De acuerdo.

John: Lo que no tengo del todo claro es la *relación* entre los dos procesos. ¿Son dos maneras distintas de ver la misma cosa, se confunden de algún modo, se excluyen mutuamente o qué pasa?

Robin: Como ya te habrás dado cuenta, lo que trato de hacer es transmitir, en un lenguaje corriente, ideas que son fundamentalmente sencillas una vez que se entienden, pero cuya comprensión se ve obstruida por la complicada jerga en la que suelen expresarse. Lo que yo llamo «rechazo» y «galleta de perro» son, en realidad, dos procesos muy distintos. La «galleta de perro» es simplemente un proceso de recompensa y castigo que influye en todo tipo de enseñanza y que es perfectamente normal. El «rechazo» sí que es anormal y causa todo tipo de problemas, puesto que lleva a la persona a evitar tener que enfrentarse con la realidad y a vivir, a su vez, en la fantasía. Pero los dos procesos están relacionados desde el momento en que producen los problemas psicológicos de los que hemos hablado. Te diré cómo. Si una familia rechaza algo, cualquier miembro de ella que diga la verdad será castigado; aquellos que eviten la verdad serán recompensados. Una vez que se establece esta pauta, no hay salida –a menos que se preste ayuda desde fuera–, porque incluso el hecho de negar la realidad es rechazado y castigado a su vez. Es como una escuela de locos en la que se te recompensa por dar la respuesta equivovada y se te castiga por dar la acertada. Te daré un ejemplo del funcionamiento de los dos procesos y de cómo se relacionan a partir de mi experiencia. De hecho, se trata de mi propia experiencia cuando era niño.

John: ¿Desde tu punto de vista primero, o desde el de tus padres?

Robin: Veamos primero los aspectos del «rechazo» y de la «galleta del perro» desde el punto de vista de mi madre. Mi madre sufrió el peor tipo de pérdida, al morir mi abuela cuando ella sólo tenía cuatro años y no recibir ninguna ayuda que le permitiese sobrellevar la aflicción que sintió en ese momento. No llegó a lamentar su muerte adecuadamente, sino que aprendió primero a ocultar y más tarde a rechazar su tristeza. En consecuencia, se convirtió en una mujer desmesuradamente sensible ante el hecho de que otras personas pudieran tener este tipo de sentimientos, por lo que cuando alguien se mostraba desdichado, ella reaccionaba de una manera excesiva, veía mucha más aflicción de la que la situación provocaba realmente y acababa por mostrar una compasión desproporcionada.

John: Daba a los demás lo que a ella le había hecho falta en su momento.

Robin: Pues bien, así es como yo lo veo. Yo soy el primogénito de la familia, por lo que fui hijo único hasta la edad de cuatro años, en que nació mi primer hermano y que coincidió con la edad en que mi abuela falleció. Como es natural, me sentí muy desgraciado cuando él llegó: me mostré celoso y difícil. En vez de darme una cantidad razonable de cariño y apoyo mientras yo me las apañaba por mi cuenta para superar el dolor, mi madre trató de aliviarlo de una manera exagerada. Como consecuencia, la reacción de dolor normal que todos los niños de esa edad tienen ante el nacimiento de otro hijo se me *recompensó en exceso,* lo cual me hizo sentirme «atrapado» y me provocó una tendencia a la autocompasión y el resentimiento.

John: Porque te dio demasiadas galletas.

Robin: Demasiadas y durante demasiado tiempo.

John: ¿Qué papel desempeña aquí el «rechazo» en tu opinión?

Robin: Bueno, el exceso de celo que mi madre empleó conmigo fue resultado del rechazo que mostró ante el dolor por la muerte de su madre, que sintió cuando era niña. Lo ocultó detrás de la pantalla, y cuando yo mostré un dolor parecido, aunque menos intenso, en el momento de perder la relación exclusiva que tenía con ella cuando nació mi hermano, surgió la amenaza de que mi reacción suscitara nuevamente la tristeza que ella tenía oculta, más aún si se piensa que yo tenía la misma edad que ella cuando mi abuela murió. Por consiguiente, realizó un esfuerzo añadido dándome una galleta gigante y especialmente sabrosa cada vez que yo tenía un aspecto triste, para así contrarrestar mi angustia y para que dejara de mostrarla.

John: En vez de dejarte sentir triste, que era una reacción apropiada ante la pérdida de tu «exclusividad», y ayudarte en esa situación.

Robin: Sí. Me rescató del trance de un sentimiento normal que me hubiera permitido superar la pérdida. Sin embargo, hay que tener en cuenta que esto produjo dos efectos casi contradictorios: mi madre me recompensaba con una atención especial siempre que yo sintiera tristeza, lo cual hubiera animado ese tipo de reacción; pero, al mismo tiempo, me alentaba a ocultar y rechazar dichos sentimientos, debido a que la trastornaban. Como consecuencia, aprendí, tal y como ella había hecho en el pasado, a esconder los sentimientos de pena detrás de la pantalla.

John: ¡Ah! Y con el paso del tiempo empezaste a perder conciencia de lo que te estaba pasando, ¿no es así?

Robin: Sí. Cuando perdí la conciencia de la situación, me vi atrapado en esa misma pauta de comportamiento. No la veía por mí mismo, así que si otras personas trataban de señalármela, yo podía sinceramente rechazar que fuera consciente de dicha situación.

John: Súbitamente, todo parece realmente *complicado*...

Robin: Bueno, me temo que lo es, es una especie de «mentalidad doble», algo que resulta bastante problemático. A nada que aprendamos a desentendernos de nuestra experiencia y a rechazarla como lo hemos descrito, crearemos unas dificultades enormes. La vida se vuelve una farsa, lo cual, como no hará falta que te diga, consiste normalmente en los intentos de alguien por ocultar algo a los demás, con el resultado de que, con ello, complica la situación más, si cabe.

John: Es algo peor que lo que has dicho. En la farsa uno no tiene que ocultárselo a sí mismo. Entonces..., ¿cuál fue el efecto que tuvo sobre ti el hecho de tratar de manipular a tu madre mediante la autocompasión mientras fingías incluso ante ti mismo que no estabas haciendo nada de eso?

Robin: Con el paso del tiempo, creó en mí una tendencia a la depresión que se manifestaba cuando no me salía con la mía, lo cual hizo poner trabas a mis relaciones sin que yo supiera el porqué. Me costó mucho tiempo, años después de que creciera y comenzase a comprender mis propios problemas, que la tristeza oculta en mi interior se hiciese patente y pudiera empezar a superarla.

John: ¿Cómo se te hizo patente?

Robin: Fue un proceso lento, prolongado. Sin embargo, me acuerdo que cuando la situación se aclaró, se dio un cambio radical. Mi difunta esposa, Prue, provenía de una familia de características similares a las de la mía, una familia en la que el malhumor era uno de los instrumentos favoritos para controlar a los demás. En consecuencia, los dos estábamos acostumbrados a utilizarlo y, como funcionaba, no había manera de que descubriéramos lo que estaba pasando, ya que accedíamos a la manipulación del otro, todo ello antes de que las señales de desaprobación que estábamos enviando fueran lo suficientemente fuertes como para ser reconocidas como *mero malhumor*. Prue, sin embargo, logró descubrir la pauta con claridad antes que yo y, un día que yo estaba disgustado por algo que ella había hecho y en que, como respuesta, me mostraba ensimismado y silencioso, lo que hizo fue pasarlo por alto y seguir comportándose de manera amistosa y alegre. Entonces me di cuenta de que me estaba enfadando más y más y de que estaba alcanzando un extremo realmente indignante.

John: Lo que quieres decir es que cuando viste que las habituales señales de malhumor no funcionaban, lo que hiciste fue subir el volumen.

Robin: Cuanto más, mejor. Era algo exagerado...

John: Porque no estaban funcionando.

Robin: Sí. Esto es lo que pasa si la otra persona, en vez de acceder a la manipulación, sigue mostrándose agradable y amistosa. Es algo automático. Tu manipulación se amplifica hasta que no puedes dejar de ver lo que te traes entre manos. Al final, te sientes como un pez que ha picado el anzuelo y que no para de revolverse. En este caso concreto, el hecho de que me estaba portando como un niño refunfuñón acabó por resultarme evidente. En cuanto vi lo que pasaba, no pude aguantar la situación y cambié rápidamente.

John: Así que no podemos empezar a ver nuestra «pauta manipuladora» si la otra persona sigue siendo objeto de su control. Mientras continúen dándonos la galleta, permaneceremos ciegos ante la evidencia de que estamos pidiéndola.

Robin: Porque están accediendo a los requerimientos de nuestras señales no verbales en un momento en el que todavía son tan imperceptibles que no nos damos cuenta de que las emitimos o, al menos, no podemos reconocerlas como lo que son. Sólo cuando la otra persona deja de reaccionar y nuestras señales aumentan de forma automática, podemos empezar a entender lo que estamos haciendo.

John: Muy bien, hemos repasado los conceptos de «rechazo» y «la galleta del perro» y hemos visto la relación que guardan entre sí. Ahora bien, nadie es perfecto, por lo que presumo que todos nos encontramos *hasta cierto punto* atrapados en un comportamiento infantil e impropio, incluso aunque éste sólo se manifieste cuando estemos agobiados. ¿Qué podemos hacer entonces para salir de la trampa?

Robin: Bueno, volviendo al tema, lo que hemos de hacer es exponernos más abiertamente a la influencia del mundo exterior y aceptar el tipo de respuesta que nos pueda dar.

John: Porque ello nos empujará inevitablemente al enfrentamiento con las emociones que tratamos de evitar.

Robin: Eso es. En cualquier lugar –en la escuela, en el trabajo, en la prensa y en la televisión– encontraremos gente que no muestre ansiedad ante esa determinada emoción, la emoción que era un tabú en nuestra propia familia. En su lugar, lo que harán será expresarla y hablar de las cosas que la suscitan. Si no nos oponemos al contacto con la gente o las influencias que nos trastornan, daremos pie a que la emoción que se halla oculta detrás de la pantalla salga a la superficie. De hecho, se requiere un gran esfuerzo de nuestra parte para evitar las situaciones en las que pueda surgir y para no observar a las claras su existencia.

John: Y como la mayoría de la gente no será susceptible o comprensiva ante nuestras señales, no gratificará del modo usual nuestras prácticas manipuladoras con galletas.

Robin: Ésa es la situación. Mientras nos encontremos rodeados por nuestra familia, las emociones tabú seguirán ocultas detrás de la pantalla. El secreto se prolongará de igual forma si optamos por amigos, actitudes políticas y posiciones religiosas que sigan la línea familiar. *No obstante lo cual,* el mundo allende nuestro círculo sigue enviándonos *continuamente* mensajes que nos podrían liberar.

John: Por tanto, hay dos fuerzas que nos empujan en direcciones contrarias: el mundo exterior que trata de sacar nuestras emociones de detrás de la pantalla y los amigos que tratan de devolverlas nuevamente a su sitio.

Robin: Exactamente. Ésa es la razón por la que sigo insistiendo en el hecho de que el mezclarse con un espectro lo suficientemente amplio de gente es toda la ayuda que una persona necesita.

John: Sin embargo, salta a la vista que hay mucha gente que no lleva a cabo este tipo de «mezcla saludable». ¿A qué se debe esto?

Robin: El problema es el siguiente: sacar las emociones familiares tabú de detrás de la pantalla es, en el mejor de los casos, algo embarazoso y, en el peor, algo muy doloroso.

John: Me acuerdo que en *La familia y cómo sobrevivirla* decíamos que el proceso puede ser difícil, por cuanto, en primer lugar, puede acarrear el recuerdo de cosas que en su momento y por sí mismas fueron dolorosas y perturbadoras; y, en segundo lugar, porque incluso si aquello de lo que cobramos conciencia no es intrínsecamente desagradable, nuestra familia nos habrá enseñado a *creer* que sí lo es, que es algo «malo» y «destructivo».

Robin: Qué duda cabe. Conforme va saliendo a flote, revivimos los sentimientos de desaprobación de la familia, incluso si la familia no se encuentra presente. Por añadidura, conforme la emoción se va desvelando, sufrimos el dolor que supone darnos cuenta de que siempre nos hemos mostrado airados, violentos, envidiosos, autocompasivos o lo que sea... cuando en realidad creíamos que éramos unas personas maravillosas precisamente porque carecíamos de esas emociones. Esto puede hacernos sentir bastante estúpidos, por cuanto somos menos maduros de lo que pensábamos. Es *entonces* cuando descubrimos que no podemos cambiar unos hábitos tan arraigados como ésos de manera inmediata y que, en realidad, se trata de una lucha ardua que no hace sino convertir el proceso en algo más doloroso.

John: Entonces, como me has indicado con frecuencia en el grupo..., cuando nos adentramos en este proceso en pos de una mejor salud, *inicialmente y durante un tiempo, es posible que nos sintamos peor.*

Robin: Sí, cuando se abandona la seguridad de un ajuste previo y todavía no se ha alcanzado uno mejor, se atraviesa una temporada difícil e incierta, y más aún porque, durante un período de transición poco familiar, uno es más consciente de lo que puede estar perdiendo que de los beneficios que a la postre va a obtener.

John: Por tanto, la cuestión de si somos lo bastante valientes como para exponernos al mundo depende de lo difícil que nos resulte, de si es simplemente algo embarazoso pero asequible o si nos va a suponer un dolor inaguantable.

Robin: O, por mejor decir, depende de lo sanos que estemos, lo cual, por lo general, es a su vez un reflejo de lo sana que fuera nuestra familia. Como es lógico, no hay familia perfecta, y es muy probable que todas se sustraigan a ciertos asuntos o, al menos, no sean capaces de afrontarlos abiertamente. Sin embargo, como ya he explicado al comienzo de este libro, hay una gran variabilidad en el grado en el que las familias evitan la realidad.

John: Las personas que se encuentran en el extremo superior del espectro de la salud mental no tienen muchas cosas escondidas detrás de la pantalla, ¡menuda suerte tienen...!

Robin: Ésa es la razón por la que no les resulta muy difícil desvelar esas cosas gradualmente, al salir al mundo exterior, al igual que hace el resto de la familia.

John: Mientras que, conforme más bajes por el espectro, verás más cosas almacenadas detrás de la pantalla y más doloroso resultará empezar a sacarlas. Y, si uno no se anima a salir al mundo, el enorme rimero de emociones seguirá ahí, sin disminuir, observándote y haciendo que cualquier intento por empezar a trabajar resulte aterrador. Es un callejón sin salida, ¿verdad? Si estás sano, tu salud mejora. Si no lo estás, estás abocado a empeorar.

Robin: Bueno, tienes parte de razón, aunque exageras un poco. Yo diría que cuanto más bajes por el espectro, la familia mostrará una oposición mayor a cualquier intento de alguno de sus miembros por liberarse del tabú familiar.

John: Así que, si empiezas a atisbar algo mediante el contacto con personas ajenas a tu familia, has de esperar que ésta oponga cierta resistencia.

Robin: Sí. Si te pones a hablar de lo que has aprendido, o incluso a expresar la emoción tabú, las señales no verbales del resto de la familia, que normalmente impiden que este tipo de comportamiento tenga lugar, irán ganando en intensidad. La sensación que tendrás será de una profunda desaprobación. Como es lógico, si a pesar de ello continúas cambiando y te muestras cada vez más abierto y honesto, el resto de la familia tendrá que optar entre encontrarse con una imagen más clara de sí misma o tener que distanciarse de ti para evitar que los afectes y los obligues finalmente a cambiar.

John: El hecho de que estés cambiando provoca una crisis.

Robin: Sí. Pondrás los perros en danza. Todo el mundo se sentirá amenazado, y habrá lugar para discusiones, presiones emocionales e incluso separaciones, todo lo cual dificultará, como es natural, la labor de la persona que está tratando de cambiar.

John: La dificultará mucho, porque, claro, lo que trata de hacer ya es lo bastante doloroso de por sí, sin contar con la desaprobación y la resistencia de la familia.

Robin: En consecuencia, esta persona tendrá, con mucha seguridad, que realizar varios intentos y fracasar en varias ocasiones antes de tener la entereza suficiente como para mantener el desafío al «encubrimiento» de la familia. Para tener éxito, necesitará probablemente un respaldo ajeno a ésta que le anime a continuar a pesar de la intensa presión que se le está haciendo para que se detenga.

John: ¿Es entonces cuando interviene la terapia? Después de todo, llevamos muchísimo tiempo charlando sobre lo que hay que hacer para mejorar la salud y la palabra «psiquiatra» todavía no ha salido de nuestras bocas.

Robin: La mayoría de las veces el respaldo al que hemos hecho referencia proviene de los amigos, de un profesor, un mentor o un consejero espiritual. Sin embargo, cuando el tabú familiar y la presión que ésta ejerce para evitarlo son intensos, entonces es posible que la ayuda añadida que supone un terapeuta sea necesaria.

John: Muy bien. Supongamos que alguien tiene un problema y se siente incapaz de enfrentarse a él mediante la solución de mezclarse con otro tipo de gente en la vida diaria, solución por la que tú optas. En consecuencia, decide ir al terapeuta. ¿En qué consiste fundamentalmente lo que el terapeuta trata de hacer?

Robin: Esencialmente, el terapeuta está preparado para ayudar al paciente a que se ponga otra vez en contacto con las partes de su vida emocional que ha aprendido a evitar y rechazar o, lo que es lo mismo, aquellas que ha ocultado detrás de la pantalla.

John: ¿De qué manera anima el terapeuta a que el paciente cobre conciencia de todos sus amenazadores tabúes?

Robin: Si haces esta pregunta a varios terapeutas, obtendrás probablemente una serie de respuestas diferentes y bastante complicadas acerca de sus respectivas técnicas y conforme al tipo de preparación que hayan recibido. Con todo, lo más importante, seguramente, es lo que todas tienen en común: crear un ambiente distendido y que le sea de ayuda al paciente. Esto sólo ya conseguirá animar al paciente a abrirse y a empezar a explorar el problema con mayor profundidad que la que se alcanza en el barullo de la vida diaria o en la compañía de la gente que no lo apoya. Entonces, el terapeuta, como ya se habrá hecho una idea de la situación a partir de lo que otros pacientes le hayan podido contar y, en un caso ideal, habrá logrado sacar sus propios tabúes de detrás de la pantalla durante la terapia que forma parte de su aprendizaje, no se sentirá perturbado por lo que pueda hacer o le pueda decir el paciente. De esa manera, éste se irá dando cuenta lentamente de que el terapeuta no se siente incómodo ante la expresión de todo tipo de emociones y no se inmuta ante la emoción que ha sido prohibida en el seno de la familia del paciente. Pues bien, el hecho de que el terapeuta acepte, imperturbable, las emociones ocultas tranquiliza en gran medida al paciente y le da a entender que el enfrentarse a dichas emociones no comporta ningún riesgo. Poco a poco, éstas se empiezan a explorar de una manera abierta y se van reintegrando en su personalidad.

John: Entonces, cuando cualquier atisbo de la emoción oculta sale a la superficie por primera vez, el terapeuta permanece totalmente relajado y no envía ninguna señal de desaprobación del tipo que podría utilizar la familia del paciente.

Robin: Exacto. Imaginemos que las emociones ocultas consisten en ira, violencia y destructividad. Un día el paciente cuenta un sueño en el que, digamos, atropella a su antiguo director de escuela. En vez de reaccionar con las habituales muestras de conmoción y horror ante la idea de violencia que el paciente ha obtenido siempre de su familia, el terapeuta dice que sí con la cabeza de una forma relajada y comenta, por ejemplo, con una sonrisa: «Suena como si te apeteciera cargarte a alguien. ¿No sería a mí, acaso?». El hecho de que el terapeuta no se inmute lo más mínimo por la manifestación de la emoción oculta significa que el paciente recibirá lentamente el mensaje de que es algo normal tener ese tipo de sentimientos y que no se va a acabar el mundo si los expresa.

John: En tu ejemplo, el terapeuta menciona la emoción oculta. ¿No alarmará al paciente?

Robin: Bueno, remover la emoción oculta siempre alarmará al paciente, pero si se lo ayuda a aguantar en esa situación y a arrostrar el miedo en vez de a evitarlo y a volverlo a ocultar detrás de la pantalla, el miedo disminuirá y el paciente se armará de valor y confianza. Con todo, es vital que el terapeuta conozca la disposición del paciente para enfrentarse al miedo abiertamente, y que sepa cómo ayudarlo a pasar por el doloroso trance.

John: En tu opinión, entonces, el principal factor para ayudar al paciente a ser consciente de sus emociones ocultas y, por tanto, a integrarlas, es el ambiente distendido y tolerante que el terapeuta crea.

Robin: Creo que eso es lo más importante a la hora de ayudar a alguien a cambiar; todas las «técnicas» ingeniosas son secundarias, en comparación.

John: ¿Y la meditación? Muchas personas, y yo me encuentro entre ellas, han comprobado que no sólo calma sus emociones, sino que además las hace sentirse más «integradas».

Robin: Estoy seguro de que eso es así. En la meditación se nos anima a relajarnos, a abrirnos y aceptar los pensamientos que puedan surgir. Sobre todo, se nos anima a dejar de juzgarlos, a abandonar la tendencia a la autocensura, de manera que no suprimamos las emociones negativas como solemos hacer. Cuanto más distendido y calmado sea este estado y más conscientes seamos de nuestros pensamientos y nuestros sentimientos al dejarlos fluir con libertad, mayor similitud habrá con lo que produce una buena psicoterapia.

John: ¿La oración tendría el mismo efecto?

Robin: Estoy seguro de que sí, si es que hablamos del tipo de oración que busca la paz y la tranquilidad interiores. Sin embargo, la ayuda de otra persona puede ser esencial en el caso de alguien que muestra un *gran* desasosiego ante la perspectiva de sacar a la superficie por primera vez unos sentimientos dolorosos. Como ya he mencionado, no tiene por qué ser un terapeuta, sino alguien con quien el paciente guarde una buena relación y que se sienta libre de la emoción oculta. Eso sí, esta persona debe cuidar de no reaccionar con la habitual conmoción de la familia.

John: ¿Qué tipo de preparación hace que a los terapeutas se les dé especialmente bien evitar este tipo de reacciones?

Robin: Tienen que sentirse cómodos con sus propias emociones, de tal forma que no tengan ningún problema con los sentimientos que los pacientes puedan exponerles. Además, han de tener la convicción, basada en la experiencia real, de que la verdad acaba, en última instancia, sanando. Por tanto, han de ser personas razonablemente sanas. Mientras que algunos terapeutas pueden haber tenido la suerte de haber crecido en una familia excepcionalmente sana, es posible que los menos afortunados deban hacer algún tipo de terapia para solucionar sus problemas antes de plantearse otra cosa.

John: ¿Qué otros conocimientos se requieren?

Robin: Un buen terapeuta sabe localizar las emociones ocultas y puede tener éxito a la hora de desvelarlas, en aquellos casos en los que otro tipo de métodos hayan fallado. Además, ha de saber que no tiene que dar ninguna galleta al paciente.

John: Ha de saber que no debe caer en la trampa de las manipulaciones del paciente, tal y como ha hecho la familia, ¿no es así?

Robin: Sí, porque, como es lógico, el paciente tratará de controlar al terapeuta lanzando las mismas señales que utiliza con su familia y que ésta ha utilizado para controlarlo a él o a ella. Créeme, las formas de manipulación son, en muchos casos, muy sutiles y persuasivas, y es fácil caer en ellas y empezar a comportarse de la manera que los padres desean, algo que, claro está, equivaldría a dar al paciente la misma galleta que lleva tiempo atrapándolo.

John: Por tanto, el terapeuta tiene que evitar enredarse en el proceso manipulador.

Robin: Exacto. Es necesario que conozca las pautas manipuladoras sin caer en ellas y, además, sin condenarlas. Tiene que estar interesado en ellas.

John: El hecho de no «obtener la galleta» supone que el comportamiento infantil del paciente no es gratificado, lo cual ayuda a que desaparezca, ¿no es así?

Robin: En última instancia, sí. Eso es parte del proceso. Sin embargo, el resultado inmediato es que el paciente empieza a subir el volumen de la manipulación.

John: ¡Ah! Como el pez que se revuelve tras picar el anzuelo, como has dicho antes.

Robin: Esto lleva a desvelar la emoción rechazada que la manipulación tiene como objetivo ocultar.

John: Le ayuda al paciente a ver lo que está ocurriendo.

Robin: Sí.

John: Con todo, cuando el paciente se dé cuenta de que la emoción prohibida está saliendo a la superficie, le entrará bastante miedo. No creo que le guste *lo más mínimo...*

Robin: Aquí llegamos a la principal dificultad de la terapia. Por un lado, el terapeuta ha de crear un ambiente amistoso, comprensivo y tolerante. Por otro, ha de dar pie a que el paciente se enfrente con la terrible emoción que se ha prohibido.

John: Una persona que se supone que tiene que ayudar y que, de repente, llena la habitación de terror... ¿Dónde está el truco?

Robin: En un equilibrio entre las dos cosas –la ayuda y el enfrentamiento– que exponga al paciente a *todo el miedo que pueda soportar* sin sobrecargarlo. Si te muestras demasiado benévolo y protector, nunca llegará a enfrentar el miedo y no podrá superarlo, aunque no hay que presionarlo más allá del extremo en el que el miedo es inaguantable y se rompe el contacto. En caso de duda, es mejor pecar por defecto –salvaguardando la seguridad del paciente– que por exceso.

John: Me acuerdo de que, en una ocasión, me dijiste que había dos cosas que un psiquiatra tiene que entender. La primera es lo que el paciente debe fundamentalmente experimentar; la segunda, e igual de importante, el ritmo al que ha de hacerlo.

Robin: Efectivamente. La primera parte –«lo que tiene que hacer»– es lo más fácil, lo que aprendes durante tu formación; la segunda, en cambio –«cuándo hacerlo y cuándo esperar»– es algo que estás siempre aprendiendo durante el resto de tu vida. Y lo mismo pasa en el caso de la terapia de grupo: el psiquiatra debe encontrar la forma de entrar en el sistema de la familia y permanecer en contacto con ella y, al mismo tiempo, evitar la colusión con dicho sistema. Es decir, ha de evitar que la familia lo cambie y le haga aceptar sus normas, inclusive la norma principal, o sea, que no se hable o reconozca como tal la emoción oculta de la familia. En resumidas cuentas, lo difícil consiste en hacer ver a la familia lo que tanto los asusta –las emociones que están evitando– sin que te rechacen y te excluyan en el proceso.

John: De igual forma que, si se realiza un trasplante, el órgano puede ser rechazado y tratado como un enemigo si es muy diferente al cuerpo que se quiere salvar.

Robin: Sí, y, como en el ejemplo que acabas de dar, la principal razón por la que una terapia fracasa es la incapacidad del psiquiatra para manejar el dilema. Tienes que mantenerte en suspenso de alguna manera, a pesar de que estás abocado a ser recibido como una amenaza para la estabilidad y la comodidad de la familia.

John: ¿A qué acudes entonces?

Robin: A lo que en nuestra jerga se conoce como la «alianza terapéutica». La familia o el individuo tiene que tener la sensación de que tú estás, en el fondo, *de su lado* a pesar de que, de hecho, lo que estás haciendo es criticar algo relativo a su manera de funcionar. El requisito fundamental es que, en realidad, te gusten.

John: Eso es tranquilizador. Dime en qué consiste este requisito.

Robin: La clave está en ver lo bueno, lo que merece la pena de tu paciente. Si lo haces, él lo notará, y esto le servirá en el momento que tenga que resolver las dificultades derivadas de enfrentarse a la dolorosa verdad.

John: ¿Es posible lograrlo siempre?

Robin: A veces he tenido que rechazar a ciertas personas porque no podía encontrar nada en ellas que respetara. Cuando esto ocurre, normalmente he logrado descubrir que los problemas de los que se quejaban estas personas estaban relacionados con el hecho de que habían optado, con deliberación, por ser deshonestos y destructivos y no tenían ninguna intención de cambiar. Si detecto esto, los desafío. Si ése es el caso, unas veces me rechazan y otras dejan bien claro que no desean jugar limpio, por lo que les digo que no quiero tratarlos. Como es lógico, siempre pueden volver si cambian de actitud, porque entonces sí que podríamos hacer algún avance.

John: ¿Con qué frecuencia rechazas a este tipo de gente?

Robin: Personalmente, es muy extraño que no sienta cierta simpatía o compasión, incluso, por una persona muy problemática tras una hora de conversación. Llegado ese momento, normalmente ya puedo ver cómo es esa persona en el fondo. En nuestro fuero interno, todos nos parecemos mucho.

John: Muy bien. Pasemos a la última pregunta sobre el enfoque terapéutico que describes. ¿Funciona en el caso de una persona que tenga considerables dificultades emocionales y que no pueda resolverlas saliendo sencillamente al mundo con una actitud abierta?

Robin: Bien, lo primero que hay que decir es que cuanto más sana esté una persona, más fácil le resultará aceptar la terapia cuando la necesite y más beneficios podrá obtener. Parece injusto, pero si enfrentarnos a nuestras debilidades requiere valor, honestidad y realismo, las personas que tienen más posibilidades de hacerlo son las que ya tienen una parte de esas cualidades. Por otro lado, cuanto menos sana sea una persona, deberá enfrentarse a más defectos y debilidades y, correspondientemente, tendrá menos virtudes a las que recurrir. En este caso, la perspectiva es desalentadora y, de hecho, puede llegar a resultar abrumadora. Con todo, he de recalcar que ciertas personas que están muy enfermas tienen, aun así, una base muy sólida de valor, honestidad y capacidad para amar. Con estas personas se pueden obtener unos resultados asombrosos. En cambio, una persona superficial y falsa que sufra mucho menos puede presentar un caso irremediable.

John: ¿Te refieres a la terapia individual?

Robin: Lo que estoy diciendo es válido para cualquier forma de terapia hasta cierto punto, aunque debo añadir que hay muchas más posibilidades si se trabaja con toda la familia, puesto que se hace uso de *las partes sanas de todos los miembros*. Cuando una persona se encuentra atrapada u opone resistencia, es posible que en ese momento haya otra persona más motivada o que sea capaz de percibir otras cosas. Es muy raro el caso en el que no se puede hacer *algo* para ayudar si se tiene a toda la familia presente. En estos casos, además, con frecuencia ocurren cosas que rozan lo milagroso.

John: ¿Qué medios hay para con la gente a la que no se le puede prestar ayuda mediante el proceso que has descrito?

Robin: Un gran médico francés dio en una ocasión la siguiente descripción del deber de un doctor: «Curar a veces; aliviar con frecuencia; y animar siempre». Incluso si la familia se resiste a los intentos de prestarle ayuda para que comprenda cómo está creando o alentando el problema, todavía puede encontrar alivio para su sufrimiento gracias a las medicinas; o tomándose un respiro con unas vacaciones u hospitalizándose; o facilitando algún tipo de asistencia alternativa que la familia no puede ofrecer para los hijos como, por ejemplo, un internado o la asistencia a clases o clubes. Afortunadamente, ciertos médicos prefieren este tipo de enfoque, mientras que otros están interesados, principalmente, en provocar un cambio por medio de la comprensión psicológica. Yo creo que los pacientes suelen a la larga acabar en el médico que más les conviene. Por ejemplo, antiguamente tenía la preocupación de que los pacientes, a los que se mandaba a médicos que preferían el tratamiento con medicinas, se estaban perdiendo la oportunidad de comprenderse mejor a sí mismos. Un día, en cambio, visité un hospital en el que me enseñaron el nuevo departamento de medicina externa del psiquiatra jefe, quien era famoso por su interés en las medicinas y su animadversión hacia la psicoterapia. Me sentí muy aliviado cuando vi que todas las personas que aguardaban daban la impresión de tener problemas graves y muy poca capacidad para la introspección. Si hubieran acudido a mi consulta en un primer momento, probablemte no habría sido capaz de hacer gran cosa por ellos, con lo que me habría visto obligado a mandarlos a ese mismo departamento.

John: Entonces, en resumidas cuentas: para mejorar nuestra salud, a la mayoría de la gente le basta con abrirse al mundo y permitir que la experiencia la cambie; ciertas personas necesitan el ambiente adecuado para aliviar su inquietud antes de reconocer sus tabúes emocionales; las personas que no pueden sacar provecho de este tipo de asistencia introspectiva pueden hallar la solución en métodos más prácticos, como las medicinas. Pues bien, ahora me gustaría regresar a la paradoja central que hay en todo esto: el hecho de que sea precisamente la gente más sana la que desee ponerse mejor.

Robin: Bueno, no se trata de que el deseo de mejorar sea la motivación consciente de la mayoría de la gente: simplemente se ven en situaciones que suponen un reto. Acuérdate, además, de que el cuarenta por ciento de todas las personas que participaron en la investigación de Harvard tuvieron que recurrir a la terapia en algún momento de sus vidas.

John: Entonces, la gente que ya está mentalmente sana quiere mejorar, mientras que la que no está tan bien se siente totalmente satisfecha.

Robin: Digamos, más bien, que cuanto más descendemos por el espectro de la salud, mayor es el desagrado que la gente siente por cualquier idea que suponga un cambio, puesto que le es mucho más doloroso afrontar sus propios defectos. A este tipo de personas les es más sencillo arreglárselas aferrándose a la creencia de que ya están sanas –de hecho, más sanas que nadie–, por lo que pueden creerse que no necesitan ningún cambio, hasta que, como es lógico, se dan de bruces con la realidad al encontrarse en una situación que no pueden controlar.

John: Así que las personas menos sanas no desean cambiar y si lo hacen es involuntariamente, obligadas por un estado de crisis.

Robin: Sí. Entendemos por «crisis» una situación en la que la persona advierte que su manera habitual de abordar las cosas no da resultado o, mejor aún, una situación en la que resulta menos doloroso cambiar que permanecer donde se está.

John: Esto significa que una crisis puede tener un efecto muy beneficioso a largo plazo.

Robin: ¡Oh, sí! De hecho, el ideograma chino de «crisis» combina las ideas de «peligro» y «oportunidad», definiendo así el concepto con gran precisión. Prácticamente todo el mundo puede mejorar su nivel de salud si se dan los tipos de crisis y de ayuda adecuados.

John: De ahí que lo que se suele denominar «crisis nerviosa» sea a la larga algo bueno.

Robin: Sí, con frecuencia no es más que el primer paso en pos de una mejor salud. Una «crisis» de estas características es, en realidad, el fracaso final de un estilo de vida basado en unos principios erróneos y que, de todas formas, ya estaba abocado a no funcionar. A nada que se vea que dicho estilo de vida es inútil, la persona que se ha venido abajo puede volver a empezar y, con ayuda, construir una vida sobre unos cimientos más sólidos.

John: Siempre me ha fascinado la idea de que una «crisis nerviosa», algo que alarma tanto a la gente –y, por supuesto, a la persona que la tiene que soportar–, sea recibida por los terapeutas casi con discreta satisfacción, como si fuera el primer paso hacia algo mejor.

Robin: No puedo decir que haya llegado a sentirme *contento* por ello, ya que puede ser un verdadero motivo de alarma para la persona afectada. De todas formas, lo que se ve es que, al menos, tiene la oportunidad de encontrar la solución a sus problemas.

John: Volvamos entonces a lo que inicialmente parecía una paradoja pero cada vez lo parece menos... La gente más sana se muestra más abierta al cambio porque tiene una mayor capacidad para arriesgarse a probar una experiencia nueva y a experimentar con las diferentes formas de enfrentarse a ella.

Robin: Correcto. Les resulta atractivo exponerse a una situación desafiante, emocionante y placentera. Si, en cambio, no estamos tan sanos, el ajuste psicológico a nuestras circunstancias vitales nos parecerá más frágil, por lo que vacilaremos a la hora de exponernos a la posibilidad de cambiar por temor a perder la seguridad que hayamos podido alcanzar.

John: En muchas ocasiones me da la impresión de que tememos explorar una situación nueva porque nuestra intuición nos dice que nos vamos a ver obligados a afrontar unas emociones realmente alarmantes, incómodas y poco familiares. Sin embargo, la mayoría de las veces me inclino a creer que nos echamos atrás ante una experiencia «arriesgada» porque de lo que tenemos miedo es de perder el control. Sabemos que no podemos vivirla sin experimentar cierta confusión, sin entrar en el terreno de las emociones desconocidas.

Robin: No obstante, darnos la oportunidad de sentirnos confusos nos es en ocasiones totalmente necesario; forma parte del proceso de crecimiento.

John: Me acuerdo de que una vez mencionaste que, cuando la gente *trata* de cambiar, no cambia nada con la misma rapidez que cuando *deja de intentarlo.* ¿Guarda esto relación con lo que estamos comentando ahora sobre la confusión?

Robin: Sí. Como comprenderás, alguien que trata de cambiar lo intenta casi siempre a partir de su *propia* idea del tipo de cambio que le es necesario. Es decir, trata de utilizar una máquina averiada para arreglarse a sí mismo.

John: Trata de cambiar unas ideas erróneas a la luz de ideas que ya de por sí son erróneas.

Robin: Por ejemplo, en una terapia de grupo, las personas suelen hablar a tumba abierta sobre sus intenciones de cambiar. Sin embargo, cuando pasa el tiempo se demuestra que desean cambiar, pero de acuerdo con su manera de ver el problema, no con la del grupo.

John: ¿Quieres decir que entonces no pasa nada, que se limitan a dar vueltas y más vueltas alrededor de lo mismo?

Robin: Claro. Lo que hay que hacer es proporcionar al grupo datos relacionados con tu problema y *dejar luego que te cambie.*

John: Hay que aprovecharse sencillamente del hecho de que los demás miembros del grupo poseen una visión más objetiva que la tuya, dado que no tienen que rechazar ciertos aspectos de la verdad relacionada contigo que tú sí rechazas.

Robin: De esa manera, es posible obtener una reacción de un valor incalculable sobre lo que está mal o lo que obstaculiza el cambio. Como es lógico, *eso* puede ser doloroso, pero si uno se muestra abierto, la reacción llega realmente, en ocasiones, a cambiarte.

John: De esto me acuerdo muy bien. De pronto, te encuentras con que todo el grupo te está mirando y diciendo con gran amabilidad, aunque con firmeza, que el problema *no* consiste en lo que tú crees. Esta experiencia, el hecho de que, por así decirlo, un jurado independiente te diga que estás percibiendo algo de manera equivocada es de una fuerza *extraordinaria.* Recuerdo que, tras ello, pasé una temporada totalmente confundido, con la sensación de que no tenía ni idea de lo que me estaba pasando ni de las respuestas válidas de las que todavía disponía. Es una experiencia que aún me asalta de vez en cuando y que denomino «renovación del cableado». Tengo la impresión de que debería colgar un cartel que dijera: «Cerrado por reparaciones».

Robin: Evidentemente, antes de construir una casa nueva, tienes que derribar la antigua. Y mientras lo haces, encuentras un montón de escombros y de desorden a tu alrededor. Lo mismo pasa cuando intentas cambiarte a ti mismo: la estructura antigua tiene que desmoronarse para que pueda formarse una nueva. En eso consiste la confusión. Sólo cuando una persona ceja en su intento de controlar el proceso de cambio, puede el sistema externo empezar a cambiarla.

John: Y, a pesar de que abandonar el control del proceso te sume inevitablemente en la confusión..., lo que haces hasta cierto punto es ascender a un nivel superior para así recibir más información y disponer de una perspectiva más amplia y completa.

Robin: Sí, aunque hablar en términos de «ascensión a un nivel superior» suena un tanto grandilocuente, como si se tuviera la sensación de que se está subiendo a un lugar desde donde se puede tener control de todo. Sin embargo, está claro que no se tiene esa sensación en absoluto, cuando es uno el que lo está haciendo. En realidad, te sientes como si estuvieras *descendiendo*, como si te bajaras de un caballo y pusieras los pies sobre tierra firme.

John: De hecho, las primeras veces que me ocurrió a mí, tuve una sensación bastante humillante. Te sientes fuera de lugar, no te hallas a cargo de nada, estás perdido, no sabes qué hacer, te sientes como un tonto...

Robin: Pero, entonces, creo, empiezas lentamente a caer en la cuenta de que sólo es tu yo el que se está revolcando en la suciedad, el que está aprendiendo la lección de que no puede controlarlo todo, de que no puede comprenderlo de la manera a la que está acostumbrado.

John: Es cierto. Te haces a la idea de que te estás sumiendo en la confusión, te dejas ir y empiezas a confiar en el hecho de que haya una parte de tu persona que absorba la nueva información. Lo más asombroso es que, en última instancia, dé sentido a todo esto y acabe integrándolo.

Robin: Sí. Es una especie de inteligencia superior de la que normalmente no somos conscientes. Es el «cerebro derecho» el que ve las nuevas pautas y, de forma intuitiva, da sentido a las cosas que el «cerebro izquierdo» no puede comprender. En Occidente, nuestra mentalidad da mayor importancia al «cerebro izquierdo», a las facultades lógicas, analíticas y críticas. Me acuerdo de que, en una ocasión, Prue y yo asistimos a una conferencia sobre ciencia y religión. Todos los presentes estaban de acuerdo en que era necesario que pasáramos de nuestra modalidad presente, que se basa predominantemente en el cerebro izquierdo, a un funcionamiento que diera prioridad al cerebro derecho, si es que muchos de los problemas mundiales habían de resolverse. Entonces, una persona con formación militar dijo: «Muy bien, si hemos de pasar del cerebro izquierdo al derecho, ¿qué tipo de instrucción tenemos que hacer?». Por descontado que con esta actitud es imposible hacerlo, puesto que es la manera que tiene el cerebro izquierdo de abordar el problema.

John: Es realmente curioso, en serio. Evoca la imagen del ejército enseñando a los soldados a meditar: «¡Pelotón! Dejad la mente en... ¡*blanco*! Ahora, a la orden de "Sed espontáneos», permitid que las imágenes surjan del inconsciente de una manera incontrolada, ¡*todavía no, Higgins, espere un momento...*!». Entonces..., ¿cuál *es* la alternativa que nos queda para utilizar el cerebro izquierdo y poder tener acceso al derecho?

Robin: La alternativa es, sencillamente, ver que la transición no se puede hacer de esa forma, y que la única manera de llegar ahí es permitir que nos llene la confusión, aceptar que no podemos hacerlo a partir de la típica mentalidad lúcida, a partir de una actitud que da a entender: «Estoy en control intelectual de la situación». Tenemos que soportar la sensación de estar perdidos, de estar a la deriva. Si podemos aguantar esa sensación, el hecho de estar fuera de lugar, y nos olvidamos por un momento de la comprensión intelectual, nos encontraremos automáticamente camino del cerebro derecho, a pesar de –o, más bien, a *causa* de– nuestra confusión y aturdimiento. Con el tiempo, comprenderemos las cosas de una forma diferente.

John: Tenemos que aprender a «soltarnos».

Robin: Sí.

John: ...Por lo que no se trata de situarnos en un nuevo entorno, con gente nueva y experiencias poco familiares, sino también de estar dispuestos a sentir cualquier confusión que de ello se derive, ¿no es así?

Robin: Por supuesto.

John: Me pregunto si ésta es la razón por la que parte de la gente más dotada intelectualmente parece muchas veces menos madura, desde un punto de vista emocional.

Robin: Sigue...

John: Bueno, siempre he tenido la impresión de que las personas que acumulan una gran cantidad de conocimientos, lo hacen casi como si de una medida defensiva se tratara, puesto que se sienten muy a disgusto si no tienen un control mental de la situación. Me pregunto entonces si acaso esa necesidad de dominio intelectual, de control –de «aprehender», en vez de «comprender», como decías en el anterior capítulo–, no será precisamente lo que les impide soltarse ante los sentimientos de confusión que les permitirían crecer en todas las facetas relacionadas con los *sentimientos*, aquellas en las que no son tan maduros.

Robin: Ésa es la impresión que yo tengo.

John: He de admitir que cada vez veo más claro por qué la gente más sana cambia con tanta facilidad. En primer lugar, se toman sus vidas casi científicamente, en el sentido de que no dejan nunca de contrastar sus hipótesis, sus mapas mentales, lo cual significa una aceptación regular de los períodos de «desconocimiento» que ello acarrea. Es decir, se sienten más a gusto que nosotros con el tipo de confusión que has descrito. En segundo lugar, dado que suelen estar en contacto con determinados sentimientos trascendentales, con cierto sentido del universo como sistema de apoyo, tienen un respaldo de cara a afrontar el desasosiego que dichos períodos de confusión llevan aparejados.

Robin: Por añadidura, la idea fundamental que la mayoría de las religiones transmiten es que formamos parte de un proyecto superior diseñado por una autoridad suprema, y que realmente sabemos muy poco y tenemos un control muy reducido sobre las cosas. La importancia que dan a nuestra verdadera «humildad», si permitiéramos que nos influyera, nos protegería de la «arrogancia» que manifestamos cuando tratamos de controlarlo todo y nos abriría las puertas a un proceso continuo y dirigido hacia una comprensión más profunda de la clase que hemos descrito.

John: Muy bien, ¿podrías entonces hacer un resumen por el bien de los lectores que estén interesados en cambiar?

Robin: Bueno, el problema está en liberarnos de las costumbres automáticas y actitudes de rechazo que nos atrapan en nuestro estilo de vida presente, habida cuenta de que son ellas las que frustran la posibilidad de un cambio natural. Como ya he dicho, nuestras ideas actuales sobre la necesidad de cambiar no hacen sino dar vueltas sobre lo mismo. Por tanto, lo que hay que hacer es abrirse a un abanico más amplio de experiencias vitales y permitir que la reacción que como consecuencia recibamos nos cambie; para ello hemos de deshacernos de nuestros ineficaces planteamientos y sentimientos de siempre, y sumirnos en la confusión, tras lo cual tendremos la libertad de movimiento suficiente como para comprender las cosas de otra manera. Resulta muy útil hacer todo esto sin la intención de «tener éxito» o «triunfar», sino con el objetivo de *aprender*, de dejar que el mundo nos enseñe.

John: Muy bien. Dos preguntas más sobre la idea del cambio en los individuos. En primer lugar, una de tipo subjetivo. Robin, hay multitud de actividades que podemos emprender. ¿Hay alguna que pueda mostrarnos lo que nos es más beneficioso individualmente? ¿Hemos de dedicarnos a lo que más miedo nos da? ¿Debería convertirme en montañero o en danzarín?

Robin: Seguramente, aprenderías algo muy interesante si trataras de hacer algo de montañismo, si es que esa idea te resulta especialmente desagradable, aunque no por ello tienes que convertirte en Chris Bonington.[1] Enfrentarte a algo

1. Bonington, Christian. Alpinista británico que participó en las primeras escaladas al Everest (nac. 1934). (*N. del T.*)

que te produce miedo o ante lo que te muestras reacio, puede significar el fin de un hábito y una experiencia liberadora. Puede que descubras que el miedo tiene un significado muy diferente a lo que presumías. En mi caso concreto, me he dado cuenta de que la gran inquietud que me producía el riesgo que entrañan ciertas actividades físicas guardaba más relación con las preocupaciones de mi madre y era, en realidad, un reflejo del miedo a lo que podría pasar si me mostraba demasiado audaz. Gracias a ello, he vuelto a recuperar dicha audacia y he empezado a disfrutar de los deportes emocionantes.

John: Para tener setenta años, no se te da nada mal el *wind surf.*

Robin: Por tanto, el objetivo es aprender más sobre uno mismo, lo que da lugar a que ocurran los cambios oportunos de manera automática.

John: La segunda y última pregunta es más objetiva. ¿Cuáles dirías que son los criterios fundamentales a la hora de decidir si algo nos es de ayuda para nuestra salud?

Robin: El criterio fundamental es saber si nos conduce a una mayor integración de las diversas partes de nuestra personalidad: un contacto y una comunicación crecientes entre ellas, que nos lleven a su vez hacia un mayor contacto y una mejor comprensión de la realidad de nuestro entorno. Cuando esto ocurre, tu vida mejora, tus relaciones ganan, te conviertes en una persona más eficaz y apañada, dejas de tener tantas preocupaciones y disfrutas más de la vida. Aunque estoy adelantando acontecimientos... A medida que vayas cambiando, es posible que tengas la sensación de que estás empeorando. Por tanto, has de confiar en que la verdad cura, en que, si aprendes más sobre tu persona, conoces a un mayor número de gente, consigues llevarte bien con ellas y asumes sus reacciones, te encontrarás en el buen camino. Como es natural, es conveniente entrar en contacto con personas que consideres que están más sanas que tú, aunque esto pueda resultar algo incómodo, y también con personas que estén tratando de cambiar y crecer, tal vez por medio de amistades informales o, acaso, en el seno de un grupo de terapia o de concienciación. Como no hace falta que te diga, ésta es precisamente la razón por la que los grupos funcionan tan bien y por la que decidí que la terapia de grupo era lo que más me interesaba.

John: Subamos ahora un peldaño y hablemos de cómo mejorar el nivel de salud mental en el tipo de instituciones que hemos examinado en el segundo capítulo: empresas, escuelas y hospitales. ¿Qué impacto puede tener un individuo en estos casos?

Robin: Obviamente, esto depende del tamaño de la institución. Si hablamos de una organización muy pequeña o de un departamento muy pequeño, el hecho de que un individuo entre a formar parte del grupo, incluso si lo hace en un puesto subordinado, puede cambiar mucho las cosas.

John: Es cierto. No es sólo que dicha persona haga bien su trabajo, sino que además «dé ejemplo» al mostrarse animada, humilde y concienzuda.

Robin: Como es lógico, es posible que en un principio algunas de las personas menos sanas del grupo reaccionen incluso de manera negativa. Sin embargo, si dicha persona se relaciona con sus compañeros mostrando una «actitud afiliativa» durante el tiempo suficiente, cada vez habrá más miembros del grupo que se sentirán afectadas y tenderán a emularla.

John: Me he dado cuenta de que, con el paso del tiempo y conforme sube el nivel, los miembros más débiles del grupo empiezan a llamar la atención. Mientras que unos mejoran, las debilidades van cobrando más relieve, y resulta mucho más difícil pasarlas por alto, tanto para el grupo como para los eslabones débiles.

Robin: Sí. El nivel general sube, por lo que resultan más evidentes. En consecuencia, hay varias posibilidades: o mejoran con los demás; o el grupo al completo acaba dejando claro que no quiere seguir teniéndolos en su seno; o la persona en cuestión termina sintiéndose tan incómoda que encuentra una excusa para irse a otra organización más acorde con su nivel de salud.

John: Esto por lo que se refiere a grupos pequeños. ¿Qué ocurre con las organizaciones grandes?

Robin: En esos casos, sólo el dirigente puede lograr una mejora substancial en el tipo de funcionamiento de la organización.

John: ¿He de suponer entonces que dicha mejora entraña la introducción en la organización de los tipos de funcionamiento que hemos considerado sanos en el segundo capítulo?

Robin: Efectivamente.

John: Y los dirigentes son lo únicos capaces de hacerlo porque son las personas encargadas...

Robin: Un momento, ¿a qué te refieres con «encargadas»?

John: Son las que tienen el control, ¿no es así?

Robin: Consideremos la idea con más atención. No creo que sea conveniente considerar que la directiva de una organización que funciona bien tenga el control *definitivo* sobre ella. El conjunto de la organización se encuentra bajo el control del mundo que lo rodea.

John: Como si fuera un organismo vivo en la naturaleza, ¿no es así?

Robin: Continúa...

John: Si quiere sobrevivir, su comportamiento tiene que adecuarse al medio.

Robin: Sí, tiene que ser «responsable» en el sentido básico de la palabra: debe responder de manera adecuada a las condiciones en las que se encuentre. Por tanto, la función del dirigente es la de crear las condiciones idóneas para que la organización sea «responsable» en este sentido. En primer lugar, debe garantizar que las actividades de las diferentes partes de la organización estén en contacto las unas con las otras, que haya coordinación. Por otro lado, debe facilitar la relación entre el sistema y el mundo que lo rodea.

John: Porque es ese mundo, y no el dirigente, quien decide si se van a seguir utilizando los productos o los servicios de la organización.

Robin: Precisamente. Por ejemplo, le corresponde a la dirección la responsabilidad de, por un lado, mantener un sistema que dé la voz de alarma lo antes posible si la compañía va camino de tener dificultades económicas y, por otro, de decidir la clase de medidas que la empresa ha de tomar para sobrevivir. No se trata de que el dirigente tenga que empuñar la vara para que se lleven a cabo estos cambios, sino de que advierta a todo el mundo la presencia de la vara que el mundo de fuera está blandiendo en actitud amenazadora, tanto hacia el conjunto de la organización como hacia sus ingresos. Es posible que algunos miembros de la mano de obra se resistan a dichos cambios porque sólo les preocupe su beneficio inmediato, y se nieguen a enfrentarse al peligro de perder sus empleos si no se comprometen. Sin embargo, al poner de manifiesto el peligro a la mayoría, un buen dirigente puede emplear la crisis para llevar adelante una serie de cambios vitales que vayan en provecho de todos.

John: Me gusta esa idea..., que la vara se encuentre «fuera».

Robin: Para decirlo brevemente, la labor del dirigente consiste en ayudar a la organización a reaccionar de manera adecuada a su entorno, ocupándose de que la información relevante acerca del mundo de fuera sea recibida de inmediato y circule por todas las esferas. Además, una vez que haya dado a todos la oportunidad de aportar el fruto de su inteligencia, el dirigente debe coordinar las reacciones de los distintos departamentos, de tal forma que se tomen las decisiones apropiadas y se lleven a cabo con eficiencia.

John: Es decir, el dirigente se ocupa de mantener la organización en contacto con la realidad constantemente, con el fin de que aprenda del mundo que la rodea y pueda adaptarse a él.

Robin: Eso es, en resumidas cuentas. Se trata del mismo principio, fundamentalmente, del que hemos estado hablando: la manera mediante la cual los individuos y las familias se mantienen sanos o mejoran su salud.

John: Una mentalidad muy diferente al concepto antiguo de directiva, según el cual el «jefe» se llevaría una buena sorpresa si se le dijera que no es la persona que da las órdenes.

Robin: Bueno, llamemos a esta manera excepcionalmente sana de dirigir a los demás, digamos..., «la nueva directiva».

John: Conciso, aunque banal.

Robin: Por mor de la claridad, contrastémoslo con el tipo de directiva que se ha dado durante el pasado siglo. Evidentemente, al hacer esto escogemos los dos polos opuestos del espectro del comportamiento del dirigente. Todas las organizaciones auténticas estarán entre estos dos extremos.

John: Te ahorraré cierta caricaturización si iluminas la oscuridad en la que me encuentro.

Robin: Empecemos por la idea antigua de directiva. La suposición de fondo es que «el jefe» sabe qué es lo más conveniente. Por tanto, como es natural, el resto de los miembros de la organización son tratados como seres humanos incompletos, como animales diferentes, como una especie inferior. El jefe sólo está dispuesto a emplear una parte muy limitada de sus habilidades, puesto que sólo le interesa un número muy reducido de ellas. Fundamentalmente, emplea a su personal como instrumentos para ejecutar sus órdenes. Un ejemplo muy ilustrativo de esta actitud es el de uno de los principales ejecutivos de una gran

empresa que, cuando le exigieron una mayor participación de la plantilla, describió la situación mordazmente diciendo que era como «dejar a lo monos que se encargaran del zoo».

John: Desde este punto de vista, todo el control se concentra en la cumbre.

Robin: Sí, el jefe toma todas las decisiones y le dice a todo el mundo lo que tiene que hacer. Mientras, como es lógico, todos comentan: «¿No es un verdadero genio?», o al menos eso es lo que dicen en su presencia. Este tipo de organización puede funcionar, aunque no con gran eficacia, a condición de que el jefe también funcione. A poco que deje de hacerlo, la organización se vendrá abajo porque no habrá nada que la sostenga. El tinglado entero está desequilibrado porque toda la inteligencia que controla la organización está concentrada en él.

John: He intervenido en la película *Clockwise*, de Michael Frayn, que está basada en los hechos ocurridos en una escuela real en la que el director era exactamente igual a la persona que acabas de describir. ¡Era una dinamo! Nadie dejaba de comentar lo fantástico que era. ¡Lo hacía todo! Un buen día se fue y la escuela se vino abajo. Nadie tenía la menor idea sobre qué era lo que había que hacer, porque nunca había permitido a nadie entender el funcionamiento de la escuela.

Robin: Muchas empresas occidentales son de ese tipo a causa de la importancia que concedemos al individuo, en contraposición a los japoneses, quienes valoran más las decisiones y el consenso del grupo. Por ejemplo, durante los veinte años que Harold Geneen fue director ejecutivo de la firma estadounidense ITT, la empresa pasó a ser una de las más eficientes y lucrativas de Estados Unidos. Sin embargo, se mostró, al parecer, incapaz de enseñar a sus subordinados cómo atarse los cordones de los zapatos. Desde el momento en que se retiró, la empresa ha ido perdiendo en rentabilidad. Está claro que era un hombre excepcional y que, mientras estuvo trabajando, sus métodos dieron un gran resultado, al menos desde el punto de vista económico. Con todo, su afán por ejercer un control férreo dio como resultado que la empresa dejara de tener éxito cuando él la abandonó. Como es lógico, la mayoría de los jefes que prefieren esta manera de llevar sus asuntos ni siquiera tienen la justificación de que la empresa dé unos resultados especialmente buenos, mientras ellos las dirigen.

John: Si tenemos en cuenta la cantidad de gente que todavía admira este estilo de directiva, me pregunto *cuáles son* sus ventajas.

Robin: Yo diría que la principal es que consigue que el jefe se sienta importante. Sobre él pesa una responsabilidad enorme, ya que no deja a nadie más asumir ni una parte de esa responsabilidad. La compensación que recibe por toda esa tensión es la inmensa sensación de poder que tiene, la sensación de ser una persona abrumadoramente «decisiva». Puede soltar órdenes a diestro y siniestro y conseguir que todo el mundo se mueva con frenesí, con el resultado de que nadie se atreve siquiera a murmurar una palabra crítica aunque estén seguros de que está cometiendo unos errores flagrantes.

John: O incluso si está robando los fondos de pensiones. Muy bien. Ventajas de la directiva antigua: el jefe se cree una persona verdaderamente impresionante. Y si se trata realmente de un genio, el asunto funcionará durante una temporada. ¿Y qué me dices de las desventajas?

Robin: Me limitaré a resumirlas porque no son más que una recapitulación de lo que hemos venido diciendo hasta ahora. El jefe recibe información incorrecta, dado que las respuestas negativas a su comportamiento son filtradas antes de que lleguen a él porque todos saben que no quiere oírlas. Además, mientras el jefe se limite a utilizar sólo su propia inteligencia a la hora de tomar decisiones, no estará nunca al tanto de las ideas que puedan estar circulando por la empresa. La gente que ejecute sus decisiones no tendrá una idea muy clara del razonamiento que hay detrás de ellas, por lo que muy posiblemente serán malinterpretadas y desarrolladas de forma equivocada. Como él toma todas las decisiones, todas las preguntas al respecto tienen que pasar primero por la jerarquía hasta llegar a él y, luego, volver a la persona que las ha planteado antes de que pueda emprenderse cualquier acción. En consecuencia, las reacciones de la empresa son lentas. Por añadidura, los empleados son tratados como seres humanos incompletos, por lo que su motivación es baja, si exceptuamos el miedo que sienten, que les hace adoptar una postura defensiva. Puesto que nunca se los consulta, es muy probable que de una manera sutil obstruyan las decisiones con las que no estén de acuerdo.

John: Te ruego que continúes.

Robin: Muy bien. La empresa se vendrá abajo en cuanto él no esté. Por otro lado, no se ocupará de preparar a un sucesor, por cuanto la organización sólo puede ser dirigida por alguien que sea exactamente igual que él, persona que habrá sido despedida hace ya tiempo puesto que el jefe no puede soportar la competición. En su lugar, se rodeará de cobistas, así que cuando cometa un error, algo que hará inevitablemente, no habrá nadie que se lo pueda señalar, de forma que seguirá erre que erre. Decidirá lo que los clientes *deben* querer, en vez de averiguar lo que *realmente* quieren. Por consiguiente, depositará su confianza en la publicidad para persuadir a la gente a comprar lo que él ha fabricado, en vez de fabricar lo que se puede vender... ¿Puedo parar?

John: Sí. Entonces..., podría decirse que la organización paga un precio exagerado para hacer que el jefe se sienta bien.

Robin: A la larga, se convierte en un precio elevadísimo. Si, en cambio, consideramos la «nueva directiva», el supuesto clave es que las otras personas saben más.

John: ¿Las otras personas?

Robin: Bueno, al menos por lo que respecta a aquellos aspectos a los que se encuentran más próximos. Se da por hecho que la mayor parte de las decisiones de la empresa han de ser tomadas por personas que no ocupen puestos directivos, puesto que están mucho mejor preparadas para ello. Como resultado, son tratadas como seres humanos completos; la organización emplea todos sus conocimientos y habilidades, además de preocuparse por sus necesidades emocionales. Por lo tanto, son personas altamente motivadas y muy capacitadas para aportar ideas y dar buenos resultados.

John: Pero, espera un momento. No me acaba de convencer eso de que «las otras personas saben más».

Robin: Es muy sencillo. En virtud de la posición ventajosa que ocupan en la cumbre de la organización, los dirigentes tienen una perspectiva más amplia y global del funcionamiento de la empresa, de forma que es mejor que sean ellos

los que se ocupen de tomar ciertas decisiones generales y estratégicas. Sin embargo, delegan el resto de las funciones a los estratos más bajos de la jerarquía cuando es posible, siempre que se trate de algo compatible con la eficiencia. El control se extiende por todo el sistema.

John: Me gusta cómo suena todo esto, pero resulta algo idealista. Quiero decir..., gran parte de la preparación en este campo va en esta dirección, pero aun así, ¿se puede decir que se haya desarrollado en el mundo real?

Robin: No hay mundo más real que el ejército estadounidense, cuya doctrina subraya la descentralización y la delegación de responsabilidades a todos los rangos. ¿Te acuerdas de lo asombrosamente eficaz que fue en la guerra del Golfo?

John: Alguien llegó a decir que ningún ejército había conseguido jamás moverse tanto, tan rápido y a tantos sitios.

Robin: El general Schwarzkopf no dio a sus subordinados órdenes exactas sobre cómo se tenían que llevar a cabo todas estas acciones. Sencillamente indicó a grandes rasgos cuál era su estrategia y cuáles los principales objetivos que quería atacar: las líneas de comunicación y aprovisionamiento del Valle del Éufrates, la Guardia Republicana y, por supuesto, la ciudad de Kuwait. Además, según lo que cuenta un comandante presente en la reunión de altos mandos, se limitó a decir: «Muy bien, muchachos, esto es lo que quiero hacer, ahora os lo pensáis y me decís cómo voy a hacerlo». De hecho, los generales británicos y estadounidenses llevan poniendo en práctica sus planes de esta manera desde la segunda guerra mundial.

John: Entonces, cuando dices que la filosofía consiste en que «las otras personas saben más», te refieres a que los «nuevos dirigentes» marcan la estrategia básica y ordenan a sus subordinados que empleen a los diferentes especialistas que tienen a su disposición para desarrollarla.

Robin: Sí. A condición de que el sistema haya sido organizado correctamente, todo el proceso de toma de decisiones puede basarse en la delegación de funciones.

John: De forma que los nuevos dirigentes pueden repantigarse y echarse una partida de dardos.

Robin: Exacto. Si han explicado la estrategia con claridad, los dirigentes no tie-

nen que hacer gran cosa, a excepción de asegurarse de que todo vaya sobre ruedas. Y, claro está, tienen que estar siempre disponibles, por si hay algún caso de emergencia.

John: Muy bien. Veamos estos dos aspectos.

Robin: Por lo que respecta a ocuparse de todo, te acordarás de que en el segundo capítulo hemos dicho que en las empresas más sanas, el control se ejerce mediante la estricta supervisión de ciertos «reguladores» económicos.

John: Sí. Ésa es la manera que tienen los dirigentes de saber si la organización se está quedando dormida en los laureles.

Robin: Puesto que la mayor amenaza es siempre la bancarrota. Todos los reguladores guardan relación con el presupuesto y las finanzas, y permiten al dirigente advertir desde el principio el más mínimo asomo de equivocación y, en consecuencia, advertir el peligro antes de que se acerque.

John: Por tanto, siguen la marcha de la información clave todo el tiempo y se ocupan de cualquier irregularidad que pueda surgir.

Robin: Eso sí, si el grupo de trabajo cuyos miembros son responsables de la irregularidad pueden corregirla por su cuenta, el director no ha de meter baza para nada. Si no, tendrá que intervenir, resolver la situación y asegurarse de que el grupo vuelve al camino correcto antes de devolverles el control.

John: Me da la impresión de que el director puede intervenir por dos razones hasta cierto punto distintas: una, porque el grupo se esté equivocando; dos, porque las circunstancias ajenas a la organización estén cambiando con mayor rapidez de la que se suponía cuando se planeó toda la estrategia general.

Robin: Esto guarda relación directa con el segundo aspecto, lo que acabo de llamar una «emergencia» y que entiendo como algo inesperado. Una crisis, en el sentido de algo que no ha sido previsto.

John: Es decir, algo que el director no había previsto cuando estructuró el sistema o planeó la estrategia.

Robin: En una emergencia, la directiva tiene que intervenir nuevamente, tirar de las riendas, por decirlo de alguna manera, y hacerse cargo hasta que la crisis se haya controlado, lo cual supondrá que la organización sabrá controlar ese tipo de crisis cuando vuelva a ocurrir.

John: ¡Ah! De esa manera, cuando pase otra vez, el director no tendrá que intervenir, puesto que dicha crisis ya no será algo «imponderable».

Robin: Efectivamente. Cuanto mejor estructurada esté la organización y más experiencia tenga, mejores serán sus sistemas de predicción de lo que pueda pasar y de reacción cuando de hecho ocurra. Por consiguiente, cuanto más aprenda una organización, menos tendrá que controlar la directiva. Cada nueva crisis enseñará a la organización algo nuevo que podrá incorporar a su estructura, con el fin de poder enfrentarse en mejores condiciones a los aconteciniemtos imprevistos del futuro. La vida de la organización, en definitiva, consiste en un tira y afloja natural entre aquellos períodos relativamente largos en los que las cosas funcionan con mayor suavidad y no requieren el control central, y las ocasiones en las que las cosas van inesperadamente por el mal camino y hace falta tomar fuertes medidas para volver a equilibrar la situación.

John: Es algo parecido a la manera de hacer las cosas de un profesor de autoescuela, ¿no crees? El profesor deja todo lo posible en las manos del estudiante –la conducción del vehículo– porque de esa manera éste aprende más rápido, pero interviene en cuanto surge un peligro real y espera, a continuación, no tener que volver a hacerlo la próxima vez que ocurra algo parecido.

Robin: Exacto.

John: ¿Y tú crees que este tipo de crisis que obligan al director a hacerse cargo de la situación de manera provisional son casi siempre de carácter económico?

Robin: Bueno, evidentemente, ése es el factor crucial en las empresas comerciales, aunque en un sistema gubernamental la amenaza puede consistir en que la organización sea clausurada definitivamente si no lleva a cabo su labor con propiedad, según unos criterios que no son meramente financieros. Con todo, hay otra serie de circunstancias que también pueden requerir la intervención del director: cuando la amenaza no viene necesariamente de fuera, aunque pueda tener ahí su origen. Es entonces cuando se da una crisis de confianza en el seno de la organización.

John: ¡Ah! Te refieres a cuando los trabajadores empiezan de repente a preocuparse por causas fundamentalmente psicológicas más que económicas.

Robin: Sí. Una vez tuve la ocasión de observarlo con mis propios ojos cuando trabajé en el Hospital Maudsley como consejero de organización. Cuando todo funcionaba bien, de una manera normal, el director –el psiquiatra especialista– dejaba que el personal tomara la mayoría de las decisiones y delegaba funciones. Siempre se encontraba en un segundo término, desempeñando un papel de apoyo cuando así se le pedía pero sin interferir más de lo que fuera absolutamente necesario. Normalmente, todo iba sobre ruedas, los empleados tenían la moral alta, había un ambiente de responsabilidad generalizado y todo el mundo estaba contento. En cuanto había una crisis, sin embargo, todos esperaban que él tomase las riendas de una manera más firme, más directa, que mostrase una mayor autoridad y dijese a la gente lo que tenía que hacer para resolverla.

John: ¿Que ocurría cuando no lo hacía?

Robin: Si evidenciaba alguna vacilación en el ejercicio de su autoridad, comenzaban a surgir señales de desmoralización y la mayoría de los miembros de la plantilla empezaban a criticarlo cada vez más. La crisis podía consistir en un problema de tipo financiero, en un gran movimiento de personal, en un suicidio o en un paciente que resultaba difícil y exasperante.

John: En que aumentase la tensión nerviosa en el personal...

Robin: Al ejercer provisionalmente un control más directo, el director podía atribuirse una responsabilidad que en ese momento resultaba excesiva para los miembros con menos experiencia de la plantilla. Tenía la confianza para hacerlo gracias a su pericia y a sus muchos conocimientos técnicos, aunque no se ocupaba necesariamente de algo que los demás no pudieran hacer. En realidad, con frecuencia no hacía nada extraordinario, sino que se ocupaba simplemente de asumir el peso de la responsabilidad y de la ansiedad que ello aparejaba, de tal suerte que los demás recuperaban su confianza, empezaban a funcionar de nuevo y él podía aflojar las riendas. En resumidas cuentas, siempre había una oscilación entre las ocasiones en las que el director se podía permitir delegar funciones y rebajar la pirámide de la autoridad, y las épocas de crisis en las que la pirámide recuperaba su altura.

John: ¿Llegaron a pensar los empleados que era un sistema incongruente?

Robin: Cuando llegué al hospital, todo el mundo, el director inclusive, pensaba que había algo incongruente, equivocado en la fluctuación de su comportamiento. Pero según fue pasando el tiempo, se hizo evidente lo necesario y correcto de dicha fluctuación. Era una simple cuestión de ajustar el grado de control a las exigencias de la situación.

John: Entonces, en una sociedad anónima, por ejemplo, la nueva directiva podría asumir un control más férreo por una razón meramente psicológica, como quizá una situación de gran ansiedad.

Robin: Sí, porque, aparte de las dificultades económicas, las organizaciones sufren el mismo tipo de crisis que he descrito con el ejemplo del hospital. Puede haber un gran movimiento de personal, un importante cambio en la estructura organizativa o en los métodos de trabajo, un conflicto entre los jefes de departamento o alguna cosa por el estilo. Provisionalmente, el jefe puede sentir la necesidad de tirar con más fuerza de las riendas para infundir mayor seguridad y aumentar el grado de orden que permita a los empleados sentirse más a gusto y tranquilos.

John: Ya veo. Bueno, hemos visto las hasta cierto punto insólitas circunstancias que obligan a la «nueva directiva» a asumir provisionalmente un mayor control. La regla general, con todo, es que el control se extienda cuanto más mejor.

Robin: Sí, la nueva directiva tiene que diseminar todo lo que pueda: información, entendimiento, poder, responsabilidad, prestigio, los principios éticos que rigen la organización. El fin de esta diseminación es que todo lo que acabo de enumerar llegue a convertirse en una fuerza viva en el seno de cada uno de los subgrupos y de cada individuo. Uno de los resultados más beneficiosos de ello es, por supuesto, que la organización se hace tremendamente estable, puesto que nadie posee una importancia excesiva.

John: El director deja de ser «indispensable». ¡Maravilloso!

Robin: Por tanto, si el nuevo director se retira, será muy fácil encontrar a un substituto, debido a que la organización no habrá dejado de formar a los empleados delegando la toma de decisiones y compartiendo la información de manera abierta. En consecuencia, la promoción no se asemejará tanto al paso hacia lo desconocido que supone en una organización más autoritaria.

John: En realidad, lo que un «nuevo director» hace es trabajar para quitarse trabajo de encima.

Robin: Efectivamente.

John: Este tema de la «nueva directiva» está lleno de paradojas, ¿no te parece? Por ejemplo, a menos que haya una crisis, el director más eficaz dará la impresión de carecer de las cualidades del liderazgo antiguo porque no las estará ejerciendo por decisión propia.

Robin: De hecho, se ejerce el nuevo tipo de dirección de una forma más eficaz cuando menos se emplea el antiguo, dado que eso es precisamente lo que permite que la gente desarrolle dichas cualidades. Ésta es la razón por la que resulta tan difícil precisar las características clave de una empresa sana.

John: Sólo se ve el significado tradicional de directiva cuando el nuevo director tiene que intervenir para comunicar a sus subordinados aquello que no ha logrado enseñarles con anterioridad.

Robin: Eso es cierto. Una crisis revela lo que normalmente está solamente en reserva.

John: Muy bien. Hemos discutido de forma pormenorizada cómo se pueden introducir las características de una empresa sana en otras organizaciones mediante lo que hemos decidido llamar «nueva directiva», es decir, mediante la diseminación del control en la medida de lo posible por toda la organización. Ahora bien, si los directores empiezan a hacer esto, ¿qué ocurre? ¿Cómo reacciona el resto de la plantilla?

Robin: El problema principal es lograr que la gente acepte la idea de buenas a primeras. Los directores, los gerentes y los supervisores están acostumbrados a «estar al mando». El hecho de prescindir de parte de este mando debe ponerlos nerviosos durante una temporada, incluso aunque obtengan más poder gracias a las funciones que se les delegan desde arriba.

John: Me enfrenté a este mismo problema cuando tuve que escribir el guión para un vídeo sobre aprendizaje. En pocas palabras, lo que tratábamos de hacer era persuadir a los directores a que «prepararan» a sus subordinados, lo cual no significa dar órdenes, sino esbozar el problema que se ha asignado al subordinado y discutir los diferentes modos de solucionarlo. La clave de este tipo de preparación es que el director se comporte de igual a igual con el subordinado y que, como mucho, dirija su atención a los posibles resultados de las ideas de éste. Eso es todo lo que tiene que hacer. Como es lógico, es necesario que el director acepte la posibilidad de que el subordinado cometa un error o, lo que es acaso más alarmante, que a éste se le ocurra una idea mejor que la suya. En definitiva, tras muchas consultas decidimos que teníamos que pasarnos la mitad de la película garantizando a los directores que asumir este comportamiento no iba a ser el fin del mundo.

Robin: Es una reacción natural y hay que tenerla en cuenta. La segunda dificultad, claro está, estriba en el hecho de que esta forma de hacer las cosas es más exigente, es decir, trabajar en una organización de este tipo, en la que se te da una mayor responsabilidad y has de involucrarte más, requiere un nivel superior de salud mental.

John: Es cierto. Resulta más fácil, aunque no sea tan satisfactorio, que alguien te diga lo que has de hacer.

Robin: Obligado a sentirte más seguro, si eso es lo que te han enseñado en tu familia, en la escuela y en los trabajos que has desempeñado con anterioridad. La transición, por tanto, hacia una estructura más libre y abierta ha de provocar inevitablemente ansiedad en un principio. Es como cuando aprendes a montar en bicicleta, tras haber sido transportado en el cochecito de niños o en el coche de los padres. Una vez que te acostumbras, resulta sin lugar a dudas mucho más divertido y satisfactorio.

John: Además, como es lógico, los directores son mucho más accesibles en un entorno saludable. Esto les hace la vida mucho más difícil, porque al estar en contacto directo con todo el mundo, su autoridad tiene que basarse en un conocimiento, una competencia y una eficacia *reales*. Hasta cierto punto, se ven expuestos a un juicio público constantemente. En la empresa de estructura antigua, el director que no se merecía ningún respeto, podía conservar su autoridad formal manteniendo las distancias y confiando en su rango, ocultándose en su despacho, en los comedores separados y en el ala del edificio de la directiva.

Robin: Efectivamente. Este método de trabajo, que es más sano, dificulta la posibilidad de ocultar las áreas de incompetencia. Para compensarlo, y gracias a que el ambiente está *orientado hacia el aprendizaje*, los empleados tienen todas las oportunidades que quieran para concentrarse en sus debilidades, en vez de gastar la misma energía en ocultarlas. Todo esto se reduce a lo siguiente: aunque estas «desventajas» guardan relación con la tensión que supone afrontar una situación de cambio, el resultado es, en última instancia, una mayor confianza y una motivación más alta.

John: Muy bien. Déjame que te pregunte ahora algo que lleva tiempo dándome vueltas por la cabeza. Si empleas unos métodos de consulta y delegación tan sumamente sanos, ¿qué ocurre cuando se produce un desacuerdo grave entre los individuos o los grupos de la organización sobre algo realmente importante, ya sabes, cuando la discrepancia es absoluta y cada uno tira por su lado? ¿Qué tiene que hacer en ese caso un buen director?

Robin: Hay que integrar las dos posturas.

John: Pero, ¿es eso posible en todos los casos?

Robin: Según la experiencia que tengo del estudio del funcionamiento de grupos de toda clase –desde los grupos en terapia y los grupos de aprendizaje hasta las empresas, pasando incluso por agrupaciones de obispos que tratan de mejorar su labor pastoral–, yo diría que el combinar las diferentes opiniones de los miembros de un grupo para lograr una síntesis es algo automático *siempre que* se den las condiciones idóneas.

John: ¿En serio? ¿De qué condiciones hablas?

Robin: En primer lugar, el director tiene que confiar en el proceso del grupo y estar a su servicio, en vez de tratar de forzar un acuerdo o aceptar el desacuerdo demasiado pronto. Segundo, el director tiene que asegurarse de que al proceso se le da el tiempo necesario. Tercero, ha de intentar sacar a la luz las razones por las que cada persona ve las cosas de forma diferente. Según mi experiencia, si estas condiciones se cumplen, comienza a darse un entendimiento más global e integrado. El entendimiento que tiene lugar toma sentido, desde el punto de vista del desacuerdo, da una explicación de por qué las divisiones son inevitables y cada una de ellas válida hasta cierto punto. Es decir, las diferentes posturas, si se comprenden del todo, serán interpretadas como elementos vitales de la visión más amplia que cada parte adquiere en consecuencia. Esto, a su vez, da pie a una decisión que puede resolver o reconciliar las diferentes posturas.

John: Estudiémoslo desde el punto de vista contrario. ¿Qué impide a las personas alcanzar un acuerdo cabal?

Robin: La discusión suele atascarse en el momento en que las dos personas o grupos se ven incapaces de entender el punto de vista contrario, algo que ocurre casi siempre porque hay muchas cosas en juego, muchas cosas que perder. Llegado a ese punto, se tiende a polarizar la situación, cada parte se atrinchera y lucha de una manera ciega, negándose a escuchar las razones que se puedan aducir por miedo a que la discusión lleve a cada una de ellas a perder la oportunidad de sacar algún provecho de la situación. Por tanto, en vez de adoptar un punto de vista cada vez más amplio y penetrante, se tiende a estrecharlo y, finalmente, a perder de vista el problema aumentando, claro está, la polarización y el desacuerdo. Es entonces cuando le corresponde al director del grupo mantener la discusión más allá de este punto.

John: ¿Cómo puede hacerlo?

Robin: Para que sea posible, el director ha de mostrarse abierto ante las posturas contrarias, sin por ello ponerse de lado de ninguna de ellas. Los participantes deben tener la impresión de que tienen un árbitro justo, un director interesado solamente en el bienestar de todo el grupo.

John: Eso supone que el director ha de tener una postura realmente abierta. Tiene que ser neutral.

Robin: Indudablemente. Ésa es la única manera de que pueda preservar un foro para que el debate continúe.

John: Sin embargo, yo tengo entendido, según lo que me dijo un gran empresario en una ocasión, que un presidente debe empezar una reunión sabiendo la decisión que desea para cada asunto del orden del día. Ésa no es una postura abierta.

Robin: No digo que no deba tener unas ideas definitivas de cosecha propia. De hecho, difícilmente podrá ser neutral si no tiene muy claro cuál es su posición, porque sin darse cuenta habrá adoptado una que será arbitraria. Se verá incapaz de dejar de lado dicha arbitrariedad...

John: ¡Aaah!, muy agudo...

Robin: Lo que quiero decir es que tiene que dar prioridad al bienestar y la colaboración por encima de su propia actitud. Y he de volver a subrayar algo: el director debe tener la confianza, basada en la experiencia, de que si la discusión logra rebasar el punto de polarización, el conflicto quedará finalmente aclarado y resuelto.

John: ¿Podrías darme un ejemplo?

Robin: Tendrá que ser naturalmente del tipo de trabajo al que me dedico. Surgió una situación de este tipo cuando empecé a tratar familias enteras a un mismo tiempo, en clínicas en las que en el pasado se había visto a los miembros por separado. Los miembros del personal, que habían realizado un gran esfuerzo hasta ese momento en el tratamiento de individuos por separado, opusieron una gran resistencia, porque eran especialistas muy bien preparados y respetados gracias a su enfoque. Eran conscientes de que si tenían que trabajar con familias, se verían obligados a empezar de cero. En consecuencia, optaron por pensar que el tratamiento familiar sólo producía un cambio superficial y a corto plazo, mientras que el suyo tenía como fin una alteración de la personalidad duradera y profunda, algo que el tratamiento familiar no podía lograr. Esto, de hecho, era un sinsentido, pero al utilizar este argumento, trataban de separarse de los nuevos métodos, de oponerse a los cambios en su propio trabajo y de dejar en las manos de los demás la complicada tarea de tratar familias enteras a un mismo tiempo. Esta división también ocurrió en la clínica Tavistock, con la diferencia de que el problema sigue sin solucionarse.

John: ¿Por qué no persistió la decisión en las clínicas en las que estabas?

Robin: Bueno, hasta cierto punto tuve que aceptar la polarización, de la misma manera que puedes llevar a un caballo hasta el agua pero no lo puedes obligar a beber. De todas formas, me negué a aceptar la polarización en el campo de la *comunicación*, de modo que una parte de nosotros comenzó a trabajar con familias y otra parte no lo hizo, y luego me ocupé de que mantuviéramos reuniones regulares y discutiéramos los dos métodos de trabajo y los resultados que estábamos obteniendo. Finalmente, me aseguré de que los dos métodos, la terapia individual y la terapia familiar, se aplicaran en el mismo caso.

John: ¿Qué ocurrió?

Robin: En un principio, muchas personas se mostraron resentidas al verse forzadas a escuchar las opiniones de los demás, y me di cuenta de que, durante mucho tiempo, hubo una enorme animadversión hacia mi persona. Con todo, los terapeutas que estaban trabajando con individuos empezaron a la postre a tratar a familias.

John: Acabó funcionando y saliste ganando.

Robin: No, no gané. La ininterrumpida comunicación no sólo llevó a las personas partidarias de la terapia individual a mostrar una actitud más abierta hacia el método familiar, sino que me indujo a afrontar el hecho de que en ciertos casos este método no resulta eficaz mientras que el individual funciona mejor; o también que, a veces, es preferible combinar los dos, todo lo cual me hizo sentir un mayor respeto por los conocimientos de los colegas que preferían trabajar con pacientes por separado. Así que no se puede decir que alguien ganara; lo que no cabe duda es que salió ganando el *trabajo de la clínica*. Conservamos todos nuestros conocimientos previos y aprendimos a combinarlos de maneras que resultaban mucho más eficaces y nos permitían ayudar a los pacientes y a las familias con las que habíamos fracasado anteriormente.

John: En definitiva, tu contribución consistió en mantener la discusión abierta en un momento en el que ciertas personas tenían intención de apartarse y evitarla. Debió de ser difícil seguir haciéndolo cuando había un ambiente de resentimiento a tu alrededor, sobre todo si pensamos que tú no sabías que todo iba a acabar dando buenos resultados.

Robin: Bueno, como he dicho, tengo la confianza que me da la experiencia de que, si das pie a que haya buena comunicación y respetas la aportación de todos, el resultado siempre será mejor que una solución impuesta por un director o subgrupo.

John: ¿La clínica Tavistock no tuvo esa confianza?

Robin: Tal vez. Es posible que no hubiese nadie allí con el poder suficiente para insistir en la importancia de las discusiones regulares y abiertas, o incluso que ese tipo de estructura de poder fuera en contra de su filosofía. Yo sí que tuve el poder para conseguir que la gente se reuniera y la convicción de que lo correcto era emplearlo para ese propósito. Como verás, regresamos a la idea de la utilización de la inteligencia de todo el sistema. Si el director cree realmente que esta inteligencia es mucho más grande que la suya, sabrá que la responsabilidad que tiene que asumir prioritariamente es la de crear las condiciones en las que dicha inteligencia combinada pueda funcionar, tanto es así que animará a la gente a hablar libremente y a compartir sus opiniones, asegurándose de que se sientan lo bastante seguros para ello y haciéndoles ver que sus opiniones son válidas y eficaces a la hora de tomar una decisión.

John: Muy bien. Bueno, he conseguido disipar mi principal preocupación sobre la «nueva directiva»: la posibilidad de resolver un desacuerdo de fondo en el seno de la organización. Irónicamente, lo puede hacer, pero no imponiendo una solución en virtud de su autoridad, sino empleando esta misma autoridad para conseguir que las partes en conflicto encuentren la solución por sí mismas.

Robin: Eso es.

John: Es un alivio, porque hay muchas cosas que me gustan de la idea de la nueva directiva. Lo cierto es que siempre me ha preocupado cómo se puede imponer la autoridad, como de hecho hay que hacerlo en ocasiones, sin que resulte «autoritario». Ahora creo ver un resquicio de luz.

Robin: Déjame ahora que te pregunte algo. Tú tienes cierta experiencia en el mundo de los negocios. ¿Qué es entonces lo que te resulta atractivo de estas ideas?

John: El hecho de que tengan como objetivo prioritario la disminución del comportamiento egoísta a niveles aceptables.

Robin: Continúa.

John: Bueno, la verdad es que en muchas organizaciones, el egoísmo está prácticamente institucionalizado, a pesar de que todo el mundo sabe que eso es precisamente lo que causa la mayoría de los líos. Ya sabes a lo que me refiero, gente que trata de fingir que sabe más o que puede predecir el futuro con más facilidad o que tiene más experiencia de lo que luego se demuestra. Pues bien, por lo visto, los «nuevos dirigentes» reconocen las limitaciones de sus conocimientos, de su práctica y de su facilidad para la predicción. Como es lógico, eso los convierte en personas más racionales, característica igualmente aplicable a la organización que dirigen.

Robin: Sí, todo se reduce a vivir en contacto con la realidad, a vivir bajo su disciplina, y a desprenderse de esa fantasía personal y jactanciosa que llamas «egoísmo». Está claro que si un director de estas características plantea este tipo de dirección por toda la organización, todo el mundo se animará a comportarse de una manera menos egoísta y más práctica.

John: ¿Sabes? Cuanto más pienso en este tipo de comportamiento, me pregunto con más insistencia cuál será la característica clave que diferencia a los nuevos dirigentes de sus subordinados.

Robin: Creo que es la capacidad de una visión más global.

John: ¡Ah! Un punto de vista más amplio.

Robin: Sí, como si pudieran observar el mundo desde una altura más elevada, o como si vieran una extensión más amplia y una mayor cantidad de relaciones entre las cosas y, como consecuencia, fueran más conscientes de cómo funciona la empresa y de las condiciones externas que afectan sus operaciones. Es decir, gobiernan la nave con un conocimiento más preciso de sus limitaciones y de sus posibilidades, así como de todos los obstáculos y cauces por los que pueden navegar.

John: Una vez más esto significa que están más en contacto con la realidad.

Robin: Efectivamente. Son capaces de tener en mente una total comprensión del sistema y, a un mismo tiempo, de transmitirle el conjunto de la organización, facilitando así a todo el mundo la posibilidad de asumir la mayor parte posible.

John: Entonces, si transmiten por toda la organización la idea de estar en contacto con la realidad, lo que están haciendo es transmitir su excelente nivel de salud mental.

Robin: En eso consiste el concepto de «nueva directiva».

John: De hecho..., resulta de pronto muy evidente..., que el comportamiento de este tipo de líderes es, lisa y llanamente, como el de los terapeutas, ¿no es así?

Robin: Continúa.

John: Bueno, lo que tratan de hacer es que la organización esté cada vez más integrada, ¿verdad? Al insistir en la comunicación, ponen en contacto todas las partes, por lo cual aquellas que estén enfrentadas no pueden separarse y se ven obligadas a comunicarse y resolver sus problemas. Además se aprovechan de las crisis –de una vara grande– para dar pie a que se produzcan cambios. En eso consiste precisamente la psiquiatría...

Robin: Digamos simplemente que hablemos de lo que hablemos, sean individuos, familias u organizaciones, la mayor parte de los problemas provienen de los malentendidos, de las partes del sistema que no están en contacto y que no cooperan de manera armoniosa en pos de un propósito común. Es posible que sea necesaria la ayuda de alguien que tienda un puente entre esas dos partes y que les permita funcionar de una manera unificada sin perder por ello la riqueza de su diversidad. En el caso de los problemas individuales y familiares, la persona puede ser un terapeuta; en el de una organización, el director, y si el director no lo consigue, puede ser un consejero que venga de fuera. Con todo, y como tú dices, en cualquier caso el objetivo es el mismo: una mayor integración.

John: Y entonces prestan atención a tu consejo sobre cómo se puede mejorar la salud...

Robin: ¿A qué te refieres?

John: Consiguen que todos los miembros de la organización desempeñen un papel más importante a la hora de enfrentarse y relacionarse con el mundo exterior, y a la de reaccionar y dejarse cambiar por él.

Robin: Sí, ésa es una buena descripción de lo que ocurre...

John: Bueno, ya ha llegado el momento de ascender un peldaño más y de hablar sobre el cambio a una escala mucho mayor: la escala social. Tú opinión me interesa sobremanera en este caso, puesto que en una ocasión ya te ocupaste de tirar por la borda mi antigua actitud política.

Robin: ¿Cuándo?

John: Cuando estaba en tu grupo de terapia.

Robin: ¿Y qué te dije?

John: No fue lo que *dijiste*, sino que un buen día me encontraba en la habitación observando a los demás y se me ocurrió lo siguiente: «Parte de las personas más competentes del ámbito profesional que conozco –empresarios de éxito, abogados punteros, jefes de departamento de varios hospitales– se encuentran aquí, como yo, porque no disfrutan mucho de su vida y quieren saber cómo hacerlo. Es decir, *queremos* cambiar, y para eso están aquí Robin y su esposa Prue, para *ayudarnos* a provocar ese cambio. No somos personas estúpidas, y aun así, nuestro progreso ha sido..., bueno, lo que me viene a la cabeza es la palabra «imperceptible». Con todo, ahí fuera, en el mundo de la política, todo el mundo da vueltas precipitadamente tratando de cambiar el país. *Pues bien...*, si somos incapaces de cambiarnos a *nosotros mismos*, ¿qué esperanza les queda a los políticos de cambiar a los *demás*?». Bueno, ahí tiene una sencilla pregunta para abrir boca, doctor: ¿hasta qué punto podemos mejorar nuestra sociedad?

Robin: Los grandes cambios que ejercen continuamente presión sobre la sociedad son el resultado de un gran número de fuerzas combinadas, como si de un río que cayera en cascada sobre un valle se tratara. Aunque a veces nos imaginamos que podemos controlar nuestra propia sociedad, lo cierto es que somos como nadadores a los que arrastra la corriente y que sólo conservan la fuerza suficiente para encarar la dirección en la que van.

John: Es decir, no mucha.

Robin: Exacto. Sin embargo, si somos realistas, si aceptamos que nos hallamos a merced del río y nuestro control sobre nuestro destino es más bien escaso –no podemos parar ni nadar contracorriente–, tendremos una idea más clara de las opciones que nos quedan y al menos podremos nadar de una forma que, hasta cierto punto, nos permita evitar las rocas. Incluso tendremos una opción más halagüeña...

John: ¿Subirnos a una barca?

Robin: Sí.

John: Soy un portento en metáforas acuáticas...

Robin: Si logramos que la tripulación se organice y todos juntos remamos un poco, podremos aumentar las posibilidades de esquivar las rocas.

John: Sí, pero esto plantea la cuestión del capitán. ¿Hasta qué punto una persona tiene control en una democracia?

Robin: Ya sé a qué te refieres. Según una vieja historia, cuando el presidente Harry Truman estaba a punto de ceder su puesto a Eisenhower, mostró compasión por lo diferente que iba a ser para el antiguo general del ejército: «Pobre Ike –dijo Truman (por lo que puedo recordar)–. Empezará a decir a la gente que haga esto y lo de más allá y *no ocurrirá nada*».

John: Hoy en día, muchos analistas políticos tienen la impresión de que la razón por la que los presidentes estadounidenses dedican tanto tiempo a la política exterior es que piensan que deben *lograr* algo. Esta especie de confianza no parece extenderse al resto de su sociedad, con respecto a la cual existe una sensación de impotencia.

Robin: Las decisiones en política exterior son siempre compartidas. Puedes echar la culpa al otro gobierno si las cosas no acaban saliendo conforme a tus propósitos. Sin embargo, en política interior, los fracasos son, en última instancia, responsabilidad del Presidente.

John: ¿Piensas entonces que un líder, o un grupo de líderes, puede realmente cambiar la forma de funcionar de una nación? No me refiero, claro está, a cuando se finge que uno es el responsable de unos acontecimientos que habrían ocurrido de todas formas, como cuando la señora Thatcher afirma que ha sido ella la que ha causado la caída de la Unión Soviética.

Robin: Bueno, sí. No cabe duda de que es posible mejorar en ciertas áreas, aunque lo más probable es que esto acarree sanciones o efectos secundarios, de tal suerte que el beneficio de una persona conlleve el perjuicio de otra.

Cuanto más localizado sea el cambio que se quiera operar, más posibilidades habrá de éxito, gracias en parte a que se tiene una idea más precisa de los obstáculos y se puede captar el interés y la cooperación de la gente afectada. No creo que pueda albergarse la esperanza de cambiar el mundo en un sentido general, si bien éste acaba cambiando a pesar de los pesares, y nosotros podemos al menos adaptarnos de la manera que he descrito en la analogía de la corriente del río. Luego, además, todos los cambios son reversibles: lo que se gana se puede perder con facilidad. De todas formas, las mejoras locales *son* posibles.

John: ¿Podemos entonces hablar *realmente* de un líder que ayude a mejorar el nivel de salud mental de una sociedad?

Robin: Sin lugar a dudas. Estoy seguro de que todo el mundo estará de acuerdo conmigo en que ciertos líderes –Hitler, por ejemplo– pueden hundir el nivel general con un funcionamiento basado en los principios menos sanos. Un líder que sea capaz de operar de una manera más sana, de establecer un modelo determinado para su gobierno y de dar ejemplo al conjunto de la población, puede subir el nivel general, al menos durante el período que ostente el poder. Como es lógico, el nivel medio de salud mental será inferior al que llegan a alcanzar las familias y organizaciones más sanas. Yo viví la segunda guerra mundial de servicio en Canadá y Estados Unidos, y también estuve en activo en Gran Bretaña y en el extranjero. No tengo la menor duda sobre el poderoso efecto que ejercieron Churchill y Roosevelt en lo tocante a la unión de sus países en concreto, y de los Aliados en general, y sobre su capacidad de aunar el esfuerzo de todo el mundo para alcanzar la victoria. Ésa es una de las razones por las que buena parte de la gente que vivió esa época, tan peligrosa y dura desde el punto de vista físico, habla con cierta nostalgia sobre la sensación de solidaridad y resolución que sintieron entonces.

John: Entonces, si un líder político quiere lograr lo que acabas de describir, ¿qué tipo de ideas y cualidades habrá de poseer?

Robin: Ya las hemos mencionado al hablar sobre las familias y las organizaciones sanas: valorar y respetar a los demás; habilidad para comunicarse y ser comprendido por todos; intención de ejercer la autoridad con firmeza por el bien general y teniendo en cuenta la opinión de todos, y devolver el poder a la población cuando la crisis haya pasado; capacidad para enfrentarse a la realidad sin pestañear; flexibilidad y disposición para cambiar cuando las circunstancias así lo exijan, y la creencia en unos valores superiores a los personales o a las consideraciones partidistas.

John: Al hablar sobre la «nueva directiva», has mencionado que la labor prioritaria es lograr que la organización reaccione de manera adecuada ante el mundo exterior, es decir, que sea capaz de integrarla y de tender un puente con el mundo de fuera. ¿Qué *diferencias* ves entonces entre este tipo de liderazgo y uno de corte político que sea verdaderamente sano?

Robin: Creo que las diferencias son cuantitativas. El requisito más importante es la capacidad para funcionar de una manera sana de acuerdo con las líneas que he trazado. Sin embargo, un líder político ha de comprender y «conectar» con el abanico de niveles de salud mental que hay en el seno de una nación, que es comparativamente más amplio que el que encuentras en una organización, el cual es más limitado y, si es alto, puede mantenerse con más facilidad. Además, un líder debe tener un sentido muy agudo para detectar no sólo las posibilidades de cambio de las que dispone, sino también el ritmo al que éste se puede llevar a cabo. No me refiero sólo al conservadurismo natural de la gente: normalmente se da un grave conflicto de intereses entre los ciudadanos de un país que abogan y acaso se benefician del hecho de emprender una acción inteligente para arrostrar los desafíos del momento, y aquellos cuya principal preocupación es aferrarse a las ventajas y privilegios que poseen en el *statu quo*. El compromiso que hay que hallar entre las dos posturas es mucho más difícil de asumir que en el seno de una empresa, en la que las personas que no desean el cambio pueden irse o ser despedidas. En último lugar, el político ha de tener un conocimiento más profundo de las artes de la persuasión que el líder empresarial, dado que éstas son el instrumento más importante que tiene para influir sobre el electorado. En este sentido, una buena preparación en el campo de la psicología, sobre todo desde un punto de vista práctico, le permitirá utilizar las tendencias de la opinión pública para llevar a cabo un cambio saludable. En concreto, ha de saber encauzar la crisis de tal forma que la gente se convenza de que el cambio es necesario, porque entonces estará más dispuesta a aceptarlo y, de hecho, más unida a la hora de enfrentarse al problema.

John: Muy bien, llegamos entonces a la pregunta básica. Por mil millones de pesetas, ¿por qué no tenemos un líder de este tipo?

Robin: Bueno, estoy de acuerdo contigo. No lo tenemos. La estructura democrática debería ser la mejor fórmula para garantizar que los intereses del mayor número de gente son satisfechos. Sin embargo , las cosas no suelen ir por ese camino.

John: ¿Por qué no?

Robin: Porque para que el sistema democrático funcione lo mejor posible, ha de tener un electorado relativamente sano, personas que asuman responsabilidades, estén bien informadas y puedan pensar por sí mismas y llegar a conclusiones independientes.

John: Personas que tengan una opinión propia y un punto de vista a largo plazo...

Robin: ... Y que se preocupen de algo más que de su provecho personal e inmediato.

John: Entonces, ¿qué nos impide tener una salud de este tipo?

Robin: Creo que se trata del carácter sumamente polarizado del sistema de partidos que tenemos.

John: ... Sí, me temo que la mayoría de la gente que conozco en el fondo se toma esto como si fuera una broma.

Robin: ¿Por qué?

John: Porque los partidos se comportan casi siempre de una manera tan tribal que resulta deprimente, una actitud que, con frecuencia, acaba pareciendo irrelevante de cara a resolver los problemas del país.

Robin: En el fondo, creo que el hecho de que la gente se asocie en grupos de interés propio y luego permita que los líderes piensen por ellos tiene como resultado una población menos sana.

John: Sin embargo, no es fácil imaginarse un funcionamiento democrático mejor que el del sistema de partidos actual, ¿no crees? No podemos abogar por un sistema monopartidista, o por el gobierno de un rey filósofo de corte platónico...

Robin: No. Sea cual sea la alternativa que el futuro revele, hemos de partir del sistema que tenemos ahora. No podemos hacerlo, como le recomendaba un irlandés al viajero, desde otro lugar. Cualquier cambio a mejor tiene que ser una modificación del sistema de partidos actual, incluso aunque no nos guste demasiado.

John: Con todo, tiene muchas desventajas. ¿Sabes cuando, de repente, en alguna ocasión consigues ver una cosa como si fuera la primera vez y te resulta muy extraña? Pues bien, hace poco días me di cuenta de que si un joven considerase que podría ser verdaderamente interesante pasarse su vida profesional tratando de mejorar el funcionamiento del país, ¡debería *afiliarse a un partido*! Esto significa que, cuando alguien cuenta con una edad en la que no se tiene prácticamente ni idea sobre el funcionamiento de cualquier cosa, lo único que se puede hacer es optar entre dos o tres posturas políticas determinadas. No quiero ni pensar en la cantidad de gente que queda excluida de la vida pública debido a esto.

Robin: George Bernard Shaw dijo en una ocasión: «Esta persona no sabe nada; y cree saberlo todo, lo cual indica que su profesión es la política».

John: Luego, cuando ha pasado el tiempo suficiente y ya se poseen las condiciones necesarias para tomar una decisión así, la persona queda excluida porque debería haber comenzado su carrera política con quince años de antelación. Y..., lo que es peor, una vez que uno se afilia al partido, se supone que tiene que ser fiel a su «línea», porque cuestionar algo se considera una deslealtad tribal. La Fuerza Disuasoria Nuclear para las Ballenas, Suráfrica, los Derechos de los Animales, todo está ya establecido de antemano. A veces me parece que sólo las personas verdaderamente sedientas de poder son las que se someten a semejante humillación intelectual a esa edad.

Robin: No cabe duda de que nuestro sistema no da mucho ánimo a la gente para pensar *de verdad* en estas cuestiones. Por contra, la opción que le queda a un joven se basa en el puñado de ideas a las que se ha visto expuesto en el seno de su familia, es decir, o la aceptación o el rechazo de dichas ideas, en vez de la búsqueda de una postura inteligente e independiente. Hemos hablado con frecuencia de cómo diseñamos en nuestra mente nuestro mapa mental del funcionamiento del mundo y de lo importante que es éste, para mantener una buena salud mental, de que no debemos dejar de revisarlo a la luz de la nueva información que nos va llegando. Pues bien, el sistema político de partidos está construido por una serie de personas con muy pocas ganas de revisar sus mapas mentales del mundo.

John: Qué duda cabe. Sus «creencias» dan a entender que tienen una enorme dificultad para asumir ideas que no concuerden con sus planteamientos habituales. Se diría que poseen una incapacidad innata para expresar dudas, para mostrarse abiertas a la posibilidad de que su postura no sea la correcta. Carecen del menor interés por examinar sus mapas, más bien parecen querer vendérselos a los demás.

Robin: Bueno, si tu seguridad depende de la capacidad para aferrarse a un conjunto de ideas, de igual manera que un mocoso se aferra a su osito de peluche o a su cómoda manta, como te sientes más seguro es rodeado de gente que hace lo mismo.

John: Un veterano corresponsal político británico me dijo en una ocasión que los políticos que conocía eran, salvo contadas excepciones, mucho más vanidosos y pedantes que la gente corriente. ¿Crees que nuestro sistema político actual fomenta que ciertas personas se metan en el sistema de partidos para no tener que cuestionarse sus mapas mentales y lograr mantenerse a flote gracias a un sentimiento de omnisciencia?

Robin: Sí, sí creo que lo fomenta. Las personas más sanas, las mejores, desean servir a la comunidad sin por ello pensar en intereses ocultos. Sus prioridades no son personales y no se lo toman con una excesiva seriedad. Sin embargo, la gente que se guía por una «convicción ferviente» y que se afana por cambiar a los demás –ya sea impidiéndoles que cacen u obligándolos a trabajar más por menos dinero–, opta por cambiar al mundo para así no tener que cambiarse a sí mismas.

John: Prefieren obligar a todo el mundo a adaptarse a sus problemas en vez de afrontarlos ellos mismos y resolverlos.

Robin: Y de esa manera no tienen la sensación de que hay algo que no les va bien.

John: ¿Así que sus «fervientes convicciones» les permiten en la práctica evitar sus problemas personales?

Robin: Por lo general, sí. El problema es que hay un malentendido. Con frecuencia se cree que las posturas políticas fuertes son propias de personas «fuertes». Sin embargo, en mi opinión, son las personas que tienen una opinión débil de sí mismas las que necesitan posturas fuertes.

John: ¿Quieres decir que utilizan sus posturas políticas para procurarse un sentimiento de identidad más fuerte?

Robin: Sí, como un apoyo que los sostenga. En cambio, la gente que siente una confianza real no tiene necesidad de aferrarse tenazmente a una serie de ideas, puesto que les agrada, precisamente, revisarlas constantemente.

John: Estoy pensando en qué se convertiría la ciencia si fuera controlada por los políticos. Decidirían las leyes del universo antes de cumplir los veinte años y se pasarían el resto de su vida ultrajando sistemáticamente a las personas o pruebas que apoyasen teorías diferentes.

Robin: Claro que, incluso en el campo de la ciencia, el mayor obstáculo para el progreso estriba en que muchos investigadores llegan a identificarse emocionalmente con sus ideas.

John: ¿Quieres decir que en vez de tratar de comprobar sus descubrimientos, intentan probar que están en lo «cierto»?

Robin: Sí, y les sienta muy mal que otro científico cuestione una idea que ellos siempre han dado por supuesta.

John: Ya, eso suele ocurrir. Sin embargo, la ciencia, orgullo de la civilización occidental, ha progresado gracias a que la mayoría de los científicos creen casi siempre que lo que están haciendo es un *proceso*. Es decir, entienden que si respetan y se ajustan de veras al método científico, estarán cada vez más cerca de la verdad. Lo maravilloso de este acercamiento es que exige, en primer lugar, humildad, por cuanto se debe reconocer la posibilidad de un error propio; exige, además, que las verdades sean consideradas como ideas provisionales, válidas sólo mientras la evidencia respalde la conclusión; finalmente, exige que la capacidad para examinar la evidencia sea desinteresada. Así y todo, este tipo de actitudes está ausente del foro político, ámbito en el que, por lo general, lo que se juzga impresionante es la clase de comportamiento que hemos descrito como propia del jefe chapado a la antigua. Por tanto, mientras que los científicos saben que su camino va en una dirección aproximada y que si se ciñen al proceso correcto se irán acercando a su meta, los políticos hacen lo contrario: establecen cuál es su meta y luego intentan llegar a ella tergiversando el proceso que les podría haber indicado que no deberían tratar de ir en esa dirección desde un primer momento. Al final del gobierno de la señora Thatcher, resultaba difícil recordar que había estudiado química.

Robin: Un buen discurso. Me da la impresión de que te estás preparando para convertirte en político. Sin embargo, me temo que estás en lo cierto.

John: Supongo que no hay ningún problema en *ciertas* «convicciones fervientes», aunque no estoy del todo *seguro*. Una «convicción ferviente» en la libertad y la justicia es bastante inofensiva, si no fuera porque en la práctica suele respaldar políticas muy arbitrarias por medio de la cooptación. No dudaría en permitir una «convicción ferviente» en el proceso científico, aunque no serviría de mucho en un congreso de partido. ¿Una «ferviente convicción» en la importancia del conocimiento de uno mismo? ¿Una «ferviente convicción» en la absoluta y ridícula inutilidad de las «creencias fervientes», acaso?

Robin: Depende del *motivo* que te haga tenerla. La ferviente convicción en la libertad de expresión, como la que se atribuye a Voltaire: «No estoy de acuerdo con lo que dices, pero defendería con mi vida tu derecho a decirlo», es muy diferente a la ferviente convicción en la persecución de la gente con la que no estás de acuerdo. La primera respalda un principio básico de la salud, la segunda es la manifestación de un funcionamiento sumamente enfermizo.

John: ¿De dónde *surgen* entonces las habituales «convicciones fervientes»?

Robin: Bien, antes de que te aficionaras a la oratoria de pacotilla, decíamos que al afiliarse a un partido político, la gente está más influida por las posturas emocionales de su entorno familiar que por la experiencia real del funcionamiento del mundo.

John: ¡Ah, sí! ¿Guarda esto relación con el hecho de que los partidos políticos siempre parecen poner de manifiesto una polarización entre derecha e izquierda?

Robin: Sin lugar a dudas. Si te fijas, los partidos de centro-derecha se basan en los valores asociados al papel *tradicional* del *padre*..., mientras que los de centro-izquierda se basan en el papel *tradicional* de la *madre*. Así que el hecho de que una persona se identifique con una tendencia u otra depende de la experiencia que haya tenido en la familia de la que proceda.

John: ¡Ah! De ahí que los partidos de derecha digan cosas paternales: manos a la obra; haz lo que tienes que hacer; deja de quejarte; vuela con tus propias alas; haz un esfuerzo; y andando, que aquí no se regala nada, ¿verdad?

Robin: Sí. Fundamentalmente, el padre tradicional valora a la persona de forma diferente, y la *gratifica de forma diferente, de acuerdo con lo útil* que sea el papel que desempeñe en el grupo.

John: Y ganar dinero se considera normalmente algo más útil que preocuparse por la gente.

Robin: Se entiende como algo más prioritario. Como se da una gran importancia al hecho de adaptarse al grupo y de observar las normas, la actitud de fondo es a favor de la autoridad. En un enfrentamiento entre la policía por un lado y los estudiantes, manifestantes o sindicalistas por otro, la derecha se pone instintivamente de parte de la policía. Después de todo, el padre tradicional cree que es bueno mostrarse duro con la gente y decirles que no. Como ellos afirman, los hace ser más hombres.

John: El énfasis en la conformidad acarrea que la derecha se sienta a disgusto con una diversidad excesiva, que con frecuencia tenga la sensación de que la cultura nacional se ve amenazada por elementos «extraños» y que, además, valore menos la creatividad que el pragmatismo y el talante comercial, y el arte menos que la ortografía.

Robin: Por otro lado, los partidos de centro-izquierda, al basarse en los valores tradicionales de la madre, recalcan la importancia de aceptar y *querer a todos de igual forma y sin condiciones*, por sí mismos, con independencia de la habilidad e incluso, cabe pensar, del esfuerzo que se realice. Además, la imagen tradicional retrata a la madre protegiendo a los hijos de la severidad de las demandas del padre y comprendiendo sus problemas y dificultades.

John: Y las madres tradicionales garantizan que todo el mundo reciba de todo en partes iguales, con el fin de que no haya lugar para los celos, ¿no es así? Además, animan a todos a ser agradables con los demás y les gusta ver que sus hijos siguen el camino que les satisface más a ellos, incluso aunque éste sea más creativo que práctico.

Robin: Gracias a la misma naturaleza de su papel tradicional, se sienten cómodas expresando sentimientos cariñosos, por lo que tienen mayor inclinación que el padre a decir que sí y a mimar a los hijos.

John: En resumidas cuentas, todas estas posturas suelen fundamentar la actitud política de la izquierda.

Robin: La izquierda se pone instintivamente del lado de los desamparados, del lado de los estudiantes o los manifestantes y en contra de la policía; fomenta la diversidad respaldando las culturas étnicas y restando importancia a la cultura mayoritaria tradicional; y prefiere «enseñar a *niños*» que «enseñar a *sujetos*».

John: Hasta cierto punto, lo que hace la madre es socavar la figura del padre tradicional, ¿no es así?

Robin: Sí, en el caso del padre y la madre *tradicionales*, ya que la idea de que los hombres y las mujeres tienen valores distintos y enfrentados *forma parte* de esa tradición.

John: Muy bien. De todas formas hay una cosa que me tiene perplejo. ¿No sería una buena idea expresar las diferentes posturas en su conjunto? Para llegar a la decisión correcta, hay que considerar los aspectos más severos, meritocráticos, económicos y realistas de la cuestión, así como los más conscientes de su entorno y los más igualitarios y delicados.

Robin: ¡Sin lugar a dudas! En una familia sana, en la que los padres desempeñan un papel igualitario y comparten el poder, ambos aspectos son tenidos en cuenta automáticamente a la hora de tomar decisiones. Cuando se quiere diseñar una política nacional, hay que prestar atención a las opiniones tanto de los valores «paternales tradicionales» como de los valores «maternales tradicionales», para luego tratar de hallar un equilibrio justo entre ellas y así tomar las decisiones políticas adecuadas.

John: Entonces, ¿dónde radica el problema?

Robin: El problema no es la diferencia de opiniones, que está bien, sino el hecho de que esta diferencia se exprese mediante *rígidas* alianzas de partido y se reduzca a un puñado de actitudes polarizadas y simplistas. Todo acaba ritualizándose. No resulta real y, desde luego, no se nutre de la inteligencia de todo el sistema.

John: Entonces, cuando se ha de tomar una decisión política transcendental, el criterio del Consejo de Ministros para valorar un aspecto u otro de la cuestión dependerá del determinado tipo de experiencias afectivas que los ministros compartieron de pequeños, ¿es eso?

Robin: Sí. La habilidad para equilibrar todos los argumentos por el interés de la nación acaba reduciéndose mucho debido a que la parte que ostenta el poder expresa una opinión parcial del asunto.

John: Muy bien, eso ha quedado claro. Sin embargo, hay todavía un aspecto extraño en todo esto. Los comunistas, a la izquierda, del «lado materno» digamos, son igual de autoritarios que los «paternales» fascistas.

Robin: Sí. Hemos de comprender que a medida que las posturas políticas, tanto de la derecha como de la izquierda, se van radicalizando, ganan en autoritarismo, dado que lo que los extremistas de ambas partes tienen en común es un alto grado de paranoia.

John: Aun así, deben ocultarse los unos a los otros las similitudes que hay entre ellos, ¿no es así? Ésa es la razón por la que ponen diferentes nombres a los mismos tipos de comportamientos e instituciones, para ocultar el hecho de que tienen el mismo tipo de personalidad. Así y todo...

Robin: Continúa...

John: Bueno, parece como si las dos tendencias políticas, la izquierda y la derecha, la mamá de siempre y el papá que todos conocemos, divergieran y tomasen direcciones contrarias... para de alguna manera volver a encontrarse al final. Parece como si las posturas políticas se trazasen en forma de círculo y no en forma de eje, puesto que, por lo visto, los dos lados acaban reuniéndose tras dar una vuelta.

Robin: Sí, es algo parecido a un círculo, debido a que, al observar las posturas políticas, nos encontramos con *dos* dimensiones formando dos ángulos la una con respecto a la otra. En el eje que va de delante a atrás, digamos, nos movemos del nivel sano al enfermo; y en el eje que va de derecha a izquierda, lo hacemos de las actitudes del padre tradicional a las actitudes de la madre tradicional. ¿Lo ves?

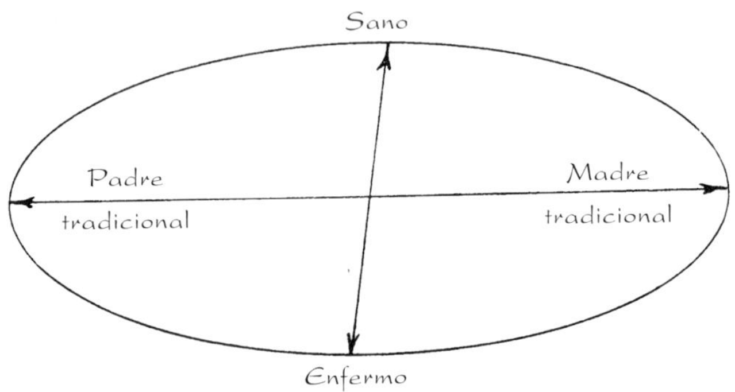

El varón tiene que estar a la derecha, si no pensará que está perdiendo el juicio.

John: Entonces la gente dándonos la cara y el grupo de los más sanos en la parte anterior.

Robin: Sí. Pues bien, si empezamos a trazar las diferentes posiciones de los políticos sobre los dos ejes, dibujamos un círculo... Nombra unos cuantos políticos conocidos de tendencia moderada, que se encuentren cerca del centro.

John: Bien, teniendo en cuenta que estos políticos «moderados» no se ocupan más que de perseguir el poder, digamos que... Major, Hurd y Heath estarían a la derecha. A la izquierda, Smith, Blair y Healey. Luego vendrían Paddy Ashdown y Roy Jenkins.

Robin: Bien, aunque, claro está, esto no es más que una aproximación, yo los pondría en estas posiciones en el diagrama que tenemos abajo.

John: Entonces, ¿pones a las personas más moderadas en las posiciones más sanas?

Robin: Me refiero a sus actitudes moderadas. No sé cómo son estas personas en realidad. ¿No estás de acuerdo?

John: Sí, sí, completamente. Lo que quiero es aclarar la situación.

Robin: Temperamentalmente, como ves, estos políticos son muy similares. En buena medida, se encuentran en contacto con la realidad. Sus opiniones están más meditadas, en el sentido de que han logrado cambiar sus mapas mentales a la luz de sus nuevas experiencias y han sido capaces de sentir un verdadero interés en las evidencias que no confirman sus opiniones habituales. No tienen la necesidad de aferrarse a sus ideas ya que no temen sentirse desorientados sin ellas.

John: Por lo que no sienten ningún odio hacia sus rivales políticos.

Robin: Exacto, no necesitan a un enemigo sobre el que proyectar todos los sentimientos destructivos que deben rechazar en sí mismos. Estas personas saben cuándo están enfadadas y cuándo sienten envidia, y son capaces de asumir la responsabilidad de dichas emociones y de controlarlas. Son capaces de reconocer sus errores sin tener que echar siempre la culpa a los demás.

John: Sin embargo, a pesar de sus similitudes, hay unas diferencias claras entre ellos.

Robin: Es cierto, pero también están de acuerdo en muchas cuestiones tocan-

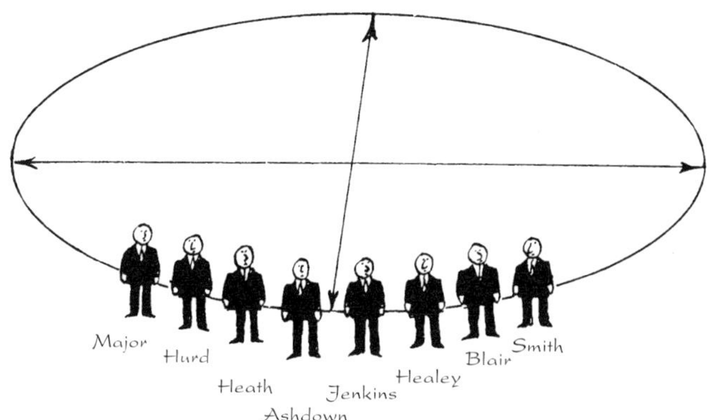

tes a ciertos principios fundamentales. Son capaces de adoptar un punto de vista más amplio que el de la mayoría de sus colegas, porque saben escuchar, comprender y respetar opiniones diferentes; pueden cambiar de postura como resultado de lo que aprenden y podrían negociar compromisos razonables y factibles entre partes divergentes, *si* los extremistas de sus partidos los dejaran, lo cual *no ocurre*...

John: Es lo mismo que hacen los padres de una familia sana, ¿no es así? Aunque coinciden en muchas cosas, aceptan sus diferencias de buen grado, se escuchan el uno al otro sin mayor dificultad y toman siempre decisiones de forma conjunta con las que los dos están de acuerdo.

Robin: Consideran sus diferencias como partes complementarias, no como un motivo de división y antagonismo.

John: Muy bien. Si nos trasladamos de la parte más sana hacia atrás, en dirección a donde menos abunda la salud, el diagrama sugiere que las personas que se encuentran en esta posición se vuelven más de derechas y «paternalistas» o más izquierdistas y «maternales» en el sentido tradicional de los términos.

Robin: Sí, conforme sus opiniones pierden en salud, empiezan a parecerse a una caricatura de la madre o del padre chapados a la antigua, tal y como lo expresan sus actitudes políticas.

John: Como suele ocurrir en el caso de las familias de tipo medio, en las que nos encontramos con matrimonios de corte antiguo y con papeles separados. Las dos partes se mantienen independientes y distantes expresando sus diferencias de manera deliberada: «El hombre es hombre y la mujer, mujer, sin que el uno se acerque al otro jamás».

Robin: Sí. Conforme nos trasladamos desde las posturas políticas más sanas a las más normales, nos encontramos con una mayor «separación de los papeles políticos». La gente de tipo medio tiene una mayor tendencia a enfrentarse a las dificultades y a la tensión con una mentalidad paranoica –si bien se trata de una variante suave de la paranoia–, por lo que nos topamos con una clase de político que divide a la gente en «ellos» y «nosotros» y a quien le hace falta alguien a quien culpar cuando las cosas van mal. Estas personas han perdido hasta cierto punto el contacto con la realidad y sus opiniones están menos meditadas y más influidas por una postura emocional fija. Se trata de opiniones que *tienen* que mantener desde un punto de vista afectivo. La mayoría de los miembros del partido conservador y del partido laborista son de tipo medio, de resultas de lo cual, la postura *media* tiende a estar polarizada, a abrigar prejuicios contra el partido contrario y, en consecuencia, a tener una capacidad menor que la de los miembros sanos para considerar la situación en su integridad y para llegar a un compromiso razonable.

John: Por lo tanto, no les entra en la cabeza la posibilidad de compartir el poder con el partido contrario.

Robin: Efectivamente. De hecho, el ejercicio del poder se considera como una oportunidad para castigar al otro grupo.

John: Me acuerdo que en una ocasión Tony Benn dijo en referencia a la señora Thatcher que mientras ella había estado en el poder, solamente se había ocupado de lo suyo, por lo que cuando ellos lo consiguieran, harían lo mismo.

Robin: Es la misma situación de polarización que se da en los matrimonios tradicionales. Las actitudes antagónicas e inflexibles de cada ala política impiden cualquier tipo de entendimiento, negociación o diálogo mutuo, y garantizan que cada parte llegue a unas conclusiones basadas solamente en la mitad de los hechos.

John: Entonces, ¿me equivoco si pienso que pondrías, digamos, a la señora Thatcher y a Tebbit a medio camino del ala derecha, y a Benn y Skinner a medio camino de la izquierda?

Robin: No, no te equivocas.

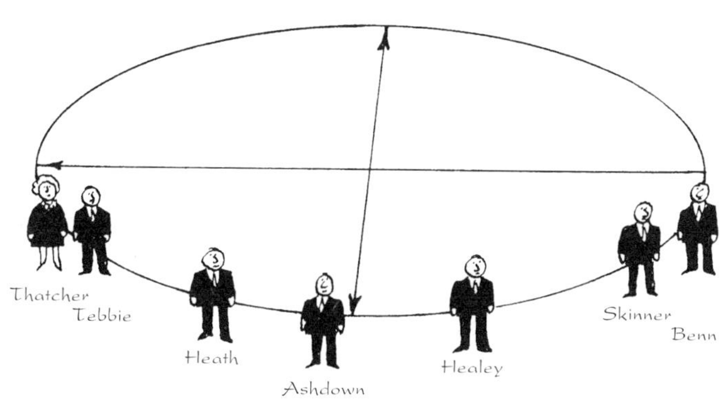

John: ¿Hasta qué punto sería justo decir que las posturas de las personas que se encuentran a medio camino, tanto a la derecha como a la izquierda, son paranoicas?

Robin: En este caso no estoy hablando de «paranoia» en el sentido de enfermedad mental, sino en el de la tendencia de estas personas a polarizar y criticar a los demás por los defectos que no pueden afrontar ellas mismas. Como es lógico, el sistema de partidos no hace sino aumentar cualquier tendencia en esta dirección que puedan poner de manifiesto los políticos por separado.

John: Estoy de acuerdo con la idea de que el sistema empeora la situación, pero también es verdad que este tipo de gente no hace mucho por corregirla, ¿no es así?

Robin: Digamos que se sienten mejor cuando echan la culpa a sus rivales y que si dejaran de hacerlo, es muy posible que se notaran cada vez más incómodos.

John: De acuerdo. Pasemos ahora a las posiciones posteriores, las menos sanas, las cuales están ocupadas por las opiniones de Hitler y Stalin. Éstas se encuentran muy próximas debido, como hemos dicho, a que los comunistas estalinistas y los nazis fueron autoritarios en extremo y estaban completamente paranoicos.

Robin: Pero eso también refleja lo cerca que están en el eje varón-hembra. ¿Te acuerdas de lo que hemos dicho en el primer capítulo sobre las familias menos sanas?

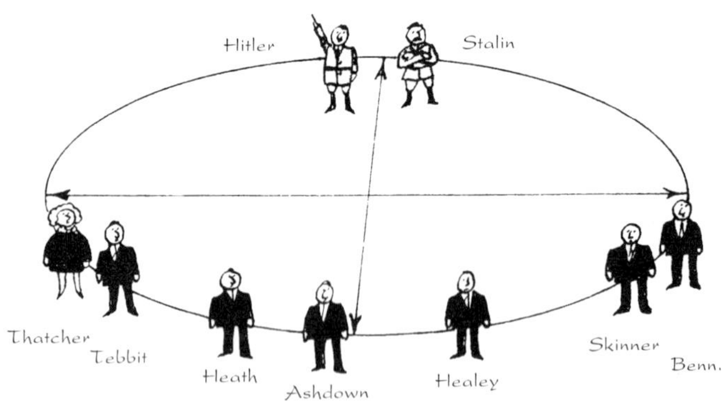

John: ¿Qué hemos dicho?

Robin: Existe entre las parejas una gran confusión sobre su sexo debido a que no han desarrollado las identidades del hombre y la mujer de manera clara y separada, algo que acarrea indefiniciones, coincidencias y, como consecuencia, una gran rivalidad. En resumidas cuentas, están siempre compitiendo por el poder.

John: Peleándose como el perro y el gato..., o como los fascistas y los comunistas.

Robin: Exacto. Los miembros de los partidos extremistas se odian mutuamente porque necesitan hacerlo para lograr funcionar de alguna manera. Si sus oponentes desaparecieran de golpe, tendrían que prescindir de todas las emociones violentas que proyectaban sobre ellos con anterioridad, algo que sencillamente serían incapaces de hacer. Se volverían locos, más incluso de lo que lo parecen ahora.

John: Es un tinglado extraordinario, ¿no te parece? Dos grupos más o menos idénticos, que se utilizan el uno al otro como chivos expiatorios para sus problemas, como cubos de basura, para guardar todos los sentimientos desagradables que no pueden admitir en sí mismos.

Robin: Sí, y al igual que en las familias más enfermas, cada parte piensa que está en lo cierto y se enorgullece de que sus opiniones sean «puras», con lo cual, cualquier desacuerdo acaba pareciendo algo deshonroso, contaminante. Por consiguiente, cualquier persona que tenga ideas diferentes no sólo se «equivoca», sino que es un enemigo al que hay que atacar y, a ser posible, destruir.

John: Entonces, conforme ascendemos hacia la parte posterior del diagrama, nos vamos encontrando con personas enfermas y paranoicas que se caracterizan por un violento autoritarismo y que echan la culpa a su imagen en el espejo por toda la maldad del mundo.

Robin: Sí.

John: ...Volvamos a la parte anterior del diagrama... Si bien hemos dicho que la actitud de la gente que nos encontramos aquí es la más sana, esto no significa que la política de centro sea necesariamente la mejor, ¿no es así? Es decir, la posición central está en continuo movimiento, ¿correcto?

Robin: Acuérdate de que la medida de la salud de las opiniones es el eje que va de atrás hacia delante del diagrama: las más sanas se encuentran delante y las menos, detrás. El eje que va de lado a lado refleja el grado en el que las opiniones son paternales o maternales, en el sentido tradicional de los términos, lo cual no significa que uno de los lados sea más saludable que el otro. Aunque es cierto que los padres de las familias sanas son capaces de compartir el poder y de colaborar en la educación de los hijos, cada parte puede aportar unos puntos de vista y unos valores diferentes a la tarea que dicha educación supone. Estas diferencias, así como las faltas de acuerdo, son valiosas siempre que se puedan conciliar: son una fuente de riqueza y de diversidad que se perdería si los padres fueran seres asexuados que adoptaran una actitud idéntica y moderada ante todo. De igual forma, creo que las diferencias, los desacuerdos y los debates son importantes a la hora de tomar una decisión política adecuada, puesto que ello comporta el estudio de todo un abanico de posibilidades y, gracias a la comparación y a la elección final, el cambio en la postura de consenso que has mencionado. No creo que se demuestre un mérito especial o una salud mejor por el hecho de estar exactamente en el centro.

John: Hay otra cosa que me llama poderosamente la atención. Todas las personas que se encuentran en la parte anterior tienen otros intereses en la vida, aparte de la política, ¿no es así? Tienen lo que se podría llamar una vida «real», lo que David Healey denomina «el territorio interior». Sin embargo..., cuanto más retrocedemos por el eje, las personas que nos vamos encontrando están más obsesionadas por la política.

Robin: Sí, están obsesionadas con el poder. La gente que mantiene unas opiniones más sanas tiene una necesidad menor de controlar a los demás por las razones que he explicado. Sienten menos interés en el poder por el poder, y les preocupa más la posibilidad de compartirlo, de dárselo a los demás miembros de la sociedad. Es más, cuando creen que es conveniente hacer un cambio, tratan de hallar las condiciones para ello mediante la persuasión, no imponiéndolo. En contraposición, las personas que se encuentran en la parte de atrás del círculo y que, por tanto, defienden unas ideas menos sanas, muestran una mayor preocupación por el poder, ya que lo necesitan para obligar a todo el mundo a adaptarse a su distorsionada visión de la realidad.

John: Lo cual supone una curiosa paradoja: la gente a la que deberíamos dar el poder es la que menos lo necesita.

Robin: Y en el sistema actual, por desgracia, son las personas a las que *menos*

posibilidades tenemos de votar, si bien las personas que se encuentran en la parte anterior del diagrama están en el buen camino...

John: Pero están *retenidas* por todas las demás. Uno gana influencia en su partido cuando le dedica todo su tiempo y energía, algo que es más factible si se está obsesionado con el poder y no se tiene otro interés. Son las personas que tienen el *menor* «territorio interior» y el *mayor* afán de poder –los activistas– los que acaparan una influencia desproporcionada y fuerzan a las más sanas y moderadas a adoptar una posición extrema que por sí misma nunca adoptarían.

Robin: Algo que, a su vez, polariza aún más las posturas de todo el mundo y azuza unas opiniones mucho más extremas que las que la gente apoyaría normalmente.

John: Y más si tenemos en cuenta que la prensa británica cree que su labor es la de animadora de los partidos, sobre todo cuando se acercan las elecciones y todos los periódicos se convierten en vehículos de propaganda, negligencia por la cual sus inmorales editores son nombrados caballeros. Hace poco circulaba un buen chiste al respecto. Después de que John Major, tras haberse opuesto a las voces que pedían la dimisión de David Mellor, dijera que no tenía ninguna intención de permitir que la prensa popular seleccionara su Consejo de Ministros, una carta en el *Independent* repuso que, como había sido el periódico el que había incluido su nombramiento en un primer momento, lo que ocurría no era sino una extensión lógica de su influencia.

Robin: Sí, la prensa refuerza la polarización política, aunque lo único que hace es reflejar lo que ya existe de antemano.

John: Bien, en mi opinión, el resultado de toda esta polarización es que el gobierno británico no es muy bueno, principalmente porque los gobiernos británicos siempre toman decisiones parciales, las cuales, a su vez, son consecuencia de una consulta parcial, un intercambio de ideas parcial y, sobre todo, de la arbitrariedad hacia los intereses de la parte de la nación que vota a ese gobierno. En resumidas cuentas, el gobierno de este país está en buena parte formado por la imposición de las opiniones de una minoría de los ciudadanos, gran parte de los cuales tienen la sensación de que no están representados en el proceso político.

Robin: Continúa.

John: Sin embargo, cuando hemos discutido el tipo de decisiones que realmente tienen resultado, hemos llegado a la conclusión de que la forma de llegar a ellas es mediante un cuidadoso proceso basado en la discusión abierta, en la que las opiniones divergentes tienen cabida, algo que conduce a un acuerdo generalizado o, en el peor de los casos, a que la toma de decisiones dependa de un líder que todos creen que actúa en beneficio de todo el sistema.

Robin: Estoy de acuerdo.

John: Sé que mucha gente pensará que lo que voy a decir es de un idealismo absurdo, pero estoy seguro de que la señora Thatcher es una prueba de lo que manifiesto. Cuando llegó al poder, era la ministra más convencida sobre la posibilidad de cambiar el sistema, de todos los ministros que hemos tenido en la historia reciente de este país. Sin embargo, si te fijas, los cambios a los que dio lugar que hayan llegado a funcionar –la limitación del poder de los sindicatos, la animación de la actividad empresarial, la venta de las viviendas de protección oficial, la aplicación de límites monetarios– ocurrieron gracias al consenso general, algo que se logró por sus poderes de persuasión. Sin embargo, los cambios que quiso llevar a cabo más tarde sin molestarse por alcanzar el consenso, o han sido rechazados o no están funcionando bien y tendrán que ser revisados pronto.

Robin: Creo que eso también es cierto.

John: De manera que, si podemos sacar de este libro alguna conclusión en lo tocante a la toma de decisiones, es la siguiente: *las decisiones parciales no tienen efecto.* En vez de resolver problemas, lo que hacen sencillamente es perpetuar el decepcionante proceso de nuestra estructura política, según el cual cada decisión no es una respuesta a lo que realmente hace falta, sino una reacción exagerada contra la decisión parcial anterior. Es un péndulo, un proceso consistente en la interminable alternancia de compensaciones exageradas, que no cesa nunca de repetirse.

Robin: No puedo decir que no estés en lo cierto, aunque no acabo de entender por qué insistes en ello con tanto ahínco.

John: Ya *sé* que resulto machacón, pero me *preocupa* lo que está ocurriendo. Permíteme que cite una parte del último capítulo de *La anatomía esencial de Gran Bretaña.* Anthony Simpson dice en este libro que en 1992 «el vacío existente entre el gobierno y los gobernados da la impresión de ser más grande que nunca, y Gran Bretaña está dirigida por uno de los sistemas más centralizados y menos responsables de todo el mundo industrializado... Durante la última década, los británicos han presenciado una serie de concentraciones de poder que en la época victoriana no hubieran llegado a imaginar jamás... Se ha deteriorado... la postura de centro... Se han pasado por alto los ayuntamientos y las ciudades de provincias... El Parlamento permite que las maquinarias de los partidos, el ejecutivo [y] el Consejo de Ministros tomen cada vez más decisiones...». ¿Comprendes ahora por qué estoy preocupado? Según todas las medidas de salud que hemos discutido, la salud de Gran Bretaña está *mermando,* se está volviendo más autoritaria, más polarizada y parcial. ¿Qué podemos hacer al respecto?

Robin: Necesitamos *gente que sea menos parcial.*

John: ...Tú crees que hemos de partir de la gente y no de medidas como la representación proporcional.

Robin: Sí, ya sé que a ti siempre te ha gustado esa idea, pero a mí no me convence mucho.

John: Me da la impresión de que estaría de acuerdo con los principios sobre la toma de decisiones que hemos discutido, si la Casa de los Comunes representara las opiniones del pueblo británico en la proporción aproximada en la que se dan realmente. Sin embargo, nuestro sistema lleva a que las tres quintas partes del electorado hayan votado en contra del programa del partido que ostenta el poder.

Robin: Evidentemente, deberíamos tener como objetivo una mejor estructura, aquella que facilite un funcionamiento sano en la medida de lo posible. Y la representación proporcional *puede* que sea la mejor. Con todo, creo que sea cual sea la estructura que tengas, su eficacia estará limitada por el nivel de salud de la gente que la integre.

John: Bueno, eso es cierto. La Unión Soviética de Brezhnev tenía una Constitución escrita bastante liberal...

Robin: ¡Esto no significa que me oponga a buscar el mejor sistema político posible! Así y todo, lo que más me interesa es hallar la manera de mejorar el nivel general de salud de las personas que operan en su seno.

John: ¿Y *cómo* se puede lograr eso, listillo?

Robin: Yo creo que lo que nos hace falta es un buen número de personas que puedan hablar con independencia, que hagan caso omiso de las «líneas de partido» y que sepan expresarse de una manera abierta y personal. Como es natural, sería muy útil que además supieran cuál es la dirección más sana y cuál la menos.

John: Pero, ¿realmente crees que este tipo de franqueza podría unir a unas personas que defienden posturas políticas tan diferentes y facilitaría un acuerdo constructivo?

Robin: Déjame que te cuente algo sobre el trabajo que han realizado hace poco un grupo de terapeutas de familia en Estados Unidos. Este grupo ha advertido algo de lo que nosotros ya hemos hablado, a saber, las muchas similitudes que hay entre las controversias políticas muy polarizadas y la manera de comunicarse que tienen las familias menos sanas. En consecuencia, han tratado de aplicar los principios de la terapia familiar para ver si podría mejorarse la comunicación, en lo tocante a las cuestiones políticas polarizadas. Para empezar, optaron por un asunto realmente espinoso: la cuestión de si las mujeres deberían tener derecho a interrumpir el embarazo, si lo desean.

John: La cuestión que más divide las opiniones en Estados Unidos. ¿Cómo abordaron el tema?

Robin: Tras reunir a los participantes de las dos partes del conflicto para que se conocieran, se los animó, uno por uno, a que explicaran sus posturas pormenorizadamente, mientras los demás se limitaban a escuchar. Luego se les pidió que hablaran no sólo sobre sus opiniones, sino sobre las experiencias vitales que habían ejercido una influencia a la hora de formar dichas opiniones. Sobre todo, se les pidió que, en la medida que quisieran, hablaran de la forma más *personal* posible. Es decir, se los ayudó a que *hablaran por sí mismos como individuos,* a que confiaran en sus experiencias emocionales concretas y a que *expresaran todo tipo de dudas y reservas* que pudieran tener acerca de la opinión elegida.

John: Así que se los disuadió de sacar a relucir la «línea de partido», para que no hablaran únicamente de lo que «su bando» defendía...

Robin: ...O para que no repitieran las opiniones de los dirigentes de cada facción. El énfasis y el respeto por la «unicidad» de la opinión de cada uno fue el principio central de la discusión. Después de que los participantes presentaran sus opiniones de esta manera, a medio camino, se los invitó a que se plantearan preguntas los unos a los otros con una única condición: que las preguntas fueran fruto de una *verdadera curiosidad,* de un deseo real de comprender, y no un intento de persuadir a alguien o de pelearse.

John: ¿Cuál fue el resultado?

Robin: Hubo un buen número de discusiones de este tipo y, por lo visto, funcionaron tan asombrosamente bien que los terapeutas que las habían organizado se quedaron sorprendidos. Los participantes demostraron que, en esas circunstancias, eran capaces de comunicarse de una manera respetuosa y no polémica, en contraposición a lo que pasaría normalmente en una tribuna política o en un debate de televisión. De hecho, los mismos participantes se quedaron sorprendidos al no mostrarse airados o a la defensiva. Todos dijeron que habían valorado la experiencia y que, enconsecuencia, tenían la impresión de haberse vuelto más abiertos y reflexivos, incluso habiendo conservado buena parte de sus opiniones previas sobre el tema del aborto. En realidad, se dieron cuenta de habían sido presa de los estereotipos, precisamente aquellos que produce el sistema de partidos. Incluso los terapeutas tuvieron esa impresión con respecto a *sus* propias ideas. Comprendieron que en el debate nacional sobre la cuestión, «la retórica de la controversia había restado importancia a unas preocupaciones válidas, denigrado unos valores nobles y oscurecido unas verdades ricas y complejas».

John: Bueno, no puedo negar que lo que acabas de describir confirma mi propia experiencia: si uso la retórica, la gente se limita a asumir mi propia actitud y a utilizar la misma herramienta conmigo, por lo que no llegamos a *ninguna parte*. En cambio, si hablo de corazón, lo que obtengo de inmediato es una respuesta del mismo tono que nos lleva a una discusión mucho más beneficiosa.

Robin: Evidentemente, hay que comprobar este experimento con un número más amplio de gente y con unos grupos más grandes que los empleados por los terapeutas. De todas formas, la conclusión fundamental en mi opinión es la siguiente: cuando se anima a las personas a hablar por sí mismas, como individuos, lo hacen de una manera mucho más sana que cuando llegan a una conclusión a partir del modelo que ofrece el líder o el del consenso al que ha llegado el grupo. El problema es que, como hemos visto, sólo las familias más sanas se sienten lo bastante seguras como para animar la independencia y la libertad de expresión de sus hijos. Así que, por desgracia, la experiencia familiar que la gran mayoría de los miembros de la población ha vivido durante su infancia los hace sentirse incómodos a la hora de expresar en público unas opiniones verdaderamente independientes. Tendrán la impresión de que es algo equivocado que lleva, con toda probabilidad, al rechazo, mientras que participar del consenso al que ha llegado el grupo los hará sentirse tranquilos, creerán que están en lo cierto y les dará una sensación de seguridad. Por lo tanto, tal vez no sea ninguna sorpresa el que la mayoría de la gente tenga la costumbre de adoptar posturas extremas, que la sitúen dentro de grupos o partidos en los que se siente cómoda y segura.

John: Entonces, desde un punto de vista psicológico, una mejora del nivel de salud mental nos exige buscar alguna manera de contrarrestar el efecto de la educación general que todos hemos recibido y que nos ha quitado de la cabeza la idea de ser autónomos e independientes.

Robin: Sí, creo que deberíamos concentrarnos en eso.

John: Sin embargo, en Gran Bretaña no tenemos la cosa nada fácil, cuando una prensa tan chabacana como la nuestra se abalanza con todo el vulgar desprecio de un bruto sobre cualquier expresión verdaderamente abierta de un sentimiento.

Robin: Por la experiencia que tengo tratándolos, los brutos están, en realidad, muertos de miedo, a excepción de cuando por un tiempo consiguen sentirse mejor haciendo que otra persona se sienta peor. Así que volvemos a lo mismo de siempre, hemos de lograr que este tipo de gente cobre confianza y seguridad, y que no sienta temor ante la perspectiva de enfrentarse a sus propias emociones.

John: Entonces, doctor, ¿qué se podría hacer para fomentar una expresión más abierta e individual en público?

Robin: Antes de contestar a tu pregunta en términos más generales, permíteme que te cuente la manera que mis colegas y yo hemos descubierto para ayudar a la gente a hacer esto. Se trata de un curso llamado «Experiencia de grupos grandes» y que llevamos ofreciendo en el Instituto de Análisis de Grupos desde hace veinticinco años, como parte de nuestro programa de educación.

John: ¿Cuál es su objetivo?

Robin: Precisamente lo que estamos comentando. Proporcionar a la gente los recursos que les permitan sentir la confianza necesaria para expresar una opinión divergente en presencia de una gran multitud.

John: ¿Cuántas personas son una gran multitud?

Robin: En este momento son doscientas, aunque ciento veinte es el número ideal, puesto que si se dispone a todo el mundo en tres círculos concéntricos, se puede oír a todas las personas incluso hablando en un tono normal.

John: ¿Y qué ocurre entonces?

Robin: Todas las personas entran y se sientan donde quieren, y entre ellas se distribuye el personal médico, formado por unas diez personas.

John: ¿Y?

Robin: Bueno, no hay absolutamente ninguna organización.

John: Entonces, ¿de qué habla la gente?

Robin: De cualquier cosa.

John: *¿De cualquier cosa?*

Robin: Hay un régimen de libertad total. Se puede discutir sobre si el curso es bueno o malo, o sobre si los presentes deberían hablar de su pasado familiar o deberían ceñirse a las cuestiones familiares. También se puede hablar de política, críquet, Shakespeare, sexo...

John: ¿Qué *sentido* tiene eso?

Robin: El sentido es que al principio la asamblea siempre se divide en subgrupos violentamente polarizados.

John: ¿Hablen de lo que hablen?

Robin: Hablen de lo que hablen. Es dicha polarización lo que queremos que la gente vea y estudie.

John: Así que todas las personas empiezan a comportarse como si de partidos políticos se trataran.

Robin: Exactamente.

John: ¿Y qué hace el personal?

Robin: Ponemos nuestro granito de arena cuando nos apetece, para hacer algún comentario sobre el *proceso* que está teniendo lugar, sobre cómo todo el mundo se encierra en el seno de los subgrupos que he mencionado. Poco a poco, una comprensión creciente empieza a cambiar el proceso.

John: ¿En qué dirección?

Robin: Las personas empiezan a hablar por sí mismas, independientemente de la polarización de los subgrupos. Una vez que todo ha pasado, con frecuencia comentan que han tenido miedo antes de hablar y en el momento en que lo estaban haciendo, aunque sea lo que sea lo que hayan podido decir, el hecho de haber tenido la valentía de hacerlo es motivo de aceptación y admiración. Todos caen en la cuenta de que el miedo a hablar estaba basado en la fantasía oculta de que el grupo se mostraría hostil y los aniquilaría. En consecuencia, la experiencia de tener que enfrentarse al miedo les infunde una enorme confianza para dar su opinión delante de otros grupos. Cuando los espíritus más atrevidos empiezan a opinar y a mostrarse firmes ante el miedo a la desaprobación del grupo, dan ejemplo a los demás, los cuales cobran ánimo y acaban haciendo lo mismo. Siempre me ha asombrado lo grandes que son los cambios que se producen en los participantes.

John: ¿En qué medida tiene el personal que *controlar* el grupo?

Robin: Bueno, no vacilaríamos si tuviéramos que controlarlo con firmeza de ser necesario, aunque no recuerdo ninguna ocasión en la que nos viéramos obligados a hacerlo seriamente. La influencia más importante que podemos ejercer es el ejemplo que *nosotros* damos. Si los miembros del personal expresan sus opiniones con independencia de lo que el grupo formado por ellos pueda decir y muestran su desacuerdo con los demás en presencia de todos los participantes, por lo visto se da un ejemplo muy bueno que estos últimos toman en consideración y comienzan a imitar. Por otro lado, en un principio, cuando los miembros del personal se encontraban bastante nerviosos, tratábamos de presentar ante el curso un frente unido, algo que no funcionó demasiado bien, puesto que puso nerviosos a los participantes y no hubo lugar para un cambio positivo.

John: A ver si me aclaro. Los participantes en el ejercicio aprenden a hablar en público de un modo más individual y personal. La razón por la que superan un miedo tan profundamente condicionado como es éste –algo que todas las personas de tipo medio comparten– tiene dos aspectos: comprenden la forma en que la polarización acaba imperando, al observar su funcionamiento en un grupo grande; además, se los ayuda a prescindir del poder que dicha polarización ejerce con el ejemplo que dan las primeras personas que son lo bastante valientes como para hablar por sí mismas.

Robin: Eso es. Además hablamos de ello de tal forma que no sólo lo vean y hagan, sino para que piensen en ello y lo comprendan.

John: Entonces, volviendo al ámbito político, lo que quieres decir es que el requisito más importante es que las personas hablen por sí mismas, eviten polarizar sus opiniones y procuren no caer en el ritual de confrontación al que los partidos políticos recurren. ¿Crees realmente que esto podría dar resultado?

Robin: Creo que lo produciría con más facilidad de la que piensas. Al igual que ocurre con las familias y las organizaciones, los pequeños cambios pueden dar un gran resultado, *si* son los cambios correctos. Por tanto, es posible que sólo se requiera el que unas pocas personas hablen por sí mismas para que empiece la bola a rodar. Por ejemplo, acuérdate de las ocasiones en las que tú y yo hemos hablado juntos en presencia de un gran público formado por miembros de profesiones humanitarias. Pues bien, cada vez que lo hemos hecho, en una habitación llena de psiquiatras y asistentes sociales, me he quedado asombrado de ver cómo ciertas personas que sé que se muestran cautelosas e intranquilas ante la posibilidad de revelar problemas personales, se han abierto y han empezado a hablar sobre su pasado familiar, sus inquietudes y debilidades de una manera sorprendentemente franca. Y esto como resultado directo de tu intervención, del hecho de que hayas hablado claramente sobre ti mismo y hayas dado ejemplo. Como ves, ni siquiera te diste cuenta, puesto que no conocías a estas personas y, por lo tanto, no advertiste que su comportamiento era muy diferente al normal.

John: ...Bueno, no cabe duda de que logramos trabar unas conversaciones a tumba abierta, en las que la gente parece hablar con mayor sinceridad que en circunstancias normales. Pero no te olvides de algo. Antes de hablar ante un grupo de este tipo, me cuido mucho de que no haya nadie de la prensa poco seria en él. No sería capaz de hablar de esa manera si la prensa amarilla estuviera dispuesta a aprovecharse de un ambiente de confianza como ése.

Robin: No digo que la gente *aprendiese* a hacerlo en un foro político, como el Parlamento, de igual forma que tú tampoco elegirías la montaña más alta para aprender a esquiar.

John: Entonces, ¿dónde pueden aprender?

Robin: Bueno, el primer paso es reconocer que el problema estriba en lo que acabamos de decir.

John: ¿Y el segundo?

Robin: Ya te he hablado del curso de trabajo en grupo que hemos inaugurado. Ahora hay cursos similares que reproducen la misma dinámica en Gran Bretaña y por toda Europa. Este tipo de entendimiento tiene que extenderse de manera orgánica, como si fuera una semilla, aunque, de todas formas, ya se está empezando a incorporar al sistema educativo.

John: ¿En serio?

Robin: En serio.

John: Dios mío. Si cuando yo iba a la escuela, alguien hubiera sugerido que sustituyéramos una asignatura como trigonometría por una materia tan fácil, marginal y afeminada denominada «Cómo piensan, sienten y se comportan los seres humanos», la mayoría de los miembros del consejo escolar habrían pensado que los vándalos estaban al acecho.

Robin: Creo que te sorprendería ver la cantidad de escuelas británicas que van en esa dirección. Por ejemplo, desde 1985 el plan de estudios de todos los estudiantes de último año de Harrow incluye un curso sobre relaciones humanas, que, además de aportaciones más formales, contempla la asistencia al tipo de discusiones abiertas en grupo que nosotros empleamos, como parte de nuestro curso de trabajo en grupo que acabo de describir. La consejera que la escuela asignó para asesorar a los responsables en la organización del plan fue la señorita Win Roberts, que fue jefa del Departamento de Asistencia Social de la clínica de la que yo era director, y colaboró conmigo en el desarrollo de la terapia familiar en los años sesenta. Luego asistió al curso de trabajo en grupo, y la experiencia en Harrow está basada en él. Así que, de una u otra forma, los conocimientos sobre el funcionamiento sano de las familias y los grupos es ahora parte integral de la educación de todas las personas que pasan por Harrow. Hay otras escuelas privadas que, desde entonces, han empezado a desarrollar o han mostrado interés en experiencias de grupo similares. Harrow, por su parte, ha extendido su plan para dar entrada en él a tres escuelas locales para chicas. En este momento, el curso incluye treinta y tres grupos, cada uno de los cuales tiene ocho miembros –cuatro muchachos y cuatro muchachas– además del líder. Te tranquilizará saber, además, que uno de los miembros del consejo de la escuela es consejero en el curso y está muy interesado en ello.

John: Esto es realmente esperanzador. Si estas ideas se introducen en las principales corrientes de pensamiento, podrían en última instancia llegar a los políticos y los medios de comunicación. No me cabe la menor duda de que si la prensa recibiera su influencia, se notaría una diferencia crucial.

Robin: Bueno, como no hará falta que te diga, Harrow tiene en su alumnado a un buen número de futuros miembros del Parlamento y del Consejo de Ministros, así como de otros ámbitos de la sociedad. Así que, al menos, tendrán la clase de preparación por la que hemos estado abogando. De todas formas, tienes razón, si las personas que trabajan en los medios de comunicación disfrutaran de unas ventajas parecidas, el efecto sería crucial.

John: Entonces, en resumidas cuentas... *y por última vez en este libro.* Tú crees que si las personas hablan por sí mismas, se dará un gran paso para solucionar los problemas políticos y sociales *siempre* que lo que cada una de ellas diga esté basado en sus sentimientos personales y en su experiencia vital, incluso aquellos aspectos sobre los que tengan dudas, y *siempre* que sus preguntas tengan el propósito de profundizar en la comprensión del problema, y no de intentar convencer a los demás. Esto será posible *sobre todo* si entienden los principios de un funcionamiento sano.

Robin: Sí. Antes he dicho que la gente que se siente atraída por la política trata con frecuencia de cambiar a los demás. Hemos llegado a la conclusión de que ésta es una manera muy poco eficaz y saludable de ocuparse de las cuestiones públicas. Sin embargo, mi experiencia me dice que podemos intentar mejorar nuestra salud y hacer que nuestra vida nos sea más agradable. Esto puede dar como resultado una reacción en cadena en la gente con la que nos relacionamos directamente, influencia que se puede extender mucho más allá de lo que nos podamos imaginar. Ése ha sido, sin lugar a dudas, el efecto que ha tenido en todos los grupos que he observado, tras toda una vida de trabajo con ellos. Cuanto más grande sea el grupo, las ventajas se multiplicarán y acelerarán el crecimiento de los individuos que lo integren *siempre que los líderes, como todos los demás, sean capaces de afrontar sus propios defectos y traten además de mejorar su salud en vez de tratar de cambiar a los demás*. Por tanto, si cada uno de nosotros se concentra en cambiarse a sí mismo y en mejorar su salud, creo que toda la sociedad acabará beneficiándose de forma permanente.

John: Sé que tienes razón, pero no dejo de tener la impresión de que todo tiene... *muy poco alcance*. No puedo evitar pensar que deberíamos ser capaces de hacerlo mucho más rápido.

Robin: Te comprendo perfectamente. Pero si tomamos el conjunto de la sociedad, no hay ni una sola persona ni un solo grupo que tenga los suficientes conocimientos como para cambiar una cosa sin crear más problemas que los que soluciona. Un cambio artificial que tenga lugar por medio del uso del poder, sobre bases teóricas, sólo empeorará las cosas o las alterará de un modo tan artificial que no podrán sostenerse. Pero si cada uno de nosotros toma la responsabilidad de intentar abrirse a toda la información disponible y a considerar otros puntos de vista, y a que éstos lo afecten y lleguen a cambiarlo, ello traerá consigo cambios graduales en toda la sociedad; cambios que serán orgánicos y mucho más inteligentes que ninguno de los que un individuo pueda esperar alguna vez conseguir por sí solo. Entonces el cambio sí será conveniente, un compromiso justo con las circunstancias de ese momento, y una vez que se produzca será duradero.

John: Pero, sin duda, las personas pueden unirse para hacer juntas las cosas. Ferdinand Mount ha señalado recientemente los extraordinarios logros obtenidos por las organizaciones de voluntarios durante el siglo pasado, antes de que el Estado comenzara a invadir el campo de sus actividades.

Robin: Desde luego. A medida que los individuos cambien y crezcan en su capacidad de comprender, se unirán naturalmente sobre las bases de su interés común para aplicar lo que han aprendido. Así es como se desarrolla la comprensión entre familias y grupos y – si se me permite decirlo– es exactamente lo que nos ha llevado a escribir juntos este libro.

John: Bueno, supongo que lo que estás haciendo es darme ánimos... Que podemos mejorar la sociedad... un poquito. Y, por fin, la última pregunta. ¿Se puede esperar que lo hagamos mejor?

Robin: Según mi opinión, preguntar algo tan amplio como si es posible lograr una mejora continua de la vida humana es, en cierto modo, como preguntar si alguna vez vas a dejar de fregar los platos, de quitar el polvo o de arrancar las malas hierbas del jardín de una vez por todas y para siempre. O si, finalmente, vas a ganar en las carreras de coche, en el tenis o al ajedrez de un modo definitivo. O conquistar completamente la cima del Everest. ¿Qué harías después de esto? ¿Sentarte allá arriba para el resto de tus días? ¿Te dedicas a ver culebrones en vez de a participar en juegos? Todo estriba en hacer borrón y cuenta nueva en cada ocasión para volver a empezar de cero, puesto que lo interesante es el juego. En mi opinión la vida ha de tomarse de esta manera, como si fuera un juego en el hay que participar alegremente y del que sin lugar a dudas hay que disfrutar en la medida de lo posible.

John: Lo más curioso es que creo que ése es el talante que solían tener los ingleses antiguamente, de ahí que los franceses no dejaran de repetir que los tratábamos como si estuviéramos jugando. Me da la impresión de que ésa es una actitud profundamente sana: lo que importa no es el llegar, sino el viaje, lo cual me da la oportunidad de citar las «últimas palabras» que más me gustan, las que dijo una mujer inglesa de finales del siglo XVIII. A punto de expirar, esta mujer declaró: «Bueno, ha sido de lo *más* interesante».

Bibliografía

Una excelente introducción a gran parte de las investigaciones sobre familias sanas se encuentra en *Normal Family Processes* (Guilford, Nueva York, 1982), de F. Walsh. Los libros en torno al estudio de Timberlawn sobre las familias excepcionalmente sanas son *Nio Single Thread* (familias blancas de clase media), *The Long Struggle* (familias negras trabajadoras) y *The Birth of a Family* (el efecto del nacimiento de un niño en familias de diferentes niveles de salud), todos ellos de J. Lewis y otros autores (Brunner / Mazel, Nueva York, 1976, 1983 y 1989). Los resultados del estudio generalizado suelen dar la impresión de que las familias más sanas son demasiado perfectas, por lo que el capítulo titulado «Two Families» («Dos familias») en el mencionado *The Long Struggle* da una imagen pormenorizada de una familia excepcionalmente sana y de una familia disfuncional, lo cual permite poner de relieve los defectos de la primera y las diferencias entre ambas. *Successful Families* (Norton, Nueva York, 1990), de R. Beavers, el teórico más importante del grupo de Timberlawn, amplía las conclusiones y las aplica de forma práctica al tratamiento. La descripción de la investigación a largo plazo de los estudiantes de Harvard se halla en *Adaptation to Life* (Little, Brown, Boston, Mass., 1977), de G. Vaillant. *We Two* (Aquarian, Wellingborough, 1992), editado por R. Housden y C. Goodchild, es un estudio de ocho relaciones de pareja que han tenido éxito tal y como son vistas por los miembros de cada pareja por separado. El capítulo titulado «Frameworks for Viewing the Family as a System» («Marcos para ver a la familia como un sistema») en el libro de Robin Skynner *Explorations with Families* (Routledge, Londres, 1990), esboza la opinión del autor sobre el desarrollo de la familia normal e incluye un resumen tabular de la investigación de Timberlawn. Por otro lado, su primer texto, *One Flesh: Separate Persons* (Constable, Londres, 1976) llega a conclusiones parecidas sobre la salud, desde un punto de vista clínico.

Para profundizar en la comprensión del sentido del humor y la risa nos han servido de gran ayuda los siguientes libros: *The Expression Of The Emotions In Man And Animals* (Murray, Londres, 1904, edición popular) [*La expresión de las emociones en los animales y en el hombre* (Alianza, 1984)], de Charles Darwin; *The Attitude Theory of Emotion* (Johnson Reprint, Nueva York y Londres, 1968), de N. Bull; *The Act of Creation* (Hutchinson, Londres, 1964), de A. Koestler; *The Psychology of Laughter* (Gamut Press, Nueva York, 1963), de R. Piddington; *Laughter* (Johns Hopkins University Press, Baltimore, 1980) [*La risa* (Orbis, 1983)], de H. Bergson; y «The South Bank Show», entrevista de Melvyn Bragg a Arthur Miller. *Laugh After Laugh* (Headwaters, Filadelfia, 1978), de R. Moody y *The Healing Heart* (Norton, Nueva York, 1983), de N. Cousins describen el poder curativo del sentido del humor.

Corporation Man (Pelican, Londres, 1975) [*Hombre de empresa* (Destino, 1978)], de A. Jay y *Understanding Organizations* (Penguin, Londres, 1976), de C. Handy son buenas introducciones, así como, de este último, *Understanding Schools as Organizations* (Pelican, Londres, 1986). *Fifteen Thousand Hours* (Open Books, Wells, 1979), de M. Rutter y otros autores, es un informe de la investigación sobre las escuelas de éxito. *In Search of Excellence* (Warner, Nueva York, 1982) [*En busca de la excelencia* (Folio, 1986)] de T. Peters y R. Waterman, es un estudio sobre las empresas estadounidenses de éxito que logró vender un gran número de ejemplares, y *The Winning Streak* (Weindenfeld & Nicolson, Londres, 1984), de W. Goldsmith y D. Clutterbuck, es un estudio parecido sobre empresas británicas. *The Art of Japanese Management* (Penguin, Londres, 1982) [*El secreto de la técnica empresarial japonesa* (Grijalbo, 1983)], de R. Pascale y A. Athos, compara los métodos empresariales japoneses y estadounidenses. *Guide to the Management Gurus* (Business Books, Londres, 1991), de C. Kennedy, y *Makers of Management* (Papermac, Londres, 1990), de D. Clutterbuck y S. Crainer, ofrecen un conciso esbozo de las teorías empresariales y sus autores. Los informes de empresarios de éxito como *Don´t Ask The Price* (Weindenfeld & Nicolson, Londres, 1986), de M. Sieff de Marks & Spencer; *Making it Happen* (Fontana, Londres, 1989) y *Getting It Together* (Mandarin, Londres, 1992), de J. Harvey-Jones de ICI; y *Made In Japan* (Collins, Londres, 1987) [*Made in Japan* (Versal, 1987)], de A. Morita de Sony, aportan un punto de vista práctico a los fundamentos teóricos. *Practical Thinking* y *Handbook For A Positive Revolution* (Jonathan Cape, Londres, 1971; Viking, Londres, 1991), de E. de Bono, dan pie a un replanteamiento necesario; *Small Is Beautiful* (Abacus, Londres, 1976) [*Lo pequeño es hermoso* (Orbis, 1988)] y *Good Work* (Abacus, Londres, 1979) [*Buen trabajo* (Debate, 1980)], de F. Schumacher, son libros seminales que proponen un enfoque de la producción sostenible y que dan prioridad a los valores humanos.

The Human Cycle (Paladin, Londres, 1985), de Colin Turnbull, compara una serie de sociedades modernas y tradicionales y cómo preparan o fracasan en la preparación de jóvenes para desempeñar un papel adulto y responsable. Su estudio de los Ik, del que ofrecemos un resumen en nuestro libro, es *The Mountain People* (Paladin, Londres, 1984). Otras dos introducciones de primera calidad al estudio de las culturas son *Man On Earth* (Penguin, Londres, 1988), de J. Reader, y *Societies At Peace* (Routledge, Londres, 1989), de S. Howell y R. Willis. *Ancient Futures* (Rider, Londres, 1991), de H. Norberg-Hodge, y *A Journey in Ladakh* (Flamingo, Londres, 1984), de A. Harvey, captan con gran riqueza de detalles la saludable cultura de los ladakhis. *The Protestant Ethic and the Spirit of Capitalism* (Allen & Unwin, Londres, 1930) [*La ética protestante y el espíritu del capitalismo* (Orbis, 1988)], de Max Weber; *The Discovery of the Individual* (Universidad de Toronto, 1972), de C. Morris; *The Origins of English Individualism* (Blackwell, Oxford, 1978) y *The Culture of Capitalism* (Blackwell, Oxford, 1987), de A. MacFarlane; *Europe and the Rise of Capitalism* (Blackwell, Oxford, 1988), de J. Baechler y otros autores; y *The Fear of Freedom* (Kegan Paul, Londres, 1942) [*El miedo a la libertad* (Paidós Ibérica, 1989)], de Erich Fromm, rastrean el desarrollo de la ética individualista y el capitalismo. Los avances más modernos o progresistas de la sociedad occidental se exponen en *The Pathology of Power* (Norton, Nueva York, 1987), de N. Cousins; *The New Realities* (Heinemann, Londres, 1989) [*Las nuevas realidades* (Edhasa, 1990)], de P. Drucker; *The Age of Unreason* (Harvard Business School, 1989), de C. Handy; *The Next Century* (Morrow, Nueva York, 1991), de D. Halberstam; *The Disuniting of America* (Norton, Nueva York, 1992), de A. Schlesinger; *Amusing Ourselves to Death* (Methuen, Londres, 1987) [*Divertirse hasta morir* (Ed. La Tempestad, 1991)], de N. Postman; *The Culture of Contentment* (Houghton Mifflin, Boston, Mass., 1992) [*La cultura de la satisfacción* (Ariel, 1992)], de J. Galbraith; *Money and Class in America* (Picador, Londres, 1989), de L. Lapham; *Understanding the Present* (Picador, Londres, 1992), de B. Appleyard; *The Essential Anatomy of England* (Hodder & Stoughton, Londres, 1992), de A. Sampson; y *The End of Britain and the Last Man* (Hamish Hamilton, Londres, 1992) [*El fin de la historia y el último hombre* (Planeta, 1992)], de Francis Fukuyama.

Se pueden encontrar unos buenos resúmenes de la historia y la cultura japonesa en *The Japanese Mind* (Pan, Londres, 1984), de R. Christopher; *Inside Japan* (Sidgwick & Jackson, Londres, 1987), de P. Tasker; *The Japanese Achievement*

(Sidgwick & Jackson, Londres, 1990), de H. Cortazzi; y *More Like Us* (Houghton Mifflin, Boston, Mass., 1989), de J. Fallows. *The Anatomy of Dependence* y *The Anatomy of Self* (Kodansha, Tokio, Nueva York y San Francisco, 1973 y 1986), de Takeo Doi, uno de los psiquiatras japoneses más eminentes, son unos estudios con gran éxito de ventas sobre la psicología de los japoneses. Nos hemos valido en gran medida para informarnos de un trabajo de gran envergadura y percepción psicológica, *The Enigma of Japanese Power* (MacMillan, Londres, 1989), de K. van Wolferen, quien lleva viviendo en dicho país desde 1962; parte de sus averiguaciones no han sido del todo bien recibidas en Japón, si bien *The Sun Also Sets* (Simon & Schuster, Nueva York, 1989), de B. Emmott, que evalúa el futuro económico del Japón, está de acuerdo en líneas generales con ello, si se exceptúan las recomendaciones acerca de las relaciones entre Estados Unidos y Japón.

The Downwave (Pan, Londres, 1983), de R. Beckman, describe el largo ciclo económico (de «Kondrátiev»), mientras que sus consecuencias en la depresión de la década de los noventa están detalladas en *The Great Reckoning* (Sidgwick & Jackson, Londres, 1992), de D. Davidson y W. Rees-Mogg.

Buena parte de las mejores introducciones al tema de los sistemas de valores humanos se encuentran en *Myths To Live By* (Bantam, Londres, 1972), *An Open Life* (Larson, Nueva York, 1988) y *Transformations of Myth Through Time* (Harper & Row, Nueva York, 1990), todos ellos de J. Campbell; *The Road Less Travelled* (Arrow Books, Londres, 1990), de M. Scott Peck; *Ronald Eyre on the Long Search* (Collins, Londres, 1979), de Ronald Eyre. *The Varieties of Religious Experience* (Fontana, Londres, 1960) [*Las variaciones de la experiencia religiosa* (Ediciones 62, 1986)], de W. James; *The Human Situation* (Chatto & Windus, Londres, 1978) [*La situación humana* (Edhasa, 1980], de A. Huxley; *A Handbook of Living Religions* (Penguin, Londres, 1984), de J. Hinnells; y *The Pocket World Bible* (Routledge, Londres, 1948), de R. Ballou. Buenas introducciones a los enfoques «esotéricos» y «místicos» de la experiencia espiritual son *A Guide for the Perplexed* (Abacus, Londres, 1977) [*Guía para los perplejos* (Debate, 1986)], F. Schumacher; *The English Mystics* (Kyle Cathie, Londres, 1991), de K. Armstrong; *Water Into Wine* (Fount, Londres, 1985), de S. Verney; *The Second Penguin Krishnamurti Reader* (1970), ed. de M. Lutyens; y *The New Man* (Stuart & Richards, Londres, 1952) y *The Mark* (Vincent Stuart, Londres, 1954) de M. Nicoll.

Homo Ludens (Routledge, Londres, 1949) [*Homo Ludens* (Alianza, 1990)], de J. Huizinga, explora el significado de «juego». La experiencia del envejecimiento está descrita en *I Don´t Feel Old* (Oxford University Press, Oxford, 1990), de P. Thompson y otros autores, y *The View In Winter* (Allen Lane, Londres, 1979), de R. Blythe. *Death: The Final Stage of Growth* (Prentice-Hall, Londres, 1975), de E. Kübler-Ross, describe con claridad las diferentes etapas de adaptación. La mayoría de los libros en torno a la pérdida de un ser querido no distinguen entre las reacciones de los individuos más o menos sanos, aunque *Dimensions of Grief* (Jossey-Bass, San Francisco, 1986), de S. Schuchter, es excelente y tiene en cuenta las frecuentes experiencias del crecimiento psicológico. *Return From Death* (Routledge, Boston, Mass., 1985), de M. Grey, investiga las experiencias próximas a la muerte, y *The Human Encounter With Death* (Dutton, Nueva York, 1977), de S. Grof y J. Halifax, informa sobre las experiencias de los enfermos de cáncer bajo los efectos del LSD. *Cases of the Reincarnation Type* y *Children Who´ve Remembered Previous Lives* (University Press of Virginia, Charlottesville, 1987 los dos), de I. Stevenson, y *The Tibetan Book of Living and Dying* (Rider, Londres, 1992), de Sogyal Rinpoche examinan la evidencia de la reencarnación. Este último presenta el saber oriental acerca de la vida y la muerte, y los diferentes acercamientos a la meditación, de una manera fácilmente comprensible para el lector occidental.

The Discovery of the Unconscious (Allen Tate, Londres, 1970) [*El descubrimiento del inconsciente* (Gredos, 1976)], de H. Ellenberger, es una maravillosa descripción de los primeros avances de la psicología de mayor alcance en contraste con un fondo social y científico; *The Complex Secret of Brief Psychotherapy* (Norton, Nueva York, 1986), de J. Gustafson, amplía este tema hasta los avances más recientes; y *Awakening of the Heart* (Routledge, Londres, 1983), ed. por J. Wellwood, relaciona los enfoques orientales y occidentales de la terapia y el conocimiento de uno mismo. Los intentos de Robin Skynner por integrar los métodos familiares, grupales e individuales, y los enfoques sistemático, conductista y analítico se explican en *One Flesh: Separate Persons* y *Explorations with Families* así como también en nuestro libro *La Familia y comó sobrevivirla* todos los cuales ya se han mencionado más arriba e incluyen sugerencias para ampliar los conocimientos sobre la materia. Los conceptos de liderazgo y cambio son tratados en muchos de los libros sobre organizaciones ya mencionados, mientras que *Institutes and How To Survive Them* (Methuen, Londres, 1989; Routledge, Londres,1991) explica más pormenorizadamente las ideas de Robin Skynner, inclusive aquellas sobre la dirección constructiva de la dinámica de grupos grandes. El enfoque de la exploración de grupo que se ha mencionado la describe su autor, S. Foulkes, en *Group Psychotherapy: The Psycho-Analytic Approach* (Penguin, Londres, 1957) [*Psicoterapia grupo-analítica* (Gedisa, 1981)] y, más recientemente, en *The Evolution of Group Analysis* (Routledge, Londres, 1983), ed. por M. Pines. Las iniciativas voluntarias se examinan en *Clubbing Together* (W. H. Smith Contemporary Papers, núm 12), de F. Mount. El artículo sobre la aplicación de los principios de la terapia de grupo y de familia al debate político, «The Citizen Clinician: the Family Therapist in the Public Forum», de L. Chasin y otros autores, apareció en *Newsletter of the American Family Therapy Academy*, núm. 46, invierno 1991, página 36, y el estudio continúa en el *Public Conversations Project, Family Institute of Cambridge*, 51, Kondazian Street, Watertown MA 02172, Estados Unidos.